DE ZIJDEKONING

Eerder verschenen van Francine Mathews:

Terreurgroep 30 april

Francine Mathews

De zijdekoning

Van Holkema & Warendorf

Oorspronkelijke titel: *The Secret Agent*
Oorspronkelijke uitgave: Bantam Books
© 2002 Francine Mathews

© 2003 Nederlandstalige uitgave:
Uitgeverij Unieboek bv
Postbus 97, 3990 DB Houten

www.francinemathews.com
www.unieboek.nl

Vertaling: Corrie van den Berg
Omslagontwerp en Digital Artwork: Hans van den Oord
Opmaak: ZetSpiegel, Best

ISBN 90 269 8297 6 / NUGI 332

Met liefde opgedragen aan wijlen Kay Fanning
— schrijfster, avonturierster en Legendarische Amerikaanse — die eens met
Jim Thompson dineerde in het huis aan de khlong

Proloog

De laatste afspraak

Rose Cottage, Cameron-hoogland van Malakka, 26 maart 1967

Hij had zich nooit iets van hitte aangetrokken.

Thuis in Bangkok achtte hij airconditioners beneden zijn waardigheid en dwong hij zijn huisbediende 's avonds te koken op een houtskoolbrander, waarvan de vlammen als flikkerende messen op diens glanzende lijf weerschenen. Overdag, als de zon op zijn heetst was, liep hij met soepele tred door de zinderende straten in zijn zijden kostuum dat goed om zijn slanke lijf aansloot. Zijn gezicht was diep gebruind van de uren die hij in een stoel bij het zwembad van de Royal Sports Club doorbracht, zijn voorhoofd diep gegroefd van het tegen de zon in turen.

In Bangkok had hij veel bijnamen: de Zijdekoning, de Boss, de Legendarische Amerikaan. Onverschrokken types noemden hem Spion en Duivel. De verhalen en leugens die zich in twintig jaar tijd rond zijn persoon hadden opgestapeld, hadden zijn leven een mythische dimensie verleend; hij kocht en verkocht hele dorpen, speelde de gulle gastheer voor buitenlanders die in Zuidoost-Azië verzeild raakten, diende ambassadeurs en hofpotentaten van advies, droogde de tranen van naar liefde hunkerende vrouwen. In Bangkok werd van het begin af achter zijn rug om gefluisterd; de namen die men hem gaf waren stuk voor stuk afgeleiden van hetzelfde woord: *macht*. Dit beviel hem aan Siam, zoals hij ook genoot van de stank van de kanalen, of *khlongs*, en van het kwikzilverachtige gevoel van tussen zijn vingers doorglijdende ruwe zijde: Siam was meedogenloos, Siam bekommerde zich slechts om wie uit de Rivier der Koningen was voortgekomen, Siam had alleen ontzag voor geheimen en voor de macht die in geheimen lag opgesloten.

Hij was een man die met geld alles kon kopen wat hij wilde. Maar voor geheimen werd met bloed betaald en om die reden was hij eraan verslingerd.

Deze middag, alleen in de heerlijke stilte die is voorbehouden aan wie wakker blijft terwijl alle anderen slapen, zat hij op het terras met een sigaret in zijn rusteloze vingers. Zijn dokter had hem met klem aangeraden met roken te stoppen — maar hij was de zestig gepasseerd en had de afgelopen dagen te veel verloren om nog meer op te geven.

De zon scheen maar af en toe. Op deze hoogte, achttienhonderd meter boven de Maleisische kust, was het kil. Hij huiverde even, sloot zijn ogen en dacht aan hete moessons — aan vochtige hitte, aan stenen waar geurige damp van afsloeg. Aan natte huid, glanzend in het licht van een tuinfakkel. Aan haar hoofd, als een slang oprijzend uit het smerige water van de khlong...

Hij wierp de sigaret weg in een brandende boog.

Eindelijk was hij alleen na een hele hoop gedoe: het Paasontbijt, de dienst in de anglicaanse kerk van Tanah Rata, de picknick op een afgelegen helling. Hij wist dat hij door zijn jachtige manier van doen bevreemding had gewekt bij de anderen – hij had hen tijdens het picknicken aangespoord snel door te eten, de borden en glazen ingepakt zodra de laatste restjes waren weggewerkt en hen zonder een woord van uitleg teruggedreven naar de auto. Had zijn onhoffelijke gedrag soms iets te maken met zijn gevorderde leeftijd? Of was hij niet meer zo goed in zijn vak? Hij stond stijf van de zenuwen, zijn oren gespitst, zweet parelend op zijn voorhoofd – hij, die zich nooit iets van hitte had aangetrokken.

Zijn vakmanschap en talenten hadden hem tot hier gebracht. En verder zou hij er niet mee komen.

Hij keek op zijn horloge. Het was tijd om op te staan en zijn stoel achteruit te schuiven, tijd om doelbewust het grindpad af te lopen in de richting van een man die hij in jaren niet gezien had. Het zou hem zelfs vergeven kunnen worden als hij hem niet herkende. Het was de allerlaatste mogelijkheid tot een ontmoeting. Hij had de route eerder op de dag nog geïnspecteerd, en geweigerd met de auto naar de kerk te gaan, maar zich weer bij de anderen gevoegd aan het eind van de weg die zich om de golfbaan slingerde. Hij zou nu niets anders meenemen dan het koffertje dat hij uit Bangkok had meegebracht – dit koffertje, plus alle doodsverlangen of doodsangst die twee decennia lang zijn leven in Azië had bepaald.

Zijn ogen vernauwden zich in het schemerlicht tot spleetjes. De weg lag er verlaten bij, alles en iedereen sliep. Hij begon te lopen.

Later zouden ze toegeven dat ze hem hadden horen weggaan. De jonge vrouw die hij uit Bangkok had meegenomen woelde rusteloos in haar slaap, haar arm uitgestrekt als in een dans. Mogelijk vormden haar lippen zijn naam.

Ze sliep door.

Deel 1

Max

1

Het Oriental Hotel hartje Bangkok roept een overdaad aan herinneringen op aan het verleden. Aan de tijd toen toeristen nog echte reizigers waren, toen hutkoffers per *longtail*-boot over de Chao Phraya, de Rivier der Koningen, werden aangevoerd, toen stoïcijnse schrijvers en avonturiers uit de Aziatische jungle kwamen opduiken om in de Bamboebar sterke verhalen uit te wisselen. In de jaren twintig van de vorige eeuw bezweek Somerset Maugham hier bijna aan koorts en lag Joseph Conrad, ten prooi aan slapeloosheid, te woelen op een van zweet doordrenkt veldbed. En Hemingway logeerde hier ook. Je zou denken dat hij een heel legioen stevig zuipende vrouwen achter de klapdeuren had verleid, maar schijnbaar was dat niet het geval. Tijdens de Tweede Wereldoorlog bewaarden de inwoners van Bangkok behoedzaam afstand van het hotel, dat onder de Japanse bezetting een angstaanjagend oord was geworden. En nadat Thailand in september 1945 voor de geallieerden had gecapituleerd, werden in het Oriental Amerikaanse en Britse officieren ondergebracht.

De geallieerde militairen moeten zich echt thuis hebben gevoeld tussen de openslaande deuren en de gazons die afliepen naar de gezwollen, bruingekleurde rivier. Aan de voet van de palmbomen bloeiden orchideeën even uitbundig als Engelse viooltjes; het gefluit van de bootverhuurders, dat over het water werd aangedragen, klonk als leeuwerikenzang. Onder de luchtstroom van de elektrische waaiers aan het plafond lieten de officieren zich vollopen met gin en Pimms, zwoegend op brieven aan vrouwen die ze in geen jaren hadden gezien. Ze waanden zich overwinnaars, al hadden ze geen schot gelost.

Dit is de magie van Thailand, en ook die van het hotel: een gast het gevoel geven dat hij thuis is, zonder hem op wat voor manier dan ook te laten merken dat hij in werkelijkheid allesbehalve een gast is. Zoals elk zichzelf respecterend hotel is het Oriental een oord waar men publiekelijk de schijn dient op te houden. Van de mensen die er binnen wandelen wordt verwacht dat ze zich weten te gedragen. Het recht om binnen te treden in de historie verkrijgt men niet zomaar; distinctie is een eerste vereiste. Korte broeken en rugzakken – zo kenmerkend voor nooddruftige toeristen die snakken naar een uurtje rust en airconditioning – zijn ten strengste verboden in de grote hal van het Oriental.

Stefani Fogg had al eerder in het hotel gelogeerd. Ze had de kledingvoorschriften die op een keurig bordje naast de draaideur aan de voorkant vermeld stonden gelezen. Maar ze was er de vrouw niet naar om zich elk moment te verontschuldigen, en zeker niet tegenover het personeel. Dus hees ze haar rugzak wat hoger op haar schouder en zwaaide haar lange blote benen uit de taxi.

'Nogmaals welkom in het Oriental, mevrouw Fogg,' zei de portier, een diepe buiging makend over zijn tegen elkaar geplaatste geheven handen heen.

Ze nam het takje jasmijn dat hij haar aanreikte aan en hield het bij haar gezicht. De geur was moeilijk te omschrijven — een essence van vroegtijdig bederf. Ze gaf de portier een knikje, betaalde de chauffeur en liep met statige tred naar binnen.

Misschien was ze zich bewust van de ogen die haar volgden terwijl ze over het smetteloze tapijt schreed. Als dat zo was schonk ze er geen aandacht aan. Ze keek ook niet naar de hoge ramen, de kwistig met zijde beklede stoelen, de imposante bloemstukken met lelies, de vier personeelsleden in successie die bogen toen ze langskwam. Ze negeerde de man met het krachtige postuur en het glimmende zwarte haar, die naarstig zijn krant zat door te kijken achter een bureau dat tegenover de tijdschriftenkiosk stond, ook al was hij de enige persoon in de lobby die net deed alsof hij haar niet opmerkte en er dus eigenlijk een belletje bij haar had moeten gaan rinkelen. Stefani was te moe om zich ergens om te bekommeren. Haar stramme schouders en tot een smalle streep vertrokken mond wezen maar op één ding: uitputting. De hele afgelopen week had ze slecht geslapen, de laatste tweeënzeventig uur zelfs helemaal niet.

'Meneer Rewadee,' zei ze bij wijze van begroeting tegen het hoofd van de gastenservice. Haar stem klonk rafelig als versleten touw. De rugzak gleed van haar schouder op het hoogpolige tapijt onder haar voeten.

'Mevrouw Fogg! Fijn u weer terug te zien in het Oriental.'

Aan dit zinnetje — of talloze variaties op hetzelfde thema — kon ze onmogelijk ontsnappen nu ze zich weer op de oevers van de Chao Phraya vertoonde. Maar ze mocht Rewadee wel, met zijn keurige marineblauwe pak, zijn schitterende zijden das en zijn gladde spitse vingers; dus verborg ze haar irritatie en dwong zich tot een glimlach, alsof haar kleren niet schimmelig roken en haar voeten niet aan een dringende wasbeurt toe waren.

Er verschenen rimpels bij de paarsig bruine ogen van het hoofd van de klantenservice en hij stak vermanend zijn vinger in de lucht. 'U had voor drie dagen geleden gereserveerd. We maakten ons al bijna zorgen. We hadden het er zelfs over naar New York te bellen.'

'Het spijt me. Ik zat vast in Vietnam. Door een overstroming.'

'Ik had geen idee dat daar problemen waren. Een tyfoon?'

'Ja,' zei ze kortaf. 'Is mijn kamer er nog?'

'Natuurlijk. Voor ú...'

Rewadee wuifde vagelijk in de lucht, als wilde hij mogelijke twijfel verjagen of, wie weet, de bedorven lucht die haar kleren uitwasemden. 'Ik zal u persoonlijk naar de Tuinvleugel begeleiden.'

Hij kwam achter de balie vandaan, bukte zich om behoedzaam haar rugzak te pakken, die hij tot de hoogte van zijn middel optilde, als was het een vis die om onverklaarbare redenen aan zijn vislijn was komen vast te zitten. Stefani protesteerde niet. De spanning die haar tot dan toe overeind had gehouden, begon uit haar weg te vloeien in de naar jasmijn geurende atmosfeer en de gedempte rust voortgebracht door het zachte tapijt. Ze liep achter Rewadee aan zonder ook maar een keer achterom te kijken.

De gespierde man achter het bureau vouwde zijn krant zorgvuldig op terwijl hij hen nakeek.

De regen was begonnen op de achtste dag dat ze in Vietnam was, toen ze de Mekong-delta achter zich had gelaten en noordwaarts verder reisde langs de kust. Vóór Saigon was ze in Vientiane geweest, in het achterland van Laos, met zijn eeuwenoude handelsroutes die vroeger tussen Birma en Angkor Vat liepen en die ten behoeve van het kapitalisme met veel pijn en moeite waren terugveroverd op guerrillastrijders en drugshandelaren. Het was precies zeven weken na haar laatste verblijf in Bangkok, zeven weken van natte moesson, niet de beste tijd van het jaar om te reizen dus. In Vietnam en Laos doen ze niet aan weerberichten. Voorspellingen vinden hun basis in wat men hoopt, niet in wetenschap. Stefani had geleerd af te gaan op hoe de lucht tegen haar wangen voelde en op de kleur van de wolken aan de hemel, en zo een schatting te maken van de hoeveelheid te verwachten neerslag, zoals mensen al duizenden jaren gedaan hadden. Het ene moment zweette ze zich suf onder een broeierig hete zon, het volgende was er een wolkbreuk en roffelde de regen neer.

Even ten zuiden van Hoi An hoosde het. Door het raampje van de auto staarde ze naar de eindeloze rijstvelden, naar het zwellende regenwater tegen de dijken waarin de plaatselijke boeren hun doden begroeven, de stenen gedenktekens die zich massief en vierkant verhieven tussen de tere stengels groen. Er liep maar een hoofdweg langs de kust van Vietnam, een strook macadam die zich argeloos als een strop tussen de spitse toppen en over de hellende vlakten van het Truong Son-gebergte slingerde. De Zuid-Chinese Zee kroop op over de witte reep strand en stroomde uit over de weg; het zeewater kwam tot aan de wieldoppen van haar gehuurde Mercedes. De neus van de auto boorde zich een weg door de wemeling van fietstaxi's en scooters, als een haai met een stompe snuit; woedende fietsers sloegen met hun vuisten tegen de raampjes terwijl ze passeerden.

Na Da Nang reden ze nog verder, Stefani en haar Vietnamese chauffeur, door het water dat de kustweg overspoelde, tot het als een ceremoniële fontein van hun bumpers afspoot en de smaragdgroene rijstvelden helemaal waren ondergelopen. Toen ze over de Hai Van-pas afdaalden naar

Hue, de oude Vietnamese hoofdstad, was het pikdonker en zat de chauffeur voortdurend te vloeken.

Voor de receptiebalie van het Morin Hotel kabbelde het water in een trage stroom – de hele benedenverdieping van het Century was al ondergelopen – en terwijl ze daar op het doorweekte tapijt stond te kijken naar het water dat van de plafondtegels drupte en neergutste over de treden van de grote trap in de hal, arriveerden de eerste vluchtelingen per boot.

Hierop liet Stefani de oevers van de Parfumrivier voor wat ze waren en begaf zich naar het hoger gelegen huis van een man die ze kende, een chirurg van het ziekenhuis van Hue. Hoewel het al bijna middernacht was, stond Pho voor zijn huis toen ze aankwam, terwijl zijn vrouw en vier kinderen druk in de weer waren op het platte dak van de woning, die alleen een benedenverdieping had. Ze hadden een afdak weten te maken van geteerd zeildoek (groen doek afkomstig van het Amerikaanse leger) en hadden het grootste deel van hun bezittingen er al onder opgestapeld. Stefani stapte uit en hielp een mand met kippen het dak op hijsen.

Haar chauffeur zette haar rugzak op een ligstoel van kunststof en ploeterde de heuvel af in de ondergelopen Mercedes, waarna hij zich oploste in de vergetelheid.

'Eet u rijst met ons mee?' Pho sprak haperend maar wel goed Engels: als dertienjarige jongen was hij soldaat geweest in het Zuid-Vietnamese leger.

'Het zou me een eer zijn,' antwoordde Stefani.

Pho's vrouw kookte regenwater op een petroleumstel en de volgende vijf dagen aten ze rijst – rijst en de paar eieren die de ruziënde kippen legden – terwijl de Parfumrivier bezit nam van de keizerstad. Ze zaten afgesneden van alles op een eilandje, zonder boot, en de rivier bleef maar stijgen.

Die eerste nacht sliepen ze geen van allen. Pho's vrouw bond haar jongste kind stevig tegen de vochtige huid van haar borst en wiegde het onophoudelijk, gehurkt onder het tentdoek. Stefani liep rondjes langs de rand van het dak en kwam tot het besef dat de wereld was ingekrompen tot vierentwintig vierkante meter. De volgende dag zagen ze hoe de huizen van de minder gelukkigen die beneden hen woonden werden meegesleurd door het water. Dozen, rotzooi, een hele vloot van dode katten. Pho's buren schreeuwden met schrille stem vanaf de andere daken, ze wisselden geruchten en nieuws uit en vergeleken hun voedselvoorraden. De kinderen kibbelden en visten zonder succes naar de dode katten. Stefani probeerde met haar mobiele telefoon te bellen en kwam tot de ontdekking dat de batterij leeg was. Later die middag peddelden boten, afgeladen met mensen die dakloos waren geworden, tussen de kruinen van de bomen.

Ze speurde de hemel af naar helikopters, maar zag niets dan lagen grauwe wolken. Ze werd langzamerhand gek van het geluid van de regen, die op het tinnen dak onder haar voeten kletterde. Er kwamen geen helikopters. Het water reikte inmiddels tot niet meer dan een halve meter onder de rand van het dak, en de regen hield niet op. Ze moest vechten tegen de aandrang om als een rat van het zinkende huis te springen.

Een palmboom in Pho's voortuin diende als meetpunt voor de stijging van het water. Bij het begin van de overstroming stond de stam zo'n zestig centimeter onder water. Om zeven minuten voor drie op de ochtend van de derde dag, toen de tyfoon op zijn hoogtepunt was, scheen ze met een flakkerende zaklamp op de heen en weer zwaaiende palm en schatte dat er nog eens tweeënhalve meter onder water was verdwenen. Eenendertig uur later, toen het water nog maar een decimeter van de rand van Pho's dak verwijderd was, ging de gestage regen in motregen over en begon het water te zakken. Stefani dacht aan de Ark van Noach, aan duiven, en aan ander voedsel dan in regenwater gekookte rijst. Toen de begane grond van het huis dertien uur later droog begon te vallen hielp ze Pho de stinkende modder en drie verdronken kippen uit zijn huis vegen terwijl zijn vrouw wierook brandde voor de riviergod.

Die middag waadde Pho naar de marktplaats in de open lucht, waar hij groenten en petroleum kocht. Stefani ging met hem mee, klotsend door water dat tot aan haar dijen reikte, en probeerde niet aan slangen te denken. Ze zag schoenverkopers modder uit damespumps en herengympen schudden; ze zag straatventers leuren met poncho's; ze zag toeristen de ravage filmen met in plastic zakken gehulde videocamera's. De lijken van de verdronkenen begonnen naar de oppervlakte te komen. Kinderen verkochten kauwgum en ondernemende fietstaxibestuurders lieten journalisten tien dollar per persoon betalen voor het bekijken van de lijken.

Later drukte ze Pho tweehonderdzes dollar — al het contante geld dat ze had — in de hand en hees haar rugzak op haar schouders.

Ze veroverde een plekje in een bus en reisde met een slakkengang terug naar het zuiden, naar Da Nang, de enige plaats in de wijde omgeving die een vliegveld bezat met een startbaan die geschikt was voor grote vliegtuigen en waarvandaan rechtstreekse vluchten naar Bangkok werden gemaakt. Normaal gesproken duurde de trip drie uur, nu bracht ze maar liefst tien verstikkende uren in de bus door. Op de smalle hoofdweg stond het water nog steeds bijna een meter hoog. Rechts zag ze hier en daar de spoorlijn; hele stukken rails waren losgeslagen en bungelden erbij. Volgens de verhalen zaten passagiers al dagen vast in overvolle gestrande treinen.

'Het is niet de suite die u anders altijd hebt,' zei meneer Rewadee nu terwijl hij de deur opengooide, 'maar hij is even comfortabel. Ik heb een fles Bombay Sapphire en flesjes tonic in de bar gezet en ook voor limoenen gezorgd.'

De suite bestond uit vier kamers op twee niveaus; er was een ontbijtgedeelte bij de zachtgroene sofa. Boven, aan het eind van een korte trap, bevonden zich de slaapkamer en de met teakhout afgewerkte badkamer. In een porseleinen schaal glansden kumquats oranje op. Ze wist inmiddels dat zeven mensen het op een oppervlak van vierentwintig vierkante meter dagenlang met elkaar konden uithouden. Misschien moest ze heel Bangkok hier maar eens uitnodigen voor een feestje.

'Meneer Krane heeft een aantal malen gebeld,' merkte Rewadee tactisch op. 'Ik stel NewYork met het grootste genoegen op de hoogte van uw aankomst als u dat...'

'Ik heb een maand geleden twee koffers achtergelaten bij de receptie.'

Meneer Rewadee boog.

'Het liefst wil ik dat die meteen gebracht worden. En ook een cheeseburger en een flesje bier. En kunt u voor vanmiddag een massage voor me regelen?'

Een wand van het vertrek bestond geheel uit glas. Stefani trok de gordijnen van ruwe zijde open, zag de *longtail*-boten door de Rivier der Koningen ploegen – en liet haar voorhoofd tegen het raam rusten. Daar zat ze nu echt op te wachten. Uitzicht op het water.

'Welkom terug in het Oriental, mevrouw Fogg.' Haar persoonlijke butler hield haar een zilveren dienblad voor met een glas sinaasappelsap en een exemplaar van *The NewYork Times*.

Stefani Fogg was negenendertig jaar oud. Ze had een tenger postuur, waardoor iedereen dacht dat ze een zwak poppetje was. Ze was een aantrekkelijke vrouw met het gezicht van een elfje. Net als haar lijf leek dat gezicht ervoor gemaakt om mensen zand in de ogen te strooien. Onder haar inktzwarte krullen keken haar ogen taxerend en schrander de wereld in.

'Wharton,' had Oliver Krane gemompeld toen ze zeven maanden geleden aan de lunch zaten in de hoofdvestiging van zijn bedrijf in Manhattan. 'En daarvoor Stanford. Ik zie jou wel voor me in Californië, Stef – maar in *Philadelphia*?' Hij hoefde niet in zijn papieren te kijken, het was zijn gewoonte zich alles wat hij maar wilde in het hoofd te prenten. Het allerveiligste inlichtingennetwerk ter wereld, zo placht Oliver Krane te zeggen, was het menselijk brein – gesteld dat het op de juiste manier gebruikt werd. 'Iconoclast. Je hebt aan het Lauder Institute gestudeerd in plaats van gewoon bedrijfskunde aan Harvard te doen. Dat spreekt me aan, jij bewandelt niet de geijkte paden. Je spreekt Duits, heb ik begrepen. Maar je voorkeur gaat uit naar Italiaans.'

Ze haalde haar schouders op. 'Betere wijn.'

'Jammer dat je niet ook nog een mondje Russisch spreekt. Of Chinees.'

'Ja, maar dan had ik nog heel wat meer in mijn mars moeten hebben, Oliver.'

'Onzin,' reageerde hij scherp. 'Je beheert zelfstandig een fonds voor een van de grootste beleggingsmaatschappijen en hebt daar in vijf jaar tijd zevenentachtig procent winst behaald. Dus heb je meer dan genoeg in je mars.' Hij keek haar door zijn bril met schildpadmontuur dreigend aan. 'Ik wil dat jij bij Krane komt werken, Stefanie, en ik durf te wedden dat ik je een voorstel ga doen dat je niet zult afslaan.'

'Dat is je werk toch ook? Voorspellen hoe iets gaat uitpakken?'

Oliver had uiteraard de nodige inlichtingen verzameld; hij wist precies hoe Stefani's financiële vlag erbij hing. Ze had een vermogen van tegen de elf miljoen dollar, belegd in verschillende fondsen; ze bezat een achtkamerflat aan Central Park, een vakantiehuis in Edgartown en een optrekje in het wintersportgebied Deer Valley. Hij wist ongetwijfeld dat ze haar huidige baan niet alleen maar zou opgeven om nog meer geld te verdienen. Ze bulkte al jaren van het geld: geld verveelde haar.

De wanden van de kleine eetkamer waren bekleed met kobaltblauw fluweel. Op de esdoornhouten vloer, in het midden van de kamer, stond alleen een tafel, waar ze aan zaten. Het uitzicht vanaf de drieënvijftigste verdieping werd belemmerd door gordijnen van zuivere zijde, die voor het oog leken te bewegen als zeewater; ze hingen er ongetwijfeld om Olivers elektronische snufjes af te schermen.

Hij had haar vergast op sushi en aan tafel bereide tempura, een uitgebreid assortiment verse groenten en een glas Screaming Eagle. Nadat ze bedankt had voor een flan van passievruchten als dessert, leunde de president-directeur van de firma over de tafel naar voren en begon een aantal dingen op te sommen, met een stem als van een BBC-commentator, al moest de origine ervan hoogstwaarschijnlijk in een Londense achterbuurt gezocht worden.

'Om te beginnen: Stefani Fogg privé. Pleegt zichzelf een slimme maar oppervlakkige meid te noemen. Onbezorgd opgegroeid in Larchmont, Princeton, Menlo Park. Vader scheikundig onderzoeker en veearts. Door en door hippe moeder. Een snuggere tante, onze Stef, maar ze heeft er grote moeite mee zich op wat voor manier dan ook te binden. Geen teerbeminde voor haar, geen kinderen, nog niet eens een klein wit hondje om haar tapijt onder te plassen. Beoordeelt mannen naar hun spierballen, niet naar hun verstand – legt het wel eens aan met een fitnessinstructeur, barman of armlastige muzikant, maar haar relaties houden nooit langer dan vier maanden stand.

Wordt vaak bewonderend uitgemaakt voor "teringwijf". Vrij vertaald betekent het dat ze zich bedient van alle smerige trucjes die een vrouw moet uithalen om zich in de mannenwereld staande te houden. Rusteloos, ongeduldig, meedogenloos, ambitieus. Enige zwakheid: zo roekeloos als wat. Tweehonderd jaar geleden zou ze als heks op de brandstapel zijn beland.

Ten tweede: volgens de geruchten zou Stefani Fogg vorig jaar het aanbod om president-directeur van FundMarket International te worden, dat haar op een presenteerblaadje werd aangereikt, hebben afgeslagen. Insiders snappen hier geen bal van.

Ten derde: Stefani Fogg zou op de nominatie staan om financieel directeur te worden bij ten minste drie grote multinationals, die haar echter geen van alle aan de haak hebben weten te slaan. Insiders slaan steil achterover.

Punt vier: Galileo Emerging Tech – het fonds dat Stefani Fogg beheert bij FundMarket – heeft de afgelopen drie weken bijna zesenzeventig procent van zijn marktwaarde verloren. Binnen en buiten FundMarket is een geweldige geruchtenstroom op gang gekomen: Fogg heeft het niet meer, Fogg heeft zitten slapen, Fogg vliegt er dinsdag aanstaande uit. Insiders weer helemaal blij.'

Hij leunde weer achterover en keek haar tevreden aan. 'Heb ik iets overgeslagen?'

'Wat Galileo aangaat...' Ze liet de Screaming Eagle in haar glas walsen. 'De technologiemarkt is heel onstabiel, Oliver. Als je flinke winsten wilt behalen, moet je grote risico's nemen. Soms betekent dat verlies op de korte termijn.'

'Tot nog niet zo lang geleden lukte het je om fantastische resultaten te boeken. Wat is er de afgelopen weken dan aan de hand?'

Ze gaf geen antwoord.

'Ik heb wel een idee, krullenbol. Ik zal maar niet de moeite nemen je te vragen of je wilt horen wat ik denk.'

'Ach, je hebt me op een lunch getrakteerd. Ik heb best nog wel een paar minuutjes voor je over.'

'Stefani Fogg verveelt zich te pletter en snakt naar een verzetje,' opperde hij. 'Galileo gaat eraan omdat het Stefani geen lor meer interesseert. Stel dat ik haar op het dievenpad zou sturen of haar een snel vliegtuig zou aanbieden om naar een verlaten eiland te vliegen? Ze zou niet weten hoe snel ze daar ja op moest zeggen. Elke kans op avontuur zou ze met beide handen aangrijpen, mits er maar genoeg risico aan vastzit. Ze heeft al eens met de gedachte gespeeld de boel elektronisch op te lichten of haar eigen dood in scène te zetten, of vermomd als kat een kraak te zetten bij Tiffany's – maar ja, wat zoiets zou opleveren loont nooit de moeite. Onze Stef weet namelijk heel goed dat je je behoorlijk in de nesten kunt werken als je je op het criminele pad begeeft, hoe *séduisant* dat ook is. Er zitten nogal lastige kanten aan. Je kunt de politie op je dak krijgen. Voor je het weet raak je verzeild in een territoriumoorlog tussen boevenkoningen van wie je nog nooit gehoord hebt, potentaten van het soort dat zich pijlsnel beledigd voelt. En dus loop je kans op verminking of een akelige openbare executie. Onze Stef zou het liefst een veel hoger spel spelen. Iets uitdagenders, iets waar ze al haar talenten voor nodig heeft. Heb ik gelijk? Heb ik de spijker op zijn kop geslagen, *bèng?*'

Ze zat hem roerloos aan te kijken. Hij was een man van tegen de vijftig die goedmoedig oogde; hij was slank, stak in een ruimvallend pak van grijze wol – niet licht en niet donker – en zijn blonde haar was aan zijn slapen kort, maar hing in zwierige lokken over zijn voorhoofd. Zijn karamelkleurige ogen gingen gedeeltelijk schuil achter zijn bril met schildpadmontuur. Hij had beslist iets katachtigs, je kon als het ware zijn staart zien trillen terwijl hij haar opnam. Hij had zich echt goed voorbereid.

'Dus jij beschikt over een middel tegen verveling, Oliver? Denk je heus dat je mij iets kunt bieden waar ik op zit te wachten?'

'Een hoop lol en intriges, verspreid over zes continenten,' antwoordde hij prompt. 'Een goedgevulde bankrekening waar je altijd geld van af kunt halen om onkosten te dekken, zonder dat je die hoeft te verantwoorden. Advies van het hoofdkwartier wanneer je er maar om vraagt, maar je houdt je handen vrij. Niemand die je op je vingers tikt of stiekem manipuleert. Instructies die niet op papier staan. Een handjevol cliënten. Voldoende aanmoediging. Een directe telefoonverbinding met mij, dag en nacht. Je neemt beslissingen zoals het jou goeddunkt, zoals je gevoel dicteert. Verpozing in exotische oorden, wanneer je maar wilt, hoe lang je maar wilt. Mácht.'

'Om wat te doen?'

'Om schoften op hun eigen terrein te verslaan. Dat is veel en veel leuker dan zelf een schoft worden. Spioneren en verleiden, machtige instanties naar je hand zetten, alles met het nobele doel de handel te beschermen. Met jouw talenten en jouw hersens, Stef, kun je je eigen dossier schrijven.'

'Maar waarom ik, Oliver? Waarom een teringwijf dat zulke bedroevende resultaten aflevert?'

'Omdat ze jou niet in de smiezen zullen hebben, lieve schat,' antwoordde hij bedaard. 'Jij zou voor mij een echte goudmijn kunnen zijn. Slim, chic, en zo verveeld door je eigen rijkdom dat je onmogelijk corrupt kunt zijn. Je zult je tanden al in de keel van schavuiten hebben gezet voordat ze je geur zelfs maar hebben kunnen opsnuiven.' Zijn geelbruine ogen tastten brutaal haar gezicht af. 'En een bijkomend voordeel is dat ik kan ontkennen dat je voor mij werkt, troeteltje. In de grote zakenwereld hebben we nooit iets met elkaar te maken gehad. Ik bied je geen kantoorbaan aan, met je eigen plastic naambordje op je deur. Ik wil je helemaal niet op Wall Street hebben. Ik wil dat je één lange vakantie houdt en her en der op aarde wat rondlummelt.'

'Anonimiteit en carte blanche,' zei ze dromerig. 'Een koorddansact zonder vangnet. Als het misgaat, sta ik er in mijn eentje voor.'

'Anders is het toch ook geen uitdaging?'

Er viel een stilte.

'Zeg geen nee tegen me voordat je er heel lang over hebt nagedacht,' zei

21

Oliver. 'Het zou niet voor het eerst zijn dat een vrouw zoiets deed, ik geef het toe, maar op jou ben ik bereid te wachten.'

'Tot Galileo het loodje heeft gelegd?'

Hij glimlachte en drukte op een onzichtbaar knopje onder de tafel. Binnen twee seconden verscheen er een ober, die geluidloos naderbij kwam.

'Het glamourbestaan ken je onderhand wel, krullenbol.' Oliver klonk zoetgevooisd. 'En je portie Wall Street-harken met snelle wagens en slappe piemels heb je ook wel gehad. Je bent toe aan wat echte spanning en avontuur. Niet dan? Geef het maar toe.'

Krane & Associates was gespecialiseerd in een discipline die bekendstond als risicomanagement. Wie niet beter wist dacht dat het om een beveiligingsbedrijf ging; en wie niet meer wist wat te doen als bepaalde zaken vies uit de hand dreigden te lopen nam contact met ze op. Krane voorzag in alle gebruikelijke beveiligingsmaatregelen voor bedrijven, zoals lijfwachten, gepantserde auto's, interne bewakingsapparatuur en Internetinterceptors. Maar dit was feitelijk niet meer dan gedoe in de marge, dat Oliver Krane reserveerde voor mensen die verder geen benul hadden. Kranes werkelijke kracht – die de firma talrijke cliënten van de Forbes-lijst had bezorgd – was dat hij meer dan wie ook van wat dan ook wist. Hij had ogen en oren in Jakarta, Sjanghai, Hampstead en Miami, hij verkocht informatie aan de hoogste bieders in Hongkong en Dubai. Oliver onderzocht privé-vliegtuigen op geavanceerde afluisterapparatuur, deed drugstests en leugendetectortests bij onbetrouwbaar geachte werknemers, haalde informatie van computerdiscs waarvan was aangenomen dat ze gewist waren en wist frauduleuze praktijken van zelfs de respectabelste ondernemingen boven water te krijgen.

Oliver maakte foto's van verre woestijnen vanaf privé-platforms in de ruimte. Oliver volgde wapentransporten via grijze netwerken. Hij kon luisteren naar vrijpartijen op een afstand van drieduizend kilometer en deed dat soms ook. Als je hem zesendertig uur de tijd gaf, kon Oliver je precies vertellen welke geheimen je concurrenten van je trouwste personeelsleden hadden gekocht en wat ze ervoor betaald hadden.

Het motto van zijn firma wond er geen doekjes om: 'Krane. Omdat wat niet weet deert.' Hij stond aan het hoofd van wat in wezen een superieure inlichtingendienst was, die publiekelijk zaken deed aan de New York Stock Exchange.

Hij wist geduld op te brengen, zoals Stefani de volgende paar weken merkte. Hij stuurde haar exotische boeketten in kunstzinnige glazen vazen, vergezeld van kaartjes met scherpe teksten, geen ervan gesigneerd. Hij stuurde haar enveloppen met krantenknipsels en transcripties van via mobiele telefoons gevoerde gesprekken en interne accountantsonderzoeken. Hij stuurde haar foto's van dubieuze personen en een aantal cryptische aanwijzingen die ze kon gebruiken voor het onderzoek dat zij op haar beurt naar zijn privé-leven had ingesteld. Roddels, lokmiddeltjes en hints waaraan ze geen weerstand kon bieden. Hij deed ze haar echter nooit rechtstreeks toekomen. Ze doken op op de zitting van een taxi die ze net had aangehouden, of zaten gevouwen in haar ochtendkrant. Eens kreeg ze zelfs een spreadsheet aangereikt samen met haar oesters in de oude bar bij het Grand Central Station. Ze wist dat ze gevolgd werd; iemand observeren was voor Oliver Krane kinderspel. Ze vond het een opwindende gedachte. Het was prettig te bedenken dat iemand toekeek bij alles wat ze deed. Bij het aankleden 's ochtends begon ze al rekening te houden met Oliver.

Veelzeggender was dat ze de positie van Krane op de aandelenmarkt begon bij te houden, alsof ze erover dacht er iets mee te gaan doen voor Galileo. Ze vergeleek zijn bedrijf met de paar concurrenten op het terrein van risicomanagement die ze op de markt kon vinden. Ze maakte een studie van de hiërarchie in Kranes firma en de kansen van vrouwen om erin op te klimmen; ze haalde informatie uit on-line databanken over de meest sensationele zaken die Krane onder handen had gehad; ze zocht uit wat voor processen er tegen de firma waren aangespannen. En wat ze ten slotte ook nog deed was een oude vriend die ze van Wharton kende uitnodigen voor een etentje. Darryl Bainbridge was iemand die ze respecteerde — hij had een eigen beleggingsmaatschappij met cliënten die miljarden aan vermogen bezaten. Hij had Krane het jaar ervoor ingeschakeld om de elektronische zwendelaar onder het handjevol makelaars dat bij hem werkte te ontmaskeren.

Toen ze Bainbridge vroeg wat hij van Krane & Associates vond, hield hij zijn hoofd schuin en antwoordde vervolgens: 'Het best bewaarde geheim in de Verenigde Staten, maar dat zal niet lang meer duren. Koop aandelen zoveel je kan — maar praat er niet over.'

Oliver Kranes aanpak was onorthodox. Als ze zich niet zo onrustig had gevoeld, zou ze zich misschien hebben afgevraagd waarom. Krane achtervolgde haar op een manier die haar belangstelling onvermijdelijk wekte: hij prikkelde en plaagde haar, hij wisselde aanvallen af met schijnbewegingen. Vier keer per dag keek ze speurend de straat af, staande in de immense granieten entree van FundMarket International, sigaretten rokend die ze eigenlijk niet wilde. Niets van wat ze op kantoor aantrof was maar half zo interessant als wat opeens in de handen van een straatventer kon opduiken.

De elfde dag na hun lunch onder vier ogen was er contact in de vorm van een exemplaar van het tijdschrift *Ski* en de Michelin-gids voor de Franse Alpen. Bij het hoofdstuk over Courchevel zat een helroze Post-it-papiertje geplakt.

'Dit is nu echt iets voor jou, troeteltje.'

Olivers kriebelige handschrift.

Op het glossy omslag stoof een skiër over een steile helling omlaag, het lichaam ineengedoken. Achter hem verrees als een muur een massa zwart graniet, bepoederd met een laagje wit. Stefani fronste. Ze had genoeg geskied – in Deer Valley, Gstaad en Kicking Horse – om te weten dat ze naar een professionele sportman keek, die ook nog eens beroemd was.

Max Roderick.

Hij had goud en bewondering geoogst tijdens drie Olympische Spelen in de afgelopen twintig jaar. Hij stond bekend als iemand die van Wereldbekerhellingen afsuisde met wat ware doodsverachting leek, maar in werkelijkheid pure berekening was met een uiterst minieme foutenmarge. De media vonden het geweldig zoals hij met starre schouders slalompoortjes opzettelijk aantikte en bochten nam in een houding zo gekromd dat ieder ander ervan doormidden zou breken. Ze klopten zijn moeiteloze stijl en elegantie op en zouden hem het liefst op een voetstuk plaatsen. Maar Roderick maakte op beschaafde wijze duidelijk dat het hem geen moer uitmaakte of ze hem volgden met hun camera's of niet. Hij liet Beaver Creek en het Amerikaanse skiteam in de steek en ging naar Oostenrijk om daar in zijn eentje te trainen. Hij gaf maar weinig interviews. Als hij op een van de twee continenten achter vrouwen aan zat deed hij dat op plekken waar de persmuskieten hem niet konden vinden. Hij dronk vrijwel geen alcohol en ging altijd vroeg naar bed. En uiteindelijk kregen de media genoeg van Max Roderick – van zijn zwijgzaamheid en discipline waar ze niks van snapten – hoewel hij de ene zege na de andere bleef behalen.

Stefani bladerde het tijdschrift door. 'Doorgewinterde skiër pompt kennis in handel die zich in een dal bevindt…' Roderick had zijn carrière beëindigd en woonde inmiddels in Courchevel, een befaamd skioord niet ver van Albertville, waar hij in 1992 Olympisch goud had gewonnen. Hij ontwierp geavanceerde ski's voor een bekende Franse fabriek.

Ze bestudeerde de foto van zijn gezicht, genomen in het saai-grijze licht van februari, dat kleuren in elkaar liet vloeien waardoor de scherpe lijnen van beenderen en landschap des te scherper uitkwamen. Het leverde een bijna tastbare intensiteit op: heldere, doordringende ogen met bij de hoeken diepe rimpels van jaren tegen de zon in kijken. Helblond haar dat warrig onder een skihelm vandaan piepte. Een diepbruine, tanige huid. Het was een knap gezicht – van iemand die pijn had gekend, maar zich daar niets van had aangetrokken en stug door was gegaan.

Nogal wiedes dat de media gek van hem waren. Haar type was hij echter niet direct. Eenzelvige mannen maakten haar nerveus.

Beoordeelt mannen blijkbaar op hun spierballen, niet op hun verstand…

Ze gooide het tijdschrift in de prullenbak.

Twee uur later belde ze Oliver Krane op zijn privé-nummer en nodigde zichzelf uit voor een etentje.

In haar prachtige suite in het Oriental liet Stefani Fogg haar smerige lijf nu in een heet bad zakken, zo heet zelfs dat haar gezicht vertrok. Haar eerste bad sinds bijna een week. Ze sloot haar ogen tegen de bijtende eucalyptusdampen en gaf zich over aan dit ogenblik van weerloosheid... en aan haar herinneringen.

2

'Wat is er met Max Roderick aan de hand, Oliver?'

Het diner op die avond vroeg in de lente, inmiddels zes maanden geleden, bestond uit een Indonesische afhaalmaaltijd, geserveerd op een met linnen gedekte smeedijzeren tafel in de ommuurde tuin van een herenhuis van vier verdiepingen in de stad. Stefani betwijfelde of Oliver hier echt woonde – nergens binnen viel ook maar iets persoonlijks als foto's of tijdschriften met een adresetiket te ontdekken – maar hij bewoog zich met zoveel gemak van de keuken naar het terras en vice versa dat hij het huis in ieder geval goed moest kennen. Ze stelde zich zo voor dat hij een hele ris privéonderkomens bij toerbeurt aandeed, zoals een andere man misschien een ris minnaressen afwerkte; en ja, de meest in het oog lopende van deze verblijven zouden echtgenotes en hele gezinnen kunnen herbergen zonder dat er sprake hoefde te zijn van een duidelijke connectie met Oliver.

In de afgelopen vijf dagen was ze tot de slotsom gekomen dat Oliver Kranes leven opzettelijk zo was ingericht dat er geen vat op te krijgen was: vrijwel geheel aan het zicht onttrokken door de uiterst aantrekkelijke camouflage. Het onderzoek naar zijn achtergrond en financiën had tegenstrijdige versies opgeleverd. Zo zou hij in Londen geboren zijn en een doodgewone openbare school hebben bezocht voordat hij in Oxford rechten ging studeren; maar volgens een ander verhaal heette hij ooit Czenowski en had de KGB hem in zijn jonge jaren willen ronselen; haar favoriete versie luidde dat hij als vondeling bij een katholiek weeshuis was achtergelaten en van zakkenroller in Bombay was opgeklommen tot heroïnedealer in Hongkong. In de verhalen over Oliver bespeurde Stefani iets van de angsten en dromen die hem bezighielden.

'Een paar weken geleden belandde Max Roderick van het ene moment op het andere in een akelig moordscenario,' vertelde Oliver terwijl ze aan de zoetzure mango begonnen. 'Onze Max was in Genève om een reclamepraatje over ski's tegen de Zwitsers te houden en rara, op een ochtend ligt er opeens een knap jong ding in zijn bed, gewurgd. Het was een Thais barmeisje uit de hoerenbuurt, niet ouder dan vijftien. Max bezweert dat hij het meisje nog nooit eerder heeft gezien en geen idee heeft hoe haar lijk in zijn kamer is beland.'

'Maar ze lag in zijn béd.'

'In een string met lovertjes nog wel,' beaamde Krane, terwijl hij satéstokjes als verbrande offergaven op een lichtgroen bord schikte. 'Toen Roderick om tien over zes die ochtend in bad stapte, was er nog geen gewurgd jong ding waar ze niet hoorde, maar toen hij tien minuten later met een handdoek om de kamer betrad lag ze daar in al haar glorie. Prachtige haren, prachtige huid. Ik heb de foto's gezien. Diep tragisch.'

'En hij beweert dat iemand hem een loer heeft gedraaid? Dat iemand anders haar heeft vermoord? Geloof jij hem?'

'Ik geloof niets dat ik niet zelf bewezen heb gezien. En ja, dat geldt ook voor het bestaan van God, wat Pascal ook beweerd mag hebben.'

'Maar is Roderick iemand om een hoer mee te nemen? Of te vermoorden?'

Oliver haalde zijn schouders op. 'Behalve het geblabla van paparazzi weet ik nauwelijks iets van die man. Max woont op zichzelf – de laatste vrouw in zijn leven heeft hem twee jaar geleden van de ene op de andere dag laten zitten en heeft via de rechter schadeloosstelling geëist. Niemand is haar opgevolgd. Het verhaal wil ook dat Max een mentale klap heeft gekregen toen hij zich niet wist te plaatsen voor de Olympische Spelen van '98 – en dat hij sinds die tijd met zijn ziel onder zijn arm loopt. Fysiek is hij zeker in staat een jong meisje te wurgen. Maar of hij in emotioneel opzicht zoiets zou kunnen...'

'Heb je hem ontmoet?'

'Eén keer.'

'En?'

'Hij is heel aantrekkelijk, maar heel erg op zijn hoede – hij is gewend mensen op afstand te houden. En dus valt het niet mee om hoogte van hem te krijgen. Maar...'

'Ja?'

'Hij kwam op mij over als... als iemand met een obsessie.'

'Wat voor obsessie?'

Oliver schudde het hoofd. 'Dat is het 'm nu juist, pop. Ik kan er de vinger niet op leggen.'

'Hebben ze hem in Genève gearresteerd voor de moord?'

'Nee. Zijn privé-raadsman – een ouwe vriend van hem uit het Wereldbekercircuit, ene Jeffrey Knetsch – heeft gezorgd dat de smeerboel keurig werd opgeruimd en het hele geval door de Zwitserse politie als een geweldig misverstand werd voorgesteld. Max mocht de kuierlatten nemen, schoongewassen van elke blaam. Waar heb je anders vrienden voor?'

'Ik kan niet geloven dat de Zwitserse politie met zich laat sollen.'

'Dat is ook niet zo,' gaf Oliver onmiddellijk toe. 'Ze erkenden dat er bepaalde... eigenaardigheden aan de zaak kleefden. Zelfs Max stelt met klem dat de deur naar zijn slaapkamer op slot zat toen hij die ochtend ging douchen, wat in tegenspraak lijkt met zijn bewering dat hij onschuldig is; maar iedereen die maar een beetje handig is had wel iets kunnen verzinnen om de elektronische code te omzeilen.'

'Is dat wat Max beweert?'

'Dat deed zijn advocaat. Ik zal je niet vermoeien met alle heisa die dit allemaal gaf in het hotel en met het onderzoek dat verricht is. Je hoeft alleen maar te weten dat de Zwitserse politie latexafdrukken van de nek van het meisje heeft gemaakt en geen vingerafdrukken heeft aangetroffen. Haar moordenaar droeg handschoenen. In Rodericks kamer waren nergens handschoenen te vinden. De politie gaat ervan uit dat als Max zich van de handschoenen heeft ontdaan, hij ook wel het lijk zou hebben weggewerkt. Maakt niet uit dat het een wat groter is dan het ander; de liftkoker naast zijn kamer zou heel geschikt zijn geweest. En waarom zou hij de moeite hebben genomen het op een crime passionnel te laten lijken als die handschoenen volstrekt niet in dat plaatje passen? Als Max zo'n koude kikker was dat hij de moord op de hoer gepland had, waarom zou hij dan vervolgens zijn hoofd verliezen en het lijk de volgende ochtend in zijn kamer ontdekken? Warrig gedoe toch? Daar kunnen Zwitsers helemaal niet tegen.'

'Iemand van het hotel moet haar binnen hebben zien komen.'

'De dienstlift,' reageerde hij prompt. 'Personeel dat zich laat betalen om een oogje dicht te knijpen. In het holst van de nacht. Waarschijnlijk was ze al dood toen ze op een ontbijtkarretje over de gang werd gereden.'

'Kunnen ze Roderick met de bar waar het meisje werkte in verband brengen?'

'Uiteraard. Rodericks Zwitserse klanten namen hem daarheen mee om na het zakelijke gedeelte van de dag nog wat lol te trappen. Maar na een uurtje werd Max het zat en ging terug naar zijn hotel. Einde verhaal – althans van Max' versie ervan.'

'Oliver... Als Max het meisje niet heeft vermoord, wie dan wel?'

Hij keek haar uilachtig aan. 'Je gaat me toch niet vertellen dat je de boot gaat missen, krullenbol! Wil je FundMarket niet naar de kelder sturen en bij Krane aan boord komen?'

'Het verhaal interesseert me gewoon, verder niet.'

'Ho, ho, daar neem ik geen genoegen mee, troeteltje van me. We gaan met elkaar in zee of je kunt opstappen.'

Ze wreef een korianderblaadje fijn tussen haar duim en wijsvinger. Een doordringende geur, half peper, half verregend asfalt. 'Stel dat ik het plan had om...'

'Ik ga ervan uit dat we daarom hier zo knusjes met z'n tweeën zitten te eten.'

'Zou ik me dan met Roderick moeten bezighouden?'

Hij hief zijn ogen ten hemel. 'Heb ik soms beweerd dat de man van enig belang is voor mijn firma? Krane houdt zich nooit ofte nimmer met moord bezig. Althans niet van de persoonlijke soort.'

'Maar is het wel moord waar het om draait?'

'In één keer goed, Stef. Heb je wel eens in zo'n jachthut in de Schotse

Hooglanden gezeten? Gewandeld langs een loch? Op zalm gevist? Fazanten verschalkt?'

'Nee. Waarom?'

'Nou, ik dacht dat een jagerspak je wel zou staan, dat is alles.'

'Oliver...'

Zijn ogen kregen een onschuldige, bijkans engelachtige uitdrukking.

'Je hebt me het blad *Ski* gestuurd, Oliver. Dit was nu echt iets voor mij, schreef je erbij.'

'Een leuk blaadje voor op de wc, lief ding, verder niets.' Hij groef in de zak van het meeneemrestaurant en haalde er een stapeltje papier en een zwarte pen uit. 'Zo, als je nu even wilt tekenen op de stippeltjeslijn...'

Stefani fronste. 'Een contract? Dat lijkt me op de een of andere manier...'

'Te bindend? Roerend archaïsch?'

'Ik verwachtte zoiets als een printje van mijn stempatroon. Of een in mijn hoofdhuid aangebrachte chip.'

'Dat komt allemaal nog wel,' zei hij op sussende toon. 'Ik ben dol op contracten, lief ding. Papier heeft op de een of andere manier iets van historie – de Inns of Court, de Magna Carta en zo. De Engelse bourgeoisie richt haar leeuwenkop altijd weer op, hoeveel geld er ook in Italiaanse maatkostuums wordt gestoken. En trouwens, de loonadministratie stáát op een contract. Heeft blijkbaar iets te maken met de belastingdienst of zo. Je nummer van de sociale verzekering graag.'

'Dat weet je allang,' antwoordde ze op spottende toon.

'Ja, maar ik wil het in jóúw handschrift,' zei hij. Hij kwam de keuken uit met alweer een blad met voedsel. Fluitend.

Ze keek het contract door. Uit het eigenaardige taalgebruik leidde ze af dat Oliver het zelf had opgesteld. Ze kreeg ongelimiteerde toegang (via Oliver) tot de verbijsterende massa beveiligingsmiddelen van Krane zonder dat er in het openbaar ooit sprake zou zijn van enige onderlinge connectie, tot aan het moment waarop zij en Oliver gezamenlijk zouden afspreken bekend te maken dat ze voor zijn firma werkte. Haar salaris, een bescheiden anderhalf miljoen dollar per jaar, zou in maandelijkse termijnen worden overgemaakt naar de bankrekeningen die zij opgaf. Oliver had besloten haar precies een half miljoen meer te betalen dan haar salaris exclusief bonussen bij FundMarket, merkte ze wrokkig op. Haar dienstverband kon met onmiddellijke ingang verbroken worden wanneer hij dat wenste, waarna ze nog een jaar salaris zou ontvangen. Hij deed zijn woord gestand, hij gaf haar genoeg vrijheid en genoeg touw om zichzelf meerdere malen aan op te knopen.

'Wat jij wilt is een spion,' mompelde ze toen hij met een glas wijn kwam aandragen. 'Of niet soms?'

'Mijn hartje, ik heb ondervonden dat je, als je uitmuntend werk aflevert, niet ontkomt aan een zekere faam. Ik doe mijn werk te goed. Het doen en laten van mijn mensen wordt door een hele menigte gluiperds en engerds gevolgd. Voor deze klus heb ik iemand nodig die geheel en al clean is.'

'Omdat een hoertje dood in Max Rodericks bed is gevonden?'

Hij gaf geen antwoord.

'Wie heeft jou ingeschakeld, Oliver? Zijn het de Zwitsers? Of is het Roderick zelf?'

'Pak die pen, krullenbol,' zei hij vleiend. 'Het papier.'

'Denk je dat ik alles wat ik de afgelopen vier jaar bij FundMarket heb opgebouwd zomaar de rug toekeer? Gewoon wegloop, alsof het niets is?' Ze knipte met haar vingers onder Olivers neus.

'Nee,' gaf hij toe. 'Volgens mij zet je het op een rennen.'

'Je hebt wel een hoge dunk van jezelf.'

Hij floot weer, liet lucht tussen zijn tanden door sissen. 'Ik zag dat je oogappel Galileo nog verder is weggezakt in het NASDAQ-moeras.'

Galileo. Galileo kwam haar de strot uit.

Stefani schroefde de dop van de pen en krabbelde haar naam onder het contract. Verveling was de enige zonde die ze zichzelf nooit vergaf. 'Vertel me nu dan maar wie je heeft ingehuurd.'

'De Thaise regering volgens mij.' Oliver zei het weifelend. 'Maar met die Thai weet je het nooit. Het zijn bedrieglijke snuiters. En maar glimlachen.'

'Maar die maken zich toch zeker niet druk om een prostituee die op een ander continent is vermoord?'

'Zeker niet als zij of mensen die ze hebben ingehuurd mogelijk verantwoordelijk zijn voor die moord,' vulde hij peinzend aan.

Ze keek op toen hij dat zei. 'Jouw cliënten? Denk je dat de Thaise regering Roderick in de nesten heeft willen werken? Wat heeft een Amerikaanse skiër die in Frankrijk woont in godesnaam te maken met Thailand?'

'Dat vroeg ik Max dus ook toen hij me twee dagen geleden belde. Ook hij heeft besloten Krane in te schakelen, zie je. Of jóú, liever gezegd.'

Er voer een plotselinge rilling door haar heen. Van opwinding? Of van angst? 'Omdat ik net niet hetzelfde ben als Krane?'

'Nog niet, nee,' stemde Oliver monter in, 'en laten we hopen dat de Thai ook nooit ontdekken hoe het precies zit.'

'Wat wordt er dan van mij verwacht?'

'Dat je een groot fortuin veiligstelt. Volgens Max heeft hij daar recht op. De Thai denken daar anders over.'

'En ze hebben jou ingehuurd om te bewijzen dat zij gelijk hebben?'

'Exact. Forensische naspeuringen. Hier en daar wat smeergeld.'

Haar schrandere ogen namen hem onderzoekend op. 'Word je ook betaald om Roderick op andere gedachten te brengen?'

Oliver maakte een gebaar van afkeer en zette zijn bril recht op zijn neus.

'Ik ben geen boef, mop, al bedien ik me bij gelegenheid wel van boeventuig. Voor het ogenblik heb ik besloten me van jóú te bedienen.'

'Denk jij dat ik Roderick zo ver kan krijgen dat hij zijn skispulletjes pakt en braaf naar Frankrijk teruggaat?'

'Integendeel! Ik hoop dat je hem tot aan de afgrond volgt.'

Ze gaf Oliver de gelegenheid een niet misse hoeveelheid Indonesische curry weg te werken – en te babbelen over Venetië, de handel in kunst in Stockholm en zijn favoriete jachthaven in Bitter End – terwijl de hemel boven hen verduisterde tot marineblauw en de eerste zwoele lentewind de dode bladeren deed ritselen. Het geraas van het verkeer drong van buiten het ingesloten terras door als een enorme kloppende ader. Stefani trok een zijden trui om haar schouders en warmde haar vingers bij de vlam van de kaars. Oliver schonk haar voor de derde keer wijn in.

'Wat voor fortuin is het waarop onze skikampioen jacht maakt?'

'Een Zuidoost-Aziatische kunstcollectie van onschatbare waarde, die op het ogenblik is ondergebracht in het mooiste museum dat Bangkok rijk is. Ik zou eraan kunnen toevoegen dat dit kleine museum ook in het geding is.'

'En waarom heeft Roderick er zijn zinnen op gezet?'

'Heeft schijnbaar iets met bloedverwantschap van doen.' Zijn kalme blik was gefixeerd op de hare. 'Weet je iets af van vriend Max? Buiten het geblabla dat in de skiwereld de ronde doet, bedoel ik?'

'Je zou me niet hebben gevraagd als ik vooraf al bepaalde ideeën over de hele toestand had.'

Oliver zuchtte. 'Je bent slimmer dan goed voor je is. Natuurlijk wist ik wel dat je de man niet kende. Hij is jouw type niet.'

Ze haalde haar schouders op.

'Niettemin heeft hij een eigenaardig soort aantrekkingskracht. In zijn zelfverkozen isolement straalt hij een onverbiddelijke perfectie uit, hij is als de noordkant van de Eiger voor een lid van de arische jeugdbeweging: hij vraagt erom bedwongen te worden. Schitterende spieren. Geef het maar toe, Stef, je zou zo je stijgijzers willen onderbinden om hem te beklimmen.'

'Bepaal je tot het fortuin, Oliver.'

'Max Roderick is de laatste telg uit een geslacht van nogal roekeloze kerels, die er een handje van hadden op een rare manier aan hun einde te komen. Zijn vader, Rory, voerde bombardementsvluchten uit boven Noord-Vietnam en stierf in het Hanoi Hilton. Zijn grootvader was een heuse legende in Zuidoost-Azië – een avonturier en potentaat, een ruige bink met een geweldige uitstraling. Jack Roderick. Tijdens de Tweede Wereldoorlog werd hij getraind door de Amerikaanse inlichtingendienst en in 1945 vestigde hij zich voorgoed in Bangkok.'

Stefani's ogen vernauwden zich. 'Wat ging hij daar dan doen?'

'Leiding geven aan agenten voor de Amerikaanse inlichtingendienst,' antwoordde Oliver achteloos. 'Jack Roderick was vlak na de oorlog hoofd van de CIA in Bangkok. Raakte in no time verslingerd aan de mensen daar, het eten, de khlongs. Kwam een paar jaar later tot God en ruilde de spionnen in voor Thaise zijde – hij wordt gezien als de man die de aloude Thaise zijde-industrie nieuw leven inblies. Hij richtte een eigen bedrijf op, Jack Roderick Silk, dat ook nu nog over de hele wereld grote bekendheid geniet. Werd er rijk van. Zo'n twintig jaar lang kocht of stal hij alle Khmer-antiek waar hij aan kon komen en zette er zijn huis mee vol. Dat huis op zich is al een antiek pronkstuk. Hij had het via de rivier vanuit de oude hoofdstad Ayutthaya laten overbrengen. Toen hij op een dag verdween zonder een spoor na te laten, nam de Thaise regering al zijn bezittingen in beslag.'

'Hij verdween?'

'Hij loste op als rook,' bevestigde Oliver. 'Jack Roderick was op vakantie in het Cameron-hoogland, een oude post van de Britten in de bergen van Malakka, ging daar tegen borreltijd een eindje wandelen, helemaal in z'n eentje, en keerde niet meer terug. Zijn lichaam is nooit gevonden.'

Opnieuw voer er een rilling – van angst, van opwinding – door haar heen. 'Wanneer was dat?'

'In 1967, met Pasen.'

'Toen de Vietnamoorlog in alle hevigheid woedde.'

'Vanuit Hanoi kwam twee weken na Rodericks verdwijning het bericht dat zijn zoon Rory dood was. Er zou geen verband bestaan tussen de twee gebeurtenissen.'

'En al zijn eigendommen werden in beslag genomen?'

'De Thaise regering stelt dat het altijd Rodericks bedoeling was geweest zijn persoonlijke collectie na te laten aan de bevolking van Thailand. Blijkbaar had hij het daar heel vaak over gehad. In zijn testament – of moet ik zeggen: zijn éérste testament – staat dat ook.' Oliver lachte. 'Ze zijn er in Bangkok apetrots op dat ze Rodericks huis en tuin in stand hebben gehouden – de hele donderse mikmak, tot aan de boeken op zijn nachtkastje aan toe – precies zoals alles was toen hij in '67 verdween. Jack Rodericks huis is inmiddels een van de grootste toeristische trekpleisters.'

'En wat wil zijn kleinzoon precies? Eist hij financiële genoegdoening? Of wil hij de collectie terug?'

'Onze Max wil alles, troeteltje. Dat is zijn uitgangspunt. Hij wil alles wat zijn opa bezat terug, met rente. Max beweert namelijk dat hij Jacks tweede testament heeft gevonden. Nog niet zo lang geleden. Volgens dit testament gaat alles naar Rodericks erfgenamen, en volgens juristen is het een deugdelijk testament.'

Ze slaakte een lange zucht. 'Vandaar die Thaise prostituee in Max' hotelkamer in Genève. Een waarschuwing van jouw Thaise cliënten: Laat de zaak rusten, grote sportheld, of je zult wat meemaken.'

'Als we Max' versie van het hele verhaal geloven,' merkte Oliver bedaard op. 'En dat weet ik nog niet zo zeker.'

'Waarom zou een stelletje Amerikaanse juristen de Thaise regering de stuipen op het lijf jagen, vijfendertig jaar na de verdwijning van Jack Roderick?'

'Weet ik het? Dat is niet mijn pakkie-an, maar het jouwe, zoetelief.' Hij zat zijn eetstokjes te bestuderen.

Stefani gooide het laatste beetje wijn naar binnen. 'Jij praat over je cliënten alsof het een soort collectief is. Maar over wie heb je het nu precies?'

'Dat', zei Oliver, 'kan ik je niet vertellen. Wat niet weet, wat niet deert. Hoe minder ik je vertel, hoe beter dat voor ons allemaal is.'

'Dus je laat me als tegenstrever van Krane & Associates aan het werk gaan, zonder enige ervaring op het terrein en op basis van beperkte informatie?'

'Je bent niet de *vijand*, Stefani. Jij stort je gewoon op de ene kant van deze pikante kwestie, terwijl ik me met de andere kant bemoei. En weet je, van ervaring wordt over het algemeen veel te veel een punt gemaakt.'

'Ik zou wel gek zijn als ik hieraan begon.'

'Je zit er al middenin.' Een vingertop streek over haar wang, vluchtig als een wespensteek.

3

Krane & Associates ensceneerde het einde van haar carrière in de financiële wereld. Dat was onderdeel van de dekmantel waaronder ze zich zou verschuilen: de volledige ineenstorting van het leven dat ze tot dan toe geleid had, het einde van Stefani Fogg zoals Wall Street haar kende.

'Ik heb Max beloofd dat je binnen een week naar Courchevel komt,' zei Oliver Krane peinzend. 'Dus hebben we maar heel weinig tijd. Ik vrees dat het maandag zal moeten gebeuren.'

Stefani verscheen die bewuste maandag behoorlijk laat op haar werk en besteedde nauwelijks enige aandacht aan het miljardenfonds dat ze geacht werd te beheren. Ze hing een hele tijd aan de telefoon met vriendinnen en ging vervolgens uitgebreid lunchen. Ze verscheen niet op een afspraak met cliënten, maar ging winkelen bij Bergdorf's. Oliver had het over Schotland gehad en ze vond dat ze wel een paar laarzen kon gebruiken.

Twee uur later kwam ze terug op kantoor met een astrakan jas, vier paar schoenen en een aan haar pols bungelende hoedendoos. Sterling Hayes, president-directeur van FundMarket International, wachtte haar op.

'Stefani.'

Ze had altijd een afkeer van Hayes gehad, niet eens in de eerste plaats om zijn kadaverachtige trekken, maar vooral om zijn benepen conservatisme, dat hem ertoe aanzette bretels met geborduurde vossen en jachthonden te dragen.

'Sterling!' kreet ze opgetogen. 'Wat heb ik jóú lang niet gezien! Wat kan ik voor je betekenen?'

Hij deed de deur van haar kantoor niet dicht, maar bleef ongemakkelijk voor haar bureau staan, als een ingehuurde rouwklager. 'Ik heb Oliver Krane gesproken.'

Ze fronste. Zette haar dozen en tassen op de grond. 'Die afgrijselijke would-be-Brit van dat beveiligingsgedoe? Vorig jaar zijn ze naar de beurs gegaan, is het niet? Hoe doen hun aandelen het tegenwoordig?'

'Ik heb Oliver Krane dertig maanden geleden toen ik president-directeur werd in de arm genomen,' informeerde Hayes haar op droge toon. 'Krane heeft het beveiligingssysteem voor FundMarket ontworpen. Het is zeer geavanceerd. We kunnen elektronische transacties natrekken, de e-mail van ons personeel screenen, telefoongesprekken opnemen.'

Stefani trapte haar schoenen uit, opende een van de dozen en haalde er een paar laarzen van bruine suède uit. 'O ja? En?'

'Stefani...' Hij weifelde, zijn ogen waren op haar voeten gevestigd. Ze droeg dure doorschijnende kousen van pied-de-poule, met een vaag dambordpatroon boven instap en enkel. 'Elk telefoontje nemen we op, elke transactie gaan we na. We analyseren de banden dagelijks op patronen. Dat is de beste methode om ons te beschermen. Dat begrijp je toch, hoop ik?'

Ze keek naar hem op. 'Wat probeer je me te vertellen, Sterling?'

'Vanochtend heeft Krane me de door de computer geanalyseerde gegevens laten zien. Hij heeft me het bewijs geleverd dat je met voorkennis gehandeld hebt, Stefani. Ten minste drie weken. Je hebt de boel proberen op te lichten.'

Verbijstering. Stilte.

'Ik begrijp dat je onder druk staat, je reputatie is in het geding; het kelderen van Galileo...'

'Er moet een vergissing in het spel zijn,' onderbrak ze hem.

'Krane maakt geen vergissingen. Ik heb zijn gegevens bekeken. Ik kan geen oogje toeknijpen, zelfs niet voor jou. Ik kan het me niet veroorloven de beurscommissie op mijn dak te krijgen. Dat weet jij ook, Stefani. Je moet opstappen.'

Ze zat bewegingloos, met één laars aan en de andere aan een voet bengelend. 'Over mijn lijk. Wat is die Krane voor een klootzak dat-ie denkt een van de topmedewerkers van FundMarket International de laan uit te kunnen sturen?'

'Die klootzak betalen we om onze zaken op orde te houden.'

'Om je gore karweitjes op te knappen, bedoel je,' viel ze venijnig tegen hem uit. 'Je kunt me niet als een gebruikt condoom in de vuilnisbak dumpen, Sterling. Laat die Oliver Krane de pest krijgen!'

Hayes keek paniekerig naar de ruimte achter Stefani's deur waar de handelaren zaten. Veel hoofden hadden zich al hun kant op gekeerd. 'Alsjeblieft. Denk aan de firma...'

'Dacht je dat ik hier zomaar genoegen mee nam? Dat heb je dan verkeerd gedacht, maat.' Stefani liet haar ene suède laars op de grond vallen en stond op. 'Vertel liever eens wat er echt aan de hand is. Heeft Krane te veel geld verloren met Galileo en wil hij nu bloed zien?'

'Het gaat helemaal niet om Oliver Krane,' zei Hayes op kalme toon. 'Het gaat om jou en om niemand anders.'

'Ja, ja,' zei ze, vol minachting snuivend. 'Het gaat om mij, en om Sterling Hayes. De raad van commissarissen had me vorig jaar jouw baantje willen geven, herinner je je nog wel? Ze zijn gék op mij. Ik hoef maar even te bellen met de juiste persoon en dan zullen we nog wel eens zien wie er hier uit vliegt, jij of ik...'

'Ik zou het niet doen,' zei hij kortaf. 'Niet als je nog een greintje zelfrespect wilt bewaren. Ik heb Kranes rapport een uur geleden met de raad besproken. Ze staan volledig achter jouw ontslag.'

Ze staarde hem aan, een en al ontzetting. 'En dat is wat ik van je *eis*, Stefani,' voegde hij er afgemeten aan toe, de huid van zijn smalle gezicht stond strak gespannen. 'Je hebt lang genoeg koningin gespeeld. Je smijt met geld, je loopt voortdurend mooi weer te spelen, maar je bent het bureau waar je achter zit nog niet waard, meisje. Je neemt binnen een uur ontslag of ik schop je er vanmiddag nog uit.'

Hij draaide zich op zijn hakken om. Alle aanwezige handelaren — drie-entwintig in getal — waren overeind gekomen uit hun stoel en gaapten Stefani aan. Haar gezicht was wit van woede. Ze pakte een glazen presse-papier — een echte Steuben, met een zilveren zwaard in het midden gestoken — en gooide het achter de weglopende Hayes aan. Er bukte iemand.

Ze pakte de verspreide tassen en dozen van Bergdorf's bijeen, stapte behoedzaam over de resten van de presse-papier, die als ijskristallen over het kamerbreed tapijt verspreid lagen, en ging.

Het was onvermijdelijk dat een van de handelaren uit de school klapte. Handelaren leven nu eenmaal voor de paar sensationele ogenblikken in hun van verveling aan elkaar hangende dagen; ze verkneukelen zich over de verspreide knekels en vleesresten waarmee het kerkhof van het bedrijfsleven ligt bezaaid. Tegen de tijd dat ze haar aankopen in haar woning had gedumpt, een fitnessprogrammaatje had afgewerkt, zich had verkleed en een eerste slok whisky had genomen, lag het nieuws al op straat.

Op het feestje waar ze die avond naartoe ging — ter viering van de beursgang van een of andere dot.com — wemelde het van de nette pakken: allemaal jongens die braaf hun best hadden gedaan op school en snel waren opgeklommen, op safe spelende types à la Sterling Hayes. Er waren ook een handjevol visionaire knapen in zwarte coltruien en bandplooibroeken, ingevlogen vanuit het noordwesten. Verspreid hier tussendoor de vrouwen: correct in het pak met een rok tot op de knieën. Stefani droeg een mouwloos paprikarood gevalletje. Elke wervel en spier van haar lijf was zichtbaar.

De helft van alle hoofden draaide zich om toen ze de zaal in kwam; de meeste ogen bleven op haar gevestigd. Het geroezemoes van stemmen hield op, om even later weer versterkt op gang te komen. Ze greep een glas van een dienblad dat voorbijkwam en zigzagde tussen de menigte door de zaal in.

Sommigen gedroegen zich beleefd tegen haar en informeerden via een omweg naar haar welzijn: 'Hoe staat het met FundMarket, Stefani?' 'Heb je genoeg van Galileo?' 'Dacht je erover eens iets anders te gaan doen?' Ze lachte uitzinnig en debiteerde de ene leugen na de andere. Uitbundig omhelsde ze mensen die ze slechts vagelijk kende, trapte op een heleboel tenen, morste op de blouse van een valutahandelaarster, stak haar hand in de broekzak van een uiterst respectabele bankier. Ze zwabberde aangeschoten giechelend tussen de mensen door en maakte Sterling Hayes uit voor alles wat mooi en lelijk was, tegen wie het maar horen wilde; en toen dat allemaal lang genoeg had geduurd en ze achter zich een breed spoor had getrokken van uit haar buurt verdrevenen, stond ze opeens oog in oog met de man in kwestie.

Hij stond naast Oliver Krane.

'Zo, Stefani,' zei Hayes. 'Geniet je een beetje van je pasverworven vrijheid? Misschien moet je meneer Krane maar even bedanken.'

Stefani kiepte alle whisky die nog in haar glas zat over het hoofd van Oliver.

Er was geen vriend of vriendin om haar aan haar arm mee te trekken naar het toilet. Geen man om haar in zijn glimmende zwarte Audi naar huis te brengen. Er was niemand in de hele zaal die genoeg om haar gaf om haar in bescherming te nemen tegen zichzelf, of tegen de verslaggever van de *Wall Street Journal* die het hele gebeuren gadesloeg. Tegen de tijd dat de bedrijfsleiding haar op de achterbank van een taxi had gedropt, had Stefani Fogg verscheidene malen achtereen in het openbaar zelfmoord gepleegd. Er was niemand om haar na te wuiven toen de taxi wegreed.

Bij de voordeur van haar flat trof ze twaalf minuten later een megabeker Italiaans ijs aan, haar favoriete smaak, hazelnoot, beparéld met ijskristallen.

'Grote klasse, troeteltje,' juichte Olivers felicitatiekaartje.

Hij had het bij een eersteklas vliegticket van Virgin Atlantic gestoken, een ticket met bestemming Inverness via Heathrow. Ze keek op haar horloge. Ze had net veertien uur de tijd voor haar vliegtuig ging.

En toen – omdat ze een fortuin had neergeteld voor de woning en alle gemakken die erbij hoorden, omdat ze verlost was van Sterling Hayes en Galileo – gooide ze de deuren naar het terras wijd open en stortte vanaf de rand van haar balkon, tweeënveertig verdiepingen boven het straatniveau, haar vreugdegehuil over Manhattan uit.

Vervolgens ging ze met haar beker ijs voor haar video-recorder zitten en keek naar een band die Oliver haar gestuurd had: een documentaire over Olympisch kampioen Max Roderick. Ze voelde zich alsof ze weer op de middelbare school zat, alleen was haar huiswerk vroeger veel minder leuk geweest.

'...De wil om te winnen is een constante in het leven van deze jonge man die het ergste heeft meegemaakt wat een kind kan overkomen: het verlies van zijn vader, die als piloot bij de marine in de Vietnamoorlog sneuvelde toen kleine Max acht jaar oud was en, twee jaar later, de dood van zijn moeder Anne, een slachtoffer van alcohol- en drugsmisbruik. De eenzaamheid moet diepe sporen bij de jonge Max Roderick hebben achtergelaten, maar daar liet hij nooit iets van merken als hij met de grootst mogelijke volharding over de moeilijkste pistes van de Verenigde Staten en Europa naar beneden suisde op een leeftijd dat andere jongens druk bezig waren met leren autorijden...'

De begeleidende beelden waren zeer aantrekkelijk: een gekromd lichaam, één met de eronder gebonden glimmende ski's, in slow motion op een blikkerende helling in Albertville. De Olympische Spelen van 1992. Tijdens deze trainingsafdaling, speciaal voor de Amerikaanse kijkers geregistreerd, droeg Max geen helm. Zijn goudblonde haar glinsterde in de zon, en op het moment dat hij onder het startpoortje vandaan schoot leek hij in vervoering, alsof er op aarde en in de hemel niets heerlijkers was dan deze vliegensvlugge afdaling. De sonore commentaarstem trof precies de roos: Max Roderick was een nobele held, Max Roderick had onnoemelijk geleden – Max Roderick was het beste dat zijn generatie de wereld te bieden had.

Max Roderick was mogelijkerwijs een moordenaar.

Stefani spoelde de tape een eindje versneld door tot ze bij een gedeelte kwam waarop een zich ontspannende Max te zien was. Hij zat een appel te eten in de keuken bij zijn coach thuis en maakte grapjes met de man die door de commentator 'zijn surrogaatvader' werd genoemd. Hij moest op dat moment dertig jaar zijn en hij zag eruit als een frisse jonge kerel, met heldere, lichte ogen en een adelaarsprofiel. Een gespierde, flitsende jongen, doelbewust en ongekunsteld in zijn fleecetrui en spijkerbroek. Het toonbeeld van de snelle Amerikaan.

'...Joe DiGuardia is praktisch een vader geweest voor Max Roderick vanaf het ogenblik dat dit jonge skifenomeen zijn Lake-Tahoe-programma in 1966 kwam volgen. DiGuardia, die brons won op de afdaling voor mannen in Lake Placid is een harde, compromisloze leermeester, maar hij houdt van Roderick als was het zijn eigen zoon.'

Er volgden beelden van Joe DiGuardia die heftig stond te schelden tegen iemand die half aan het zicht onttrokken werd door dichte sneeuwval en een startpoortje. Van DiGuardia die uiterst secuur ski's aan het waxen was. DiGuardia die Max omhelsde bij de finish in Innsbruck.

En toen beelden die tot in de eeuwigheid op het scherm te zien zouden blijven, van de afdaling voor mannen in Sarajevo.

Zijn gespierde gestalte als een snaar gespannen in een bijna onmogelijke hurkhouding terwijl hij over de met ijs bedekte piste stoof in zijn rood-wit-blauwe skipak van lycra. Op een van de toppen raakte hij los van de grond, nam een ijselijke bocht op topsnelheid en scheerde zo dicht langs de rand dat de commentatoren naar adem snakten. Stefani idem dito. Ze kende de afloop – ze wist hoe alle beroemde wedstrijden van Max afliepen – maar toch werd ze weer meegesleept. De man die in zijn eentje over de laag ijs raasde als wilde hij zelfmoord plegen. Die geweldige precisie. Die beheerstheid. De meedogenloosheid die uit zijn hele lichaam sprak.

'En dat,' hijgde ze zachtjes terwijl Roderick de finish passeerde en zijn armen in triomf de lucht in stak, 'is waar het allemaal op neerkomt. Dat is wat jouw lijf uitstraalt: jij deinst voor niets terug om te krijgen wat je hebben wilt.'

'Het is maar een klein probleempje, welbeschouwd,' zei Oliver Krane zesendertig uur later, starend naar het regengordijn dat boven Loch Lochy hing. 'Max Rodericks probleem bedoel ik. Een twist over een erfenis. Een nieuw testament, het oude liedje. Hij heeft echter niet veel kans dat zijn aanspraak gehonoreerd wordt, gezien het Thaise eigendomsrecht.'

Hij keek toe terwijl mistflarden van het wateroppervlak wegwervelden. De piekerende uitdrukking op zijn gezicht was onverwacht en om die reden verwarrend. Hij zag er piekfijn uit in een poloshirt van kasjmier en een wijde, flanellen pantalon. Hij stond met zijn handen in zijn zakken. Zware bewolking had tijdens de thee van vier uur het landschap van een sombere noot voorzien, maar wat Stefani verraste waren de plotselinge zonnestralen die af en toe door de loodgrijze lucht priemden en de doornstruiken en het bezemkruid op de heuvels die aan de overkant van het meer oprezen in vuur en vlam zetten. Op die momenten dat alles oplichtte glinsterden alle in de tinkleurige lucht hangende waterdruppels als astrale lichamen.

Oliver was haar die ochtend van het vliegveld komen afhalen in de te verwachten Rover, voorzien van Global positioning, een laptop met draadloze e-mail en een karaf met sherry. Hij was zuidwaarts gereden naar Inverlaggan House, had haar gerookte zalm en haverkoekjes voorgezet en haar bevolen minstens een uur uit te rusten, waarna hij in de bibliotheek op haar had zitten wachten. Ze had zich van haar bruine suède laarzen ontdaan en zich met haar tengere lijf op de chesterfield genesteld, haar benen onder zich gevouwen. Ze voelde zich door en door behaaglijk en opgetogen. Olivers gezicht stond nog altijd peinzend.

'Tenzij je in Thailand geboren en getogen bent,' zei hij, 'kun je daar nooit echte bezittingen hebben. Vaste activa, bedoel ik. Je kunt wel dénken dat je ze hebt, maar dan zou je eens moeten proberen ze mee te nemen over de grens.'

'Waarom heb je je dan voor deze zaak laten strikken?'

Hij haalde zijn schouders op.

'Ho, ho, daar neem ik geen genoegen mee, troeteltje van me,' zei ze spottend.

'Gaan we de meester nu al citeren?' Hij wierp een blik over zijn schouder en taxeerde haar razendsnel, wat ze hem al vaker had zien doen en wat blijkbaar een tweede natuur voor hem was. 'Ik had er waarschijnlijk beter niet op in kunnen gaan, als je het dan weten wilt. Maar er was een speciale reden om het wel te doen.'

'Je wilde graag Rodericks handtekening.'

Oliver snoof en liep bij het raam vandaan. Hij liet zich neervallen op een stoel waarvan het leer van ouderdom soepel was geworden. De kamers in dit huis ademden een andere sfeer dan het huis in de stad waarin ze samen gegeten hadden, of zijn kantoor hoog boven de grond; het leek alsof dit Olivers echte thuis was.

'Ik had nog niet zo lang geleden een probleempje in Azië,' zei hij. 'Iemand die bij een ongeluk om het leven kwam. Misschien zou ik beter kunnen zeggen dat hij onder verdachte omstandigheden aan zijn eind is gekomen.'

'Iemand die je kende?' vroeg Stefani. Regen kletterde tegen de smalle ramen.

'Een bandiet en bedrieger, mijn vriend en geheime partner. Harry Leeds. Harry en ik zaten ooit samen op school. Welke school ga ik je niet vertellen. We hebben samen Krane opgezet: ik was het brein en Harry leverde de centen. In het begin hadden we zo onze moeilijkheden samen, omdat Harry toen een beetje te veel de jurist uithing en ik maar wat aan rommelde. Maar zo tegen de tijd dat we allebei vijfendertig waren was alles koek en ei tussen ons en verdeelden we de boel eerlijk. Harry leidde mijn vestiging in Hongkong, hield er racepaarden op na, legde een web van spionnen en elektronische observatieapparatuur over zowat heel Azië en werd daar vorstelijk voor betaald. Hij kon het zich niet beter wensen. Ik was nu eens hier en dan weer daar actief in de rest van de wereld en zorgde voor plaatsvervangers op de plekken waar ik zelf niet kon zijn.'

'Is Azië belangrijk voor Krane?'

Zijn bruine ogen schoten in haar richting. 'Het beleg op onze boterham, lief ding. Iedereen die wat te makken heeft wil iets doen in China. Zonder Krane zouden ze binnen de kortste keren belazerd worden. Op het Tiananmenplein kun je tegenwoordig verkopen wat je maar wilt: mobieltjes, frisdrank, een pasgeslachte kip of je jongste zusje. Er is een bloeiende handel, de politie is over het algemeen in geen velden of wegen te bekennen en de wetshandhaving is een lachertje. Maar ik dwaal af.'

'Harry Leeds,' bracht Stefani hem minzaam in herinnering.

Oliver zuchtte. 'Toen ik voor het eerst hoorde van Max Rodericks probleempje — het dode hoertje tussen zijn lakens — was dat via een van mijn cliënten, Piste Ski, het Franse bedrijf waarvoor Roderick zijn peperdure lange latten ontwerpt. Piste Ski wilde heel graag weten of iemand inderdaad probeerde Max Roderick die moord in de schoenen te schuiven. Ze vermoedden dat er chantage in het spel was — vanwege schulden of iets dergelijks — een soort afpersing. Max werd weliswaar nergens van beschuldigd, maar Piste Ski was beducht voor slechte publiciteit en wilde de waarheid weten over onze Olympische knaap voordat zijn gouden inbreng een loden last zou worden.'

'Want de Fransen moeten niet veel hebben van blind vertrouwen.' Stefani haalde haar benen onder zich vandaan en kwam van de bank af. Ze liep naar de ladenkast van vruchtbomenhout waarop Oliver zijn verzameling malt-whisky bewaarde. 'Wat heb je ontdekt?'

'Ik heb eerst in Genève rondgeneusd. Heb mijn Zwitserse oren te luisteren gelegd en mijn speurhonden eropuit gestuurd. Ik heb het werk van de politie nog eens overgedaan en geprobeerd iemand te vinden die Roderick met het dode meisje gezien heeft. Ik moet bekennen dat het geen ogenblik in mijn hoofd was opgekomen dat het een Thaise aangelegenheid was. Maar binnen vierentwintig uur had ik al vage geluiden opgevangen dat iemand de hele toestand vanuit Bangkok had gefinancierd. Dus nam ik contact op met Harry.'

Stefani draaide zich om en bestudeerde hem aandachtig. Iets in Olivers manier van doen gaf haar het idee dat hij eigenlijk een soort biecht aflegde, alsof zijn montere gedoe en frivole geprat van de afgelopen weken niets anders waren geweest dan een soort manische inspanning om zichzelf bij de afgrond weg te houden. Ze dacht aan de vage toespelingen op een katholiek weeshuis in de verhalen over zijn achtergrond. Had hij er vaak behoefte aan gehad zich in gedachten tot een biechtvader te richten?

'Uiteraard belde je Harry,' zei ze op neutrale toon. 'Dat lag toch voor de hand.'

Oliver zat de vlammen te bestuderen met een aandacht die hij gewoonlijk alleen voor golftijdschriften kon opbrengen. 'Ik stuurde Harry een verslag over de moord en het onderzoek ernaar – mijn naspeuringen, niet die van de Zwitserse politie – via een beveiligde faxlijn. Ik weet uit de vastgelegde kantoorgegevens dat hij die fax gekregen heeft. Vier uur later lag hij dood onder de voorwielen van een taxi in Kowloon.'

'Niet uitgekeken met oversteken?'

Olivers caramelkleurige ogen schoten weg van de hare. 'Harry verplaatste zich nooit ofte nimmer te voet. Hij had zo'n absurde Jaguar, de trots van zijn bestaan. Het symbool van Harry's prestige. Hij was een Hong-Kongse *taipan* van de oude soort.'

De whisky voelde als verkreukeld fluweel op haar tong. 'Wat zei de politie?'

'Ze waren afgrijselijk beleefd en vriendelijk, het speet ze ontzettend allemaal,' mompelde Oliver. 'Maar ik vertrouw het absoluut niet. In mijn wereld bestaan er geen ongelukken.'

Ze zette haar glas neer. De regen viel gestaag neer op de doornstruiken en de schapen die ertussen ronddwaalden; druppels spetterden en sisten in het flakkerende haardvuur. De vroege noordelijke duisternis zette in.

'Denk jij dat Harry vermoord is omdat jij bij hem informeerde naar Max Roderick? Maar er kunnen toch heel andere redenen voor zijn dood zijn? Misschien had het te maken met gokken of met drugs. Of had hij iemand de voet dwars gezet. Wie weet was die iemand een vrouw. Er zijn vast een heleboel dingen over hem te vertellen waar jij totaal geen weet van hebt. Dat kan niet anders.'

'Harry was niet gek. Hij woonde z'n halve leven in Azië en hij wist wat voor risico's er aan ons vak verbonden waren. Als je bij Krane werkt loop je voortdurend risico, daar word je ook riant voor betaald. Wij richten onze pijlen op de grootste schurken op aarde en die willen ons pakken voordat wij hen pakken. Maar Harry had er dertien jaar van avontuur op zitten, krullenbol, die liet zich niet pakken, geen denken aan. Hij was iedereen te slim af. Hij was een kei.'

Je hoort de wind ritselen in de groene zoden boven je eigen graf, Oliver Krane, en het is je eigen angst die je parten speelt.

Maar dat zei Stefani niet, ze vroeg: 'Kende Harry Max Roderick? Of iemand van z'n familie?'

'Ik heb geen idee. En Harry's lippen zijn helaas voorgoed op slot.'

'Heb je Roderick over Harry's dood verteld?'

'Ik heb ervoor gekozen,' antwoordde Oliver met grote nadruk, 'om hierover helemaal niets los te laten. Het verband tussen het gewurgde hoertje en Harry die overreden is bestaat voorlopig slechts in míjn gedachten.'

Dus Oliver vertrouwde Max Roderick ook niet helemaal.

'Waarom was Harry die dag in Kowloon?'

Hij streek met een hand over de achterkant van zijn schedel — een rusteloos, futiel gebaar. 'God mag het weten. Waarschijnlijk had hij daar afgesproken met iemand die hij wilde strikken — een informant of vriend. Ik stel me zo voor dat hem gevraagd werd daarnaartoe te komen, en wel te voet. Dat is een fout die een nieuweling in het vak misschien nog zou kunnen maken, maar Harry beslist niet. Harry wist als geen ander dat als iemand een ontmoetingsplaats voorstelt je die eerst binnenstebuiten moet keren.'

'Maar toch ging Harry naar Kowloon,' zei Stefani peinzend, 'en dat betekent dat hij niet op zijn hoede was, dat hij geen moeilijkheden voorzag. Hij vertrouwde de vriend die hij ging ontmoeten.'

'Juist.'

'En verder hebben jou geen andere geruchten uit Thailand bereikt?'

'Het spoor is doodgelopen, zoals ze in spaghettiwesterns zeggen.'

'Alleen is Max bij Krane om hulp komen aankloppen en stuur jij me naar Frankrijk. Waar alle sporen hun oorsprong hebben?'

Oliver glimlachte voor het eerst tijdens het gesprek. 'Briljant, briljant, mevrouw Fogg. Begrijp je nu waarom ik jou wilde hebben voor deze klus?'

4

Die avond spraken ze niet meer over Max Roderick en ook de hele volgende dag niet, want ze hadden maar weinig tijd en Oliver had haar een heleboel te leren. Ten eerste de voor de hand liggende zaken, zoals het verloop van de operaties van Krane & Associations over de gehele wereld, die Oliver haar op die eerste mistige, verkwikkende ochtend uit de doeken deed in de pauzes tussen snelle galoppades over het grondgebied van Inverlaggan House. Hij zat op zijn ros met het onnavolgbare air van iemand die als bevoorrecht persoon ter wereld is gekomen, wat Stefani's bewondering oogstte, want ze vermoedde dat dit beeld niet klopte. Hij praatte onafgebroken; hij voorzag haar van zo veel informatie dat ze blij was dat ze een door stem geactiveerd bandrecordertje in de zak van haar colbert had zitten. Ze zei hem niets over het apparaat en was het zelf bijna vergeten toen Oliver na een tocht van bijna twee uur tussen lijsterbessen en distels minzaam tegen haar zei: 'Geef dat bandje nu maar aan mij, krullenbol, als het je niet ontrieft. Wat je niet kunt onthouden doet er geen donder toe en aan huiswerk heb je altijd een broertje dood gehad.' Hij gooide het bandje met recorder en al met een wijde boog het meer in en ging haar voor naar huis om te ontbijten.

Tegen lunchtijd kwam ze om in de gegevens. Ze kreeg allerlei foefjes te horen, die van pas konden komen bij forensische *accountancy*, harde-schijf-analyse en *document retrieval* — stokpaardjes van Oliver, begreep ze, veel te ingewikkeld om in een paar uur onder de knie te krijgen. Hij sloeg haar ermee om de oren terwijl ze op forel aan het vissen waren: hij liet haar zien hoe ze haar hengel moest vasthouden en onderrichtte haar afwisselend in het vissen op zoetwatervis en het verduisteren van geld.

'Als je barst van de schulden en de hete adem van de schuldeisers in je nek voelt,' adviseerde hij, 'laat je beste vriend dan een gerechtelijke procedure tegen je aanspannen om een verschrikkelijke smak geld van je los te krijgen. Of beter nog, laat je ex-man dat doen. Jij blijft in gebreke en er wordt een vonnis bij verstek uitgesproken. Dan laat je je failliet verklaren, waardoor de hoofdmoot van je geliquideerde bezit je vermaledijde ex-echtgenoot toevalt. Een paar weken later geeft hij je alles keurig weer terug, zoals jullie van tevoren hebben afgesproken – minus een te verwaarlozen tegemoetkoming vanwege verleende diensten. Het restant verstop je in het buitenland. Een briljante truc, want het is doodsimpel en niemand heeft het in de smiezen – behalve mensen die er net als jij een boevenmanier van denken op nahouden.'

Tussen het paardrijden en vissen door leerde Oliver haar al die kleine dingen die hij haar per se wilde bijbrengen. Hoe ze een ruimte kon controleren op bugs, een auto op explosieven of de buitenkant van een gebouw op videobewakingsapparatuur. Hoe ze een handvuurwapen moest afschieten, iets wat ze nooit eerder had gedaan en waarvan ze niet verwacht had dat ze het leuk zou vinden. Hoe ze een als draagbare telefoon vermomde camera kon gebruiken om verdacht uitziende documenten te fotograferen. Hoe ze infraroodsensors kon herkennen en de meer voor de hand liggende vormen van elektronische beveiligingssystemen omzeilen. Bij een glas naar rook smakende malt-whisky in de door een houtvuur verlichte bibliotheek liet Oliver haar op een regenachtige middag zien hoe een vijandige handdruk haar via internet haar identiteit kon ontfutselen en hoe ze kon voorkomen dat zoiets in de toekomst zou gebeuren. Hij gaf haar telefoonnummers, beveiligingsnummers en namen in code: mentale sleutels tot een hele reeks vertrekken van Krane die ze misschien nooit zou ontsluiten en waarvan ze geen idee had wat zich daar verborg.

Hij leerde haar zelfs, tijdens een sessie in zijn ondergrondse spelonkachtige sportzaal, hoe ze zich in de armen van een aanvaller-in-spe kon storten om hem met zo'n smak op zijn rug op de grond te doen belanden dat alle lucht uit zijn lijf werd geperst.

'Stiletto's laten we maar even zitten tot een volgende keer,' zei Oliver spijtig terwijl hij met een lenige sprong van de mat weer op zijn voeten sprong. 'Ik heb even niemand bij de hand die ik het mes op de keel kan zetten. Je zult het moeten doen met de C-greep.'

De C-greep, zo leerde ze, was het omklemmen van iemands nek met de vingers gekromd in de vorm van de letter C. Als je je hand op zo'n manier heel hard om iemands adamsappel schroefde en omhoogduwde kon je hem binnen drie seconden doden. Oliver weigerde echter als proefkonijn op te treden.

'Gebruik de pop maar,' zei hij met een wuivend gebaar in de richting van een levensgrote in het geijkte zwart geklede Ken. De pop stootte een schril, door merg en been gaand piepsignaal uit, als van een geactiveerde rookmelder, dat een aanslag deed op de zenuwen en een stoot adrenaline op gang bracht. Alleen al om een einde aan dit geluid te maken sprong Stefani naar voren, stortte zich op Ken en kneep uit alle macht in zijn strot. Ken sloeg achterover tegen de grond met een zeer bevredigend plofgeluid, met haar handen nog om zijn luchtpijp. Toch jammer, dacht ze, dat ze gedwongen was de enige derde die ze in dagen had gezien het zwijgen op te leggen.

Op hen tweeën na had ze bij Inverlaggan House geen ander levend wezen ontmoet. Dit was technisch onmogelijk uiteraard – iemand maakte immers Stefani's eten klaar en ruimde haar kamer op. Eén keer had ze een glimp opgevangen van een man die in de verte bladeren bijeenharkte, maar verder was er in het Schotse landschap geen spoor van menselijk leven te bekennen. Oliver hechtte mogelijk aan de illusie dat hij zonder anderen kon leven, of anders had hij zijn personeel de strikte opdracht gegeven zo ver mogelijk bij haar uit de buurt te blijven. Was dit met het oog op haar veiligheid – of op die van hen?

Zoals alles wat met Oliver Krane verband hield intrigeerde en amuseerde de sfeer van Inverlaggan House – half James Bond, half Bertie Wooster – haar op een manier zoals ze in geen maanden had meegemaakt.

Iedere avond krulde ze zich op in haar enorme hemelbed met een verbijsterende hoeveelheid feiten over Max Roderick: 143 pagina's met namen, data en gebeurtenissen uit een leven dat zich in hoge mate in het openbaar had afgespeeld. Het leek een beetje op het minutieus doorploegen van een aan één persoon gewijd nummer van het tijdschrift *People*. De researchers van Krane hadden er foto's en videomateriaal bijgevoegd: Max als tienjarige jongen, in een zwart pak dat twee maten te klein leek, met gebogen hoofd bij het open graf van zijn moeder. Er waren maar een paar andere rouwenden aanwezig, maar Joe DiGuardia, de eeuwige skicoach, stond met zijn hand op de schouder van de jongen. Max als slungelige teenager, met een geforceerde glimlach op zijn gezicht en zijn rechterknie in een geweldige brace. En tot slot een veel oudere versie van hem, met scherpere, door jaren van discipline uitgesleten trekken: een ietwat vijandig in de lens kijkende Max.

Ze keek naar het bijschrift: 1999, de nadagen van zijn Wereldbekercarrière, na de mislukte kwalificatie voor de nieuwste Olympische Spelen. Hij liep door Gstaad te slenteren, gearmd met een spetterende blondine in een jas van zilvervossenbont. Suzanne Muldoon.

Stefani bladerde door het dossier en vond de gegevens over haar; Max Rodericks enige echte liefde. Ze was tien jaar jonger dan hij en ook een skikampioen, gespecialiseerd in de afdaling. Ze had drie jaar alles met hem gedeeld – sport, hartstocht en bed – en had haar skicarrière beëindigd als gevolg van een lelijke val tijdens een Bekerfinale in Innsbruck. Haar kniebanden waren op vier plaatsen gescheurd. Ze was ogenblikkelijk overgevlogen naar de Steadman Hawkins Kliniek in Vail, waar chirurgische hoogstandjes lopende-bandwerk waren; daarna... was ze verdwenen.

'Muldoon was in een verbitterde publiekelijke strijd met Roderick verwikkeld over wie er schuld had aan haar verwondingen toen ze hem verliet,' stond er in het dossier van Krane te lezen. 'Ze eiste schadevergoeding van hem op grond van het feit dat hij haar willens en wetens aan roekeloos gevaar had blootgesteld doordat hij haar meedogenloos geprest had harder te trainen dan haar fysieke toestand toeliet. De procedure werd buiten de rechtbank om afgewikkeld. Muldoon heeft nooit meer wedstrijden geskied.'

Stefani reikte naar de blocnote en de pen die ze op haar nachtkastje had liggen en noteerde in bloedrode letters: 'Wat weet S. Muldoon nog meer van Max? Is ze bereid erover te praten? Waarom is hij nadien altijd alleen gebleven?'

In haar dromen werd ze achtervolgd door de meedogenloze blik van een adelaar.

Toen ze nog in New York waren, had Krane voorgesteld van Stefani's verblijf in Schotland vooral een sportieve aangelegenheid te maken, en ondanks de bergen informatie waaronder hij haar bedolf, brachten ze het grootste deel van hun tijd in de buitenlucht door, in de maartse kilte van de Hooglanden. De 'jachtdoos', zoals hij het noemde, lag in het zuidelijkste deel van de Great Glen, een ondergelopen breukdal dat het Centrale Hoogland van noordoost naar zuidwest doorsnijdt. Het hoge, eenzame land boven Loch Lochy was maar spaarzaam bewoond en slechts weinig wandelaars zochten zich hier ploeterend een weg. De omgeving deed in niets denken aan Manhattan. Dat Oliver haar naar Schotland had gehaald, was waarschijnlijk half en half met de bedoeling haar te desoriënteren, vermoedde Stefani.

Inverlaggan was gebouwd op een boven het loch uitrijzende helling, ongeveer honderdvijftig meter van de oever verwijderd, met een enigszins vlak, kortgeknipt gazon en een veld bezaaid met keien. Het stamde nog uit de periode van voor Elizabeth en had meer weg van een kasteel dan van een huis met zijn kantelen en slotgracht die al sinds lang gedempt was en van kiezels voorzien. Een 'torenhuis' in het Schotse spraakgebruik, zo vertelde Oliver haar – een dertiende-eeuwse toren die ten tijde van de Renaissance vleugels had gekregen. Het had er gestaan ten tijde van de nederlaag van de jakobieten bij Culloden, dat maar vijfenzestig kilometer noordelijker lag en had onderdak verleend aan Bonnie Prince Charlie tijdens zijn vlucht op weg naar het vasteland; en nadat de tartan, de doedelzak en de clans verboden waren als gevolg van deze mislukte opstand, was Inverlaggan overgegaan in Engelse handen. Tijdens de Tweede Wereldoorlog was in het bastion een garnizoen van de geallieerden ondergebracht, maar na die tijd waren het huis en het landgoed in verval geraakt.

'Dit hele gebied rond Loch Lochy werd in de laatste oorlog gebruikt voor de training van commando's,' vertelde Oliver, terwijl hij, met zijn donkergroene rubberlaarzen aan, langs de ruige westelijke oever van het meer liep. 'Bij Spean Bridge staat een bronzen monument ter herinnering aan hen. Parachutedroppings, scherpe munitie, nachtelijke raids – sluipmoord en decodeerringen. Een perfecte omgeving voor het trainingscentrum van Krane & Associates.'

'Walt Disney had het niet beter kunnen verzinnen,' zei Stefani instemmend. 'Maar waarom het Schotse Hoogland? Zijn jullie Schots of zo?'

'Hemel, nee!' antwoordde hij op gechoqueerde toon, en hielp haar haar gelaarsde voet uit een drassig stuk grond te trekken door haar elleboog met een hand steun te bieden.

'Het testament,' zei hij twee avonden later, terwijl hij haar een stapeltje papier aanreikte, 'linea recta van Rodericks advocaat, Jeffrey Knetsch.'

Het eerste dat haar opviel was de datum: 12 februari 1967. Jack Roderick had zijn laatste testament iets meer dan een maand voor zijn verdwijning opgesteld. Ze huiverde onwillekeurig. Zij had nooit een testament gemaakt. Ze wist zeker dat ze weldra zou sterven als ze dat zou doen.

De bepalingen van het testament waren beknopt en helder: enkele geldelijke schenkingen aan personen met lange Thaise namen die Stefani niets zeiden – een collectie Bencharong-porselein 'aan mijn huisknecht, Chanat Surian, als dank voor zijn trouwe dienst' – driehonderd aandelen in de Jack Roderick Silk Company 'aan mijn dierbare vrienden, de familie Galayanapong'. Halverwege de eerste pagina begon het belangrijkste gedeelte van het document.

'Ik, John Pierpont Roderick, in goede gezondheid en in het bezit van mijn verstandelijke vermogens, vermaak de opbrengst van mijn vermogen en al mijn wereldse bezittingen en roerende goederen, inclusief dertig procent van alle aandelen in de Jack Roderick Silk Company ('de erfenis') aan mijn zoon, Richard Pierce Roderick. Mocht Richard Pierce Roderick vóór mij komen te overlijden, dan zal de erfenis gelijkelijk verdeeld worden over zijn erfgenamen en rechtverkrijgenden.'

Ze keek op naar Oliver Krane. 'Richard Pierce had toch de bijnaam "Rory"?'

'De traditionele verkleinvorm van Roderick. Inderdaad.'

'Ik dacht dat die ná zijn vader gestorven was.'

Oliver haalde zijn schouders op. 'Wie zal het zeggen? Jack Roderick werd pas zeven volle jaren na zijn verdwijning officieel doodverklaard. Niemand kan de precieze tijd en plaats aangeven waarop Jack het tijdelijke voor het eeuwige verwisselde. Maar er waren mensen getuige van Rory's dood – heel wat van zijn medepiloten. En dus had de nalatenschap direct naar Max moeten gaan.'

'O, ik snap het.' Stefani keek met gefronst gezicht naar het document in haar handen. 'Dit testament is dertig jaar zoek geweest? En dook toen zomaar ineens op?'

'Jack Rodericks zus Alice, die rond de negentig moet zijn geworden, stierf vorig jaar in alle rust in Delaware. Haar kleinkinderen mestten daarna de matriarchale zolder uit. In een oude koker van de post – zo'n ding voor het versturen van opgerold beeldmateriaal – vonden ze de blauwdrukken van een huis. Jacks huis in Bangkok. Het testament zat tussen twee geveltekeningen. Hij moet het testament per ongeluk op de stapel blauwdrukken hebben neergelegd en het hebben meegestuurd naar zijn zuster.'

47

'Hij lijkt me niet iemand die dingen per ongeluk deed.'

'Nee, integendeel. Hij studeerde af in sociale wetenschappen aan Princeton in 1928, deed daarna architectuur aan de universiteit van Pennsylvania.' Oliver was ongetwijfeld op de hoogte van Jack Rodericks geboortedatum, zijn sociale-verzekeringsnummer, alle bekeuringen die hij ooit had gehad en de bepalingen in zijn echtscheidingsakte. Maakte niet uit hoe lang het allemaal al geleden was. 'Onze Jack droeg echt het stempel van de oude culturele Amerikaanse elite. Hij was zo iemand die als student een riante maandelijkse toelage van zijn vader kreeg. Liep in de Depressiejaren alle New Yorkse galafeesten af, dook daarna de oorlog in en belandde bij de geheime inlichtingendienst. Als je bedenkt hoeveel geld hij had toen hij in Bangkok neerstreek en hoe het hem daar voor de wind ging, zou je zeggen dat hij een behoorlijk kapitaaltje voor zijn nazaten had bijeengespaard. Maar toen hij stierf stond er slechts driehonderdzevenentwintig dollar op zijn bankrekening, plus misschien nog wat centen. Vreemd, niet?'

'Denk je dat hij geld in het buitenland had?'

'Hij heeft niets in geschrifte nagelaten waaruit zoiets blijkt.'

'Misschien is dat dan ook verloren gegaan.' Fronsend bladerde ze door naar het laatste vel van de uiterste wilsbeschikking, waar de handtekeningen stonden in vette zwarte inkt. Jack Roderick had in ieder geval getuigen gehad. En dat verleende het testament op het eerste gezicht geldigheidswaarde. 'Wie zijn die twee? George en Richard Spencer?'

'Engelsen, een vader en zoon. Roderick nam George begin jaren vijftig in dienst om de zaak in Bangkok te leiden, en in de loop van de tijd sprokkelden de Spencers twintig procent van alle aandelen bij elkaar.'

'Wie bezit de rest?' Aandelen – de macht van percentages – daar wist ze alles van.

'De wevers,' zei Oliver.

'De wevers?' herhaalde ze niet-begrijpend.

'De mensen die de zijde weefden. Het waren vaak hele families die de handgeweven zijde produceerden. Jack Roderick Silk is – of was – voornamelijk huisnijverheid, weet je. Dat was zoals Roderick het allemaal bedacht had: geef de handwerkslieden zeggenschap over de productie. Betaal ze voor wat ze produceren en geef ze een aandeel in de winst. Zorg dat ze gemotiveerd zijn om zich in te zetten voor hun eigen bedrijf. In Bangkok noemden ze hem de Zijdekoning. Maar voor jou is het natuurlijk een vuile roze communist.'

'Hoe staat het op dit moment met de aandelenverdeling?'

'De oorspronkelijke wevers zijn bijna allemaal rijk geworden, hebben hun aandelen verkocht en concurreren nu met Jack Roderick Silk; het huisnijverheidssysteem is ter ziele, het bedrijf wordt centraal geleid. George Spencer is dood, zoon Dickie is directeur en voorzitter van de raad van commissarissen en bezit eenenvijftig procent van de aandelen. Spencer ís Jack Roderick Silk.'

'Zijn ze nooit naar de beurs gegaan?'

'Daarvoor is het bedrijf te klein.'

Ze wapperde met de papieren in haar hand. 'Dus wat voor waarde heeft deze erfenis voor Max?'

'Geen,' antwoordde Oliver opgewekt. 'Van die driehonderd dollar en nog wat is allang niets meer over. Toen de Thaise regering Jack Roderick in 1974 doodverklaarde, gingen zijn zijdeaandelen terug naar het bedrijf. De ouwe Spencer kreeg ze te pakken. Om je de waarheid te zeggen begrijp ik niet helemaal waar het Max om te doen is. Het huis en de kunstcollectie zijn in handen van de Thai en in de zijde-onderneming is Spencer de baas.'

'Maar volgens jou is hij slachtoffer van een obsessie. Wat wil hij werkelijk? Het huis van zijn grootvader? Of wil hij precies weten wat er met Jack Roderick is gebeurd? En waarom twijfel je zo of Max de moordenaar is of niet?'

'Laten we zeggen dat ik ontzag heb voor het wrede element in het bloed,' zei Oliver. 'Jack Roderick mocht nog zo charmant en gecultiveerd zijn, in wezen was hij een scharrelaar, en zo kwam hij ook aan zijn eind. Zijn zoon werd onthoofd door zijn vijanden. Max stamt van hen af.'

Stefani kwam rusteloos uit haar stoel overeind en ging bij de haard staan. Haar donkere lokken verborgen haar gezicht. 'Er staat niets in dat testament dat aanleiding tot moord geeft. Ik zie er geen reden in om een prostituee in een hotel te wurgen. En ook geen reden om je vriend Harry naar Kowloon te sturen en hem met een taxi te overrijden.'

'Dan heeft de dood van deze twee misschien niets van doen met wat Max in Thailand te zoeken heeft,' opperde Oliver. 'Maar toen hij zich een jaar geleden in Bangkok vertoonde met de uiterste wilsbeschikking van zijn grootvader, viel dat samen met veel bloedvergieten.'

Ze wierp hem een snelle blik toe. 'Denk je dat er iemand is die wil dat Jack Roderick dood blijft?'

'Waarom zou hij hem anders hebben laten verdwijnen?'

'Dat veronderstelt dat het een opzettelijke verdwijning was, en dat hij er niet zelf voor gekozen had,' wierp ze tegen. 'Een man loopt in 1967 weg via een oprijlaan. Misschien is hij verdwaald in de Maleisische jungle. Misschien kwam hij een tijger tegen die hem heeft verslonden.'

'Maar als het gegeven van zijn dood voldoende aanleiding vormt om nú twee mensen te vermoorden, na vijfendertig jaar...'

'Het was geen tijger en het was niet de jungle,' onderbrak ze hem botweg. 'Oliver, wat wil je dat ik in Courchevel ga doen? Bewijzen dat Max Roderick een moordenaar is – of een heilige?'

'Ik wil dat je er daar op los leeft en flink aan de zuip gaat. Ik wil dat je het prachtigste huis huurt dat in Les Trois Vallées te krijgen is en leeft zoals de Fransen verwáchten van rijke Amerikanen. Trek bizarre kleren aan. Nodig wildvreemden uit voor feestjes. Ski dat het een aard heeft, troeteltje, het is er het seizoen voor. Nodig Max uit voor het ontbijt, voor het diner. Hij weet dat ik je stuur en hij weet dat hij je dekmantel niet in gevaar mag brengen.'

'Mijn dekmantel?'

'Je bent een oude vriendin van hem. Of een oude vlam. De afgedankte vrouw van een neef van hem. Een liefje dat hij ooit eens in Oostenrijk heeft opgepikt – wie zal uitmaken wat waar is of niet, daar midden in de Franse Alpen? Als je je maar niet gedraagt als iemand die ook maar iets met Krane & Associates van doen zou kunnen hebben. Dat zou alles in het honderd sturen. Bel me ook niet op, behalve vanuit een openbare telefooncel en alleen op dit nummer' – hij gaf haar een klein stukje papier met iets erop geschreven in zijn kriebelige handschrift – 'en noem jezelf dan Hazel. Als het om beveiliging gaat zijn telefoons zo'n beetje het ergste wat er bestaat.'

'Hazel,' zei Stefani mijmerend. 'Toe maar. Doet me denken aan een dikke ouwe terriër, zo'n lobbes die de hele dag op een vloerkleedje ligt te maffen. Volgens mij ben je een beetje gek op me, Oliver.'

'Nogal wiedes, lief ding.' Hij plantte een kus op haar pols. 'Ik heb je uitgevonden.'

5

Jacques Renaudie veegde die ochtend de sneeuw van zijn stenen stoep met doelbewuste bewegingen van zijn gespierde korte armen. Aan zijn mondhoek bungelde een sigaret. Hij droeg aan blauw vest van fleece over een wollen trui die zijn vrouw twintig jaar geleden voor hem gebreid had. Zij was afgelopen zomer naar Parijs vertrokken in de desperate hoop alles wat ze in haar jeugd niet had kunnen krijgen alsnog te vinden. Jacques stuurde haar af en toe geld, waste de trui als het nodig was zelf en vroeg zijn vrouw niet wanneer ze weer terugkwam. Hij was een methodisch man met een grote bos grijs haar en een bobbelige neus. Het was al na achten, maar hij had zich nog niet geschoren. Hij had de vorige avond te veel schnapps gedronken – smerig spul dat hij nooit zou hebben aangeraakt als zijn vrouw genoeglijk in de kamer boven had gezeten. Zijn huid rook nog vagelijk naar de houtskool in de open haard van het café.

Jacques had helblauwe ogen die nu gericht waren op de harde, witte kristallen bij zijn voeten. Het had 's nachts gesneeuwd – droge poedersneeuw, een bijna perfect laagje, zelfs al was het al laat in het seizoen – maar hij dacht niet aan de maagdelijke pistes van de Sommet de la Loze boven hem, maar aan zijn jongste dochter, die net als haar moeder voorbestemd leek om ongelukkig te worden. Nadat hij zijn café om twee uur 's nachts had afgesloten, had hij slechts met tussenpozen kunnen slapen en toen hij om zes uur de strijd had opgegeven en met een bonkend hoofd was opgestaan om koffie te zetten en zijn oude Berner Laufhund de sneeuw in te sturen, was Sabine nog niet terug van het feestje in Courchevel 1850. Het was vast die Oostenrijker, besloot Jacques – de jonge ster van het skiteam die goud had behaald in Salt Lake City, een jongen met de stompzinnige slome grijns die zo goed paste bij knapen die Klaus heetten. Sabine zou zichzelf voor gek zetten, alleen maar om te bewijzen dat er in ieder geval één wedstrijdskiër was die iets in haar zag, ook al was het niet degene die ze in werkelijkheid wilde. Jacques spuugde opeens in de verse sneeuw en keek op van de stoep.

Het was op dat moment dat hij de blonde man zag die met de sleeplift door de hoofdstraat van La Praz naar boven kwam, met zijn uitrusting op zijn rug gegespt en zijn helm in zijn hand. Van verbittering bleef Jacques bewegingloos staan met zijn bezem, zich afvragend of hij zou roepen naar deze ene persoon die wakker was vóór alle anderen in het vermoeide stadje. Hij zou hem koffie kunnen aanbieden. Hij zou kunnen vragen of er echt iets was tussen Sabine en de Klaus. Maar hij wist dat Max Roderick ongetwijfeld al alles tot zich had genomen om de morgen door te komen en zou bedanken voor het brood van gisteren dat Jacques Renaudie in zijn voorraadkast had liggen. Max was geen type om kleumend een praatje te maken als hij ook kon skiën. Hij bewaarde zijn stem voor de langere schemeravonden in de lente en de zomer, wanneer de uitgeteerde vrouwen uit New York en Parijs met hun zwierige bontmantels en koperkleurige haar de Haute Savoie de rug hadden toegekeerd. In mei stond de deur van Max' werkplaats hoog op de helling 's middags altijd op een kier open. Dan werd de klim erheen door weiden vol wilde bloemen beloond met koud bier uit het vat dat hij in de kelder van zijn oude Savooiaardse boerderij had staan. Er was een tijd geweest waarin Sabine Jacques gesmeekt had met hem mee te mogen, met geen andere beloning in het vooruitzicht dan zwijgend te kunnen kijken naar Max' hoofd terwijl hij bezig was beelden op zijn ontwerpscherm te manipuleren.

Hem zo te zien, met zijn profiel naar de top gekeerd terwijl zijn ski's een dubbelspoor door de poedersneeuw trokken, was een bron van opluchting. De geruchten, dacht Max, klopten dus niet. Max had een rugzak op zijn rug, en verder nog een touw, een kleine ijsbijl en een lawinepieper; hij was blijkbaar van plan buiten de piste te gaan skiën. Dat leek nogal riskant zo laat in het seizoen: het was een ongewoon zachte winter geweest en de corniches op de hoge pieken trilden in het zonlicht; het lawinekanon bulderde iedere ochtend in alle vroegte en bijna elke middag klonk het donderend geraas van plotseling vallende sneeuwmassa's door het stadje. Een geluid dat Max heel goed kende.

Jacques haalde zijn schouders op, al was er niemand om het te zien – misschien was het ten behoeve van zijn vrouw wier beeld hij in gedachten met zich mee bleef dragen. Als Max Roderick om kwart over acht midden in Le Praz was, dan had hij er al vijfhonderd meter afdaling van de Jean Blanc op zitten vanaf zijn huis in Courchevel 1850. Alleen een echte alpenman kon zo doelgericht en met zoveel spullen bij zich op dit uur van de dag op weg zijn. Tenzij…

Tenzij Max de nacht in Le Praz zelf had doorgebracht en nu terugsloop naar Courchevel 1850 en zijn huis. En wat was waarschijnlijker? Jacques' gezicht verduisterde. Max Roderick zou nooit de piste naar Le Praz nemen als hij van plan was buiten de piste te gaan skiën, zoals uit zijn uitrusting viel af te leiden. Als hij vroeg in de ochtend in zijn eigen stenen huis was wakker geworden en de met verse sneeuw bedekte toppen had gezien, zou niets hem hebben weerhouden om de kabelbaan te pakken naar de hoge hellingen van Saulire, de lastige en verraderlijke *couloirs* en de brede, vlakke gedeelten waar hij graag zijn vaardigheden uittestte en zichzelf volledig uitputte.

Jacques zag Max uit het zicht verdwijnen en voelde een vlaag van woede tegen de man opkomen. Het zou niet lang meer duren voordat ook Max Roderick Courchevel de rug zou toekeren, net als de rest. Hij had uiteindelijk maar gedaan alsof hij een van de hunnen was.

De geruchtenstroom was vier dagen eerder op gang gekomen toen de Dash 7 uit Parijs met zevenenveertig passagiers aan boord over de landingsbaan, die evenwijdig aan de Boulevard Creux liep, was doorgeschoten en in de nabijgelegen piste was beland, van de neus tot de staart onder de sneeuw bedolven. Dit gebeuren was op zich niet zo uitzonderlijk. De start- en landingsbaan was maar iets meer dan driehonderd meter lang en helde – bij de start gingen de vliegtuigen de helling af en bij het landen tegen de helling op. Het kwam heel vaak voor dat privé-vliegtuigjes met piloten die niet gewend waren aan de alpiene omstandigheden en de ijle lucht met hun neus omhoog in het keurig verzorgde terrein achter de landingsbaan terechtkwamen; als een Dash 7 dat echter deed, was het nieuws. De fout berekende landing kwam dicht in de buurt van een crash.

Jacques had het zelf allemaal zien gebeuren vanaf de Boulevard Creux, waar hij op zijn gemak zat te genieten van een stevig rood wijntje van een plaatselijke wijnmaker, de voors en tegens van de terrine die voor hem stond tegen elkaar afwegend. Hij hoorde de motoren van de Dash 7 loeien en zag de lompe vorm vanuit zijn ooghoek als een vallend huis naar het hellende landschap afdalen. De terrine, besloot hij, had zeker zijn verdiensten, maar was te groots gedacht. Hij schoof de schotel terzijde en verlegde zijn aandacht naar een zacht kaasje afkomstig van een zuivelboerderij in de omgeving van Méribel.

Kreten van afschuw en immense opwinding – het gillen van een vrouw aan het tafeltje naast het zijne – een stoel die omver werd geworpen. Jacques stond op, met zijn servet nog achter de boord van zijn overhemd gestoken, als was hij een boerenpummel in plaats van de spil van het leven in het meest mondaine skigebied op aarde – en staarde naar het neergekomen vliegtuig dat er als een slordige hoop bij lag. Het had een aantal late skiërs op een haar na gemist.

'Sacré bleu,' mompelde hij. 'Het wordt nog een hele klus om dat ding van de piste te krijgen. Gewoon slepen zal niet gaan. Imbécile.'

Terwijl hij stond te kijken werd de nooddeur boven de vleugel opengegooid. Een lang, gelaarsd been gehuld in fluweel met luipaardprint verscheen in de zwarte opening. Jacques vloekte binnensmonds. Een type als deze dame arriveerde meestal in een eigen jet.

Ze droeg een zonnebril onder een flinke dot zwarte krullen, hoewel het al bijna avond was en het resterende alpiene licht zwak. Een zwarte astrakan jas, ruim en soepel. Suède handschoenen. Een over haar schouder geslingerde leren rugtas. Ze draalde even op de vleugel en sprong er toen achteloos af, alsof niet heel Courchevel vanaf Boulevard Creux naar haar stond te staren. Ze baande zich een weg naar de terminal, die zich zo'n honderd meter terug bij de landingsbaan bevond. Het duurde nog een volle zes minuten voordat de andere passagiers van de Dash 7 voldoende moed bijeen hadden geraapt om haar te volgen.

Terwijl hij haar gadesloeg bleef Jacques vloeken, met een expertise om trots op te zijn. Hij vloekte niet omdat de vrouw er sensationeel uitzag – hij was blasé geworden waar het glamour, bravoure en elegantie betrof, want hij zag niets anders om zich heen. Ook niet omdat haar schoonheid de spot dreef met een man die door zijn vrouw verlaten was. Nee, hij vloekte omdat hij Max Roderick als versteend aan een kant van de piste had zien staan, iets achter het gestrande vliegtuig, met zijn volle gewicht weer op zijn voeten en zijn skistokken in de sneeuw gestoken. Hij stond toe te kijken.

Hij maakte geen aanstalten om naar de Dash 7 toe te gaan – uit zijn houding sprak totaal geen bezorgdheid om de mensen die erin zaten – maar toch was er iets in Max' houding, de manier waarop hij met zijn armen stevig tegen zijn borst gedrukt naar de vleugel stond te kijken, waaraan Jacques kon zien dat Max op dit vliegtuig gewacht had, en op deze vrouw.

Al was het een idiote gedachte. Onmogelijk.

Impossible, herhaalde Jacques nu bij zichzelf terwijl hij op zijn stoep stond te kleumen. Op Max Rodericks gezicht had geen verwelkomende uitdrukking gelegen. Terwijl sirenes begonnen te loeien, had hij de vrouwengestalte alleen maar nagekeken en toen zijn skistokken weer gepakt om zich over de piste verder naar beneden te storten en uit Jacques' gezichtsveld te verdwijnen.

Maar de volgende avond al, zo gingen de geruchten, verscheen hij op een feestje bij diezelfde vrouw in haar gehuurde villa – hier, in Le Praz. En de dagen die erop volgden waren ze onafscheidelijk. De paparazzi – nooit ver verwijderd van *le pauvre* Max – begonnen er lucht van te krijgen.

'Een oude vlam,' verklaarde Yvette Margolan de volgende middag zeer beslist tegen Jacques toen ze hem zijn olijven bracht. 'Ik zag haar toen ik de vleeswaren kwam afleveren. Niet erg jong, maar *très chique*. Ze liep onze Max toevallig weer tegen het lijf, nadat ze elkaar jaren niet gezien hadden. Het heeft vast zo moeten zijn, *non*? Hij is veel te lang alleen geweest sinds la Muldoon, *mon vieux*...'

Maar het was helemaal geen toeval. Max had geweten dat ze kwam.

Jacques stond in het ochtendlicht met zijn ogen gefixeerd op de plek waar Max Roderick voorbij was gekomen met de sleeplift. Max die uit Le Praz vertrok om kwart over acht op een zaterdagochtend dat er verse sneeuw lag, terwijl hij al lang en breed per kabelbaan op weg zou moeten zijn naar de top van de Saulire. De kilte drong door zijn vest en zijn oude trui; ineens huiverde hij. Waarom zou hij zich druk maken als Max zich met vreemde vrouwen amuseerde? Al waren het er honderd... Was hij, Jacques Renaudie, soms opeens een oude man nu zijn vrouw er met een bankier naar Parijs vandoor was gegaan? Wat maakte het uit dat hij Max nu al langer dan tien jaar kende en hem nooit zo slaafs had gezien, zo ongehoord indiscreet...

Al die vervloekte wijven ook met hun gemene streken, dacht Jacques opeens woest. Waar hing zijn dochter trouwens uit? Als het haar eindelijk beliefde naar huis te komen, zou hij haar eigenlijk niet meer moeten binnenlaten. Jacques sloeg verwoed zijn bezem uit tegen de zijkant van de stoep en draaide zich om om zijn sigaretten te gaan zoeken die hij in de keuken had liggen.

Max Roderick had de nacht niet doorgebracht in Stefani Foggs villa; zij had daarentegen bij hém geslapen.

Hij was bij het eerste ochtendgloren naar Le Praz afgedaald om wat kleren voor haar te gaan halen – een schone lange onderbroek en een skitrui. De rest van haar skispullen stond nog in de vestibule van zijn oude boerderij op de bergkam boven Courchevel 1850, het hoogstgelegen van de vier stations in het skigebied.

Ze had geweifeld toen hij haar de vorige avond gevraagd had bij hem te komen eten, en hij wist dat ze ernaar snakte een warm bad te nemen en vroeg te gaan slapen. In de tweeënzeventig uur ervoor had hij haar niets bespaard: afdalingen van de steile hellingen van La Vizelle waaraan geen einde leek te komen, de route door de bossen om Courchevel 1550 heen; ijzingwekkende sprongen van de ene na de andere richel in de ruige Grand Couloir, de moguls op La Combe de la Saulire. Hij had haar meegenomen naar een terrein ver boven de boomgrens, dat zo vol uitsteeksels zat dat de ski's van de allerbeste amateurs van hun voeten werden gerukt. Ze kon het allemaal aan, maar zijn tempo kon ze niet bijhouden.

Die eerste ochtend hadden ze samen in het koude, schelle ochtendlicht op de messcherpe kam van de Saulire gestaan, met uitzicht op de alpen die van hen wegrolden richting Zwitserland. Ze waren alleen in een ijswereld van wrede schoonheid. Zonder iets te zeggen reikte hij haar de waterfles aan die hij uit zijn ski-jack had gehaald. Ze zette hem even aan haar lippen en zei toen: 'Kom achter me aan.'

Voordat hij iets kon zeggen of in beweging kon komen hing ze al in de lucht, met haar ogen speurend naar een goede plek om neer te komen. Ze bewoog zich met een soort roekeloos instinct waarop hij niet bedacht was geweest en dat hem op een gevaarlijke manier prikkelde. Hij gooide zich achter haar aan en volgde exact haar bochtige sporen over de bergkam. Toen ze eindelijk met een scherpe draai tot stilstand kwam en naar hem omkeek, was er achter hen een ononderbroken dubbel spoor van tegen de vierhonderd meter lang. Een afdaling zonder pauzes of aarzelingen.

'Heb je hier al eerder geskied?' vroeg hij kortaf.

'Nee, nooit.'

'Je ski's kunnen wel wat korter; ze zijn helemaal verkeerd voor je zwaartepunt.'

'Ik heb ze pas sinds vorig jaar.'

'Morgen ruilen we ze om. Ik kan je ski's uit de voorraad in mijn werkplaats aanmeten.'

'Maar ik ben heel tevreden met mijn spullen.'

'Die van mij zijn beter.'

Wilde hij haar zo vroeg op de ochtend van hun eerste dag samen al uitlokken? Hij wist het niet zeker. Max had in zijn tijd als prof-skiër met heel veel vrouwen geskied – met de vrouwen van het Amerikaanse skiteam en met talloze jonge meisjes – op duizenden bergen overal ter wereld. Hij was gewend aan het fanatisme, de agressiviteit en competitiezucht van deze vrouwen; hij was gewend aan enorme precisie en bekwaamheid. Maar wat hij bij deze vrouw waarnam was iets dat zeldzamer was: een geweldig plezier in wat ze aan het doen was. Het sprak uit haar hele lichaam toen ze de berg afsuisde.

'Waar gaan we nu heen?' vroeg ze.

'Je zei dat ik jou moest volgen.' De volgende uitdaging. Ze dreef haar skistokken de sneeuw in en suisde er weer vandoor.

De skipistes in Les Trois Vallées, de drie dalen van St. Bon, Les Allues en Belleville hebben in totaal een lengte van meer dan vijfhonderd kilometer; als je ze allemaal zou willen skiën heb je een heel seizoen nodig. Zij deed een gooi in die richting. Elke ochtend begaf ze zich van Le Praz naar het hoger gelegen Courchevel 1850, waar ze Max bij de Verdons-kabelbaan trof, waarna ze de route die ze zouden nemen bespraken: naar de dorpen Méribel, Val Thorens of Mottaret. Ze skieden erop los en repten als bij afspraak met geen woord over de reden van haar komst naar Frankrijk. Als ze al met elkaar praatten, in de pauzes tussen afdalingen wanneer ze per kabelbaan terug naar de top gingen, dan was het over eten of over het weer of over de piste die ze zojuist bedwongen hadden.

'Waar ga jij in de States altijd skiën?' vroeg hij haar een keer. En ze antwoordde abrupt, alsof ze er liever niet aan wilde denken: 'Utah.'

'Deer Valley?'

Ze keerde zich naar hem om en keek hem aan, haar ogen verscholen achter haar skibril. 'Deer Valley. Is dat dan zo duidelijk?'

Ze droeg een hoofdband van geverfd nertsbont, waaronder haar glanzende, zwarte krullen als warrige franje vandaan kwamen. Haar neus was rood van de kou. Het was nauwelijks te geloven, maar haar ski-jack was van caramelkleurig Italiaans hertenleer met een textuur als van satijn, en haar skibroek idem dito. 'Het bespaart me een hoop tijd,' had ze als toelichting gegeven. 'Après-ski. Ik ben meteen klaar voor een feestje.'

'Je skiet goed genoeg voor Snowbird en Alta,' zei hij, 'maar je uiterlijk is puur Deer Valley.'

Haar lippen krulden verachtelijk. 'Deer Valley is heel préttig, Max. Ze dragen je ski's voor je als je beneden bent.'

'Dat doen ze hier ook,' zei hij. 'Als je maar genoeg betaalt.'

'Laat je niet misleiden door hoe ik ski.' Ze vermeed het hem aan te kijken, tuurde naar de bergrand boven hen. 'Ik ben een ontzettend oppervlakkig typje. Ik ben dol op mooie huizen en mooie lijven, waar ik ook ben.'

'Wat eerlijk van je dat je dat toegeeft. De meeste mensen beweren het tegenovergestelde, en leven verder met die leugen. Een meneer Fogg is er niet, neem ik aan?'

Ze schudde haar hoofd. 'Dank u beleefd, ik koop mijn nerts liever zelf. Het enige wat je met geld kunt verwerven is tenslotte vrijheid.'

Hij dacht aan Suzanne Muldoon en haar zwierige zilvervos. Ze was even dol op bont als hij er de pest aan had; daarom betekende die jas de kroon op hun driejarig samenzijn. Twee maanden nadat hij het ding had gekocht, spande ze een proces tegen hem aan.

'Vrijheid kan heel eenzaam zijn,' zei hij tegen Stefani.

'Maar eenzaamheid is altijd nog verre te verkiezen boven afhankelijkheid, dat vind ik althans. In relaties is er altijd een die domineert terwijl de ander zich onderwerpt. Mij niet gezien.'

'Maar als je nu een man vindt die even sterk is als jij? Wat zou er dan gebeuren?'

'We zouden vechten tot de dood erop volgt.' Ze wierp haar hoofd achterover en lachte. 'Ga me niet vertellen dat je romantisch bent aangelegd, Max. Ik geloof allang niet meer in romantiek.'

Daarna deed hij geen poging meer in haar privé-leven door te dringen.

Ze liet zich door hem op sleeptouw nemen op een tocht langs de bars en andere horecagelegenheden in zijn adoptiewoonplaats; ze dronk boven een kaarsvlam verwarmde armagnac, strekte haar benen naar de open haard uit, en bewees lippendienst aan zijn pogingen haar in te palmen. Max was al twintig jaar een beroemdheid. Het was voor hem een vreemde gewaarwording op afstand te worden gehouden, behandeld te worden alsof hij niet meer was dan een padvinder op het terrein van de liefde.

Wat wist Stefani Fogg over dat ogenblik in Genève? De dode Thaise stripper met haar haar als ruwe zijde over zijn kussen uitgespreid? Wat kon hij haar vertellen, wat zou hij haar móeten vertellen?

Dat de dode ogen van het meisje op een afschuwelijke manier uitpuilden? Dat wat hij allereerst opmerkte toen hij uit de douche kwam de ochtendzon was die haar goudkleurige borst streelde en haar vingers die vergeefs naar lucht klauwden, en pas een volle seconde later de doodsbange, niet-begrijpende uitdrukking op haar gezicht?

Hij kon geen woorden vinden voor wat hij gezien had, en voor de walging – en fascinatie – die hij nog steeds ervoer. Hij zei niets over het misdadig jonge lijk, de met rode lovertjes bezette string die een onregelmatig patroon op haar dode huid had achtergelaten, de zenuwachtige bedrijfsleider van het hotel of de correcte kleine man met het Hitlersnorretje die hem een verhoor had afgenomen voor de politie van Genève, zo eerbiedig als Stefani Fogg nooit van haar leven zou kunnen zijn.

Ze had hem niets gevraagd over de moord. Deze vrouw die vanuit New York naar hem toe was gestuurd om hem te helpen uit het moeras te komen, wachtte blijkbaar op verdere ontwikkelingen. Ze gaf hem de gelegenheid zich gedurende een aantal dagen op de sneeuwhellingen een beeld van haar te vormen. Max wist dat zij van haar kant zijn karakter aan het beoordelen was. Hij stond er niet bij stil hoe deze test – want iets anders was het niet – tot uitvoering had moeten komen als Stefani Fogg nog nooit van haar leven geskied zou hebben. Maar in dat geval zou Stefani Fogg Stefani Fogg niet zijn geweest. En dan zou het een heel ander verhaal zijn.

En dus draaide hij zich aan het eind van de derde middag naar haar om toen ze Courchevel 1850 bereikten – het licht op grote hoogte was verflauwd en de lager gelegen pistes gingen onder wolken schuil – en zei: 'Kom vanavond bij mij thuis eten. Het wordt tijd om het over Thailand te hebben.'

'Dan kom ik uiteraard.'

'Je kunt het huis van hieraf zien, als je je ogen een beetje inspant. Er is een stoeltjeslift naar de top.'

Ze keek langs zijn wijzende arm naar de eenzame piek aan het eind van de bergkam achter het dorp en naar het stenen huis onder zijn dikke sneeuwdeken.

'Precies het huis dat bij jou past. In de aarde verankerd. Mooi in zijn eenvoud. Een huis dat staat als een huis.'

'Het kleine gebouwtje erachter is mijn werkplaats. Je kunt gelijk meegaan als je wilt. Dat bespaart je een tweede tocht in het donker.'

'Dat is goed,' zei ze. 'Ik wil die ski's die je me hebt beloofd wel eens zien.'

Ze lieten hun spullen buiten staan in het koude schemerduister. De hal van het huis was leeg op een geschilderde Zwitserse kast en een lange vurenhouten bank na; er hing een vage geur van vanille. De plavuizen onder Stefani's voeten voelden warm aan, als tegels van een open haard.

'Glycerine,' zei hij. 'In buizen onder de vloer. Dat is dichter dan water en houdt warmte goed vast. Het verwarmt de vloer en vervolgens het hele huis.'

'Ik dacht dat dit een heel oud huis was.'

'Het is gebouwd in de jaren veertig. Ik heb het een aantal jaren geleden laten renoveren.'

In 1996. Het jaar nadat hij in Courchevel was neergestreken en de boerderij had gekocht. Ze herinnerde zich de datum uit zijn dossier – die honderddrieënveertig pagina's die ze voor het slapengaan in Schotland tot zich had genomen. Het grootste deel van de feiten in zijns mans bestaan kende ze onderhand uit haar hoofd; maar geen ervan had haar voorbereid op de echte Max.

De video's hadden zijn nietsontziende competitiezucht en onblusbare energie onthuld. Maar Max in persoon had iets ascetisch dat Stefani intrigeerde en tegelijk afschrikte – het was alsof hij zich buiten de wereld had geplaatst. Hij dacht na over ieder woord dat hij sprak, alsof de gevolgen van spraak – van contact, van menselijke emotie – niet terug te draaien waren. Ze vermoedde dat er een diepe angst aan deze reflexmatige terughoudendheid ten grondslag lag. Angst waarvoor? Was hij in staat om zonder een greintje liefde te leven, zoals zijn houding leek aan te geven? Was zijn alleen-zijn het gevolg van zijn arrogantie? Zijn verweer tegen verdriet? Of was het een weloverwogen beslissing om het beste uit het leven te halen zonder er iets voor terug te hoeven geven?

'Hoe kun je op een hoogte als deze je huis verbouwen?'

'Dat was niet makkelijk. In de zomer kun je met een four-wheel drive wel hier komen, maar het hout moest grotendeels met de lift naar boven worden vervoerd. Begin juni halen de mensen hier de stoeltjes van de lift en hangen stalen bakken aan de kabels waarin van alles en nog wat de berg op gebracht kan worden: whirlpoolbaden, kaviaar, geiten die naar de zomerweiden gaan... de gewone mengeling van het aangename en noodzakelijke.'

'Max, waarom ben je uit de States weggegaan?'

Het hoofd met de warrige gouden lokken keerde zich naar haar toe terwijl het van de helm werd ontdaan.

'Dat is de eerste persoonlijke vraag die je me stelt.'

'Ik kon het antwoord niet uit het dossier halen.'

'En je hebt de boel graag compleet?' Hij bestudeerde haar aandachtig met die heldere lichte ogen van hem. 'Of probeer je mijn binnenste te doorgronden?'

'Ik ben geïnteresseerd in de Franse huizenmarkt.'

Het was niet de waarheid, dacht Stefani, maar al vanaf het moment dat ze was aangekomen had ze Max op een afstandje gehouden. Alleen op die manier voelde ze zich veilig voor hem.

'Ik heb een bloedhekel aan de gewoonte van Amerikaanse topskiërs om zich als de plaatselijke mascotte in een skioord terug te trekken,' zei hij nadrukkelijk. 'Ik heb er geen trek in om iedere dag met een meute laaiend enthousiaste fans om me heen te skiën of mijn kop op billboards tegen te komen. Ik wil geen reclamespotjes maken voor horloges of creditcards. Ik heb deze plek uitgezocht omdat ik hier een normaal leven kan leiden en werk kan doen dat me boeit. De Fransen interesseert het geen lor wat ik eet of wat voor kleren ik draag of met wie ik het bed deel. In Courchevel kan ik me gewoon bewegen en ben ik onzichtbaar.'

Tot er een lijk in je bed werd aangetroffen, dacht ze. 'Doen de paparazzi niet aan skiën dan?'

Zijn mond vertrok. 'Niet in mijn buurt. De laatste keer dat ze achter me aankwamen, moesten er drie kerels en een vrouw met een helikopter van de berg worden gehaald. Wil je iets drinken?'

In de woonkamer had hij veranderingen aangebracht in de oude Savooiaardse bouwstijl; de hele wand tegenover de deur bestond nu uit glas in plaats van steen en zag uit op de kabelbaan. De lichtjes die er van beneden tot boven aan hingen leken op vlammetjes in het zich verdiepende duister. Ze stond in het midden van de ruimte – hij had maar weinig meubels – en ervoer de eenzaamheid. Hij sliep waarschijnlijk met alle ramen open. Ze huiverde plotseling.

'Hoe is het verder afgelopen met Suzanne Muldoon?'

'Je tweede persoonlijke vraag.' Zijn handen, die met een fles Bordeaux in de weer waren, verstilden. 'Sinds ze mijn betaling heeft ontvangen, besta ik niet meer voor haar. Is rode wijn goed?'

'Prima. Waarom heeft ze een proces tegen je aangespannen?'

'Ze kon Innsbruck moeilijk voor de rechter slepen. Of de Wereldbeker.' Met grote aandacht schonk hij haar glas vol. 'Als je wedstrijden skiet, Stefani, sta je dagelijks oog in oog met de dood. Daarom train je ook zo hard; dat is de voodoopraktijk waarmee je jezelf in leven houdt. Suzanne heeft geluk gehad. Ze had een terugslag. Ze nam het niet zo nauw meer met de training, ze ging naar te veel feestjes. En op een keer knalde ze tegen de afzetting en maakte een achterwaartse buiteling. Ze kwam ervan af met een kapotte knie. Maar ze had ook haar nek kunnen breken.'

'Ze beweerde dat jij haar veel te veel pushte. Dat je als coach meedogenloos was.'

'Meedogenloos? Ik wist niet dat Suzanne woorden van meer dan drie lettergrepen in haar woordenschat had. Ik was overigens niet haar coach. Daarvoor betaalde ze iemand anders.'

'Maar waarom sleepte ze jóu dan voor het gerecht, Max?'

Hij zette de fles neer en keek haar met een afwezige blik aan. 'Ik denk dat ze maar moeilijk afstand kon doen van haar dromen. Iemand moest boeten, en Suzanne vond dat zijzelf al voldoende geboet had. Haar carrière was naar de haaien. Ze had geen kans meer om een medaille te winnen, ze had geen sponsors meer – ze moest zich aan iets vastklampen. Maar blijkbaar niet aan mij.'

Al zag hij er op al die uit tientallen tijdschriften bijeengesprokkelde foto's ook uit als een prins uit Hollywood...

'Een idiote aanklacht,' zei ze peinzend. 'Onmogelijk te bewijzen. Maar in plaats van je te verweren heb je de zaak buiten de rechtbank om geregeld. Uit medelijden?'

Max reikte haar haar glas aan. 'Zo'n fiasco geeft een enorme hoop gezeur. Ik heb Suzanne een half miljoen gegeven om weg te gaan. Wil je mijn werkplaats zien?'

De werkplaats was met de benedenverdieping verbonden via een korte gang, achter een fitnessruimte en een sauna met deuren naar buiten. De werkplaats zag er spartaans uit. Een tekentafel met kleurenadvertenties voor ski-artikelen aan de bovenrand gehecht; een paar tegen de wand geniete reclameposters; een computer en enkele stoelen. Maar in de rest van de open ruimte stonden en lagen overal prototypes van ski's, rode, zwarte, felgele. Over de vloer verspreid stonden skischoenen in allerlei fasen van afwerking en de geweldige verzameling gereedschappen erachter riep gedachten op aan een middeleeuwse pijnbank: bankschroeven, werkbanken, pannen voor het verwarmen van was, kwasten, spuitbussen, messen met plat lemmet, polijstschijven, drilboren...

'Ik had niet gedacht dat het een echte werkplaats zou zijn,' merkte ze op.

'Alles wat ik ontwerp test ik zelf uit.'

'Maar je máákt toch geen ski's? Je tekent ze op je tekentafel. De ski's zelf worden gemaakt in...

'Lyon.' Hij keek haar aan. Ze was de gegevens die ze in zijn dossier had gevonden aan het verifiëren. 'Ze sturen alles naar mij terug om de kwaliteit te testen en technische verfijningen aan te brengen.'

Hij liep naar de andere kant van de werkplaats en koos een paar ski's uit de enorme verzameling. 'Dit zijn de ski's die naar mijn idee heel geschikt zijn voor jou. De Volant T3 Vertex. Ze zijn speciaal voor vrouwen ontworpen en de bijbehorende reclamekreet luidt: "Zwak geslacht? Had je gedacht!" Dat is nog eens pakkend, hè?'

De ski's hadden de kleur en glans van roestvrij staal. Een Bauhaus-achtig ontwerp. De DeLorean van de steile hellingen. 'Jij hebt ze niet ontworpen,' constateerde ze.

'Ik ontwerp niet voor vrouwen,' antwoordde hij. 'Ik kan vrouwenski's niet uittesten. Bij vrouwen is de verhouding tussen gewicht en lichaamskracht heel anders. Hun zwaartepunt bevindt zich veel lager. Vrouwen draaien anders, verdelen hun gewicht anders, buigen anders dan mannen. Ik kan dat op de computer wel simuleren, natuurlijk, maar niet op een helling.'

'Ik vind mijn eigen ski's perfect,' protesteerde ze.

'Omdat je ervoor betaald hebt. Je skiet nu op Vökls, en hou me ten goede, die zijn fantastisch als je een vent van honderd kilo bent. Je komt er nog heel aardig mee weg. Maar ik zou je graag op deze zien skiën.'

Ze bekeek het oppervlak van de latten. 'Teflon?'

'Met een kern van schuimrubber.'

'Ze zijn te kort.'

'Ze zijn volmaakt. Ik neem je morgen mee naar de steilste hellingen. Buiten de pistes. Als je ski's daar maar ietsje langer zijn schuif je op je achterste de Alpen af.'

'En jij zou anders wel zorgen dat dat gebeurde, hè?' zei ze lichtelijk geamuseerd. 'Al was het maar om toch gelijk te krijgen. Jij moet nu eenmaal harder skiën, sneller leven, vlugger van begrip zijn...'

'De baas zijn,' vulde hij aan, terwijl hij een stap dichterbij kwam. 'Dat is wat mij drijft. Ik bedwing de mensen in mijn omgeving zoals ik de bergen bedwing. Althans, dat beweerde Suzanne altijd. Ik heb haar gepusht tot ze niet meer kon. Maar ik heb nergens spijt van, Stefani. Ik wist altijd al dat Suzanne geen echte doorzetter was. Het was gewoon een kwestie van tijd.'

Hij hield haar blik gevangen als wilde hij haar uitdagen hem aan te vallen, en Stefani weerstond zijn blik, want dat was wat ze in dit soort situaties nu eenmaal deed. Het is dus waar, dacht ze. Je bent meedogenloos en je geeft geen snars om andere mensen. Ik was gewaarschuwd. Maar ik ben geen vrouw die zich laat breken.

'Arme Suzanne,' zei ze droog. 'Wat zal ze je missen.'

'Ze heeft haar geld. Dat was feitelijk het enige dat ze wilde.'

'En wat wilde dat Thaise hoertje, Max?'

Hij kromp ineen. Even zag ze de pijn – of was het gewelddadigheid – in zijn ogen.

'Had je haar meegenomen naar je kamer? Werd het wat al te... ruig?'

'Nee.' Zijn stem klonk rustig. 'Het is al ontzettend lang geleden dat ik iemand bij me in bed heb gevraagd.'

Zijn gezicht was zo dichtbij dat ze het met haar vingertoppen zou kunnen aanraken, en plotseling was de sfeer geladen. Ze was zich al te zeer bewust van zijn onverzettelijk starende blik, scherp als een priem; het was het gezicht dat haar in haar Schotse dromen achtervolgd had. Het was alsof een soepel roofdier de kamer was binnengeslopen.

Daarom beoordeel je mannen naar hun spierballen en niet naar hun verstand, dacht ze met een vleugje bitterheid in de richting van Oliver Krane. Dan word je namelijk nooit gedwongen de akelige kant van jezelf te zien, je egoïstische en desastreuze verlangen om te overheersen.

Plotseling klonk vanuit de hal een lijzige stem: 'Je zou je deuren wel eens op slot kunnen doen. *Ergens* in dit huis moeten toch waardevolle zaken liggen, al moet ik toegeven dat je ze behoorlijk goed weet te verbergen.' Een gezicht met scherp gesneden trekken verscheen om de hoek van de deur; de donkere ogen bleven ogenblikkelijk op Stefani rusten. 'Heb je nog meer vrouwen onder je vloer verstopt zitten?'

'Dit is Stefani Fogg,' zei Max. Ze hoorde de waarschuwing die in zijn stem doorklonk.

'Ik ben Jeff Knetsch.' De nieuwaangekomene stak zijn hand uit. 'Max' oudste vriend. En ook zijn advocaat. Is er nog wat wijn?'

6

Max had er met geen woord over gerept dat Jeff Knetsch naar Courchevel zou komen – al was Knetsch speciaal uit New York overgekomen om zich een oordeel te vormen over deze vrouw die sloompjes met haar vork zat te spelen terwijl ze zijn gepraat over suburbia en zijn hartstocht voor het golfspel aanhoorde. Ze had de verschijning van de advocaat als doodnormaal opgevat, maar Max vermoedde dat ze op haar hoede was. Ze was scherpzinnig genoeg om een zakelijke ontmoeting niet te verwarren met een gezellig dineetje met goede vrienden. Er was een subtiele verandering opgetreden in hun onderlinge verstandhouding; de gevaarlijke intimiteit van die middag was verdwenen. Nu gedroeg ze zich met een beleefde verstandelijkheid die een even grote afstand tussen hen schiep als wanneer ze geintjes zaten te maken in de kabelbaan. Hij begreep pas hoe dicht hij bij de echte vrouw in de buurt was gekomen toen ze zich alweer verwijderd had.

Max kende Knetsch al meer dan dertig jaar – ze hadden hun elfde verjaardag gezamenlijk gevierd op de uitgestrekte slalompiste van Tahoe – en wist dat de advocaat deze avond op hete kolen zat. Zijn diepliggende, gretige ogen zwierven constant door de kamer, langs Stefani Foggs gestalte, langs Max' boekenplanken. Hij liet de wijn in zijn glas rondwervelen in zijn nerveuze handen met lange vingers. Terwijl Max toekeek drupte er een straaltje Bordeaux langs de steel van zijn glas op tafel, als bloed.

Ze aten in prosciutto gerolde vijgen met balsamicodressing, geitenkaas besprenkeld met honing en Marokkaanse lamstajine met knapperig Frans stokbrood erbij. Als dessert was er *tarte tatin* die hij die ochtend bij Yvette Margolan in Le Praz had gekocht; verder had hij alles zelf klaargemaakt.

'Ik kan niet eens goed water koken,' zei Stefani toen hij haar nog eens inschonk.

'Voor vrijheid', merkte hij op, 'betaal je met heel veel kant-en-klaarmaaltijden.'

Daarop keek ze hem aan – ze hoorde de echo van die middag in zijn woorden – en even was het alsof Knetsch niet was komen opdagen en ze nog met z'n tweeën waren.

'Hoe lang werk je al voor Oliver Krane?' vroeg de advocaat abrupt.

'Een dag of tien. Maar ik dacht dat alleen Max mocht weten waarom ik hier ben.'

'Max zou nooit zonder mijn instemming een adviseur van buiten inschakelen.'

'O nee?' Ze glimlachte haar stralendste glimlach. 'Ik dacht anders dat hij dat al gedaan had. Kom je vaak in Frankrijk, Jeff?'

'Zo'n vier keer per jaar. Als Max behoefte heeft aan een vriend.'

'Dat is de laatste tijd vaak zo geweest.'

Knetsch trok sceptisch een wenkbrauw op.

'Het lijk in zijn bed,' hielp ze hem herinneren. 'De Zwitserse politie. Een advocaat in de buurt is af en toe maar wat gemakkelijk, vind je ook niet?'

Wat wilde dat Thaise hoertje, Max?

Op dat moment besefte hij dat de moord in Genève vanaf het moment dat ze arriveerde niet uit haar gedachten was geweest. Ze had zijn versie van het gebeuren niet geslikt.

'De Zwitserse politie is mans genoeg om een duidelijk geval van doorgestoken kaart te herkennen,' zei Knetsch grimmig. 'Max liep weinig kans om gearresteerd te worden.'

'Ik vind moord niet iets om zomaar overheen te stappen, of er nu iemand gearresteerd wordt of niet. Waarom zou iemand jou erin willen luizen, Max?'

'Vanwege de negatieve publiciteit. Daarmee heb ik mijn hele volwassen leven al te kampen.'

'Er zijn zieke figuren die het liefst iedereen de grond in boren.' Knetsch' ogen bleven gericht op het granaatrode bodempje in zijn glas. 'En onze kampioen hier nog het liefst van allemaal. Maar dat is niet de kwestie waar jij je mee bezig moet houden, Stefani. Je bent hier om Max te helpen bij zijn aanspraken op het testament.'

'Denk je dan ook niet dat er waarschijnlijk een verband bestaat tussen die twee zaken?'

'Oliver Krane vraagt een ontzettende smak geld,' zei Knetsch. 'Hij had wel eens iemand met meer ervaring mogen sturen. Dat je kunt skiën is duidelijk, maar wat heb je verder nog in je mars?'

'Kalm aan, Jeff,' zei Max beheerst.

'Als advocaat...'

'...maak je misbruik van de vertrouwelijke band met je cliënt. Ik ga de haard in de woonkamer aanmaken. Wil er iemand koffie?'

Hij gedroeg zich, bedacht Max, in zijn eigen huis als een ober die tussen lastige mensen door laveert in zijn ijver om de avond perfect te laten verlopen. Maar hij had Jeff toch gevraagd om te komen? Hij wilde zijn oordeel. Waarom was hij dan meteen geneigd om het voor Stefani Fogg op te nemen?

De hemel achter het grote raam van de woonkamer was inktzwart en de sterren als speldenprikken werden pas zichtbaar toen het licht in huis gedimd werd, zoals nu gebeurde. Ze had zich op een van zijn leren sofa's neergevlijd. Haar pezige lijf was een visuele weergave van haar mentale kracht: een toonbeeld van discipline, precisie, beheersing. Terwijl hij naar haar keek zag hij niet een gestalte in rust, maar dezelfde opgesloten spanning als tijdens het skiën. Hij liet een armlading brandhout in de haard vallen en begon het vuur aan te maken. Knetsch zette het gesprek voort.

'Wat weet je van Molly Sanderson, Stefani?'

'Max' eerste vlam.' Haar fluwelige stem klonk geamuseerd.

Ze had gelijk. Hij had Molly geadoreerd op de verlegen, wrokkige manier waarop vijfjarigen dat doen; de tirannieke driftbuien waarop hij haar vergastte, hielden ongeveer gelijke tred met zijn geknuffel.

'Molly was de kinderjuf van Max in Evanston, van 1964 tot 1966, toen hij naar school ging,' zei Stefani op nuchtere toon. 'Ze was negentien toen ze bij de Rodericks in dienst kwam en trouwde twee maanden nadat ze bij hen was weggegaan. Ze is inmiddels gescheiden en woont in St. Paul. Ze bewaart dierbare herinneringen aan Max.'

'Joe DiGuardia?'

'Skicoach in Squaw Valley. Nadat Max met zijn moeder naar San Francisco verhuisd was. Dit is te makkelijk.'

'In welk jaar?'

'Eind '66. Max zal toen zeven zijn geweest. Zijn moeder huurde een flat in Haight-Ashbury, sloot zich aan bij de protestbeweging tegen de Vietnamoorlog, kreeg met drugs te maken en stierf in 1969 aan een overdosis heroïne, toen Max tien jaar oud was.'

Hij was zich bewust van zijn handen die bezig waren het vuur aan te maken, van de spanning in zijn hele lijf tijdens het luisteren. Haar stem klonk al te laconiek; ze bedacht ongetwijfeld hoe het hem te moede moest zijn nu hij een vreemde deze dingen hoorde zeggen.

'Max werd voor de keus gesteld te verhuizen naar Chicago – zijn oma leefde toen nog – of naar het huis van zijn groottante in Delaware. Maar Joe DiGuardia, de skitrainer, bood aan om als voogd op te treden. Max bleef in Tahoe. Hij woonde de volgende tien jaar bij DiGuardia, afgezien van een paar tussenpozen.'

'Met welk doel?' vroeg Knetsch, alsof het niet duidelijk genoeg was. Max voelde zich plotseling kwaad worden op zijn vriend vanwege de rigide manier waarop hij midden in de kamer de loom uitgestrekte Stefani stond te ondervragen, als een inquisiteur een ketter.

'Max trainde met het skiteam van de Verenigde Staten, deed mee aan wedstrijden over de hele wereld, haalde zijn eerste Olympische medaille toen hij negentien was. Hij had jóu al jaren eerder ontmoet, in 1970, toen jullie allebei aan het Squaw-jeugdprogramma deelnamen. Jij hebt twee keer zilver behaald – een Wereldbekermedaille en een Olympische medaille in Sarajevo – maar Max' klasse heb je nooit gehad. Is dat de basis van jullie vriendschap?'

In alle relaties is er altijd een die domineert terwijl de ander zich onderwerpt.

Knetsch' gezicht was bleek geworden. Hij zette zijn glas neer.

'Jouw wedstrijdcarrière eindigde toen je bij Jackson Hole je dijbeen brak,' vervolgde ze meedogenloos.

'...omdat ik die klojo daar probeerde te redden, zou ik eraan kunnen toevoegen.'

'Max verloor een ski in Corbett's Couloir. Jij ging achter hem aan. Toen je tegen een rotspunt botste en vijftien meter naar beneden tuimelde, is hij de hele Corbett af gekropen om hulp te halen.'

De eigenaardige vreugde die hem beslopen had terwijl hij centimeter voor centimeter over het graniet van de beroemdste helling van Noord-Amerika was afgedaald. Met zijn gehandschoende vingers aan een granieten uitsteeksel bungelend had hij zijn laarzen uitgeschopt om met zijn tenen naar houvast in het ijs te kunnen zoeken. Knetsch hing boven hem, vastgeklemd tussen twee rotspunten, met opeengeklemde kaken en het zweet parelend op zijn voorhoofd. Het bot van zijn linkerdij stak door het Kevlar van zijn skipak naar buiten. Toen het reddingsteam een uur later aan touwen naar hem afdaalde, was hij buiten bewustzijn. Max' voeten waren bevroren tijdens zijn geploeter door sneeuw en ijs. Wat hij zich nu herinnerde was het heftige gevoel van triomf dat hem toen bevangen had: hij in zijn eentje, vechtend tegen de berg.

'Het was altijd al een nobel stuk vreten,' zei Jeff achteloos. 'Wat voor medicijnen kreeg ik na mijn operatie tegen de pijn?'

'Ik vermoed Percocet, maar in mijn bronnen is het niet te vinden.' Haar donkere ogen vestigden zich nu op het gezicht van Max; de intense blik verraste hem onaangenaam. 'Wat ik nog niet weet is wat je hoopt te bereiken door in het verleden te gaan graven. Het gaat je niet alleen om bezit dat verkeerd terecht is gekomen. Of heb ik het mis?'

Hij pakte een doos lucifers en wendde daarbij zijn gezicht af. 'Ik wil weten wat er op Eerste Paasdag in 1967 is gebeurd.'

'En denk je dat je daar na al die jaren nog achter kunt komen? Iedereen die iets met jouw grootvader te maken had zal onderhand wel dood zijn.'

'Niet iedereen.' Hij trok het scherm voor de haard. '*Ik* ben er nog bijvoorbeeld — en er is iemand die een vijftienjarige heeft vermoord en in mijn bed heeft gelegd.'

'Dus ben je het met me eens: de twee zaken hebben met elkaar te maken.'

'Natuurlijk. Ik heb dat meisje niet gewurgd. Degene die het gedaan heeft bedoelde het als een waarschuwing: Maak geen slapende honden wakker.'

'Wat voor honden precies? Ik heb het een en ander over jouw familie gehoord – over Jacks verdwijning en je vaders dood in krijgsgevangenschap. Maar alleen in grote lijnen. Wat kun jij me vertellen, Max? Wat denk jij dat er met je grootvader is gebeurd?'

Hij keek naar Knetsch. Zijn vriend stond in het midden van de kamer op zijn hielen heen en weer te wiegen, zijn mond vertrokken tot een smalle spleet. Knetsch moest niets hebben van deze vrouw en haar nonchalante zelfvertrouwen. Hij zou liever willen dat ze voor hen allebei door het stof kroop.

'Hoeveel weet je over mijn grootvader?' vroeg Max.

'De bekende dingen. Lid van de beau monde, intellectuele achtergrond, Zijdekoning, spion...'

'Vergeet de eerste drie maar en bepaal je aandacht tot het laatste. Jack Roderick werd opgeleid door de Amerikaanse inlichtingendienst om Thailand in 1945 te helpen bevrijden, hij was getraind in spionagewerk en junglegevechten. Nadat Truman de bom op Hiroshima had laten vallen en de Thai voor de geallieerden hadden gecapituleerd werd Jack tot hoofd van de Amerikaanse inlichtingendienst in Bangkok gebombardeerd, later de CIA. En dan lost dat hele spionagegedoe van hem zich op in nevelen. Of liever gezegd, het belandt in Khorat.'

'Khorat?'

'Noordoost-Thailand. Een streek die grenst aan Laos en Cambodja, met een aride klimaat dat alleen geschikt is voor moerbeibomen, aardewerk en de vervaardiging van zijde. Jack ging in 1947 naar Khorat en raakte helemaal verslingerd aan ruwe zijde. In 1950 zette hij een exportbedrijf op en vestigde zich in Bangkok. Daar leidde hij het luxe leventje van de geslaagde buitenlander.'

'Man uit de elite, Zijdekoning, kunstverzamelaar...'

'Allemaal camouflage,' zei Max onomwonden, 'van begin tot eind. Opa was een NOC – een agent van de Amerikaanse inlichtingendienst die onder Non-Official Cover werkte. Althans dat denk ik. De CIA weigert dit te bevestigen of te ontkennen.'

Knetsch bracht een kreunend geluid voort en liet zich in een stoel vallen.

'Een NOC,' herhaalde ze. 'Overdag zakenman en 's nachts spion, bedoel je?'

'De gevaarlijkste vorm van spionage die er bestaat. Je bent niet verbonden aan de Amerikaanse ambassade en dus geniet je geen diplomatieke onschendbaarheid. Als je beschuldigd wordt van spionage en door je gastland wordt veroordeeld, is er niemand die je kan redden. Dat is wat mijn grootvader deed. En dat is ook de reden dat hij verdween.'

'Waarom ben je daar zo zeker van?'

Hoe kon hij uitleggen dat hij de afgelopen maanden steeds sterker het gevoel had gekregen dat hij een missie te vervullen had? Hoe kon hij iets verklaren dat zo sterk verbonden was met zijn intuïtie, een instinct dat hem leidde, zoals een zesde zintuig een slaapwandelaar door een donkere omgeving gidst?

'Ik heb de... eh, feiten bestudeerd.'

'De feiten?' zei Knetsch verachtelijk.

'Het is overduidelijk dat Jack nog voor de CIA werkte toen hij met zijn handel in zijde begon. Waarom zou hij anders naar Khorat zijn gegaan, net na het einde van de Tweede Wereldoorlog? Het was – en is – er een gribus. Er staan een paar Khmer-ruïnes, maar verder is er voor toeristen niets interessants. Zelfs de Thaise koning heeft er vijftig jaar lang niet naar omgekeken.'

'En?' spoorde ze hem aan.

'Jack ging er zo eens in de maand naartoe. Vijftien uur rijden heen en vijftien uur rijden terug. Het verhaal was dat hij er Laotiaanse vrienden had – maar volgens mij waren dat agenten van hem die voor de Amerikaanse inlichtingendienst werkten. Hij moest een plausibele reden zien te vinden voor al die ontmoetingen in de buurt van de Laotiaanse grens, en dus begon hij dat zijdebedrijf.'

'Oké.' Stefani knikte. 'Ik vind het als theorie wel acceptabel. Maar suggereer je nu dat die Laotianen je grootvader hebben vermoord? Of waren het de Thai, die woedend waren omdat hij op hun bodem aan het spioneren was?'

Hij pookte het vuur op, zodat een regen van gloeiende spaanders de schoorsteen in verdween. 'Stefani, wat was er in 1967 in Zuidoost-Azië gaande?'

'De Vietnamoorlog.'

'De Vietnamoorlog.' Hij keek naar haar om. 'Eind jaren zestig kwam Jacks geheime leven in een kritieke fase. Opeens waren er in de voormalige koloniën overal revolutionairen – lieden die tijdens de Tweede Wereldoorlog zij aan zij met mijn grootvader hadden gevochten – die guerrilla-eenheden in de jungle aanvoerden en in afgelegen streken wreedheden begingen. Heel Zuidoost-Azië was een kruitvat geworden. Mijn vader, de zoon en erfgenaam van de Zijdekoning, kwam gevangen te zitten in het afgrijselijkste oord op het grondgebied van de vijand. Amerikaanse gevechtsvliegtuigen voerden missies uit vanaf bases in Khorat – het favoriete speelterrein van mijn opa – en Billy Lighfoot was bevelhebber van de Amerikaanse troepen in Noordoost-Thailand. Zo veel toevalligheden, Stefani, daar geloof ik gewoon niet in.'

'Wie was Billy Lightfoot?'

'Een soldaat in hart en nieren. Hij trainde mijn grootvader in het inlichtingenwerk tijdens de Tweede Wereldoorlog. Nadat opa verdwenen was leidde Lightfoot een zoekactie met legerhelikopters op het Maleisisch Schiereiland.'

'Zonder succes.'

Max knikte. 'Twee jaar geleden heb ik Billy proberen op te sporen, om met hem over mijn opa te praten. Ik dacht dat hij me misschien zelfs wel iets over de executie van mijn vader zou kunnen vertellen. Maar Lightfoot was aan een hartkwaal bezweken. En zijn weduwe was seniel.'

'Je vader werd een paar weken na Jacks verdwijning in Noord-Vietnam gedood. Hij was toch krijgsgevangene? Een oorlogsslachtoffer?'

'Mijn vader werd geëxecuteerd voor de ogen van alle Amerikaanse piloten die samen met hem gevangen zaten in het Hanoi Hilton.' Hij probeerde geen bitterheid in zijn stem te laten doorklinken; hij was toen een jochie van acht geweest, maar nu zou hij er onderhand toch minder last van moeten hebben, verdorie. 'Hij werd onthoofd. Het was een wraakneming. En dan bedoel ik geen wraakneming vanwege de bommen die hij had laten vallen.'

'Maar waarom zou Jacks werk in Thailand – wat het ook inhield – verantwoordelijk zijn voor het lot van je vader in Vietnam? Wat is het verband, Max?'

'Dat moet ze nog vragen,' mompelde Knetsch.

Max schonk er geen aandacht aan. 'Tijdens de Vietnamoorlog was Thailand het enige land in Zuidoost-Azië dat bereid was de Verenigde Staten wat bewegingsruimte te geven. Cambodja, Birma, Laos, Maleisië, allemaal waren ze vijandig, verwikkeld in hun eigen gevecht met communistische opstandelingen. Overal heerste chaos. Maar Thailand was een democratie, in naam althans, en slim genoeg om munt te slaan uit de aanwezigheid van de Amerikanen.'

'En Jack Roderick fungeerde als tussenpersoon? Bedoel je dat?'

Hij schudde zijn hoofd. 'Volgens mij was opa het absoluut oneens met de manier waarop de regering-Johnson de oorlog in Vietnam aanpakte. Ik denk dat Jack verraden werd en het zwijgen werd opgelegd omdat hij weigerde eraan mee te doen.'

Ze keek hem met vaste blik aan terwijl ze nadacht over de implicaties van wat hij zojuist gezegd had. 'Dan werd hem het zwijgen opgelegd door de CIA? De organisatie waar hij zelf voor werkte?'

'Waarom niet? Wie anders zou in staat zijn deze hele gore klerezooi dertig jaar lang stil te houden?'

Knetsch liet een vertwijfeld gekreun horen. 'Ze hebben prinses Diana ook vermoord. Ze hebben Dodi's chauffeur bedwelmd en de paparazzi geld gegeven om hun mond te houden. Ik heb het zelf in de *Star* gelezen.'

Maar Stefani keek nog steeds naar Max. 'Zelfs al zou ik een ogenblik geloven dat je gelijk hebt, dan nog zie ik niet hoe de executie van je vader in het verhaal past.'

'De CIA bespeelt altijd beide kanten. Misschien hadden ze de Noord-Vietnamezen iets beloofd. En misschien verdomde opa het wel om hun belofte waar te maken en werd hij om die reden uit de weg geruimd. Toen de deal niet doorging nam de Vietcong wraak. Ze hakten mijn vader het hoofd af.'

69

'Je klinkt als een gek die overal een samenzwering achter zoekt.'

'Misschien ben ik dat ook wel.'

'Kun je nog uit elkaar houden wat je je herinnert en wat je verteld is?'

'Hoe bedoel je?'

'Je was nog maar een jochie van acht toen je vader en je grootvader stierven. Hoe je het verleden van je familie bekijkt berust deels op herinnering en deels op halve waarheden, bijvoorbeeld dingen die je moeder misschien geloofde en aan jou doorgaf.'

'En iedereen weet dat mijn ma altijd zo stoned als een garnaal was,' reageerde hij geprikkeld, 'niet te vertrouwen dus. Maar ze heeft nooit iets gezegd over Jacks verdwijning. Ze had hem zelfs nooit ontmoet. Het bericht dat mijn vader dood was kwam twee weken nadat mijn opa verdwenen was en dat heeft verder alles overschaduwd. Ma gaf er de voorkeur aan zich de goede tijden te herinneren, toen mijn vader nog in leven was. Daar praatte ze over.'

'De goede tijden?'

Hij bestudeerde de knetterende vlammen en koos zijn woorden zorgvuldig. Het was belangrijk dat ze zich zou realiseren dat zijn jeugd zich niet alleen maar in een drugspand had afgespeeld.

'Mijn moeder was enig kind van een rijke bankier in Chicago. Op haar achttiende, in 1956, was ze zeer in trek als huwelijkskandidate. Ze kende mijn vader al vanaf haar prilste jeugd en zij tweeën waren uit hetzelfde hout gesneden: naïeve, goedwillende Amerikaanse kinderen uit de hogere klasse die plezier in het leven hadden, maar slachtoffer werden van een conflict waar ze niets aan konden doen. Mijn vader was net dertig toen hij stierf. Ik ben nu al tien jaar ouder dan hij geworden is. Ik heb geen idee wat voor iemand hij precies was. Toen ik klein was, was hij een gehelmde god die in grote vliegtuigen rondvloog, een echte held zoals kleine jongens die zien. Maar het is al heel lang geleden dat ik hem zo zag en niet als een slachtoffer.'

'Waarvan? Van het lot? Van de politiek van de Verenigde Staten?'

'Van zijn vroege jeugd. Ja, vooral daarvan.'

'Leg eens uit.'

Max wierp haar een blik toe. 'We willen allemaal net zo zijn als onze pa, Stef. Althans, jongens willen dat. Míjn vaders rolmodel was een oorlogsheld. Jack was James Bond met een panamahoed op. Mijn pa is zijn leven lang bezig geweest net zo te worden als Jack, een legende.'

'En jij?'

De vraag deed hem opveren. 'Ik leerde skiën toen ik zes was, want dat kwam nog het dichtst bij vliegen.'

Ze boog zich in de richting van de warmte van het vuur; het flakkerende licht accentueerde de beenderen van haar gezicht. 'Heb je Jack ooit ontmoet?'

70

'Een keer maar. Mijn vader nam me mee naar Bangkok toen ik vier was. In de herfst van '63.'

'Kwam hij nooit naar de Verenigde Staten?'

'In ieder geval niet toen ik er was.' De bitterheid sijpelde toch door, al deed hij nog zo zijn best. 'Jack liet zijn gezin in de steek. Mijn vader was vijf toen de Tweede Wereldoorlog begon en opa is feitelijk niet meer teruggekomen. Bangkok – de zijdehandel, of het leven als NOC – trok Jack meer dan het gezinsleven. Mijn vader haatte opa – zijn huis, zijn kunstverzameling, zijn mythische aanzien in de gemeenschap van expats – en tegelijk hunkerde hij naar een plekje in het geheel. Neem hem die haat maar eens kwalijk. Ik snap eigenlijk nog steeds niet goed waarom hij mij toen heeft meegenomen naar Thailand.'

'Wat herinner je je nog van die reis?'

Hij zuchtte en trok met zijn vingers voren door zijn haar, als kon hij het verleden ergens onder zijn schedeldak grijpen. 'Overstroomde straten. Het was aan het einde van de regentijd en we gingen overal per boot naartoe. Opa had trouwens toch meer op met de oude khlongs dan met de nieuwaangelegde wegen voor auto's. Hij had de pest aan de vooruitgang. Hij noemde Thailand bijvoorbeeld hardnekkig Siam.'

'Zie je nou wel?' zei Stefani. 'Dat zijn dingen die jou verteld zijn. "Vooruitgang" en "Siam" zijn niet echt woorden die een vierjarige gebruikt.'

'Ach, schiet op. Je vroeg er toch naar?'

'Vertel eens over Jack.'

Hij haalde zich het gezicht voor de geest. Het bleef vaag, een beeld dat door foto's die hij later gezien had ook nog eens was bijgesteld, een gezicht dat aan de periferie van zijn bewustzijn altijd wel ergens aanwezig was. 'Hij was een grote kerel. Maar ja, ik was toen nog heel klein. Hij had zilvergrijs haar dat glad naar achteren was gekamd, en op zijn schouder zat een witte vogel. Zijn neus leek precies op de snavel van die vogel.'

'Vond je hem aardig?'

Max haalde opnieuw zijn schouders op. 'Staan vierjarigen daar dan bij stil?'

'En hoe zag zijn huis eruit?'

'God, dat huis van hem...' Hij glimlachte onwillekeurig. 'Een soort grote boomhut van teak. Lommerrijk en koel. Kamers met donker glimmende vloeren waar ik met mijn sokken over kon glijden. Zijden kussens. Hagedissen die over de wanden heen en weer schoten. Mijn slaapkamer was als een scheepskajuit, klein en met hout betimmerd. 's Nachts kwamen de geuren van de jungle, van knoflook en van rottend fruit door de open ramen naar binnen drijven.'

'Voor een door en door Amerikaans jongetje moet dat nogal vreemd zijn geweest.'

'Het was de meest fantastische plek die ik ooit heb gezien. Het was als

71

wakker worden in Nooitgedachtland, tussen de Slimme Jongens in. Ik wilde er niet weg. Toen ik er vorig jaar ging kijken, wist ik dat ik mijn hele leven geprobeerd had naar dat huis terug te gaan. Terug naar de tuin, zoals Crosby, Stills & Nash zongen, waar vaders het eeuwige leven hebben en nooit oorlog komt.'

Een snelle blik van de donkere ogen; hij had een snaar bij haar geraakt. 'Kun je je verder nog iets herinneren?'

'Dat ik 's nachts wakker werd en bang was.'

'Van een nachtmerrie?'

'Ik werd wakker van herrie. Lawaai van het soort dat je niet kunt negeren. Ik kwam uit bed en liep de gang op. Daar stond opa te schreeuwen tegen een kerel die de buitentrap af rende. Op opa's gezicht zat bloed en mijn vader hield hem in bedwang. Ze hadden gevochten.'

'Jack en je vader? Of Jack en die man op de trap?'

'Ik weet het niet.'

'Herkende je hem? Die vreemde man?'

'Alles wat ik me herinner is dat ik bang was. Ze waren kwaad en praatten over iets belangrijks. Iets dat ik niet mocht horen. Ik ging terug naar bed en trok de dekens over mijn hoofd.'

'Was het soms een dief?' opperde Knetsch.

'Het was een westerling,' antwoordde Max, alsof dat verschil uitmaakte. 'Hij was lang, had kortgeknipt haar en droeg een soort uniform.'

Het was een herinnering die hij niet kon afschudden: de verstoorde slaap, het geschreeuw en het bloed, de grote, boze gestalten die grotesk bewogen in het flakkerende licht van toortsen. Een nachtmerrie die dertig jaar lang steeds weer terugkwam tot hij er een obsessie aan overhield: *Ik móét de waarheid weten*. Jacks testament, het huis in Bangkok, de onschatbare kunstcollectie, de aandelen in het zijdebedrijf: dat waren toch allemaal substituten? Was niet zijn enige drijfveer het bezweren van een geest van dertig jaar oud?

'Heb je niet bij de CIA geïnformeerd wat zij over Jack Roderick weten?'

'Ik heb een verzoek bij ze ingediend, op basis van de Wet op de vrijheid van informatie. Ze hebben me drie A-viertjes toegestuurd met tekst die met zwarte inkt onleesbaar was gemaakt. Ik ben geen moer met ze opgeschoten. Maar ze weten meer, daar ben ik van overtuigd.'

'Max, waarom heb je mij ingeschakeld?'

Zijn ogen gleden in de richting van Knetsch. De advocaat keek glashard terug. 'Dat heb ik niet gedaan, ik dacht dat ik Oliver Krane inhuurde.'

'Om wat te doen? Om het hoofdkwartier van de CIA te bestormen en hun oude dossiers te plunderen?'

Hij voelde zich kwaad worden. 'Jij bent forensisch accountant,' zei hij. 'Ga op zoek naar het verdwenen geld van mijn grootvader. Spoor de personen op die verantwoordelijk zijn voor het stelen van zijn huis met alles

72

wat erin staat. Help mij en Jeff bewijzen dat mijn aanspraken terecht zijn.'

'Je hebt geen fiezeltje bewijs voor alles wat je me verteld hebt.'

'Precies. Daarom moet ik terug naar Bangkok. *Om de waarheid te achterhalen.*'

Knetsch' wijnglas viel om en spatte uiteen op de plavuizen.

'Bangkok?' herhaalde ze weifelend. 'Dat kon wel eens gevaarlijk zijn.'

'Dat weet ik.'

In haar ogen verscheen weer die roekeloze blik; ze grijnsde en hief haar glas naar hem op.

Zelfs doodsgevaar zou deze vrouw niet uit de weg gaan. Oliver Krane had donders goed geweten wat hij deed toen hij Stefani Fogg naar Frankrijk stuurde.

Tegen middernacht zei Max dat het te laat was om naar Le Praz terug te skiën en bood haar de logeerkamer aan. Ze protesteerde niet. Ze deed geen poging zich langs hem te wringen om haar ski's onder te klikken, ook al hadden de wijn en het urenlange gepraat de afstand tussen hen overbrugd en had ze zichzelf er meerdere malen op betrapt dat ze zich zat af te vragen hoe die jukbeenderen van hem aanvoelden. Terwijl hij lakens voor haar ging halen, liep ze met Jeff Knetsch mee naar de deur om hem uit te laten.

Hij voelde zich nog steeds niet prettig in haar aanwezigheid; de feiten en haar pogingen zich als een professional te gedragen hadden hem niet vriendelijker tegenover haar gestemd.

'Wat vind jij van Max' verhaal?' vroeg ze. 'Zijn moordtheorie?'

'Die onzin over de CIA? Volgens mij heeft hij te weinig om handen.'

Of hij heeft heel sterk behoefte aan een held, dacht Stefani. Maar welke man wil hij precies recht doen? Jack Roderick? Of Rory?

'En wat dat reisje naar Bangkok betreft...'

'Zit je daarover in?'

De advocaat liet een hand rusten tegen de massief eiken stijl van Max' voordeur. Hij aarzelde even voordat hij antwoord gaf. 'Max heeft zich de woede op de hals gehaald van iemand die nergens voor terugdeinst. Maar het is nog niet bij hem opgekomen dat het gewurgde hoertje misschien pas het begin is. Het kan zijn dat ze hem de volgende keer treffen met iets dat hem werkelijk aan het hart ligt.'

'Luistert hij naar jou?'

Knetsch lachte wrang. 'Max luistert naar niemand. En al helemaal niet als hij iemand voor diens raadgevingen heeft betaald. Ga je morgen weer skiën?'

'Max wil me meenemen buiten de piste. Ga mee als je wilt.'

Het was een poging van haar kant om tot een wapenstilstand te komen. Maar de blik van Max' oudste vriend bleef gereserveerd.

'Ik ken dat, met Max buiten de piste skiën. Mijn been kan dat niet meer aan,' antwoordde hij kort. 'Ik wil later wel ergens iets gaan drinken.'

'De Bateau Ivre,' stelde ze voor. 'Om vier uur.'

'Goed,' zei hij en stapte naar buiten.

Terwijl ze de deur achter hem sloot, vroeg ze zich af waar Knetsch' wantrouwen vandaan kwam. Had het met Krane & Associates te maken? Met haar kwaliteiten? Of met het feit dat zij, een vrouw, zich in Max Rodericks huis bevond?

7

Max lag tot na enen wakker, zich bewust van de stevige nachtwind die zijn huis bestookte. Steeds verschenen er andere gezichten voor zijn geestesoog: Jack Rodericks ogen en scherpe neus; zijn vader, een zachtmoediger versie van zijn grootvader; Stefani Foggs half afgewende profiel. Als hij aan haar dacht, zag hij steeds haar profiel voor zich: de welvingen van haar gezicht, als vormden ze een piste die hij nog moest verkennen. Hij had haar zoveel mogelijk over zijn familiegeschiedenis verteld, niet omdat hij Oliver Krane had betaald om haar naar Courchevel te laten komen, maar omdat hij haar lef had uitgetest en tot de conclusie was gekomen dat die hem beviel. Max had heel veel over de durf van mensen geleerd door te kijken naar hoe ze skieden: na drie dagen was hem duidelijk geworden hoe weinig bang ze was.

Behalve voor heftige emoties, vermoedde hij. Voor gevoelens die leed konden veroorzaken of haar met een ander menselijk wezen verbinden. Gevoelens die een bedreiging vormden voor de volstrekte onafhankelijkheid die ze voor zichzelf bevochten had.

Ook hij liep met een grote bocht om dezelfde valstrikken heen. Hij was er bijna zijn hele leven doodsbenauwd voor geweest.

De wind beukte tegen het spitse dak van het huis; de deur van het balkon rammelde in zwak protest. De mist die tijdens de schemering over de hellingen had gehangen was weggeblazen, de kant van Zwitserland op; de maan was aan het ondergaan. Hij rolde naar de rand van het bed, zette zijn voeten op de vloer en pakte zonder eerst het licht aan te doen zijn viool die in een hoek van de kamer stond.

Iemand kan op topniveau skiën of een muziekinstrument met meesterlijke precisie bespelen, maar niet beide tegelijk. Max hield van zijn viool met de passie die hij allang niet meer voor het skiën kon opbrengen, deels omdat de viool hem de beheersing van een meester tot dan toe had onthouden. De viool liet zich niet bedwingen.

Met een gevoel van nederigheid pakte hij de strijkstok vast. Hij greep het instrument bij de hals en liep ermee naar buiten, de vrieskou in. De wind sneed als een mes in zijn naakte rug en boorde zich door de plooien van zijn pyjamabroek. Hij mocht dan niet in staat zijn de muziek aan zich te onderwerpen, zijn vlees kon hij wel aan de elementen onderwerpen. Hij plaatste de strijkstok tegen de snaren.

Een viool krimpt als het erg koud is en het geluid dat er dan uitkomt klinkt op een bizarre manier vervormd. Aan het hout ontsnapte een ak-koord, en toen nog een – een melancholiek, spookachtig geluid, een ode aan de stervende maan. Het was alsof de bergen zelf erdoor betoverd wer-den en konden spreken. De verhalen die ze vertelden waren van het soort waar kinderen niet van kunnen slapen.

Pas goed op je moeder, knul. De stevige rechterhand lag als een zwaar gewicht op zijn schouder en hij had een branderig gevoel in zijn neus, als stond hij op het punt te niezen of in huilen uit te barsten. Daarom verborg hij zijn gezicht in het popeline van zijn vaders broek. De hele marine stond vanaf de pier te kijken. Vrouwen met baby's op de arm en kinderen die kiezels naar het spiegelgladde zwarte water keilden zodat de reflectie van het vliegdekschip bij elke *ploink* beefde en oploste, als was het niets dan lucht. Coronado, een broeierige juliochtend in 1965.

Jij bent nu de enige man in huis, Maxie Max. Jij moet mama beschermen, ik ver-trouw op je. Binnenkort ga je naar de eerste klas en dan verwacht ik iedere week een brief van je waarin je me van alles op de hoogte houdt. Je thuisjournaal voor de SS Roderick. *Oké?*

Hij knikte, zijn hoofd nu opgeheven naar het gezicht van zijn vader, maar zijn armen nog om diens broekspijpen geslagen. De zon achter Rory's hoofd belette Max zijn vaders gezicht goed te zien. De hand maakte zich los van zijn schouder, vouwde zich om de kin van zijn moeder...

Pas goed op je moeder, knul.

Hij had zijn best gedaan en het ene vel gelinieerd papier na het andere ge-vuld, er met zijn gum kreukels in makend. Hij schreef over tochtjes naar Evanston, over het grote oude huis aan het meer dat zijn grootouders nog al-tijd bezaten, over de regen die tegen de ramen van zijn slaapkamer kletter-de. Hij schreef over de dode slang die hij in de kelder had gevonden en over het uitstapje dat hij met zijn moeder naar Lake Tahoe had gemaakt, over het hert dat hij had gezien tijdens zijn eerste trektocht door het Yosemite Park.

Het was niet voor het eerst dat zijn vader met een vliegdekschip mee was. Max was gewend aan maanden achtereen alleen zijn met zijn moeder, aan de geborgenheid waarin ze zich samen terugtrokken, alsof ze in een tent zaten die bescherming moest bieden tegen loerende wilde dieren. Maar dit was de gevaarlijkste reis van zijn vader tot dan toe. Zijn moeders gezicht kreeg soms ineens een afwezige uitdrukking. Ze verzette haar zin-nen door tijdens de lange wintermiddagen uren achtereen verwoed kleren te strijken. Na een van deze strijkaanvallen toen Max zeven was, reed ze met Max naar de bergen en huurde ski's voor hem.

Tijdens de lange twee jaar dat zijn vader weg was, kwam hij af en toe met kort verlof, geheel onverwacht. En er waren telefoongesprekken, moei-zaam, door de sterke ruis. Er waren presentjes die arriveerden in geplette kartonnen dozen, overdekt met vreemde stempels. Er waren verslagen op de televisie over neergehaalde vliegtuigen, die Anne haastig uitzette als Max de kamer in kwam.

Pas goed op je moeder.

Toen zijn vaders A-4 op die januariochtend aan de andere kant van de wereld uit de hemel was gevallen, wist hij daar pas van toen hij haar laveloos mummelend aantrof op de keukenvloer van hun flat in San Francisco. In april, toen ze wisten dat zijn vader dood was en niet meer thuis zou komen, zwierf Anne bij nacht en ontij op straat rond, haar uitgemergelde lijf gehuld in een oude regenjas van haar man. Ze brandde wierook en zong regels uit liedjes die ze half vergeten was, en als ze naar Max keek wist hij zeker dat ze door hem heen keek.

Pas goed op je moeder.

Op een keer toen hij op weg was naar de wc, om drie uur in de ochtend, struikelde hij in het donker over haar lichaam. Wat hij niet aan Stefani Fogg had kunnen vertellen – waar hij simpelweg geen woorden voor had kunnen vinden – was dat hij dertig jaar later het gezicht van zijn moeder weer had gezien toen hij in de van afgrijzen vervulde ogen van een dood Thais meisje had gekeken.

Hij werd bij het aanbreken van de ochtend wakker en dronk koffie, gezeten voor de glazen wand van zijn woonkamer. Op enig moment nadat hij zijn viool had opgeborgen en weer naar bed was gegaan, was er verse sneeuw gevallen. Het open terrein zou nu onder een poederlaag van dertig centimeter liggen, maar de meeste toeristen zouden wel de kabelbaan naar Saulire nemen. Het zou op deze vrijdag leeg en stil zijn in het gebied buiten de pistes; alleen plaatselijke gidsen en jonge jongens die zich van het lawinegevaar niets aantrokken, zouden er sporen in de sneeuw achterlaten. Zijn hart sprong op bij de gedachte: de stilte tussen de dennenbomen onder hun witte deken, de trillende sneeuwmassa boven de bomen, als een golf voordat hij omkrult.

Hij ging met een rugzak en zijn gebruikelijke spullen in zijn eentje op weg naar de gehuurde villa in Le Praz. Stefani had hem voordat ze gingen slapen haar sleutel gegeven en hem verteld waar hij andere kleren kon vinden. Ze wisten allebei dat zij niet het type was om vroeg op te staan, maagdelijke sneeuw of niet.

En dus zag Jacques Renaudie Max die ochtend terwijl hij zijn stoep stond te vegen, met de sleeplift het plaatsje verlaten, in tegenspraak met de lopende geruchten.

'Het idee om alleen binnen afgezette gebieden te skiën is echt Amerikaans,' zei Max ergens halverwege de ochtend tegen Stefani, toen ze even op adem kwamen terwijl ze tegen een helling op ploeterden. Hun ski's droegen ze over hun schouders en in hun rugzak zaten water, voedzame repen, touwen, klimijzers en lawinepiepers. Stefani's rug deed pijn.

'Afzettingen zijn er voor de National Forest Service – die vrijwel al het land waarin zich skigebieden bevinden in bezit heeft – en omdat te veel skiërs in open gebied bij lawines om het leven zijn gekomen.' Hij droeg vandaag zijn helm en had haar gedwongen er ook een op te zetten. 'Maar als je zorgt voor nauwkeurige kaarten van het gebied, en iedere ochtend in het lawineseizoen lawinekanonnen afschiet, kun je de sneeuwmassa's onder controle houden en grote ongelukken voorkomen.'

'Risicomanagement dus.' Stefani zag heel even een beeld van Oliver Krane die zich voor een lawine had opgesteld. 'En in Europa liggen ze niet wakker van een skiër meer of minder?'

'In Europa werden de eerste pistes door dorpelingen aangelegd. Pas na de Tweede Wereldoorlog namen echte exploitanten het over. Denk eens aan de concentratie van de huizen in deze dorpen. Die lijkt willekeurig ontstaan te zijn, maar in werkelijkheid is ze op ervaring gebaseerd. Als je eeuwen achtereen lawines van een berg af ziet razen, bouw je alleen nog daar waar ze nooit langskomen.'

Ze keek naar beneden vanaf hun uitkijkpost: een klein plateautje van misschien drie bij drie meter in de granieten helling. Van hieraf gezien leken de Trois Vallées een schoolvoorbeeld van wat hij had verteld: dorpjes van stenen huizen met schuine daken verspreid in de spleten tussen de hellingen, dichte wouden onder een dikke deken van sneeuw; pijlers van kabelbanen tot op grote hoogte.

'Een klein jochie, op ski's door de lucht suizend,' mijmerde ze. 'Dat kwam nog het dichtst bij vliegen. Heeft je vader je ooit zien skiën?'

'Nee,' zei hij kortaf, met zijn ogen strak op het landschap gevestigd.

Hierna verspilde ze nauwelijks nog adem om te praten. Ze werd te zeer in beslag genomen door het volgen van Max' sporen. Het was belangrijk om goed te letten op waar ze haar tenen kon neerzetten en zich met haar gehandschoende handen kon vastgrijpen. Ze vroeg hem niet waar ze heen gingen; hij had omhoog gewezen naar een corniche die zich bijna honderd meter boven een kale helling verhief. Nog hoger torende een granieten wand bedekt met bevroren en verse sneeuw.

'Zwitserland,' lichtte hij toe, 'als je maar hoog genoeg klimt.'

Ze veronderstelde dat als ze tussen de dichte bomenrijen door naar het dal beneden waren geskied, ze zich zouden omdraaien om de uitputtende klim te herhalen. Het deed er niet zoveel toe. Op het moment was ze er tevreden mee de sporen van de man te volgen.

'Doe je dit vaak?' vroeg ze toen ze eindelijk bij de rand van de corniche waren aangekomen.

'Ik ben hier van de winter drie keer geweest.' Hij trok zijn ski's uit het foedraal op zijn rug. 'Laat mij maar eerst gaan en volg dan je eigen route naar beneden.'

Ze klikte net haar schoenen vast aan de bindingen van haar nieuwe T3's toen het geluid van een geweerschot tegen de rotswand ketste. Het werd versterkt door echo's.

'Wat is dat?'

Max boog zijn hoofd naar achteren en keek naar de sneeuw boven hen. Een tweede schot. Stefani hoorde de kogel heel duidelijk boven hun hoofd langs suizen.

'Naar beneden! Gauw!' schreeuwde Max en spoot weg alsof een startpoortje was opengesprongen.

Ze dook achter hem aan, niet in staat naar de bevende witte massa boven haar te kijken, plotseling bevangen door een wurgende angst. De stilte voor het geraas van de sneeuwverschuiving was als een uitgesteld moment terwijl ze zo'n zes meter door de lucht zoefde alvorens op de helling onder haar neer te komen; het geluid van haar eigen ademhaling klonk haar afgrijselijk in de oren. Max keek niet achterom, nam geen fractie van een seconde de tijd om een blik te werpen op de sneeuwmassa die zich van de rotswand losmaakte; elke vezel van zijn lichaam leek zich te richten op de bomen onder hem, die hun toevlucht zouden kunnen bieden en een aantal kostbare seconden de aanstormende lawine konden tegenhouden. Ze voelde zich niet in staat tot denken of beslissingen nemen; ze gooide zich alleen maar vooruit, skiede op haar instinct, haar wil gericht op één ding: nergens tegenaan botsen om niet een zekere dood tegemoet te tuimelen. Overleven.

De sneeuwmassa bracht nu een donderend geraas voort en ze kon het niet laten een snelle blik achterom te werpen. De corniche, de helling waarlangs ze naar beneden waren gesuisd, de rotswand die erbovenuit torende, alles ging schuil onder een felwitte, metershoge massa. Van pure angst zou ze bijna halthouden, maar een vage kreet van Max deed haar haar hoofd weer omdraaien. Hij had stilgehouden bij de rand van het woud, zo'n twintig meter bij haar vandaan. *Hij wachtte op haar.* Ze wierp zich weer naar voren terwijl de lucht om haar heen vervuld was van lawaai, haar lichaam in gespannen verwachting van het moment dat de lawine haar zou grijpen en vermorzelen. Max had zich inmiddels tussen de bomen begeven en zij bereikte ze net voor de sneeuwgolf aankwam. Ze had ooit het pad gezien dat een lawine door een woud had gekliefd: boomstammen die als weggeworpen lucifershoutjes ter weerszijden van de bruut gemaaide strook waren neergekomen. Maar dat waren espen geweest, fragiele, spichtige dingen zonder noemenswaardige wortels. Nu maakte ze een scherpe bocht om de dikke stam van een spar en voelde de aarde onder haar voeten trillen.

Ze bracht een geluid voort dat nog het meest op zacht gejammer leek en dwong zich verder tussen de bomen door te skiën, met haar ogen strak op Max' verdwijnende rug gevestigd. De sparren achter haar kreunden nu als martelaren op de pijnbank. Ze bogen onnatuurlijk door onder het gewicht van de sneeuw en hun stammen knakten als twijgjes. Er was geen pad voor haar uit, ze kon alleen de tussen de bomen door flitsende gestalte van Max volgen, zonder aarzeling, krachtig slalommend.

Ik ben hier van de winter drie keer geweest.

Een tak sloeg tegen haar schouder en haar ski's schoten onder haar vandaan. Met een schreeuw ging ze onderuit.

Max maakte een razendsnelle draai. Hij zocht houvast met zijn stokken. 'Sta op, verdomme, nú!'

Ze duwde haar stokken de sneeuw in en werkte zich omhoog. Onder de gebruinde huid zag zijn gezicht grauw. Zijn ogen waren strak gericht op iets achter haar. Ze stoof weer verder naar beneden, maar zag dat hij star op zijn plek bleef staan. Het geraas maakte praten onmogelijk. Het volgende moment zou ze gegrepen worden en dubbel slaan, haar rug gebroken als de geknakte bomen...

Max liet zijn stokken vallen en greep haar vast toen ze langs hem suisde. Haar benen gleden bijna weer onder haar vandaan, maar hij hield haar met een ijzeren greep overeind. Hij drukte zijn mond tegen haar oor. 'Dit is nog het ergste ervan.'

Toen pas keerde ze zich om om te kijken. Een kleine tien meter boven hen was de sneeuwmassa trillend tot staan gebracht door het sparrenbolwerk. Door het woud was een vore getrokken bijna zo breed als een voetbalveld. Sparren die meer dan tweehonderd winters hadden meegemaakt waren in luttele seconden geveld.

Max hield haar nog altijd vast. Ze begon te beven, zo hevig dat ze onder zijn armen uit gleed en op haar ski's ging zitten. De door de boomtakken getorste kolossale sneeuwmassa bracht een onheilspellend knerpend geluid voort, als zeilen in een storm.

'We moeten naar beneden nu het nog kan,' zei hij dringend. 'Haal je dat?'

Ze keek naar hem op, met wijd opengesperde ogen in een lijkbleek gezicht. 'Já, wat dacht je! Dit was de meest fantastische afdaling die ik ooit heb gedaan.' Laaiend enthousiasme overspoelde haar.

Toen ze het woud uit kwamen bevonden ze zich in een dalkom, waar de alpenweiden begonnen. Ze legden hun ski's over hun schouders en begonnen de met een harde ijslaag bedekte weg af te lopen die naar een klein dorpje voerde. Drie kwartier later hielden ze halt bij het eerste het beste café dat ze tegenkwamen. Er brandde een houtvuur. Een paar tafeltjes waren vrij, al zaten er heel wat dorpelingen. Een jonge vrouw met een zwaar Savoyaards accent bracht hen vers brood, kaas en worst. Ze dronken Zwitsers bier en roosterden met behulp van lange tangen tosti's boven het vuur. Stefani was in de wolken, het duizelde haar bij de gedachte dat ze aan de dood was ontsnapt; ze flirtte erop los en had er nog nooit zo geweldig uitgezien. Max wist wat een bijna-doodervaring met mensen kon doen en wachtte op het uitwerken van de adrenaline. Hij bedwong de impuls om haar bij haar schouders te pakken en naar zich toe te trekken. Pas nadat ze voor een toetje in de vorm van taart hadden bedankt en zij een cognacje achterover had geslagen, wierp ze de voor de hand liggende vraag op:

'Wie heeft er geschoten?'

Ze zei het zachtjes, zodat anderen in het café die mogelijk Engels spraken het niet konden horen. Die anderen – was een van hen naar hier afgedaald vanaf zijn positie op de berg, na twee schoten te hebben afgevuurd? Was het de bedoeling geweest dat de schoten hen direct doodden of moesten ze alleen een lawine uitlokken?

'Wie hier tijdens het skiseizoen een geweer afschiet is gek,' zei hij. 'Je kunt vervolgd worden als je een lawine veroorzaakt.'

'Als je gepakt wordt.' Ze schoof het cognacglas van zich af. Haar gezicht had een sombere, peinzende uitdrukking gekregen. 'Ik zou wat graag geloven dat het een ongeluk was. Een lolligheidje van tieners. Of misschien was iemand bezig met die rare sport die eigenlijk nooit wordt beoefend, behalve tijdens de Olympische Spelen – de pentathlon. Skiën en schieten op doelwitten in de sneeuw.'

'Daarvoor is een speciale baan,' merkte Max op, 'maar die ligt niet op de hoogte waar we vandaag aan het skiën waren.'

'Jeff heeft gelijk, weet je. Iemand heeft het op je gemunt.'

'Een Thaise schutter in het woud?' zei hij spottend. 'Ik denk niet dat Thai kunnen skiën.'

'Of een van hun cessionarissen, zoals Oliver Krane zou zeggen. Dat kan niet anders. Ik denk niet dat je van toeval kunt spreken als iemand een geweer afvuurt en Max Roderick zich pal op het pad van een hierdoor veroorzaakte lawine bevindt. Dit was een vooraf beraamde aanslag, Max. En hij was bijna geslaagd.'

'Maar we zijn ontkomen.'

'Ja, en?' Haar stem klonk iets luider. Hij zag dat ze nadacht over de woorden die haar op de lippen lagen en deze verwierp. Ze zei in plaats daarvan: 'Deze keer was het een aanslag die op een ongeluk moest lijken. De volgende zal rechtstreeks en dodelijk zijn. Je moet weg uit Courchevel.'

'Ik sla niet op de vlucht voor problemen.'

'Waarom zien mannen een tactische terugtrekking altijd als een vlucht? En zelfs al is het een vlucht... Wat is er mis met overleven?'

'Ik doe al sinds mijn achtste niet anders. Ik neem er geen genoegen meer mee.'

Haar ogen vernauwden zich. 'Wat bedoel je in hemelsnaam?'

'Weet je hoe het voelt om als laatste achter te blijven? Als enige door te leven terwijl de rest verdwijnt, uit de lucht valt of doodgaat zonder een woord tegen degenen van wie ze houden? Het betekent dat je nooit veilig genoeg kunt zijn. Je kunt jezelf nooit de vrije teugel geven. Je moet aldoor vechten tegen het lot dat je voorzaten heeft weggevaagd. Je moet de geschiedenis herschrijven, bewijzen dat die niet deugt. Je dient onsterfelijk te zijn.' De laatste woorden spoog hij uit.

'Geloof je dat echt?'

'Ik kreeg het op mijn schouders gelegd,' zei hij verbitterd. 'Ik heb nooit een keus gehad. Het maakte niet uit dat ik geen familie meer had en dat ik op mijn tiende mijn eigen gang kon gaan. Toen ik bij het graf van mijn moeder stond, besefte ik wat ik met de rest van mijn leven moest doen. Als er voor de Roderick-clan een happy end kon bestaan, was ik degene die ernaar op zoek moest gaan. Mijn leven lang ben ik dag in dag uit bezig geweest de dood te tarten. Ik bereken mijn kansen, perfectioneer mijn vaardigheden, verg het uiterste van mijn krachten. En dan komt er een dag dat ik het niet red, Stefani. Ik ga af. Ik slaag er niet in me te plaatsen voor mijn laatste Olympische Spelen en word naar huis gestuurd met m'n goeie gedrag. En als ik dan bekijk wat ik met mijn leven heb gedaan – al die ruimte die ik om me heen heb gecreëerd, al dat overlevingsgedoe waar ik geen kant mee op kan – dan vraag ik me af: waar was het goed voor?'

Ze staarde hem sprakeloos aan.

'Ben ik dertig jaar lang voor het verleden weggelopen? Ben ik de waarheid uit de weg gegaan – over mijn vader, over Jack – omdat die wel eens te pijnlijk zou kunnen zijn? Is het beter om net te doen alsof ik het in mijn eentje allemaal heb kunnen rooien?'

Hij keek van haar weg, onbewust op zoek naar een gezicht dat eruit sprong tussen de andere gezichten, een detail dat iets verried van een moordenaarsmentaliteit. 'Ik zou jou geen gevaar moeten laten lopen. Het spijt me.'

'Dat doe je niet. Dat doet Oliver Krane, met mijn instemming.'

'Maar je moet dan wel goed beseffen dat ik weiger nog langer te vluchten. Ik wil weten wat er gebeurd is, hoe erg het ook mag zijn. Ik wil verklaringen vinden die me te lang onthouden zijn. Ik wil vergelding, ik wil de waarheid. Iemand moet boeten. Ik wil het huis, verdorie!'

'Je hebt een heel mooi huis,' merkte ze op.

Hij lachte gefrustreerd. 'Je hebt geen idee waar je het over hebt. Om het te begrijpen zou je het huis aan de khlong moeten zien, zou je op je blote voeten over de glimmend geboende houten vloeren moeten lopen, moeten kijken in het binnenste van de torenende ruimtes, het gezicht moeten aanraken van de Boeddha die over de tuin uitkijkt. Je zou de aanwezigheid van geesten moeten voelen – zoals ik die vorig jaar gevoeld heb. Hij is daar nog, Stefani. Jack is daar. En hij is van mij. Niet van al die lieden die bij drommen in hun smerige spijkerbroeken door zijn paleis schuifelen. Hij is van mij.'

Ze knikte langzaam, met een uitdrukking in haar ogen die zowel kalm als meelevend was. 'Wat zijn je plannen?'

'Ik vlieg maandag naar Bangkok. Ga je met me mee?'

Tot zijn verbazing bloosde ze. 'Natuurlijk. Het is mijn werk toch?'

Hij kon een glimlach niet onderdrukken. 'Je kneep 'm vandaag anders wel bij het skiën.'

'Om de dooie dood niet, Roderick.'

Ze zat weer te flirten, ondanks het besef dat ze geobserveerd werden, ondanks de geweerschoten. God, ze had ontzettend veel lef. En toch zag ze er zo teer uit. Hij zag haar doodgemoedereerd bloedrode lippenstift op haar lippen aanbrengen, alsof ze in Manhattan in de lift van een wolkenkrabber stond.

'Je hebt mijn leven gered,' zei ze tussen het stiften door. 'Ik sta dus bij je in het krijt. Laat die verontschuldigingen maar zitten, oké?'

Ze daagde hem uit, zij het voorzichtig. Hij ging erop in en kuste haar hard op haar mond, zodat de zorgvuldig aangebrachte lipstick veranderde in een ruwe veeg over hun beider lippen.

8

Ze waren zes minuten te laat terug in Courchevel voor hun afspraak in Le Bateau Ivre. Jeff Knetsch zat aan een hoektafeltje achterin op hen te wachten. Hij had zijn ski-jack uitgetrokken; zijn rusteloze vingers omklemden een glas bier. Hij leek geheel op te gaan in een gesprek met een vrouw die loom in een stoel hing en haar laarzen op het hekje van de brandende haard had geplant. Ze had heel lang, oranjekleurig haar dat hoog opgetast op haar kruin was vastgezet; haar huid was bruinverbrand en haar make-up was smetteloos. Ze kon die dag onmogelijk geskied hebben, dacht Stefani.

'O god,' mompelde Max in haar oor. 'Zet je schrap.'

Toen Jeff Max zag, gleed zijn glas uit zijn hand en gutste het bier over tafel.

'*Darling!*' De vrouw zette haar voeten met een plof op de vloer. Ze sprong overeind uit haar stoel en snelde naar hen toe. Ze had bruine, amandelvormige ogen en haar gezicht had Aziatische trekken. Haar accent was echter bekakt.

'Ankana,' zei Max tussen zijn tanden door, zich naar haar overbuigend om haar een vluchtige kus op haar wang te geven. 'Wat leuk dat je in Courchevel bent.'

'O, het was zo toevallig! Fabelachtig gewoon. Ik sta op de kabelbaan te wachten – Saulire was waanzinnig vandaag, *darling*, je had er moeten zijn – en opeens skiet die arme Jeff me bijna van mijn sokken. Ik meteen aan het schelden als een viswijf, dat snap je, maar toen zag ik pas dat hij het was. Nou, lachen, zeg! Wat een giller! Je gelooft het toch niet? Dat we elkaar op zo'n manier tegenkomen? En ik maar denken dat hij in New York zat.'

Ze greep Max bij zijn arm en trok hem mee naar hun tafeltje alsof hij een vette vis was die zij aan de haak had geslagen.

'Ankana,' zei Max, 'mag ik je een heel oude vriendin van mij voorstellen? Stefani Fogg, Ankana Lee-Harris.'

'Gut, wat leuk,' zei de vrouw nonchalant en liet haar zwoele bruine ogen gedurende een fractie van een seconde over Stefani's gezicht glijden alvorens zich weer in haar stoel te laten vallen. 'Hoe-is-ie, *darling*? En hoe staat het met je beeldige stenen optrekje? Heb je je bad al eens uitgesopt sinds ik er in heb gezeten? En heb je nog van die *yummy* Bordeaux?'

Max glimlachte stug. 'Zitten jullie hier al lang?'

'Twee uur,' zei Jeff. 'Ik ben er vroeg mee opgehouden vandaag. Mijn been wil niet meer zo. Ga zitten.'

Stefani voelde hoe de hand van Max haar arm steviger vastgreep. Hij trok een stoel onder de tafel vandaan. 'Eén glaasje dan. Ik vrees dat we allebei nogal kapot zijn.'

'Je hebt je zeker weer een ongeluk geskied?' Ankana lachte. 'Arme Jeff zei dat je hem heel zielig alleen had gelaten om buiten de piste te gaan skiën. Foei, foei, Max, zoiets doe je toch niet...'

'Hij had mazzel dat hij niet mee was.' Max keek rond op zoek naar een serveerster.

'Geen lekkere sneeuw?'

'Ouwe troep en vers poeder door elkaar. Lastig skiën. Blijf je lang hier?'

'Alleen dit weekend. Bobbie — mijn mannie — doet zo klotig de laatste tijd dat ik er nodig even uit moest. Ik had zo'n zin om weer eens lekker plezier te maken. Maar maandagochtend moet ik weer terug naar het slagveld, balen wel.'

'Hoe kennen jullie elkaar allemaal?' vroeg Stefani. Max had blijkbaar besloten met geen woord over de lawine te reppen en dus deed zij dat ook niet.

'O, van ja-a-a-ren geleden,' zei Ankana met een dramatisch stemmetje. 'Ik was World Cup-groupie toen ik nog een héél klein meisje was en ik kende alle jongens van binnen en van buiten.' Ze keek smachtend naar Max. 'Maar toen ik naar Londen verhuisde, ben ik ze allemaal een beetje kwijtgeraakt. Toen kwamen Jeff en ik elkaar twee jaar geleden toevallig weer tegen in de Met — ik zit in het public-relationsvak, *darling*, in de kunst, en Jeff zit in de raad van bestuur van het Metropolitan. Niet te geloven, toch? En daarna hebben we contact gehouden.'

'Woon je nu nog in Londen?'

'In Hampstead Heath. Maar ik verzin constant van alles om er weg te komen. En waar woon jij?'

'In New York.'

'Jeffs achtertuin! Ken je Shelley en de kinderen dan ook?'

'Niet persoonlijk.'

'Hoe ben je in hemelsnaam híér verzeild geraakt?' De schuinstaande ogen verrieden niets van de intense belangstelling die Stefani uit elke andere vezel van het lichaam van de vrouw gewaar werd.

'Ik ben het geld van mijn ex-man aan het uitgeven,' antwoordde ze luchtigjes. 'Dat leek me de beste manier om wraak te nemen.'

'Briljant!' kirde Ankana. 'Dan mag jij de rekening betalen!'

'Jeff, ik ben te kapot om eindeloos te wachten tot er iemand komt bedienen,' kwam Max tussenbeide. 'Ik denk dat ik maar naar huis ga.'

'Ik kom straks nog wel even langs.' Het gezicht van de advocaat zag er bleek en afgetrokken uit; waarschijnlijk had hij meer last van zijn been dan hij wilde toegeven. 'We moeten nog het een en ander bespreken.'

'Gaan jullie over zaken praten? Wat sáái nou!' barstte Ankana los. 'Mag ik niet een poosje rondpoedelen in dat bad van jou terwijl jullie met elkaar beuzelen? Luister, Max, je móét me gewoon uitnodigen. Het is al ja-a-a-ren geleden dat ik bij je ben geweest.'

Hij keek haar een tijdje aan, en trok toen zijn schouders op. 'Als Jeff voor de schade opdraait.'

'Dat doet-ie altijd toch!'

Ze barstte in kirrend gelach uit en Max en Stefani vluchtten naar de deur.

'Vertel op,' zei Stefani zachtjes tegen hem terwijl ze hun ski's pakten. De gure wind die de geur van de verse sneeuw aanvoerde voelde als een reinigend bad op haar gezicht, dat ze naar hem ophief. 'Wie is dat?'

'Een parasiet,' zei hij zonder omhaal. 'Een nachtmerrie. Ze heeft geen moraal, en geen rooie cent, en ze kent geen genade. Jeff zit de rest van de tijd dat hij hier is met haar opgescheept.'

'Heeft hij een verhouding met haar?'

'Misschien hebben ze hier in Courchevel met elkaar afgesproken, dat zou kunnen. Maar ik betwijfel het. Jeffs gezin betekent heel veel voor hem. En Ankana is meer iemand voor losse scharrels.'

'Je moet niets van haar hebben.'

'Ik vertrouw haar niet. Ze heeft in het verleden zo veel verschillende gezichten laten zien dat ik niet meer weet wie ze echt is.'

'Komt ze uit Azië?'

'Engelse import. Ze is geboren in Thailand en getrouwd met een Engelse edelman met een hoop geld en weinig verstand.'

'Dat ze een pr-functie heeft is dus flauwekul?'

'O, ze heeft wel degelijk een baan, bij een museum in Londen – het Hayes Museum voor Aziatische Kunst – maar niemand snapt hoe het haar lukt die te houden.'

'Max…' Stefani hield halt op de plek waar hun beider wegen zich scheidden, het begin van haar piste naar Le Praz en het pad naar zijn huis. 'Wees voorzichtig vanavond. Twee uur nadat je bijna door een lawine gedood bent, duikt er een Thaise vrouw op. Dat is wel heel toevallig.'

'Ga met me mee en houd haar zelf in de gaten.'

'Ik moet telefoneren.'

'Meneer Krane?'

Ze knikte. 'Ik wil weten hoe hij over lawines denkt.'

In Jacques Renaudies café in Le Praz was een telefooncel die er zo primitief uitzag dat gesprekken die daar gevoerd werden waarschijnlijk lastig te traceren waren. Stefani had hem twee dagen eerder ontdekt toen ze hier voor het skiën koffie had gedronken. Die middag om vier uur – negen uur 's ochtends in New York – trok ze de deur van de cel achter zich dicht,

86

stopte een penning in het antieke apparaat en vroeg naar een internationale telefonist. 'Collect call van Hazel,' zei ze en gaf een van de nummers op die Oliver haar had gegeven.

Terwijl er geschakeld werd hield ze haar ogen gevestigd op de voorzaal van Renaudies café. Skiërs verdrongen zich om de bar en bestelden bier en grog terwijl in rad Frans verwensingen in het rond werden geslingerd. Le Praz was een rustiger plaatsje dan Courchevel 1850 waar Max woonde; hier kwamen vrijwel geen vertegenwoordigers van de internationale jetset, maar wel veel gezinnen met kinderen. Ze had de villa in Le Praz uitgezocht omdat die minder voor de hand lag dan een van de viersterrenhotels bij Max in de buurt; maar ze was hier wel een buitenbeentje in haar skipak van hertenleer met de hoofdband van nerts.

'Carlton Gardens,' klonk een bedaarde stem in haar oor. Ze schrok. Echt iets voor Oliver om zijn doorschakelservice naar een Monopoly-straat te vernoemen. De telefoniste gaf haar naam en het gesprek werd geaccepteerd. En toen bereikte Olivers stem haar met de snelheid van het licht, vanaf de onbekende locatie waar hij zich op dat moment bevond. Stefani was er bijna zeker van dat hij ver van New York verwijderd was.

'Hazel, lief ding,' fleemde hij. 'Smacht je naar je ouwe oompje terwijl je aan de rum zit? Hoe staat het aan het World-Cup-front? Vertel me alles. We zijn compleet beveiligd.'

'Max en ik werden vanochtend bijna bedolven onder een lawine die door iemand met een geweer werd veroorzaakt,' antwoordde ze.

'Hemeltje. Je bent blijkbaar echt van plan er in stijl tussenuit te gaan. Zijn er slachtoffers gevallen?'

'Nee. We waren met z'n tweeën aan het skiën op een van Max' speciale plekjes. Degene die geschoten heeft, wie het ook was, wist dat we daar zouden zijn. Het was een vooraf beraamde aanslag en hij was zeer doelgericht.'

'Dan moet de verdachte in een beperkte kring gezocht worden, neem ik aan?'

'Ik heb dat maar niet tegen Max gezegd. Maar ik wil meer weten over zijn advocaat, ene Jeff Knetsch. Hij kwam gisteravond vanuit het niets opduiken en begon me meteen te taxeren. Het was duidelijk dat ik hem niet beviel. Hij wist waar we vandaag ongeveer gingen skiën. Hij zit wel in het dossier dat je me gegeven hebt, maar alleen bij de achtergrondinformatie. Ik wil weten wat hij tegenwoordig uitvoert, hoe het zit met zijn loyaliteit, wat zijn zwakheden zijn. Hoeveel hij aan Max kan verdienen.'

'Komt in orde,' beloofde Oliver. 'De eerlijkheid gebiedt me echter te vertellen dat de heer Knetsch ook zelf een onderzoek heeft ingesteld.'

'Waarnaar?'

'Naar jou, uiteraard, engeltje. Hij heeft al aardig wat lelijks weten op te diepen.'

Stefani nam deze informatie zwijgend tot zich. 'In opdracht van Max?'

'Dat zou je wel zeggen, nietwaar?'

Hij neemt niets zomaar aan, hij vertrouwt geen mens, dacht ze. Of zou Knetsch op zijn eigen houtje aan de gang zijn in een poging mij het werken onmogelijk te maken?

'Moet ik mijn vingers soms in nog iemands broekje steken?' vroeg Oliver op beschaafde toon.

'Het is misschien erg ver gezocht, maar ik zou ook meer willen weten over een vrouw. Ze heet Ankana Lee-Harris. Ze is van Thaise afkomst en getrouwd met een Brit, genaamd Bobbie Lee-Harris. Ze dook vandaag op aan Knetsch' zijde. Max vond het maar niks.'

'Adres? Meisjesnaam?'

'Ze woont in Hampstead Heath en werkt voor het Hayes Museum voor Aziatische kunst. Dat is in Londen.'

'Dat wéét ik.' Voor het eerst sinds ze hem had leren kennen klonk hij lichtelijk geïrriteerd. 'Leeftijd? Huidskleur? Bankrekeningnummer?'

'Ik heb alleen maar even met haar in een restaurant gezeten, Oliver. Ze is van mijn leeftijd en ze heeft oranje geverfd zwart haar.'

'Okido. Hazel...'

'Ja?'

'Vermaak je je een beetje?'

Hij vertrouwt geen mens.

Even deed de herinnering aan Max' mond op de hare haar de ogen sluiten.

'Enorm,' antwoordde ze.

9

'Mademoiselle Fogg!' riep Yvette Margolan uit toen Stefani haar slagerij annex delicatessenwinkel binnenging. 'Fijn u te zien!' Hoe waren *les pistes* vandaag?'

'Superspannend. Ik heb mezelf zo ongeveer van de berg afgegooid.'

'Buiten de piste is altijd zwaar.' De Française leunde geïnteresseerd over de glazen toonbank naar voren. 'Het is heerlijk natuurlijk, zoals alles in Courchevel, maar *très fatigant*.'

Stefani keek haar oplettend aan. 'Is het soms aan me te zien dat ik buiten de piste heb geskied?'

'Max vertelde me gisteren toen hij zijn *tarte tatin* kwam halen waar hij vandaag ging skiën. Ik vraag hem altijd waar hij heen gaat, want hij heeft een betere neus voor goede sneeuw dan wie ook in de omgeving.'

Hetgeen betekende dat iedereen die gisteren met Yvette had gesproken mogelijk wist waar Max vanochtend naartoe zou gaan. Het was een frustrerende gedachte.

'Als je Max Roderick wilt bijhouden,' babbelde Yvette verder, 'moet je wel skiën alsof de duivel je op de hielen zit. Ik kan het weten; ik heb ontelbare malen met hem geskied.'

'Kent u Max al zo lang dan?'

'Al zolang hij in Courchevel woont.' Yvette gebaarde naar een ingelijste foto die boven haar kassa hing: vier lachende mensen in de sneeuw, de Saulire in de verte. 'Het was zo'n leuke tijd toen Jacques, zijn vrouw, ik en Max samen hele tochten in de omgeving maakten. Maar toen...' Ze hield haar hoofd schuin. 'Hoe gaat het met Max op het moment? Is hij een beetje gelukkig?'

'Ik geloof het wel.'

'U had hem in geen jaren gezien, toch?'

De vrouw was helemaal in voor een potje roddelen. Tijd dus om de geruchtenmachine van brandstof te voorzien.

'Eind jaren tachtig waren we heel dik met elkaar,' deelde Stefani haar roekeloos mee. 'Maar toen ging ik trouwen en groeiden we uit elkaar.'

'Bent u getróúwd?'

'Niet meer,' loog Stefani schaamteloos. 'Mijn ex-man zat in de oliebusiness. Ik ben in Courchevel om hem te vergeten.'

'Ach.' De Franse vrouw liet haar ogen over Stefani's dure kleren gaan en knikte toen wijs. 'Max is veel te veel alleen geweest. *Bon*, genoeg gepraat, u bent vast niet hier om over *les amours* te praten.'

'Ik dacht dat we het over skiën hadden,' zei Stefani onschuldig. 'Maar u hebt gelijk, *madame*, ik kom voor die verrukkelijke *tarte tatin* die Max me gisteravond heeft voorgezet. Hebt u er misschien nog eentje?'

De bel van de winkeldeur rinkelde terwijl Yvette de lekkernij in bruin papier en plastic aan het verpakken was. Een slank en lenig donker meisje in een skitrui en met bontlaarzen aan haar voeten kwam de winkel in geslenterd. Ze had ravenzwart glanzend haar, een nukkig mondje met volle lippen en grijze ogen met dichte wimpers. Aan haar mondhoek bungelde een sigaret.

'*Allô, Yvette*,' riep ze. '*Tu vas bien?*'

'*Oui, comme toujours, Sabine. Et votre papa?*'

'*Ce con*,' antwoordde het meisje venijnig. Ze vermorzelde haar peuk onder de hak van haar laars.

Yvette wierp een ongeruste blik in Stefani's richting. 'Dank u wel, *mademoiselle* Fogg,' mompelde ze terwijl ze haar het pakje met taart over de toonbank heen aanreikte.

'Fogg?' mompelde Sabine haar na. '*C'est la putaine américaine?*'

'*Zut, Sabine*,' siste Yvette.

Maar de vrouw versperde Stefani de weg. 'Bent u die vrouw die Fogg heet?'

'Ja. En wie ben jij?'

Sabine nam haar van hoofd tot voeten op en glimlachte toen boosaardig. 'Maar wat bent u oud! Max kan niet verliefd op u zijn. U bent al bijna veertig!'

'Klopt. En ben jij al uit de luiers?'

Sabine wierp haar haar naar achteren en slenterde door naar Yvettes toonbank, waar ze een schaal met chocolaatjes begon te bekijken. 'In Frankrijk, *vous comprenez*, vallen mannen voor jonge vrouwen. Vrouwen als u gebruiken ze om hun huis aan kant te houden en vrouwen als ik om een rommeltje van hun bed te maken.'

'Sabine!' zei Yvette vermanend.

'Rustig maar, hoor,' zei Sabine over haar schouder. 'Ik ga al. Ik heb een afspraak met het Oostenrijkse skiteam. Vertel Max maar waar hij me kan vinden als hij zich een beetje eenzaam voelt.' Ze gleed langs Stefani heen en stampte naar de deur.

'*La pauvre petite*,' zei Yvette klaaglijk. 'Ze heeft nooit begrepen waarom haar moeder ervandoor is gegaan, moet u weten.'

Stefani pakte haar handschoenen van de toonbank. 'Is ze de dochter van Jacques Renaudie?'

'*Mais oui.* Haar moeder was smoorverliefd op Max, een tijdje terug. Maar Max zag Claudine nooit als een vrouw, maar gewoon als de vrouw van een oude *ami*. En uiteindelijk is ze in wanhoop weggelopen naar Parijs, met een bankier, een vriend van Max. Ik heb al een hele poos niets meer

90

van haar gehoord.' Yvette keek even naar de foto boven haar kassa. '*Cette jeune fille* is pas tevreden als ze iedereen die haar zo ongelukkig heeft gemaakt heeft laten boeten.'

Toen ze in haar gehuurde villa terug was, trok Stefani andere kleren aan en begon toen aan het opstellen van een faxbericht voor Oliver Krane. Ze moest een aantal namen aan zijn lijstje toevoegen. Jacques Renaudie leek een heel aardige man, maar zijn weggelopen vrouw en kwaaie dochter waren voor hem waarschijnlijk reden genoeg om Max Roderick te haten. De innigste vriendschappen kunnen kapotgaan als er te veel druk op komt te staan en ook de aardigste mensen kunnen hun toevlucht tot moord nemen.

Jeff Knetsch schonk een flinke bodem whisky in en hield het glas tegen het licht. Hij was niet iemand die het geregeld op een zuipen zette, maar op momenten als dit, op momenten dat de omstandigheden hem boven het hoofd groeiden, had hij er ineens behoefte aan.

Hij moest de boel altijd onder controle hebben, dat was voor hem van levensbelang.

Bij Ballard, Crump & Skrebneski, het chique advocatenkantoor waar hij het zeven jaar geleden tot partner had geschopt, plaagden ze hem ermee. 'Pietepeuter', 'Micromanager', 'Feitenfreak' noemden ze hem. Zijn reputatie berustte in hoofdzaak op zijn obsessieve aandacht voor details.

Hij oogstte lof voor alle tot op de minuut verantwoorde uren die hij jaarlijks draaide, de enorme inzet waarmee hij zelfs de onbelangrijkste kwesties te lijf ging. Hij leidde een voorbeeldig leven in een gegoede buitenwijk in Westchester, was zondagsschoolmeester bij de episcopale gemeente aldaar. Zijn vrouw Shelley gedroeg zich altijd onberispelijk bij gelegenheden die met de firma van doen hadden; ze kleedde zich goed, zij het erg klassiek, en als zij en Jeff als stel een nogal fletse indruk maakten — ze zeiden nooit iets gedurfds en hun meningen leken wel voorgeprogrammeerd — deed hun dat geen kwaad in de ogen van degenen die voor Jeffs carrière van belang waren. Hij was allesbehalve een gladde charmeur die cliënten bij bosjes kon binnenhalen, maar Jeff was betrouwbaar. Op Jeff kon je bouwen. Jeff Knetsch kreeg bij Ballard, Crump & Skrebneski de moeilijkste zaken toegeschoven, de lastigste, zeurderigste cliënten. De cliënten die de firma beslist niet wilde verliezen.

Als zijn partners echter wat beter naar Jeff gekeken hadden wanneer die zich 's ochtends van de lift naar zijn kantoor begaf, dan had diens camouflage hem ongetwijfeld wel een keer in de steek gelaten. Een zenuwtrekking boven zijn rechteroog, zijn vingers die het handvat van zijn aktetas krampachtig omknelden. Discipline was niet langer Jeffs instrument, maar zijn gevangenis.

91

Hij weerstond de pieken en dalen van het leven door zijn gedachten en gevoelens in concentrische compartimenten te bewaren, stevig in zijn geest verankerd. Onderlinge uitwisselingen waren uit den boze. Een compartiment bevatte zijn verleden, met alle dromen over roem en glorie die hij in zijn geheimste fantasieën gekoesterd had. In een ander zat de pijn van een ernstige fysieke verwonding en het herstel daarvan. In een derde zijn loopbaan als jurist. In de vierde zijn huwelijk. En in de vijfde...

Wild gelach bereikte hem vanuit het warme bad een verdieping lager en verstoorde zijn gemijmer. Ankana Lee-Harris lag daar naakt in het grote bad te poedelen, haar goudbruine dijen iriserend door de onderwaterverlichting, haar ogen lichtend als die van een kat. Ze had een aangebroken champagnefles op de rand van het bad gezet en hield een van Max' flûtes in haar vingers; haar nagels leken wel klauwen. Ze leek geenszins van plan binnen korte tijd uit bad te stappen en het huis te verlaten.

Max vond het vreselijk haar in huis te hebben en dat had hij ook tegen Jeff gezegd.

'Zorg dat ze verdwijnt.'

Ze hadden zich teruggetrokken in de keuken, achter de klapdeur die enige privacy garandeerde.

'Ik wil dat ze binnen een halfuur weg is.'

'Max, ik weet niet of ik...'

'Als ze hier morgenochtend om drie uur nog is, dan zul je wat beleven. En ik verdom het om daarover te bekvechten als dat wijf erbij is, straalbezopen.'

'Het is pas halfacht. Tijd zat om...'

'Jeff,' zei Max binnensmonds, 'je bent en blijft een slapjanus.'

Het was bijna gedaan met Jeffs zelfbeheersing en instinctief had hij naar de whiskyfles gegrepen. Hij voelde zich even duizelig worden. De whisky klotste over zijn vingertoppen.

'Ik zal haar mee uit eten moeten nemen, in een heel duur restaurant.'

Max gooide hem vijftienhonderd frank toe. 'Verkoop haar een schop onder haar kont. Onbeschoftheid is het enige dat Ankana begrijpt. Je bent haar niets verschuldigd.'

Was dat maar waar, dacht Jeff terwijl hij zijn glas whisky leegdronk. Was het maar waar dat ik haar en al die anderen niets verschuldigd was...

Hij zoop niet, hij hield er geen maîtresse op na, hij kocht niet op krediet, maar was wel slachtoffer van één ernstige verslaving. *Het vijfde compartiment*. Het compartiment waarin risico en tomeloosheid huisden, waarin het lot onverbiddelijk kon toeslaan. Jeff was er gek op – op de onvoorspelbaarheid, de plotselinge goedgezindheid van het lot, de gigantische verliezen die iemand konden verpletteren.

Het compartiment van de gokverslaafde.

Alles was daarin mogelijk, alles aanlokkelijk. Bij elk bezoek aan Las Ve-

92

gas, elk weekendtripje naar Atlantic City spendeerde hij meer geld aan gokspelletjes dan de vorige keren. Hij had rekeningen lopen bij bookmakers onder verschillende namen. Hij dreef rond in een zee van Internetoperaties die stuk voor stuk vaag gestructureerd en hoogstwaarschijnlijk illegaal waren. Hij had zoveel schulden dat hij ze niet meer kon overzien, maar de gevolgen hadden hem nooit beziggehouden. Met een dobbelsteen zijn leven op het spel zetten, dat was het ultieme genot. Hij was het speeltje van Vrouwe Fortuna.

'Ze gaat zondagochtend weer weg?' vroeg Max.

'Dat zegt ze.'

'Stefani en ik vliegen maandag naar Bangkok. Jij kunt terug naar New York wanneer je maar wilt.'

Weggestuurd, als een stuk bagage, dacht Jeff. Zo loopt het dus af met twee oude vrienden. Je bent een klootzak, Max. Een idioot. Een golf van woede en angst, aangewakkerd door de Scotch, overspoelde zijn brein. 'Je hebt Stefani Fogg uitgenodigd om mee naar Bangkok te gaan? Zomaar, pats boem?'

'Pats boem, ja. Ik heb mijn besluit genomen. En daarvoor had ik haar ook ingehuurd.'

'Ik heb me daarover verbaasd. Waarom heb je dat gedaan?'

Max keek in de richting van de gang. Probeerde hij Ankana te horen? Hij gaf geen antwoord. Met haar oor tegen een sleutelgat gedrukt luistervink spelen was typisch iets dat bij haar paste.

'Stefani is niet de meest aangewezen persoon voor zoiets,' hield Jeff aan. 'Wat Krane je ook probeert wijs te maken. Forensisch speurwerk kan ze net zo goed in New York als in Thailand doen. En iedere een beetje goeie juridische medewerker van ons kantoor kan precies hetzelfde doen, maar dan voor een fractie van wat je aan haar spendeert.'

'Is dat wat je dwarszit? Waar ik mijn zaakjes onderbreng?'

'Helemaal niet. Het gaat om competentie. Ze is wat jij haar betaalt niet waard.'

'Wat heb je tegen Stef? Ze is wel degelijk competent genoeg om…'

'O, zeg je nu al "Stef"? Als het al zo ver gekomen is, laten we het dan maar niet eens over "competent" hebben.' Hij wuifde vaag met de whiskyfles in de richting van Max.

'Je bent kwaad om wat ze zei over je carrière,' constateerde zijn vriend een tikkeltje geamuseerd. 'Je mag haar niet omdat ze het verdomt om je naar de mond te praten.'

'Ik ben juist weg van haar,' zei Jeff. 'Ze is fantastisch. Ze kijkt je aan met smeltende ogen en lispelt woorden van vier lettergrepen die nauwelijks te vatten zijn. Daarom heeft Krane haar op je afgestuurd. Hij rekent erop dat je niet over zijn rekeningen klaagt omdat je je door haar in de luren laat leggen.'

Max snoof verachtelijk.

'Je vroeg me om raad,' barstte Jeff uit. 'Je vroeg mij deskundig advies. En ik zeg je dat je die vrouw naar huis moet sturen.'

'Daar is het te laat voor.'

'Waarom? Een week geleden konden we het nog heel goed redden zonder Krane & Associates. En nu vlieg je opeens met Stefani Fogg naar Bangkok. Wat is er veranderd?'

Max keek hem bedaard in de ogen, met de blik die hij reserveerde voor degenen die hij bij wedstrijden versloeg. 'Jij bent niet genoeg, Jeff. Jij zit in New York en je hebt een praktijk die op mijn problemen geen antwoord heeft. Ik kan die firma van jou nog zoveel geld toeschuiven, maar dat zal er niets aan veranderen.'

'Ik zal de eerste zijn om toe te geven dat ik niet God ben. Ik kan niet elke situatie rechtbreien. Maar ik ben wel je oudste vriend.'

'Je staat dichter bij me dan een broer.' Hij zei het zonder emotie, het was een feitelijke constatering. 'Maar dat heeft met Stefani niets te maken.'

'Ik vertrouw haar niet. Dat zou jou meer moeten zeggen dan het geval is. Je bent vandaag maar net aan de dood ontsnapt.'

Max en de sneeuw, de ultieme gok.

'Zij had ook dood kunnen zijn.'

'Ja, als beveiligingsexpert is ze echt geweldig! Voordat ze Courchevel kwam binnencrashen was je hier nog veilig. Max, kom op, wat weet je nu eigenlijk helemaal van haar achtergrond?'

'Dat ze slim is, geweldig slim zelfs. Ze is afgestudeerd aan een van de beste faculteiten, ze heeft jaren keihard gewerkt en is financieel volkomen onafhankelijk. Ze kan skiën als de beste. Ze heeft lef en ze heeft veerkracht. Ze gaat gevaar niet uit de weg. Wat wil je nog meer?'

'Ze is twee keer getrouwd geweest en weer gescheiden,' ging Jeff tegen hem in, 'ze is in totaal twee jaar en drie maanden in therapie geweest en heeft allerlei antidepressiva geslikt. Ze heeft drie miskramen gehad en is vijf jaar geleden gearresteerd wegens cocaïnebezit. Niet direct een stabiel type, of wel? Heeft Krane je verteld waarom ze bij FundMarket weg is?'

'Nee. Heb je de privé-speurder van jullie firma op haar gezet zodra je haar naam wist, Jeff?'

'Natuurlijk.' Hij zette zijn lege glas neer. 'Ik zou wel een heel slechte advocaat zijn als ik dat niet had gedaan. Het beleggingsfonds dat zij beheerde zat diep in de shit. Als ze niet zelf was opgestapt zou ze eruit zijn gegooid. De *Wall Street Journal* stond bol van de geruchten.'

'Geruchten?'

'Zolang de beurscommissie zich er niet mee bemoeit blijven het geruchten.'

'Dus je hebt een privé-detective ingeschakeld om je te vertellen wat de

Wall Street Journal meende te moeten afdrukken? Als je het maar niet in je hoofd haalt de kosten aan mij door te berekenen. Goeiedag zeg!'

'Krane kan onmogelijk weten wat hij je op je dak heeft gestuurd. Maar dat wordt anders zodra ik een paar telefoontjes heb gepleegd.'

'Waarom zou je dat doen, Jeff?' Max' stem klonk gespannen. 'Wil je iemand die ik heb ingehuurd echt saboteren?'

'Omdat je leven op het spel staat, jongen,' zei hij verhit, 'en jij je lul achterna loopt.'

Max' gezicht kreeg een harde uitdrukking.

'Het is al een hele tijd geleden dat je zoveel tijd met een vrouw hebt doorgebracht. Als ze in die leren broek maar bij je in de buurt komt krijg je al een stijve. Waarom denk je dat ze die broek draagt?'

Max keek beteuterd. Hij dacht na over wat Jeff gezegd had.

'Stel nu eens dat ze voor de Thai werkt?' ging Jeff verder. 'Voor de rotzakken die dat hoertje in je hotelkamer hebben achtergelaten? Stel nu eens dat die zogenaamde beveiligingsexpert van jou die lawine geënsceneerd heeft.'

'Waarom zou ze?'

'Kranes firma treedt op als waakhond voor FundMarket, Max. Begrijp je niet wat dat wil zeggen? Stefani Fogg heeft met voorkennis gehandeld en is haar baan kwijtgeraakt. Kranes observatiebedrijf heeft gezorgd dat ze door de mand viel.' Hij greep zijn vriend bij de schouders vast. 'Max, ze heeft een kolossaal motief om zich op Oliver Krane te wreken. En ze gebruikt jóu om hem onderuit te halen.'

10

Max zat in zijn eentje het dossier van de privé-detective door te nemen. Het was er allemaal in te lezen, alles wat Jeff Knetsch verteld had: alle vuile was uit het leven van een veertig jaar oude vrouw, in klinische volgorde en daardoor nog smeriger. Hij nam het ene na het andere detail tot zich: namen van echtgenoten, vriendjes, dokters, advocaten; de precieze data van haar afkickbehandeling nadat ze met cocaïne gesnapt was; artikeltjes uit societyrubrieken die de indruk wekten van allerlei publieke schandalen; auto-ongelukken; liefdesaffaires. Blijkbaar had ze zeven jaar geleden haar wildste tijd gehad, leefde ze er toen rücksichtslos op los, de hele wereld aan haar laars lappend, een periode waarin alle foto's van haar in kranten even wazig waren.

Hij las alles in de brute verwachting makkelijker met Stefani Fogg te kunnen breken. Hij las met de bedoeling zijn vertrouwen in Jeff Knetsch te rechtvaardigen. Maar toen hij klaar was met lezen was hij er nog niet uit.

Hij had met haar geskied en gezien hoe ze aan een lawine ontsnapte. Daarop berustte zijn oordeel over haar. Zat hij er dan zo ver naast met zijn intuïtie?

Hij sloeg het dossier met een klap dicht.

In Jeffs verslag was niets terug te vinden van de vrouw die was doorgedrongen tot de kern van het verraderlijke financiële hart van New York. Niets over de briljante geest en het scherpe doorzicht die ze volgens hem beslist bezat. Niets over de moed die in elke vezel van haar lichaam huisde – of het moest het soort bravoure zijn dat inhield dat verder iedereen kon doodvallen.

En dat was iets waar hij verstand van had.

'Jeff!' schreeuwde hij naar beneden, waar het inmiddels een meer dan dolle boel was; het geklots van het badwater maakte hem woest. 'Maak dat je mijn huis uitkomt! En neem dat wijf mee!'

Hij kende de helling van de Jean Blanc, de steile driehonderd meter tussen Courchevel 1850 en Le Praz, op zijn duimpje, en op dit avondlijke uur was die geheel en al verlaten. Laag over de punten van zijn ski's naar voren buigend en soepel meedraaiend met de bochten suisde hij naar beneden met een snelheid van misschien wel over de honderd kilometer per uur. Al zijn hele leven had hij zich in razende vaart van hellingen afgestort; het was voor hem het beste middel tegen verdriet. Het vergde precisie, kracht en pure concentratie. Vertrouw op je training, vertrouw op je materiaal, hoorde hij zijn oude coach zeggen, denk verder nergens aan, meer bestaat er niet.

Hij bereikte Stefani's villa aan het eind van een van de kronkelige straten van het plaatsje op het moment dat de meeste bewoners aan hun avondmaal begonnen.

De lichten in huis wierpen gerekte oranje schijnsels over de opeengehoopte sneeuw naast de voordeur. Hij keek even naar binnen door een van de ramen waar geen gordijn voor hing. Ze zat voor een knapperend haardvuur met een glas wijn in haar hand. Het licht van de vlammen legde schaduwen bij haar mond en ogen. Zoals ze daar zat, zich niet bewust dat ze bespied werd, zag ze er ouder uit dan de flirtende vrouw met wie hij 's middags geluncht had. Het was een hard, waakzaam gezicht, besefte hij, het gesloten, genadeloos in de plooi gehouden gezicht dat ze de wereld liet zien.

Hij drukte op de bel.

Ze zette het wijnglas neer alvorens in de richting van het raam te kijken. Hij zag aan haar blik dat ze begreep dat hij naar haar had staan kijken. Het duurde een aantal seconden voor ze uit haar stoel kwam. Alsof er met hem een soort dreiging binnen zou komen als ze de deur voor hem opende. Maar haar hoofd had ze opgericht en haar ogen waren op het raam gevestigd...

Hij belde nog een keer.

'Je bent precies op tijd voor een glas wijn,' zei ze terwijl ze de deur voor hem openhield. 'Ik schenk witte vanavond. Past het beste bij lawines.'

Hij stampte de sneeuw van zijn schoenen en klikte ze open. 'Ik drink nooit als ik moet skiën.'

'En je moet nog einden skiën voor je naar bed gaat?'

'Zoiets, ja. Ik zal deze maar buiten laten staan.'

Haar donkere ogen keken naar hem op, hem openlijk bestuderend. 'Je hebt met je advocaat gesproken.'

'Hoe wist je dat?'

'Dat heeft Oliver me verteld.'

'Wat precies?'

'Dat je Knetsch opdracht had gegeven in mijn verleden te duiken. De mensen die hij daarvoor inhuurde – en de methoden waarvan ze zich bedienden – waren belachelijk simpel te doorzien.'

Blufte ze? Was het een drieste poging hem te laten geloven dat ze met Krane op zeer vertrouwelijke voet stond, terwijl ze in werkelijkheid uit was op de ondergang van haar baas?

'Jeff heeft het op eigen houtje gedaan.'

'Dat is een troostende gedachte.' Ze hield de deur nog verder open. 'Ik zou je wel te eten willen vragen, maar ik ben zo'n type dat alleen maar kaviaar en champagne in de ijskast heeft staan.'

'Ik kom hier niet om te eten.'

'Maar je bent niet voor niets hierheen komen skiën. Het is ijskoud, kom binnen.'

Hij stapte over de drempel. 'Stefani, waarom heb je je laatste baan eraan gegeven?'

'Dat heeft Knetsch toch wel kunnen uitvinden?'

'Ik wil weten of zijn verhaal klopt.'

'Er zijn altijd meerdere verhalen, Max.' Ze zei het rustig. 'Jeff heeft zijn verhaal, ik het mijne, maar jij zult zelf moeten uitmaken wie je gelooft. Een vrouw die je pas een paar dagen kent? Of de vriend die je al je hele leven hebt?'

'Je wilt dat ik je zonder meer vertrouw, bedoel je?'

Ze haalde haar schouders op en pakte haar wijnglas. 'Vertrouwen is een woord dat we gebruiken om ons diepste instinct te rechtvaardigen. Ik heb me jarenlang door mijn intuïtie laten leiden. Daar moet een handelaar het van hebben. En een wedstrijdskiër ook.'

'Ben je ontslagen omdat je gehandeld hebt met voorkennis?'

'Ja.' Ze keek geamuseerd. 'Zie je nou? Je bent nog geen steek verder gekomen.'

Ze namen elkaar zwijgend op. Wat bezielde haar om de waarheid te ontwijken? Het dossier over haar achtergrond lag bij hem op de keukentafel. De enige hoop die ze kon koesteren was zichzelf vrij te pleiten, hem zover te krijgen dat hij haar vertrouwde. Maar in plaats daarvan wimpelde ze hem af.

Kon het haar zo weinig schelen?

Of juist te veel?

Ze ging op de bank zitten en leunde achterover, met een cognackleurig laarsje voor zich op tafel. Haar benen staken in fluwelen kousen en haar ontwikkelde kuitspieren tekenden zich af in het licht van het vuur.

'Je had me een heel andere vraag moeten stellen, weet je. Een vraag als: "Stefani, heb je gebruikgemaakt van geheime informatie om bepaalde aandelen te kopen en verkopen? En hebben jij of de mensen voor wie je belegde profijt gehad van die informatie?" Daarop had ik met nee kunnen antwoorden.'

'Jezus, waarom is het zo moeilijk om de simpele waarheid aan de weet te komen?'

'Jij wilt de waarheid over je grootvader. De waarheid over mij. En op de koop toe de waarheid over je vriend Knetsch. De waarheid, Max, is dat de waarheid is wat wij ervan maken.' Haar ogen bleven al die tijd op zijn gezicht gevestigd, maar de uitdrukking erin was te indolent, te onverschillig in deze situatie. Haar trui was van streelzacht materiaal in de kleur van gemorste wijn en plotseling voelde hij de aandrang haar bij haar schouders te grijpen en flink door elkaar te schudden.

'Verdwijn morgen dan maar uit Courchevel.' Hij draaide zich om naar de deur.

'Ik heb een aantal interessante verhalen over jou opgevangen,' zei ze nadenkend tegen zijn achterkant. 'Zo is daar Yvette Margolan met haar verhalen over madame Renaudie – een mooie vrouw, heb ik begrepen uit wat ze zei. En het verhaal over haar dochter, Sabine, die smacht naar jou en die van liefdesverdriet achter het voltallige Oostenrijkse skiteam aanzit. Het klinkt mij als een soort remake van *The Graduate* in de oren, maar wie ben ik om een oordeel te vellen.'

'Precies,' zei Max bitter, 'jij met je twee mislukte huwelijken en drie mislukte zwangerschappen.'

Hij had de voordeur geopend en stond al bijna buiten toen hij achterom keek en haar gezicht zag. Ze was lijkbleek geworden en haar ogen schitterden alsof hij haar geslagen had.

'Rotzak,' zei ze tussen opeengeklemde tanden door. 'Wat weet jij van mij af?'

De simpele waarheid.

Alleen is de waarheid nooit simpel.

Vertrouwen is een woord dat we gebruiken om ons diepste instinct te rechtvaardigen, had ze gezegd. Maar ging het hierbij om instinct, of om iets anders?

Hij liep de kamer weer in, met stijve benen alsof hij zijn skischoenen nog aan had. En toen hij voor haar stond en op haar neerkeek, zijn gezicht een masker van twijfel, besluiteloosheid en hartstocht, strekte ze haar beide handen naar hem uit en trok zijn mond omlaag naar de hare.

De uiteengeweken lippen verrieden agressie, haar tong smaakte vaag naar wijn. Agressie, uitdaging, en woede omdat mannen zo stom waren – en hij in het bijzonder: hoe haalde hij het in zijn hoofd naar haar uit te halen vanwege jeugdzonden. Haar vingers klauwden in zijn haar, ze weerde hem af en haalde hem tegelijk naar zich toe. Hij dacht aan wat hij een keer in de lift tegen haar gezegd had: 'Als je nu een man vindt die even sterk is als jij? Wat zou er dan gebeuren?'

En ze had geantwoord: 'We zouden vechten tot de dood erop volgt.'

Hij werd door onweerstaanbare begeerte overvallen en zakte tussen haar knieën op de grond – Max Roderick die niemand nodig had en nauwelijks om iemand kon geven. De verwarrende emoties die hij sinds de ontsnapping aan de lawine op afstand had weten te houden – de stroom adrenaline die het gevaar op gang bracht, de woestheid van een bedreigd dier – laaiden als een fakkel in hem op. Een gevecht tot de dood erop volgt. Hij nam haar hoofd tussen zijn handen en duwde haar kin omhoog, met zijn mond in de holte van haar nek.

'Ga weg, Max, ga wég, verdomme.'

Ze boog zich van hem weg, als zou ze zich met hand en tand verzetten om haar vrijheid te behouden.

'Hou op met vechten.'

'Dat kan niet, als ik me aan jou overgeef...'

Dan heb ik niets meer over? Was dat het slot van deze radeloze zin? Hij liet zijn handen onder de kasjmieren trui glijden en trok hem in één keer over haar hoofd.

'Bij jou gaat het altijd om winnen,' zei ze. 'Om de baas spelen.'

'Nee, dat is niet waar, liefste. Meestal ben ik bezig mijn angst op afstand te houden.'

Hij keek in die ogen die vervuld waren van vrees – en van verdriet om verloren jaren – en zijn ademhaling werd plotseling oppervlakkig. 'Ik wil niet meer alleen zijn.'

'Alleen als ik alleen ben voel ik me veilig.'

'Je bent veel te moedig om daar genoegen mee te nemen. Veiligheid is niets waard.'

Ze sloot haar ogen, haar gezicht had een smartelijke uitdrukking.

'Jij weet waarom ik het huis aan de khlong wil – wat het voor me betekent. Het terugwinnen van het verleden. Gerechtigheid. Ik wil jou op precies dezelfde manier. We moeten ons geluk grijpen. Ik kan me geen voorstelling maken van een toekomst zonder jou.'

'Max...'

'Die eerste dag dat we elkaar zagen zei jij iets tegen me. Je daagde me uit voordat je een sprong maakte. Zeg dat nog eens.'

Ze liet zich zakken tot ze op gelijke hoogte met hem was en hun huid versmolt in het licht van het vuur.

'Zeg het nog eens, Stefani.'

Haar mond drukte tegen zijn oor en de woorden werden zo zacht gefluisterd dat hij ze zich ook verbeeld kon hebben. 'Kom achter me aan, Max.'

Veel later droomde ze opnieuw, ditmaal van een huis dat helemaal van sneeuw was gemaakt en waarvan de deur was dichtgestopt. Ze vocht om eruit te komen.

11

De volgende ochtend vroeg sloop ze bij Max vandaan en ging in haar eentje op het ijskoude terras zitten in de hoop dat de vrieslucht en de peilloze stilte haar weer bij zinnen zouden brengen.

De wereld zag er op dit uur monochroom uit: dennen doorkliefden de
lucht als zwarte messen en aan hun voeten lag de witte sneeuw. Toen de
eerste zonnestralen het woud beschenen, van de ene boom naar de andere overspringend als een zich verspreidend vuur, werd het landschap in
kleur ondergedompeld.

Op de tafel voor zich had ze een blocnote en een viltstift neergelegd. Op
de blocnote had ze geschreven: 'Je bent heel stout geweest. Wat zal Oliver
hiervan zeggen?'

Het was misschien niet iets wat ze haar baas zou hoeven vertellen – dat
ze met een cliënt het bed had gedeeld – maar het zou wel eens precies kunnen zijn wat Oliver Krane had gepland. Wat had hij een paar weken eerder
ook al weer tegen haar gezegd? *Geef het maar toe, Stef, je zou zo je stijgijzers
onderbinden om hem te beklimmen.*

Oliver had meer gezien dan zij nadat hij haar het blad *Ski* had toegestuurd. Ze voelde zich plotseling heel kwaad op hem worden omdat hij
haar Max Roderick in de schoot had geworpen. En toen veranderde haar
woede in het verlangen op de vlucht te slaan.

'Het kan niets worden,' schreef ze terwijl de zon de dennen verder in
gloed zette. 'Een paar geweldige nachten, vrijwel zonder slaap, en dan...'

De herinnering aan zijn mond op de binnenkant van haar dij. Zijn stem
in haar oor. De explosieve kracht van zijn lichaam, opgebouwd door jaren
van straffe beteugeling. Max was een soort demon in de nacht – overheer-
send, dwingend, niet te weerstaan, zelfs als ze dat gewild had.

Ze liet de viltstift vallen, ten prooi aan een vloedgolf van gevoelens die
zo acuut en onverwacht waren dat het pijn deed. Ze werd erdoor gegrepen als door fluwelen klauwen, en erdoor gevloerd, happend naar lucht.

De lawine.

Wat sprak haar zo enorm aan in Max?

De afstand die hij tot alle levende wezens bewaarde – of de manier waarop hij haar plotseling toegang tot zijn ziel had verleend? De twijfel die ze
nog steeds koesterde over zijn motieven – of de absolute zekerheid die ze
in zijn aanraking bespeurde?

Wat had zij dat hij lief kon hebben? Ze was cynisch, hard, in zichzelf gekeerd, bang. Hij daagde haar uit zichzelf even serieus te nemen als hij dat deed. Als ze daarop inging, zou ze het zwaar te verduren krijgen. De keren dat ze zichzelf diepe gevoelens had toegestaan had ze er een hoge prijs voor moeten betalen.

Misschien moet ik als een haas de wijk nemen naar New York.

Ze had toen ze naar Courchevel vloog verwacht een simpeler type te zullen aantreffen: zo'n man die als jochie van snelheid en gevaar hield en nooit volwassen was geworden. Maar het was haar inmiddels duidelijk dat Max juist te snel volwassen was geworden. Iedereen van wie hij hield was door de dood weggerukt; daardoor had het geloof in liefde hem volledig verlaten. Vroeg hij haar hem te redden? Wilde ze die last op zich nemen?

'Hij zegt dat hij niet meer alleen wil zijn,' schreef ze op haar blocnote, 'maar is hij wel in staat om anders dan alleen te zijn? Hij zal zijn gebrek aan emotie – zijn volmaakte zelfbeheersing – aanwenden om de waarheid over het verleden aan het licht te brengen. En zal hij die tegen me gebruiken als ik te dicht bij hem in de buurt kom?'

Was ze voor hem de zoveelste wedstrijd die hij moest winnen? Had hij haar zwakheden bestudeerd – haar onzekerheid getaxeerd – en was hij haar nu op de allerbriljantste manier te slim af? Meende hij dat hij zich kon verzekeren van haar onwankelbare trouw en haar op die manier van Oliver Krane kon losweken? En zou hij haar pardoes laten vallen als hij eenmaal had wat hij wilde: het Thaise huis, de sleutel tot zijn verleden?

Onder aan het blaadje schreef ze in brute letters: 'Denk aan de hoer in het hotel! Denk hieraan: zelfs Oliver weet niet alles. Vertrouw niemand behalve jezelf!'

'Koffie?'

Ze hief haar hoofd op en zag hem in de deuropening van de villa staan. Een prachtig, fascinerend dier, ook in rust. Ogen met de kleur van mos. De havikachtige kromming van voorhoofd en slapen, de wilskrachtige mond. Als ze een kind of een dwaas zou zijn, zou ze hem aanbidden. Maar in plaats daarvan herkende ze in hem de vijand.

'Graag.'

Zijn ogen bleven gevestigd op het voorgespiegeld montere gezicht. 'Maak je maar geen zorgen, ik zal niet de baas gaan spelen over je huis.'

'Het is niet van mij, ik maak er alleen een poosje gebruik van.'

De beledigende bijbedoeling van haar woorden liet hij langs zich heen gaan. Hij gaf haar een beker aan.

Ze nam een paar slokken in de hoop dat de koffie haar zou sterken. Hij leunde op het hek van het terras en keek naar de dennen. 'Gehuurd of niet, het is een prima huis.'

Met inspanning zei ze: 'Ik wil vandaag alleen zijn, geloof ik.'

'Ik ga weer buiten de piste skiën. Nu er nog goede sneeuw ligt.'

'Eén lawine vond je niet voldoende?'

De hoeken van zijn mond krulden omhoog. 'Zoals jij zei: het was de meest fantastische afdaling die ik heb gedaan.'

'Jezus, je hebt écht een slechte invloed op me. Jij versterkt mijn roekeloze aanleg alleen maar.'

'Jij houdt van gevaar.' Hij trok de beker behoedzaam uit haar hand en zette hem op tafel. Met zijn vingers trok hij een spoor over haar kraag van badstof.

'Ik hou van rust en stilte. Ik ben graag alleen.'

'Je liegt.'

De cocaïne was van Dennis, had ze hem om een uur of drie 's nachts ongeduldig verteld. 'Dennis was een geweldige klootzak, een ongelooflijke lul, zo'n vent die als ik hem om een boodschap stuurde doodleuk een week wegbleef. Hij had een zakje cocaïne in het handschoenvakje van mijn Audi laten zitten en toen ik werd aangehouden omdat ik te hard reed, zag de agent dat toevallig. Dennis had al jaren geleden door de Colombianen omgelegd moeten zijn, dat had ons allebei een hoop ellende bepaard. Ik trouwde met hem in de tijd dat ik nog een feestbeest was...'

'Dat was dus niet meer dan een fase?' viel Max haar in de rede.

'...en hij heeft me in alle opzichten bedrogen. Hij loog over zijn baan, hij knoeide met de belasting en dook het bed in met wie hij maar grijpen kon. Toen we twee jaar en twee maanden getrouwd waren liet hij me zitten met een berg onbetaalde rekeningen en emigreerde naar Brazilië. Ik heb vijf weken in een afkickcentrum gezeten, ook al viel er niets af te kicken. Drie jaar lang had ik geen cent te makken omdat mijn salaris naar de belastingdienst ging, maar ik heb me nooit failliet laten verklaren.'

Max at de paté die ze bij wijze van avondmaal voor hem uit de keuken had gehaald en vroeg: 'En hoe zat het met Tad?'

'Tad,' vertelde ze hem zonder omhaal, 'verdiende miljoenen aan fusies en met acquisitie. Hij verzette geen stap zonder mobiele telefoon, was zeven dagen per week vierentwintig uur per dag bereikbaar; hij had één grote passie in het leven en hij had ontzag voor mijn verstand. Ik had gedacht dat hij me stabiliteit kon bieden, na Dennis.'

Ze zaten op de vloer in het midden van de woonkamer, met eten en wijn om zich heen. Het vuur was uitgegaan. Max veegde een lok haar weg uit haar gezicht. 'Maar?'

'Tad had een andere nare gewoonte. Als de stress hem te veel werd – en dat gebeurde om de drie, vier dagen – gebruikte hij zijn vrouw graag als trainingsobject bij het kickboksen.'

Zijn vingers kromden zich plotseling bij haar slaap en ontspanden zich weer. De beweging was zo licht dat ze het zich had kunnen verbeelden.

'Max, ik ben niet zo best in mensenkennis.'

'Volg je instinct, perfectioneer je techniek.'

De mantra van de skiër, de ethiek van de beurshandelaar. Soms wist hij haar gedachten op een griezelige manier samen te vatten.

'Die miskramen,' had hij tegen het aanbreken van de ochtend gevraagd, 'was Dennis daar verantwoordelijk voor? Of Tad?'

Ze had gedaan alsof ze sliep. Ze sprak nooit met iemand over de baby's die ze verloren had.

'Oliver,' zei ze twee uur later in de telefoon, 'overmorgen ga ik met Max naar Bangkok.'

'Is het heus, Hazel, meisje van me? Nemen jullie twee kamers in het Oriental Hotel of maar een?'

'Ik neem altijd een eigen kamer, Oliver,' antwoordde ze kort, 'voor het geval ik wil slapen.'

'Bravo, troeteltje. En hoe staat het met de sluipschutter in de bergen?'

'Het zou iedereen geweest kunnen zijn die van de kruidenierster in Le Praz had gehoord waar we gingen skiën,' zei ze zachtjes, terwijl ze naar Renaudies grijze hoofd achter de toog van zijn café keek. 'De kring van verdachten is dus niet meer zo klein. Heb je mijn fax van gisteren gekregen?'

'En gelezen,' antwoordde Oliver. 'Ik heb je maar één ding mede te delen. Vriend Max stuurt Claudine Renaudie iedere maand het afgeronde bedrag van vijfduizend Franse francs; hij stort het op een Parijse rekening. Doet hij dat uit liefdadigheid? Uit schuldgevoel? Of is het bedoeld om haar haar mond te laten houden?'

Er liep een koude rilling langs Stefani's ruggengraat. 'Betaalt hij haar om uit de buurt te blijven, bedoel je?' Maar waarom, Oliver?'

'Geen idee. De tijd zal het misschien leren. Al heeft de tijd de neiging onze beste ideeën te vermorzelen. Tot een paar uur geleden geloofde ik nog dat de heer Knetsch steeds keuriger in het profiel van een schurk paste.'

Ze herademde. 'Vertel op.'

'Hij sterft van de schulden en hij heeft de afgelopen zes weken niet minder dan dertien keer naar Bangkok gebeld. Ik vond dat bijzonder vreemd, aangezien zijn firma geen Thaise cliënten heeft.'

'Met wie belde hij?'

'Het ministerie van Cultuur. Het zag er reuze interessant uit allemaal, maar toen vernam ik dat de heer Knetsch in de raad van bestuur van het Metropolitan Museum zit.'

'En?'

'De Met maakt zich op voor een heel bijzondere tentoonstelling. Tweeduizend jaar Zuidoost-Aziatische kunst, met stukken van over de hele wereld.'

Ze was teleurgesteld. 'Dus het ging om museumaangelegenheden. Daar is niets verkeerds aan.'

'Het verklaart misschien ook waarom hij zo dik is met mevrouw Lee-Harris. Zij regelt het transport van verscheidene boeddhabeelden uit het Hayes Museum.'

'Public relations.'

'Juist. Als iemand connecties heeft is het Ankana. Ze netwerkt over de hele wereld en is daar heel goed in. Maar ze zit ook op zwart zaad. Dat schept kennelijk een band tussen haar en Knetsch. Ze hebben allebei geen nagel om hun kont te krabben.'

'Staan ze onder druk, Oliver?'

'Als ik in hun schoenen stond, zou ik niet weten waar ik het zoeken moest.'

'Dus kunnen ze rare sprongen maken.'

'Gevoelig voor verlokking en chantage, voor stapels bankbiljetten in bruine enveloppen voor verleende diensten. Ze zouden Max allebei kunnen verraden voor geld. Maar daarvoor is geen bewijs. Moet Knetsch nog steeds niets van jou hebben?'

'Hij probeerde Max zo ver te krijgen dat hij me ontsloeg.'

'Prima werk, zoetelief! Hij is natuurlijk jaloers op Max de bofkont.'

'Hoezo bofkont?'

'Nou, jaloers op zijn medailles, zijn geld, al die jonge schonen die aan zijn voeten liggen. Max heeft alles, terwijl Jeff met een slecht been zit en zijn dikke kinders heen en weer moet brengen naar zondagsschool. Knetsch zou een engel zijn als hij er níét van baalde, als hij niet zou willen dat het andersom was. En hij is zeker geen heilige.'

'Hij is advocaat. Ik denk dat je wel eens gelijk zou kunnen hebben,' zei Stefani peinzend. 'Zeg, Oliver, heeft de Met wel eens zaken gedaan met Harry Leeds, je overleden maatje?'

'Dát is nu eens een vraag die nog niet bij me was opgekomen.' De beleefde stem klonk nadenkend. 'Max vliegt dus naar Bangkok? Is hij nog steeds van plan naar ouwe botten te gaan graven?'

'Hij wil het huis van Jack Roderick. Dat is de oorsprong van zijn obsessie, Oliver. Voor hem staat dat huis voor alles wat hij verloren heeft. Zijn jeugd, zijn onschuld, de tijd waarin hij mensen onvoorwaardelijk kon vertrouwen. Dat wil hij allemaal terug. De erfenis is niet meer dan een substituut.'

'Je zou toch denken,' zei Oliver met iets van kwaadheid in zijn stem, 'dat als dappere mannen in naam van de stilte gestorven zijn ook hij stilte in acht zou nemen. Maar nee. We moeten en zullen de waarheid achterhalen, ten koste van wat dan ook. Ik zal eens moeten bekijken wat dit voor mijn cliënten betekent.'

'Oliver... Aan welke kant sta jij eigenlijk?'

'Aan de mijne, uiteraard.'

Die avond droeg Max haar het oude stenen huis hoog boven de glinsterlichtjes van de kabelbaan binnen en legde haar neer voor de kolossale glazen ramen. Hij had een soort tent gefabriekt van parachutestof en koorden, een sprookjesachtige koepel die van het plafond afhing.

'Toen ik als kind in Evanston woonde,' zei hij, 'sliep ik 's zomers vaak in de achtertuin. Mijn vader had er een tent neergezet en kon daar uren in liggen. Hij was gek op het geluid van regen op het tentdoek. Ik herinner me zijn hand die op mijn ribbenkast lag, heel stil. Het druppen van de regen. En wij met z'n allen, mijn moeder ook, heel veilig en knus binnen in die tent.'

Ze keek naar de meters stof boven haar hoofd. 'Max, wat is er met je moeder gebeurd?'

Het duurde even voordat hij antwoord gaf. 'Daarvoor zou je moeten weten wat voor iemand ze was.'

'Voor 1967?'

'Ze was idolaat van Jackie Kennedy. Ze droeg hetzelfde soort hoedjes. Witte handschoenen. Ze had bij al haar schoenen een bijpassend tasje. Ze bracht hele weekenden op de marineacademie door en trouwde onder een haag van gekruiste sabels. Ze sloot zich aan bij een liefdadigheidsclub voor vrouwen. En waar we ook heen verhuisden, ze bleef maar recepten insturen voor het jaarlijkse kookboek dat die club uitgaf. "Uit de keuken van Anne Roderick".'

'En toen?'

'Toen werd haar hele leven op zijn kop gezet.'

'Net, als dat van Jackie.'

'De dingen waar ze haar hele leven in geloofd had – dat haar vaderland wijs en goed was, dat heldendom iets betekende, dat God goed voor zijn kudde zorgde – zeiden haar niets meer toen mijn vader was vermoord. Ze zocht haar heil in andere dingen: psychedelica, oosterse mystiek, vrije liefde. Ze probeerde een ander iemand te worden, alsof ze geen verdriet zou voelen als ze iemand anders was.'

'Ze had zich om jou moeten bekommeren.'

'Ik neem het haar niet kwalijk.'

'Ze had het anders moeten doen, voor jóu, ze had in leven moeten blijven voor jou.'

'Maar ik heb haar in de steek gelaten,' zei hij ruw. '*Pas goed op je moeder,* dat zei mijn vader tegen me op de kade in Coronado. Maar dat heb ik niet gedaan. Ik heb hen allebei in de steek gelaten.'

'Gelul.'

Hij keek haar zonder iets te zeggen aan, de lichtjes van de kabelbaan weerschenen in zijn ogen.

Ze reikte naar boven en trok de tent als een lijkwade over hen heen.

Midden in de nacht werd ze wakker en ontdekte dat ze in zijn bed lag en dat zijn hand lichtjes op haar heup rustte.

'Vertel me over je miskramen,' beval hij.

'Waarom? Omdat het een brok informatie is waar Jeffs spion de hand niet op wist te leggen?'

Hij stond op en begon door de kamer te lopen. Hij voelde zich thuis in zijn lichaam, dat er in het door de sneeuw gebroken maanlicht als gebeeldhouwd marmer uitzag. Hij pakte een zwarte kist die in een hoek stond. De viool.

Hij hield het instrument op in het zachte schijnsel van achter het raam. Toen pakte hij de strijkstok en legde hem tegen de snaren.

De wilde tonen scheurden door haar lichaam; een elegie voor de schoonheid van de nacht, voor de vluchtige illusie van liefde. Ze lag bewegingloos te luisteren, met het laken strak om haar borst getrokken, alsof de minste beweging de magie van zijn spel zou kunnen verbreken. En toen hij de strijkstok liet zakken en de stilte om hen neerdaalde, zei ze tegen zijn rug: 'Ze gingen iedere keer dood binnen in mij, hoe ik ook mijn best voor ze deed. Ik ben geen vrouw die leven in stand weet te houden.'

'Gelul,' zei hij en belette haar met zijn lippen te protesteren.

12

De maartzon was net aan zijn ochtendlijke klim begonnen toen Max Roderick zijn huis verliet. Hij dronk koffie als ontbijt in een bar in de stad en nam de eerste gondel naar de top van de Saulire, die deze zondag maar een handjevol passagiers vervoerde, niet de gebruikelijke honderdzestig. Courchevel staat om veel dingen bekend – de geweldige pistes, het mondaine skipubliek, de ultramoderne skiliften – maar niet om skiërs die vroeg uit de veren zijn. Het was Max' gewoonte er in de kille ochtendschemering op uit te trekken om aan zijn eerste dagelijkse afdalingen te beginnen, een gewoonte die hij had overgehouden aan de jaren van keiharde training in de Verenigde Staten en die hem er in deze Europese omgeving als professional deed uitspringen.

Hij droeg ski's die hij zelf ontworpen had en die hij vanochtend wilde uittesten, nu hij alleen was en zijn aandacht er volledig op kon richten. Het waren vrij korte ski's voor een man van zijn lengte, met een uitlopende punt en een smalle taille, speciaal geschikt voor nauwe bochten op steile hellingen en het nemen van hobbels. De bindingen rustten op een verhoging die ruim een centimeter boven het midden van de taille uitstak – een innovatie die hij had overgenomen van wedstrijdafdalers, die hun skischoenen inmiddels al jaren hoger op de ski's hadden staan. Het verhoogde voetbed vergemakkelijkte het snel verplaatsen van het gewicht van de ene naar de andere kant, zodat bochten sneller genomen konden worden.

Max schonk geen aandacht aan de andere skiërs in de enorme cabine: vier toeristen die zich vergaapten aan de spectaculaire afgrond onder de schommelende gondel; een stel dat hand in hand zat in een hoek; een man op jaren die iets warms in een beker van piepschuim in zijn handen klemde. Deze laatste hield zijn ogen op Max gevestigd. Misschien had hij hem herkend van de Olympische Spelen – die van Albertville, slechts een paar dalen en tien jaar verwijderd. Hij had ski's bij zich die Max drie jaar eerder ontworpen had. Max keek langs de man heen naar de rotswand die voor de gondel opdoemde. Zoals altijd wanneer de berg aanstalten leek te maken om op de fragiele skilift te vallen, gaf hem dat een opgetogen gevoel.

Het was veertien minuten over acht. Rond het middaguur zouden de hellingen aan de achterkant van de Saulire vervuld zijn van kreten van trots en teleurstelling, maar op dit uur zou hij ze nog voor zich alleen hebben. Het was voorlopig de laatste ochtend dat hij kon skiën; die middag moest er gepakt worden, want de volgende dag vertrok hij met Stefani naar Bangkok. Hij sloot zijn ogen een ogenblik en zag het woelige bruine water van de Chao Phraya weer voor zich; de elegante curves van het oude teakhouten huis met de tuin eromheen; en vaag, als door een rookgordijn van jaren, de grote man met de witte vogel op zijn schouder. Stefani zou wild zijn van Bangkok, ondanks al zijn opdringerige lelijkheid en smerigheid. Ze zou slechts in zijde gekleed gaan. Het vochtige klimaat zou haar zwarte krullen tot een vracht springerige zachtheid transformeren, in bedwang gehouden maar niet getemd door een ochideeëntakje...

Eerst drie uur stevig skiën op de steile hellingen, nam Max zich voor, dan zou hij naar het oude stenen huis teruggaan voor de lunch.

Zij zou daar zijn – het kwam niet eens bij hem op dat dat ook niet het geval zou kunnen zijn. Hij had in de afgelopen week meer over haar geleerd dan zij besefte; de waarheid over zichzelf had hij al lang geleden ontdekt. Het zou niet meevallen om het delicate evenwicht te bereiken dat nodig was om twee zo sterke, wilskrachtige persoonlijkheden bijeen te houden, maar hij besefte terdege dat het een geluk voor hem was haar te hebben gevonden. Voor het eerst in maanden ging er een keer iets goed.

De gondel gleed het station binnen, de deuren vlogen open. Max stapte langs de liftbediende heen, klikte zijn ski's onder en begaf zich naar het begin van de piste, honderd meter verder op de top. De hellingen van de Saulire waren verticale kloven die door eeuwenlange inwerking van weer en wind in de berg waren uitgesneden. In plaats van de dikke sneeuwdeken die de minder steile hellingen elders op de berg bedekte, lag hier maar een dun laagje, eerder ijs dan sneeuw. Langs de hele lengte van de couloir rezen kale uitsteeksels van donker graniet uit de sneeuw omhoog.

Hij vroeg zich een ogenblik af hoe Stefani hier zou skiën – en terwijl hij dat dacht drong in alle hevigheid het besef door dat hij niet langer alleen was. Het was een eigenaardige sensatie. Voorheen was hij eigenlijk altijd op zichzelf geweest, zelfs al had hij een heftige relatie, zoals in de periode met Suzanne. Was het dit verlies – dit binnendringen in haar bestaan – waar zij zich tegen verzette, in plaats van tegen hem?

Hij greep de riempjes van zijn skistokken stevig in zijn handpalmen, maakte zijn helm vast en bepaalde de baan die hij zou volgen.

Het is alsof je langs een ladder omlaag springt, fluisterde DiGuardia, zijn eerste en eeuwige coach. *Vertrouw op je training, vertrouw op je materiaal, denk verder nergens aan, meer bestaat er niet.*

Het was de mantra die hij jaren geleden uit het hoofd had geleerd, het half-gestamelde gebed gericht tot de god van de skihellingen, wie dat ook mocht zijn. Hij bestudeerde de rotsen die onder hem de diepte in gingen, boog zijn knieën en sprong.

Drieënhalve meter onder hem bevond zich het lapje sneeuw van krap een vierkante meter waarop hij wilde neerkomen. De ski's ondergingen de kracht van zijn volle gewicht, negentig kilogram, en met een metalig knapgeluid dat gedurende een fractie van een seconde hoorbaar was, scheurde de rechterbinding volledig los.

De ski kantelde tweemaal in de lucht en kwam in een glinsterende boog meer dan twintig meter lager neer.

Max probeerde met zijn skistok houvast te vinden op de rots, maar sloeg over zijn andere ski naar voren en tuimelde als een steen de diepte in.

Jacques Renaudie ging slechts een keer of tien per seizoen skiën. Hij startte nooit voor tienen, om de zon de gelegenheid te geven het ijs in iets als halfgedroogd cement om te zetten, waardoor hij voldoende houvast had op zijn ski's, niet te snel ging en zijn oude dijen niet te zwaar belastte. Hij had een geweldige hekel aan de lagen kleding die in januari en februari nodig waren en begaf zich alleen de berg op als hij er in dikke trui en spijkerbroek weer af kon. Hij skiede zelden langer dan twee uur achtereen, alleen gedurende de ochtend dus, en liet het schelle middaglicht aan de dwazen en fanaten over. Hij was Fransman en dus connaisseur, van alles en dus ook van de pistes.

Jacques was in zijn jeugd een geweldige waaghals geweest, die sneller dan enig ander in Courchevel een moguls-parcours kon skiën. Hij beoefende deze freestyle-vorm van skiën al in wedstrijdverband toen die nog nauwelijks bekend was en nog geen onderdeel van de Olympische Spelen. Nu hij van middelbare leeftijd was, deed hij het kalmer aan, maar dat was vooral omdat zijn knieën de straffe behandeling waaraan hij ze het liefst zou onderwerpen niet meer konden verdragen. En dus waren de twee volle uren die hij deze ochtend in maart op de steilste hellingen van de Saulire doorbracht een soort beloning voor goed gedrag.

Hij maakte zich zorgen om Sabine, die weer de hele nacht de hort op was geweest en gedreigd had naar haar moeder in Parijs te zullen gaan. Hij dacht opeens aan het gezicht van die Amerikaanse, de vrouw die Max Roderick had opgepikt, met haar melkwitte huid en sluwe, donkere ogen. De Sneeuwkoningin had Jacques haar gedoopt, de mythische heks die mannenharten deed bevriezen. Hoe Max een meisje als Sabine kon versmaden om...

Jacques vloekte binnensmonds.

Hij stond aan het begin van zijn favoriete *couloir*, die door de plaatselijke bewoners La Trahison werd genoemd. *Verraad.*

Een brokje ijs zo groot als een walnoot kwam langs de punten van zijn ski's gerold en viel de diepte in, hier en daar stuiterend tegen de rotsen. Hij keek het na terwijl hij bedaard zijn handschoenen verder over zijn polsen stond te trekken, en toen vernauwden zijn ogen zich. Ver onder hem lag op een uitstekende rots de gestalte van een skiër, als een pop die was weggeworpen, bewegingloos...

Jacques verstijfde, stak zijn nek toen verder uit om beter te kunnen kijken. Het pak van de skiër was helgeel, de helm donkerblauw. Een man, voorzover hij van deze afstand kon zien, die met zijn gezicht naar beneden lag, zijn benen in een onnatuurlijke hoek gespreid.

Jacques' ogen verplaatsten zich naar boven en zagen de skistokken twintig meter hoger in de sneeuw steken, als verbogen haarspeldjes. De skiër was dus helemaal van boven van de helling afgestort.

'Mon Dieu', fluisterde Jacques. *Le pauvre con* was kansloos geweest.

In haar droom hoorde ze rotorbladen, en een voortdurend hakkend geluid. Stefani fronste in haar slaap en voelde de kilte op de plek waar Max had gelegen. Ze ging abrupt overeind zitten.

Door het raam zag ze de skilift naar de top van de Saulire, en nog iets anders: een helikopter die in die richting vloog. Een reddingshelikopter. Een of andere dwaas had zich op een terrein begeven dat te zwaar voor hem was.

'Max?' riep ze, en zette haar benen met een zwaai op de vloer.

In het huis heerste de bewegingloze stilte die kenmerkend is voor lege ruimtes. Ze keek op de wekker die op de boekenplank onder het raam stond. Bijna kwart voor elf. Had ze zo lang geslapen?

Ze veegde het haar voor haar ogen weg, trok Max' ochtendjas aan en ging op zoek naar koffie.

Er kwamen drie mannen met touwen en stijgijzers aan te pas om langs de rotsen af te dalen naar de plek waar het lichaam lag. Veertig minuten nadat Jacques Renaudie alarm had geslagen – bijna drie uur na de val – boog de leider van het skipatrouilleteam van Courchevel zich over de skiër heen en voelde in zijn hals naar een teken van leven.

'Il vit,' zei hij kort. Hij leeft.

De helm had hem waarschijnlijk gered, maar gezien de positie van zijn hoofd vreesden de drie mannen dat hij zijn nek had gebroken. In het gunstigste geval hadden ze hem kunnen vastgespen in een harnas van schuimrubber om hem onmiddellijk naar Genève te kunnen overbrengen, maar hij lag in een hellende spleet waar slechts ruimte was voor één persoon om hem bij te staan. Het laatste dat men wilde was dat er onder de redders slachtoffers zouden vallen. Toch moest de gevallen skiër op de een of andere wijze op een stretcher met ski's eronder worden vastgegespt om hem te kunnen vervoeren naar vlakker terrein waar de helikopter kon landen.

De leider van het reddingsteam keek grimmig op naar de holle wand van de helling, die zo'n twintig meter boven hen uit rees. Hij had zich er met de stretcher op zijn rug van af laten zakken en nergens een plek gezien waar drie man konden staan, laat staan een helikopter. Hij keek naar beneden en zag dat een meter of tien onder hen de helling zich verbreedde. Daar moesten ze dan maar hun toevlucht zoeken.

111

'We moeten hem met twee man draaien,' riep hij, 'op de stretcher binden en hem voorzichtig laten afglijden naar daar. Een andere mogelijkheid is er niet.'

Zijn twee collega's, met touwen verbonden aan elkaar en aan de touwen die bij het begin van de couloir bijna vijftig meter hoger in de rots verankerd waren, dreven hun stijgijzers het ijs in. Een van hen sloeg het blad van zijn ijsbijl tot in de rots en hield zich eraan vast terwijl de ander langzaam naar beneden opschoof om de chef van het team te helpen de grote stretcher van zijn rug te halen. De teamleider stabiliseerde het hoofd en de nek van het slachtoffer terwijl de ander het inerte lichaam op de stretcher rolde. Het gezicht zag er afschuwelijk beschadigd en koud uit; maar de trekken waren onmiskenbaar.

'*Merde*,' mompelde de chef. '*C'est Roderick.*'

'Max Roderick?'

De naam echode tegen de rotswand en ketste als een welgemikte kogel pijlsnel tegen Jacques Renaudie, die boven in zijn trui en spijkerbroek stond te bibberen van de kou. Hij had zijn ski's afgedaan en kruiselings in de sneeuw geplant naast het touw dat voor het begin van La Trahison was gespannen. Hij hoorde de naam, bleef een ogenblik stokstijf staan en riep toen naar beneden.

'*C'est Max?*'

'*Oui.*'

'*Il vit?*'

'*À peine.*' Nauwelijks.

Ze waren de stretcher inmiddels met veel moeite aan het verschuiven naar de uitgekozen plek. Ze schoten maar heel langzaam op. Vanbovenaf kon Jacques alleen de helm en de levenloze gestalte van de man onderscheiden, een bijna niet te dragen last voor het team dat zijn leven poogde te redden. Eindelijk lag de stretcher op de kale richel. De chef van het reddingsteam zwaaide met wilde gebaren naar de helikopter die op enige afstand in de lucht cirkelde; hij kwam dichterbij, het lawaai van de door de dunne lucht maaiende rotorbladen deed pijn aan de oren. De redders bevestigden de stretcher aan de lijn die van de helikopter afhing; ze keken hem allemaal na toen hij werd opgehesen en de helikopter werd binnengehaald.

Jacques bleef vernikkelend van de kou wachten tot de helikopter zijn neus had laten zakken en met veel kabaal in de blauw maartse hemel was verdwenen. Toen liep hij traag terug naar het skiliftstation. Daar moest een telefoon zijn. Hij was wel verplicht te bellen.

13

Een monsterlijke constructie van titanium die de arts een 'halo' noemde was aan Max' blonde hoofd bevestigd. Stefani was pas gearriveerd na de afgrijselijke procedure waarbij speervormige pennen in zijn schedel waren gedreven; gelukkig zat hij zo onder de morfine dat hij nog geen ooglid bewoog terwijl twee chirurgen bezig waren de pennen met een momentsleutel kruiselings aan te draaien. Op de dikste punten van de schedel oefenden ze een kracht van ruim vijf kilo per vierkante centimeter uit, tot zijn hoofd in de halo hing en zijn nek onbeweeglijk was gemaakt. Hij had twee nekwervels gebroken – C1 en C2 – en alle zenuwfuncties in zijn ledematen waren uitgeschakeld.

'Wat wil dat zeggen?' vroeg ze de specialist die in de wachtkamer met haar praatte.

'Er is sprake van quadriparese.'

'Is hij volledig verlamd? Vanaf zijn nek naar beneden?'

'Op het moment wel. Maar het is nog veel te vroeg, *madame*, om te kunnen voorspellen hoe het verder zal gaan.'

'Ik begrijp het niet. Als Max zijn nek heeft gebroken...'

'Monsieur Roderick heeft een hersenschudding, twee gebroken nekwervels, en een ruggenmergbloeding,' legde de dokter uit. 'Hij heeft geen gevoel in zijn armen en benen, hij kan ze niet bewegen, maar de ruggengraat is alleen beschadigd en niet gebroken. Daarom is er wel hoop op herstel.'

Het medisch team in de helikopter had Max geïntubeerd. Hij kon niet op eigen kracht ademen. Zijn nek en hoofd waren vastgezet en zijn ledematen lagen bewegingsloos op een verstelbaar bed. Vier uur na zijn aankomst in het ziekenhuis keek ze neer op zijn uitgestrekte gestalte, vervuld van woede. Max' oogbollen bewogen onder de gesloten oogleden, verloren in gedrogeerde dromen.

'Dus volgens u kunnen de gebroken wervels genezen?'

'Soms gebeurt dat.' De dokter drukte zich voorzichtig uit. 'Misschien moet monsieur Roderick een operatie ondergaan om de gebroken beenderen met elkaar te verbinden, maar de halo is aangebracht om het natuurlijke genezingsproces te bevorderen. Monsieur Rodericks toestand mag trouwens een wonder heten, *madame*, want hij heeft uren op die berg gelegen en had eigenlijk al dood moeten zijn. Van patiënten als hij zou achtennegentig procent zo'n helikoptervlucht niet hebben overleefd. En er is maar tien procent kans dat hij ooit weer zal kunnen lopen. Maar er zijn gevallen dat...'

Later zei Stefani tegen Jeff Knetsch: 'We verspillen kostbare tijd. We moeten hem naar Parijs laten overbrengen als het een kwestie van opereren is. Met elke minuut die voorbijgaat wordt Max' kans op een volledig herstel kleiner.'

'Hij kan beter dood zijn dan op deze manier blijven leven!' viel Jeff woest uit.

'Denk jij dat het een ongeluk was?'

'Dat mag jij me vertellen,' zei hij. 'Jij bent immers de beveiligingsexpert...' Hij zei het met zoveel venijn dat ze begreep dat hij haar de schuld gaf van alles wat er de afgelopen dagen met Max was gebeurd.

Stefani drukte haar handpalmen tegen het glas dat haar scheidde van de kamer van Max. Zou ze ooit nog tussen de slangetjes en het metaal door zijn huid kunnen aanraken?

'Ik moet zijn ski's zien,' mompelde Jeff naast haar. 'Ik zal ze aan een minutieus onderzoek onderwerpen en dan zal ik degene die dit gedaan heeft vermoorden.'

'Als er met de ski's is geknoeid, is degene die dat gedaan heeft er allang vandoor.'

Hij lachte stroef. 'Jij bent de enige die de afgelopen dagen zijn werkplaats in en uit kon lopen.'

'Doe niet zo idioot, Jeff. Jij loopt er al jaren in en uit.'

Hij greep haar met zijn lange, nerveuze vingers ruw bij de schouders. 'Klotewijf dat je bent. Ik ben dan wel geen skiheld en ik neuk niet met alles wat los en vast zit, maar niemand is zo gek mij voor idioot uit te maken.'

Ze greep zijn polsen en oefende, zoals ze van Oliver Krane had geleerd, zoveel mogelijk kracht uit op de drukpunten. Jeff liet haar schouders los, naar adem snakkend, en deed een stap terug.

'Vuil rotwijf,' grauwde hij. 'Jij denkt dat je iedereen tussen je dijen kunt fijnmalen. Maar mij niet, als je dat maar weet.'

'Oliver,' zei ze die avond rond middernacht in de telefoon. 'Oliver, Oliver, *Oliver*.'

'Je was niet ingehuurd als bodyguard, zoetelief. Je moet jezelf niet kwellen omdat een ander iets stoms heeft gedaan.'

'Iets stoms heeft gedaan? Jezus nog aan toe! Het gaat niet om een menselijke fout! Het was boze opzet. We weten nu dat Max geen moordenaar is. Hij is slachtoffer, Oliver.'

'Ja, en het is heel vreselijk natuurlijk. Maar als je bedenkt wat er de afgelopen tijd met Max Roderick is gebeurd, dan had je toch mogen verwachten dat hij als een commando op zijn materiaal zou passen,' zei Krane harteloos. 'Hij had zijn ski's elke vijf minuten moeten controleren. En al helemaal voordat hij zijn leven eraan toevertrouwde. Hij had niet alleen moeten gaan skiën. Het lijkt wel of vriend Max graag dood wil.'

'Jeff Knetsch heeft het reddingsteam gebeld. Ze hadden Max' ski's meegenomen. De schroeven waarmee de rechterbinding vast zat waren finaal afgebroken. Zo keurig, zeiden ze, dat ze wel afgevijld leken.'

'Nou, dan was dat ook zo. Enig idee?'

'Een heleboel ideeën,' zei ze kwaad. 'Om te beginnen over de ski's. Hij had vanmorgen splinternieuwe ski's met splinternieuwe bindingen bij zich. Eigen ontwerp. Hij test alle skimodellen voordat ze in productie worden genomen altijd onder extreme omstandigheden uit.'

'Wie wist dat in Courchevel?'

'Dat hij zijn ski's zelf test? Of welke ski's hij bij zich had?'

'Allebei.'

'Zijn vrienden weten alles van zijn manier van werken. Maar hij heeft niet zo veel vrienden. Wie ik zo kan opnoemen zijn een vrouw uit de buurt, Yvette Margolan, en Jeff Knetsch, Jacques Renaudie en diens dochter.'

'De geplaagde Renaudies,' mijmerde Oliver.

'Het was Jacques die hem vandaag vond.'

'Stond hij over de rand van de afgrond te kijken naar wat hij had aangericht? Terwijl hij die dag wel tweehonderd andere routes had kunnen kiezen?'

'Toeval?' vroeg ze op bittere toon.

'Sodemieter op.'

Olivers ongeduldige uitbarstingen. *In mijn wereld bestaan er geen ongelukken.*

'En dan is er nog dat rotwijf,' voegde ze eraan toe, 'ene Stefani Fogg. Knetsch is ervan overtuigd dat *ik* Max de dood in wil jagen. Dat ik met geen ander doel naar Courchevel ben gekomen. Dat ik een zwarte weduwe ben.'

'Zo'n spin die meteen na het paren het mannetje doodt,' mijmerde Oliver. 'Het probleem is dat Knetsch helemaal geen reden heeft om zoiets te denken. Waarom zou jij je cliënt dood willen hebben?'

'Om wraak te nemen op Oliver Krane,' antwoordde ze prompt. 'Omdat die een einde heeft gemaakt aan mijn carrière bij FundMarket. Door Max te vermoorden zou ik jouw carrière willen verwoesten, Oliver. Knetsch heeft me dit verhaaltje zelf opgedist.'

'Onze meneer Knetsch is een macchiavellist. We zullen hem dus toevoegen aan het lijstje met verdachten. Als hij in het wilde weg beschuldigingen rondslingert, heeft hij vast iets te verbergen.'

'Hij is Max' oudste vriend.'

'Hij komt ook om in de schulden en is een gokverslaafde zoals zelfs Las Vegas er maar weinig kent,' wierp Oliver tegen. 'Max betekent voor de firma waarvoor Knetsch werkt een inkomstenbron van maar liefst zestigduizend dollar per jaar. Dat is een heel aardig sommetje. Dan heb ik het nog niet eens over het prestige dat een cliënt als Max Roderick diezelfde firma oplevert. Misschien moet Knetsch niets hebben van onze concurrentie, wil hij zijn melkkoetje helemaal voor zichzelf houden. Wist hij van de ski's af?'

'Het zou kunnen. Maar dat geldt voor mij ook. Max had ze gisteren bij de deur van de werkplaats klaargezet...'

'Binnen of buiten?'

'Binnen. Maar er zit een heel simpel slot op de deur. Je kunt het met behulp van een pasje waarschijnlijk makkelijk openkrijgen.'

'Wat een stomme...'

'Ja, ja,' onderbrak Stefani hem. 'Hij nam het niet serieus genoeg. Dat hij met de dood werd bedreigd.'

'De arrogante kloothommel.'

De ingehouden agressie en zelfs bitterheid die in Olivers Eton-accent doorklonk; plotseling moest ze weer denken aan zijn verdriet om Harry Leeds.

Hij vroeg nu: 'Heb je Max gezien? Kon je met hem praten?'

'Heel even.'

'En?'

'Hij kon me niets vertellen.'

Ze kon Oliver onmogelijk vertellen over de kloof die zich plotseling voor haar voeten geopend had, met Max verstard aan de andere kant. Max die daar ergens zweefde tussen de halo en het verstelbare bed, met zijn ogen gefixeerd op de lijn waar de wand en het plafond elkaar raakten. Max die niet kon praten terwijl de machines voor hem ademden. Max ten prooi aan een zo grote ellende dat hij ertussenuit zou kunnen piepen als hij maar even de kans kreeg.

'In Parijs is een mannetje dat heel goed is in dit soort dingen,' zei Oliver peinzend. 'Strangholm. Die krijgt doden nog aan het wandelen, bij wijze van spreken. Ik bel hem meteen voor je op, als jij denkt dat je de heren chirurgen ertoe kunt brengen Max naar hem door te sturen. Een betere specialist is er niet.'

'Geef mij Strangholms telefoonnummer maar.'

'Je zou wel eens op tegenstand kunnen stuiten.'

'Niet als jij Knetsch' firma zo ver kunt krijgen hem onmiddellijk naar New York terug te roepen.'

'Ballard, Crump & Skrebneski. Ik heb met Ballard wel eens een partijtje polo gespeeld en met Skrebneski's vrouw ooit wat rondgestoeid. Ik bel meteen. Vriend Knetsch zal je niet meer voor de voeten lopen. En, troeteltje, jij hebt helemaal nergens schuld aan, zet dat nou eens uit je hoofd.'

'Had jij hetzelfde gevoel toen Harry Leeds stierf?'

Even stokte het gesprek en was er sprake van een bijna tastbare verkilling.

116

'Kop op, lief ding. Ik bel morgen met alle noodzakelijke medische informatie.'

Maar daarmee had hij haar vraag nog niet beantwoord.

'De gebroken wervels en de bloeding in het ruggenmerg belasten de ruggenmergszenuw in extreme mate.' Het hoofd van het orthopedische team van het ziekenhuis Moutiers leek niet op zijn gemak, dacht Stefani. Het was alsof hij de gegevens die hij hun meedeelde zelf niet vertrouwde. 'We willen meneer Roderick naar Parijs laten overbrengen voor verder onderzoek.'

'Wanneer?' vroeg Jeff Knetsch.

'Binnen het uur als het kan.'

'Naar welk ziekenhuis gaat hij dan?' vroeg Stefani.

De orthopedist haalde zijn schouders op, zijn ogen schoten heen en weer tussen Stefani en Jeff. 'Ik dacht aan het Hôpital Générale de Paris.'

'Ik wil dat hij verwezen wordt naar dr. Felix Strangholm, in de Clinique St. Eustache, 27 rue Carnavalet,' zei Stefani. 'Een gespecialiseerde privé-kliniek. Die kent u wel, mag ik aannemen?'

'Als advocaat van de heer Roderick,' mengde Jeff Knetsch zich er snel tussen, 'teken ik hiertegen protest aan. Mevrouw Fogg is niet gerechtigd om uit te maken hoe er voor meneer Roderick gezorgd zal worden.'

De arts fronste zijn wenkbrauwen. 'Ik heb uiteraard gehoord van *monsieur le docteur*, maar ik ken hem niet persoonlijk. Hij is *très pressé*. Ik weet niet of hij op zo korte termijn een nieuwe patiënt zal…'

'Dat heeft hij al gedaan,' onderbrak Stefani hem. 'Ik heb vanochtend een telegram van dr. Strangholm gekregen waarin hij toestemming geeft voor het overbrengen van monsieur Roderick naar zijn kliniek.'

'Je had het recht niet!' Jeff wendde zich meteen tot de orthopedist. 'Ik weet zeker dat u het beste weet waar monsieur Roderick naartoe moet. Het Hôpital Générale de Paris lijkt mij uitstekend.'

'Ben je soms deskundig op medisch gebied?' wilde Stefani weten.

Hij staarde haar aan zonder iets te zeggen.

'Dat dacht ik ook van niet. Dus bevinden we ons in een impasse. Wij hebben geen van beiden het recht te bepalen welke zorg Max moet krijgen. En dat betekent dat de dokter maar moet beslissen.'

'*Madame*, ik…'

Ze zond de dokter een door en door schalkse glimlach toe. 'Vertelt u me eens, *monsieur le docteur*, als iemand van wie u hield er net zo erg aan toe was als monsieur Roderick en u kreeg de kans die persoon te laten behandelen door Felix Strangholm, zou u hem dan in plaats daarvan naar een u onbekende specialist in het Hôpital Générale sturen?'

'Nee, *madame*, zeker niet. Ik zou elke kans op herstel, hoe klein ook, met beide handen aangrijpen. *Bon*. We brengen hem binnen het uur naar Parijs over.'

117

Door het raam van de intensive-care-afdeling zag ze hoe drie mannelijke verplegers de ene batterij slangen vervingen door een andere, die Max in het vliegtuig naar Parijs in leven moesten houden.

'Ik ben naar New York teruggeroepen,' meldde Jeff Knetsch woedend.

'Wat een slechte timing,' zei ze. 'Tenzij je reden hebt om zo snel mogelijk uit Frankrijk weg te komen. Maak je je zorgen over die bindingen, Jeff? Ben je bang dat ze je zullen verraden?'

Zonder aarzeling gaf hij haar een klap in haar gezicht. Op haar beurt gaf ze hem een harde duw tegen zijn borst, zodat hij achteruit wankelde.

'Ik wou dat hij je nooit ontmoet had.'

'O, fraai is dat,' zei ze waarderend. 'Zeg zoiets ook eens tegen je bookmaker als je weer om geld verlegen zit.'

De deur naar Max' kamer werd weinig zachtzinnig opengetrapt. Max lag vastgegespt op een ruggenplank op een rijdende brancard. Stefani drukte zich tegen de wand, tot zwijgen gebracht door de aanblik van zijn roerloze gezicht met het beademingsbuisje in de mond, vastgezet met tape. Hij was voor de tweede keer in vierentwintig uur onderweg naar een helikopter.

'Je bent aan het neuzen geweest,' mompelde Knetsch met onderdukte agressie.

'Dat heb je goed, kerel. En ik ben nog maar net begonnen.'

14

Felix Strangholm was een gezette man met een kaal hoofd en groene priemende ogen. Zijn dikke lippen waren aldoor in concentratie getuit, als kon
hij ieder ogenblik een serieuze openbaring tegemoetzien. Hij was karig
met woorden, met als gevolg dat zijn collega's als hij iets zei aan zijn lippen hingen. Als hij een ruimte binnenkwam, was ieders aandacht onmiddellijk volledig op hem gericht – of het nu zijn mededirecteur of de
toiletjuffrouw betrof. Hij droeg een witte doktersjas over een kasjmieren
poloshirt en een rijbroek. Hij liep door de gangen op kousenvoeten, een
erfenis uit de tijd dat hij aan zen-meditatie had gedaan. Hij was pijnlijk beleefd tegen iedereen. Zijn aanblik bezielde verwanten van patiënten met
de vage hoop dat zijn excentriciteit levensreddend zou kunnen zijn. En in
het minste geval meenden ze uit de aandachtige uitdrukking op zijn gezicht
te kunnen aflezen dat hij luisterde als ze iets tegen hem zeiden; dat was
voor hen een nieuwe en troostrijke ervaring.

Min of meer onbewust signaleerde Stefani deze kenmerken van de man
die zo'n beslissende invloed op Max' toekomst zou kunnen hebben.

Ze was acht uur nadat de helikopter op het dak van de Clinique St. Eustache was geland in Parijs aangekomen. Toen ze zich had ingeschreven in het
hotel aan de Place Vendôme dat Oliver voor haar gereserveerd had en per
taxi naar de rue Carnavalet was gereden, lag Max al op de operatietafel.
Strangholm was *désolé*, zo verzekerde hij haar drie uur later, dat hij had moeten vaststellen dat de botsplinters in monsieur Rodericks nek langer dan een
etmaal druk op zijn ruggenmergszenuw hadden uitgeoefend. Hij had de
interne bloeding gestopt en de gebroken wervels aan elkaar gezet. Bovendien
had hij de patiënt hoge doses steroïden voorgeschreven om de zwellingen in
de ruggengraat, die volgens hem medeverantwoordelijk waren voor de ge-
deeltelijke verlamming, tegen te gaan. Hij had heel erg zijn best gedaan, maar
over Max' kansen op herstel kon hij nog weinig zeggen. Strangholm zou alles
doen wat in zijn vermogen lag, maar ja, die *imbéciles* in de Haute Savoie...

Strangholm fronste zijn voorhoofd, tuitte zijn lippen en veegde met zijn
handpalm over het glanzend gepolijste granieten blad van zijn bureau.
Over acht uur, misschien zelfs al over zes uur, wisten ze meer. *Madame*
mocht de hoop koesteren dat ze *monsieur* zou kunnen spreken als hij om
halfnegen de volgende ochtend zijn ronde had gemaakt. Akkoord?

Stefani knikte. Haar hart begon plotseling te bonzen. Ze had al twee
dagen geen woord met Max gewisseld.

De tractiepennen waren verwijderd. Hij droeg nu een vest van plastic, dat deed denken aan een afgietsel van een torso en dat de onderrand van de halo ondersteunde. Een verpleegster had een rolkussentje onder zijn nek gelegd om de pijn in zijn stijve spieren te verzachten; maar voorlopig lag hij nog op zijn rug met zijn ogen naar het plafond gericht, niet in staat zijn hoofd te bewegen. Aan zijn ene pols zat een infuusslangetje met tape vastgeplakt en op zijn borst waren elektroden aangebracht; zijn voeten staken in sokken. Onder het ziekenhuishemd zagen zijn benen er koud en grijs uit – zijn huid leek wel van een dode. Maar het beademingsbuisje, merkte ze op terwijl haar hart een sprongetje maakte, was weggehaald: Max kon weer zelf ademen.

Als hij haar al hoorde toen ze binnenkwam kon hij haar dat niet meedelen. 'Max. O, Max...'

'Stef.' Het uitspreken van haar afgekorte naam leek hem alle adem te kosten die hij bezat. Ze strekte haar hand naar hem uit en greep zijn arm vast.

'Mevrouw Fogg.'

Strangholm stond met een gefronst gezicht te kijken naar een reeks magnetische-resonantiebeelden die aan een lichtbak waren bevestigd. 'Gaat u even mee naar mijn kamer?'

Ze liep achter hem aan.

'Ik heb goed en slecht nieuws,' zei hij zonder verdere inleiding. 'De verlammingsverschijnselen beginnen minder te worden. En u zult merken dat *monsieur* Roderick inmiddels zelf kan ademen en genoeg kracht heeft om te spreken. Beide dingen vermoeien hem enorm, maar door therapieoefeningen kan dit sterk verbeteren. Wanneer er in de huid van zijn rug geknepen wordt, voelt hij dat al. Ik verwacht dat hij aan het eind van deze week weer gevoel in zijn vingertoppen zal hebben en dat hij mogelijk na verloop van tijd zijn armen en handen weer zal kunnen gebruiken. Ik geloof dat we verdere schade aan het ruggenmerg als gevolg van de nekfractuur hebben kunnen voorkomen.'

'Maar... dat is fantastisch nieuws.'

Strangholm pakte zijn pijp en klopte bedachtzaam met de kop op zijn bureau. 'Ik kan echter niet beloven dat hij volledig zal herstellen. Er is te veel tijd verstreken tussen de verwonding en de chirurgische ingreep. We zullen een zeer streng therapieprogramma opzetten. *Monsieur* zal de halo acht tot twaalf weken houden, en in die tijd zal hij getraind worden in het gebruik van een rolstoel en, misschien, een looprek. Ik kan echter niet beloven dat hij zijn benen nog zal kunnen gebruiken.'

'Er zijn ergere dingen. Weet hij hoe hij ervoor staat?'

'Het is heel onverstandig om in een zo vroeg stadium al met hem over permanente beperkingen te praten. We moeten zorgen dat hij blijft hopen; en misschien brengt hij dan uiteindelijk wel een wonder tot stand. Wie zal het zeggen? Laat hem pas wennen aan handicaps als er geen andere keus meer is. Maar tot die tijd...'

'Ik ben u heel erg dankbaar voor alles wat u gedaan hebt,' zei Stefani.

De dokter hield zijn hoofd schuin. '*Monsieur* kan erop rekenen dat hij op zijn minst zes maanden onder behandeling zal blijven. U zult wel willen weten wat hem de eerstkomende weken te wachten staat, neem ik aan, en u zult de financiële kant ook wel willen regelen. Ik neem aan dat u zich hier vandaag nog over uit zult spreken, *madame?*'

'Nadat ik met Max heb gesproken.'

Ze hadden het bed versteld om te voorkomen dat zich vocht in zijn ledematen zou ophopen en om de kans op longontsteking te verkleinen. Hij ademde onregelmatig tussen zijn vaneengeweken lippen door. Stefani liep naar hem toe en wenste dat hij zijn ogen op haar zou kunnen richten in plaats van op het plafond.

'Het is zo fijn om je te zien,' zei ze. 'Je hebt weer gevoel in je rug. Dat is geweldig.'

'Ik zou het liefst dood zijn.'

'Zeg dat niet.'

Heel even trilden de oogleden, mogelijk een uiting van een woede. 'Die binding...'

Ze kwam zo dicht bij hem dat zijn ziekenhuisjak haar wang raakte. 'Met die binding was geknoeid,' zei ze zachtjes. 'Iemand heeft aan je ski's gezeten. Jij kon er niets aan doen, Max.'

Hij sloot zijn ogen. Er verscheen een uitdrukking van intense opluchting op zijn grauwe gezicht, al snel gevolgd door razende woede. Hij bracht een kermend geluid voort.

'Niet doen,' zei ze, hevig geschrokken.

'Mag ik niet *voelen?*' Hij stootte een wrang, bitter geluid uit, een soort lach. Zijn ogen hield hij gesloten. Ze wilde zijn mond aanraken, zijn wangen, zijn slapen – maar de constructie om zijn hoofd verhinderde dat.

'Ik zal nooit meer skiën.'

'Jawel.'

'Leugenaar.'

Het begon zijn koosnaam voor haar te worden. Maar, bedacht ze, verdiende ze dat dan ook niet? 'De operatie is goed gegaan. Je hebt een goede kans op herstel. Je zult wel veel therapie nodig hebben, maar...'

'Laat me alleen.'

'Strangholm is optimistisch, Max. Hij zegt...'

'Je moet nu weggaan. Nu.'

Ze haalde diep adem. 'Goed. Ik ben over een paar uur weer hier, als je gerust hebt.'

'Niet doen.' De groene ogen gingen wijd open en keken haar onverzettelijk aan.

'Max...'

'Een invalide man. Ik laat je... je leven niet vergooien.'

'Wat een belachelijk idee. Ik ben hier omdat ik dat wil.'

'Dat blijft niet zo,' zei hij luid en duidelijk – de eerste woorden die hij krachtig uitsprak. 'Ga nu weg. Voordat ik de pest in krijg dat je weggaat...'

De volgende vier dagen kwam ze iedere ochtend en avond naar de kliniek. Maar als ze naar Max vroeg, kreeg ze steevast te horen dat hij weigerde haar te zien.

'Hij is depressief en dat is niet meer dan normaal,' legde Felix Strangholm vriendelijk maar niet op zijn gemak uit. 'Hij is in een oorlog met zijn lichaam verwikkeld. Logisch, want wat heeft hij met datzelfde lichaam niet allemaal aangedurfd? Hij gelooft dat hij dood beter af zou zijn. Hij wil niet dat u hier komt uit medelijden. Wat ik denk, *madame*, is dat naarmate zijn kracht en gevoel toenemen, hij wel weer moed zal krijgen. U moet hem deze fase van zelfzuchtig lijden maar gunnen en hem geen verwijten maken – ook niet diep vanbinnen, *hein?*'

De vijfde dag zag ze een bekend gezicht op de gang voor de deur van zijn privé-kamer. 'Meneer Knetsch. Weer terug uit New York?'

'Ik hoefde eigenlijk helemaal niet op kantoor te zijn.'

'Wat naar nou. Het is altijd veel prettiger te weten dat men je nodig heeft.' Stefani zei het op zo neutraal mogelijke toon.

'Ze hebben hier blijkbaar heel wat voor Max gedaan.' Knetsch zei het met tegenzin. 'Al denk ik niet dat ze het in het Hôpital Générale slechter zouden hebben gedaan.'

'Ik hoop dat ze hier mettertijd nog veel meer voor Max kunnen doen.'

'Ik heb de opdracht gekregen je te bedanken,' zei hij kortaangebonden, 'voor alles wat je gedaan hebt. En om je te zeggen dat Max hoopt dat je een goede reis terug naar New York zult hebben.'

'Ik ga niet terug naar New York.'

'Waarom niet?' Hij keek veelbetekenend naar haar kruis. 'Je hebt hier niets meer te zoeken.'

'Flikker op, Knetsch.'

Hij haalde een envelop uit de zak van zijn jasje. 'Hier heb ik een kopie van de brief die ik vanochtend aan Oliver Krane heb gefaxt ter beëindiging van Max' overeenkomst met zijn firma. Max laat de Thaise stinkzooi voor wat hij is. De reden mag duidelijk zijn. Jij bent niet meer nodig.'

Stefani keek vluchtig de tekst door en voelde grote woede opkomen. 'Dit is door jou opgesteld, Knetsch, niet door Max.'

'Ik heb ook de betalingsregeling voor de kliniek veranderd. Max is heel goed in staat om zelf zijn rekeningen te betalen.'

'Heb je dit allemaal in opdracht van Max gedaan?'

'Max gaat op mijn oordeel af. Ik ken hem al mijn hele leven.'

'En ik ken hem pas een week.' Stefani verfrommelde de brief in haar hand. 'Ik wil naar hem toe.'

'Dat zal niet gaan.'

'Je kunt me de toegang niet ontzeggen.'

'Ik vrees van wel.' Hij ging met zijn rug tegen de deur staan en schonk haar een vage glimlach. 'Ik ben Max' gevolmachtigde sinds vanochtend en hij heeft me opgedragen jou te ontslaan, vuil secreet.'

15

Ze vloog die avond weg uit Parijs, ongelofelijk kwaad op mannen in het algemeen, en op hun advocaten in het bijzonder.

'Knetsch heeft niet helemaal ongelijk, troeteltje,' had Oliver vanaf de andere kant van de Atlantische Oceaan tegen haar gezegd, terwijl hij aan zijn ontbijt zat. 'Max heeft je niet echt met open armen ontvangen. Hij heeft heel wat doorgemaakt en krijgt het nu nog erger voor zijn kiezen. Kom voor het moment maar weer naar huis. Zoals Strangholm zei is het goed mogelijk dat hij er na verloop van tijd anders over gaat denken.'

'Ik geef niemand een tweede kans! Oliver,' tierde ze. 'Max heeft me de deur gewezen en nu staat hij er alleen voor!'

'Een tweede kans is niets anders dan een middel tot vergeving, krullenbol,' hield hij haar voor. 'Als je niet kunt vergeven, heb je daar alleen jezelf mee.'

Ze had hier steeds aan gedacht tijdens de slapeloze zeven uur van haar vlucht in westelijke richting; er was zoveel turbulentie boven de Noord-Atlantische Oceaan dat af en toe zelfs het personeel kreten slaakte. Haar woede jegens Max, Jeff Knetsch en, eigenaardig genoeg, zelfs Oliver Krane hardde uit tot zelfhaat. *Ik ben geen vrouw die leven in stand weet te houden.* Want uiteindelijk was zij het die het had opgegeven: ze had haar boeltje gepakt en had de man van wie ze meende te houden alleen achtergelaten met zijn ellende. Zij, die hem zelf had laten weten dat ze oppervlakkig was en pijn en verdriet uit de weg ging. Dat plezier haar meer waard was dan waarachtigheid. Geen wonder dat Max gezegd had dat ze kon vertrekken.

Ze had nog steeds geen oog dichtgedaan toen het vliegtuig landde. Oliver Krane wachtte haar op in de aankomsthal. Hij toonde zich voor zijn doen opmerkelijk zwijgzaam. Hij liet haar plaatsnemen op de achterbank van een fraai gestroomlijnde zwarte auto met anonieme chauffeur; de man had haar bagage al achterin gelegd. Oliver legde een plaid over haar benen, maakte gedurende de hele rit sussende geluidjes en leverde haar voor haar deur af zonder een woord van medeleven te hebben geuit.

Ze sliep elf uur achter elkaar. Toen ze weer voor de brede glazen deuren naar haar terras stond viel de schemering over Manhattan. Ze vervloekte hartgrondig de schoonheid en harteloosheid van wat ze zag, in vloeiend Italiaans, omdat ze daar zin in had, en keerde de Big Apple vervolgens de rug toe.

Drie dagen bleef ze in bed naar het plafond en de zware gordijnen liggen staren. Af en toe rinkelde de telefoon; ze nam niet op. Oliver liet dertien berichten op haar antwoordapparaat achter. Ze hoorde de bezorgdheid die in zijn stem doorklonk, maar ze wist dat hij haar flat in de gaten hield en dus wist dat ze die nog niet verlaten had. Ze had geen maaltijden laten bezorgen en haar post niet opgehaald. *Ik ben geen vrouw die leven in stand weet te houden.*

Toen hij uiteindelijk dreigde haar deur met een kneedbom op te blazen, nam ze met tegenzin de telefoon op.

'Je hebt iets nodig om richting aan je leven te geven, zoetelief,' zei hij mild. 'Je proefperiode in het risicomanagementvak in Courchevel was een regelrechte ramp. Maar ik ken je kwaliteiten. Jij kunt niet terug naar FundMarket of concurrenten daarvan. Je bent voor iets beters in de wieg gelegd.'

'Voor wat dan zoal?'

Ze bevond zich inmiddels in haar woonkamer. Ze zat op de grond, barstend van de honger, met bakjes van de Chinees om zich heen.

'Je zou je eens kunnen onderdompelen in het inlichtingenvak,' zei hij mijmerend. 'Over de continenten jagen, je haren wapperend in de wind. Rapporten van verlokkende aard naar huis sturen. Krane verzorgt een wekelijkse nieuwsbrief, moet je weten, voor een select gezelschap van cliënten verspreid over de hele wereld. Geheime informatie voor diegenen die snappen wat voor prijskaartje daaraan hangt.'

'Ik kan niet in de Verenigde Staten blijven, en Europa heeft afgedaan,' zei ze zonder omhaal.

'Chili? Argentinië?'

'Misschien. Brazilië is uitgesloten natuurlijk.'

'Eén grote dievenbende,' stemde hij in. 'Ik heb ooit jacht gemaakt op de Braziliaanse schatkist, weet je; die was op de een of andere manier in de zakken van de president verzeild geraakt. Wat dacht je van Australië?'

'Daar ben ik nog nooit geweest.' Stefani's eetstokjes bleven halverwege haar mond in de lucht hangen. 'Wat valt er in Australië te beleven?'

'Het is er aangenaam veilig. Telecommunicatiemarkten. Internetfraude. Een hoop gebruinde lijven. Voedingsmiddelenindustrie, farmaceutische bedrijven. Je kunt er een beetje ronddartelen in de jetset en intussen je oren goed openhouden. En het is een uitstekende uitvalsbasis om naar Azië...'

Ze verstijfde. 'Oliver...'

'Het Indonesische politieke stelsel staat op instorten. En dan heb je Birma uiteraard, dat goed in de gaten gehouden zal moeten worden voor het geval het mocht besluiten de twintigste eeuw in te gaan. De eenentwintigste zal het nooit bereiken.'

'Wat is er van je Thaise cliënten geworden, Oliver?'

'Zijn met stille trom vertrokken,' antwoordde hij opgetogen. 'Zo rond de tijd dat vriend Max zijn buiteling maakte. Ze hebben een hoop contanten in hun kielzog achtergelaten, uiteraard. Het zou Harry veel goed hebben gedaan te weten dat hij gestorven was ten behoeve van mijn netto omzet.'

Bitterheid, bijna onverhuld.

'En je wilt Harry's dood verder maar laten rusten?'

'Op het ogenblik heb ik even geen andere keus. Maar ik ben een zeer geduldig man. Ik zal met Harry's moordenaars afrekenen op het moment dat ik verkies en op geheel eigen wijze.'

'Azië,' mompelde ze. 'Daar is het allesbehalve veilig, toch?'

'Wat je zegt. Ik geloof dat je er al aardig bovenop begint te komen, lief ding.'

En zo was haar odyssee van de laatste zes maanden begonnen. Stefani had 'rondgedarteld' in Melbourne, Adelaide en Perth; via het Great Barrier Reef was ze daarna in Port Arthur aangeland, en vervolgens in Kuala Lumpur en Seoul. Ze was naar Rangoon gegaan op aandringen van een meubelontwerper die een imperium had gevestigd, had daar lakdozen betast en rondgestruind in wouden waar op 'groene' wijze gekapt werd. Ze deed onderzoek naar marktomstandigheden in Laos, naar copyrightpiraterij in Hongkong, naar onderdrukkingspraktijken van de politie en kinderarbeid in het oerwoud van Maleisië. Haar bevindingen verwerkte ze in haar inlichtingenverslagen voor Oliver Krane. Na zes weken begon ze er lol in te krijgen – ze genoot van alles wat nieuw was, koesterde zich in de warmte van vreemden en voelde zich nederig bij de gedachte aan alles wat er nog te ontdekken viel.

Tijdens haar eerste bezoek aan de oude Vietnamese hoofdstad Hue – dat ze zo verstandig was in het droge seizoen te brengen – raakte ze al snel bevriend met een chirurg die Pho heette. Van hem hoorde ze dat in Vietnam oorchirurgie nog met hamer en beitel werd bedreven, dat stollingsmiddelen in de operatiekamer onbekend waren, dat het dragen van brillen bij de snelgroeiende bevolking niet voorkwam – wat ongetwijfeld verantwoordelijk was voor de grote risico's van het gemotoriseerde verkeer in de drukke straten. Pho legde uit dat het dragen van brillen vroeger ontzettend gevaarlijk was. Ze werden gedragen door de intelligentsia, en waren dus een merkteken voor mensen die doodgeschoten dienden te worden.

Maar, zo redeneerde Stefani, nu het kapitalisme in opmars was en de situatie in het land was genormaliseerd, zou Vietnam een paradijs voor opticiens worden en zou er een grote vraag ontstaan naar chirurgische instrumenten, medicijnen en allerlei andere zaken die de westerse gezondheidszorg te bieden had. Oliver Krane was het met haar eens. Hij zette het nieuws op de website van zijn firma.

Na dit eerste bezoek aan Hue in mei reisde ze nog naar Saigon, Phnom Penh en Singapore, en ten slotte, bijna met een gevoel alsof ze heiligschennis pleegde, naar Bangkok en het Oriental Hotel.

En daar, drie maanden nadat ze Courchevel verlaten had, schreef ze haar eerste brief aan Max.

Ze schreef met geen woord over wat ze met elkaar hadden gehad. En ze schreef ook met geen woord over het ongeluk. Ze schreef wel over de boten op de Chao Phraya, over het gefluit dat van alle kanten over het water klonk. Ze schreef over de verweerde handen van de vrouwen die in de straten van Hanoi honden als etenswaar verkochten, over de kralenmaakster die ze in Laos had ontmoet en over het lieve gezicht van een jongetje dat bij zijn moeder achter op de scooter zat en naar haar omkeek. Ze schreef over het leven in zijn fascinerende verscheidenheid en rijkdom en stuurde vellen vol naar het oude stenen huis in Frankrijk zonder over liefde te reppen.

Max stuurde geen antwoord.

Stefani bleef hem schrijven. Het was immers mogelijk dat hij het gebruik van zijn handen toch niet had teruggekregen en dat hij niemand het schrijven van een brief uit zijn naam toevertrouwde. Het was ook mogelijk dat hij nog niet wist wat hij moest schrijven of hoeveel hij met haar wilde delen. Dat hij haar brieven niet beantwoordde stimuleerde haar alleen maar om ermee door te gaan. Hij las haar woorden, dat kon bijna niet anders, en misschien schonken ze hem troost. Ze bleef hem schrijven op postpapier van de meest exotische commerciële paleizen op aarde. En uiteindelijk kwam ze erachter dat ze die brieven voor zichzelf schreef. De weg naar vergeving was een persoonlijke reis, zoals Oliver haar had gezegd.

Max droeg handschoenen van soepel leer als hij in zijn rolstoel zat, zoals nu, hard trekkend aan de wielen die hem over het bergpad voerden. Hij had geen gemotoriseerd exemplaar gewild en weigerde Sabines hulp sinds zijn handen sterk genoeg waren geworden om de wielen rond te draaien. Het trainen van zijn lichaam was onderhand een obsessie geworden. De duim en wijsvinger van zijn linkerhand bleven gevoelloos en in het begin waren zijn polsen zo zwak als van een baby geweest. Hij was bijna voortdurend aan het oefenen. Hij kneep in rubberballen of hief zijn voeten om en om, met gewichten van een halve kilo aan zijn enkels. In huis, waar geen drempels waren, bewoog hij zich meestal voort met behulp van een looprek, en uiteindelijk kon hij twintig passen achter elkaar los lopen. Hij kon op dit moment echter nog niet voldoende op zijn evenwichtsgevoel of op zijn kracht vertrouwen om zich helemaal tot aan de rand van de afgrond te wagen.

'Je wordt veel te snel voor me, buddy,' gromde Jeff toen ze bij het einde van het pad waren.

'Jouw conditie is naar de haaien,' zei Max. 'We hebben nog geen honderd meter afgelegd.'

'Ik weet het. Het komt door al die zakenlunches.' Hij liet zich naast Max' rolstoel op de grond zakken en keek uit over het dal. Op een steenworp afstand van waar ze zaten was de granieten bergwand, zich plooiend in een onregelmatig patroon, met hier en daar diepe spleten. Het was een wreed landschap, ook al baadde het in het warme licht van eind september.

Jeff keek schuin omhoog en bestudeerde Max' gezicht. 'Je hebt een geweldige comeback gemaakt.'

'Dank je,' antwoordde Max droog. 'Zonder mijn vrienden was het me niet gelukt. Ik begin weer belangstelling te krijgen voor een heleboel dingen.'

'Dat heb ik gemerkt.' Jeff keek de andere kant op. 'Op de keukentafel zag ik een reisgids liggen. Thailand. Je gaat je toch niet weer met die hele toestand bezighouden, hoop ik?'

'Ik moet mezelf wel bezighouden, Jeff. Dat is de enige manier om mijn leven aan te kunnen.'

Zijn vriend plukte aan een pluim vergeeld gras. 'Ik hoorde laatst dat Stefani Fogg in Azië zat.'

'In Thailand om precies te zijn.' Max voelde het gewicht van haar brief, die hij onder zijn poloshirt had gestopt, tegen zijn borst. Ze had hem geschreven vanuit Thailand, maar was onderweg naar Vietnam, waar ze misschien een tijdje zou blijven.

'Max...' De uitdrukking in de ogen van zijn vriend was zo mat als de loop van een geweer. 'Jij hebt gekregen waar de meeste mensen alleen maar van kunnen dromen: een nieuwe kans. Verpest die nou niet.'

'Wat bedoel je daar precies mee?'

'Je boft dat je nog leeft. Vergeet haar. Vergeet Thailand. Ze zijn allebei dodelijk.'

'Jeff, hoe diep zit jij in de schulden?'

'Wat heeft dat er verdomme mee te maken?'

Max nam hem aandachtig op. Maar vervolgens zei hij alleen maar: 'Het is warm hier. Ik heb zin in een biertje.'

'Ik ook. Ik ga wel even twee flesjes halen.' Jeff kwam overeind en begon het pad weer af te lopen.

Jacques Renaudie zat op het stenen terras van het huis te kijken naar het donkergelokte hoofd van zijn dochter, die in Max' keuken in de weer was. Ze was krampachtig bezig geweest met het plannen van dit etentje, het eerste dat ze in Max' huis verzorgde en waarvoor alleen zijn allerbeste vrienden waren uitgenodigd. Max accepteerde als vanzelfsprekend dat Sabine voor verpleegster speelde, het was een rol die ze zichzelf had toebedacht. Hij accepteerde ook de boeken die ze voor hem meebracht en haar eindeloze, opgewekte gebabbel. Hij gaf haar vaak goedmoedig klopjes op haar hoofd, als was ze zijn brave lievelingshond. Jacques' hart deed pijn als hij haar zo zag, totaal verblind en redeloos verliefd op de verkeerde man. Smoorverliefd.

'Hij zal nooit iets om je geven, *chérie*,' zei hij tegen zijn dochter. 'Hij is er niet toe in staat.'

Ze hief haar hoofd op en keek Jacques door de open terrasdeur heen aan. 'Hij is de enige man die ik ken die in staat is tot álles. Hij wordt met de dag sterker. Het is alleen maar een kwestie van tijd.'

'Hij zal nooit van je houden, *ma pauvre*.'

Haar ogen schoten vuur. 'Wat weet jíj nou van liefde, *hein?*' Je kon mama niet eens gelukkig maken, je hebt haar op de vlucht gejaagd met je kille...'

'Ik weet dat Max zijn hart aan een ander heeft verpand,' hield Jacques vol, 'en meer hoef ik niet te weten.'

Sabine bleef als aan de grond genageld staan, haar handen bleven in de lucht hangen boven een schaal met cassoulet. 'Aan wie dan?' vroeg ze met trillerige stem.

Jacques liep langzaam de huiskamer in; hij voelde zich geweldig moe. 'Al die brieven,' mompelde hij. 'Van over de hele wereld. Hij neemt ze overal mee naartoe. Kijk dan, *chérie*...' Hij wees naar het uitzicht vanaf het terras. Voorbij een uitstekende rotspunt was Max' gebogen hoofd juist nog te zien. 'Hij zit er nu ook weer een te lezen.'

Er zijn twee Bangkoks, het ene bevindt zich tussen de wolkenkrabbers en is vervuld van smog en lawaai en het andere beweegt mee met het stromen van het water. Aan de rivier en de khlongs waren de schimmen rond van een ouder Bangkok, het Bangkok van fakkels en olifanten en van sierlijk dansende lichamen in flakkerend schijnsel. Gisteravond liep ik in mijn eentje door een straatje niet ver van het hotel en stuitte op de verlaten oude Franse Legatie, een schitterend koloniaal gebouw met pannendaken en afbladderende luiken dat aan de waterkant staat. De ramen zijn dichtgespijkerd en de stenen brokkelen af, maar hele gezinnen huizen in het vervallen bouwsel en de geur van citroengras, vissaus, knoflook en hete olie, afkomstig van de komforen in het duister, slaat je tegemoet...

Morgen wil ik naar het huis van je grootvader...

Stefani Fogg stapte die dinsdagmiddag begin oktober uit haar bad in het Oriental Hotel en dacht aan de lunch die ze besteld had.

Ze voelde zich nog steeds uitgeput, was met haar gedachten nog half en half bij de overstroming in Hue, het dak van Pho's huis en de verdronken katten die rondwervelden in de sterke stroming. Maar de stank van de Parfumrivier had ze van zich afgewassen en ze geurde nu vaag naar eucalyptus. Om het donzen dekbed op haar bed zat een overtrek van Thaise zijde; straks zou er iemand komen om haar te masseren. Eindelijk, dacht ze, was het echt tijd om te gaan slapen.

De telefoon op haar nachtkastje rinkelde.

'Goddank dat je eindelijk opneemt, lief ding,' zei Oliver Krane. 'Het viel om de dooie dood niet mee om je te pakken te krijgen. Ik zou erbij willen zeggen dat je niet erg je best hebt gedaan om contact te houden.'

'Mijn mobieltje was nat geworden in Vietnam,' zei ze. 'Ik kon pas in Bangkok weer aan batterijtjes komen.'

'Tyfoon of Tai-*fun*?'

'Het eerste. Ik heb de afgelopen vijf dagen op het dak van een huis in Hue doorgebracht. Wie in Vietnam weerberichten gaat uitzenden, kan stinkend rijk worden.'

'Ik zal het idee doorgeven aan een vrouw die ik ken. Luister eens, zoetelief... Ik heb een heel vervelend bericht voor je. Daarom was ik ook zo driftig naar je op zoek. Max Roderick heeft zes dagen geleden zelfmoord gepleegd.'

Deel 1

Jack

1

Ceylon, 14 augustus 1945

In het vliegtuig was het donker, afgezien van het maanlicht dat door de open deur naar binnen stroomde. De dreunende motoren vulden de cabine met een helse herrie. Als iemand hier met wijdopen mond zou schreeuwen van doodsangst, zou dat geluid niet te onderscheiden zijn van het lawaai van de motoren en de wind; dus zetten de dertig mannen met parachutes op hun rug zich stom en ziek van angst schrap tegen de wand van het vliegtuig. Het steeg hoger en hoger boven de Indische Oceaan.

Het silhouet van Billy Lightfoot tekende zich af tegen de nachtelijke hemel, een bonk van een vent die het zicht op de sterren blokkeerde; zijn hoofd zat in een vliegeniershelm geklemd. Billy was aan het uitkijken naar de signaalvuren die de droppingszone markeerden; over luttele minuten zou hij zijn arm opheffen en dan zouden ze allemaal opstaan, Jack Roderick en de rest, en zich het duister in werpen, alleen omdat hij het hun vroeg.

Alec McQueen zat vastgegespt op het klapstoeltje naast Roderick; hij hield zijn ogen stijf dicht en omknelde zijn gordel met zijn vingers. Voordat Pearl Harbor werd gebombardeerd had hij als razende reporter in New York en Chicago gewerkt en na de aanval was hij door de Amerikaanse inlichtingendienst gerekruteerd voor spionagewerk. Alec was zesentwintig jaar, terwijl Jack al negenendertig was, en de oorlog was voor hem anders geweest dan voor Jack. Hij had in de Pacific gezeten, terwijl Roderick eerst in Noord-Afrika en daarna in Italië en Frankrijk was gedropt, waar hij gewend was geraakt aan dreunende vliegtuigen, ijzingwekkende sprongen op ijzige hoogte, de schok waarmee de parachute zich boven hem openvouwde, net de strop van een beul. Als de parachute boven open terrein zweefde in plaats van boven bomen of water en hij de dropping overleefde, dan was er altijd nog het gevaar van het neerkomen: het breken van een been, vijanden die hem opwachtten om hem de keel af te snijden. Jack Roderick zag het springen als een gok die deed denken aan een beroemde stelregel van Pascal: *Als ik de leegte overleef, dan moet er een God zijn. Maar als de leegte me opslokt — doet God er dan nog toe?*

Alec was op Ceylon zijn slapie geweest, een grofgebekte knaap die van poker hield, kettingrookte en Roderick de Ouwe noemde wanneer ze niet zij aan zij door de dichte vegetatie kropen, soms met hun knieën in de zuigende derrie van olifanten. Nu hield Roderick zijn gezicht van McQueen afgewend; hij wist dat de ander aan het bidden was.

Ze waren bijna achtendertig minuten onderweg volgens de oplichtende wijzerplaat van Rodericks horloge, van Ceylon over de Indische Oceaan in de richting van het schiereiland Malakka. De droppingzone bevond zich ergens buiten Bangkok; alleen Billy Lightfoot wist precies waar. Hoe lang zou het in totaal duren om de mijlen oceaan die onder hen weggolfden te overbruggen? Hoe lang zou het nog duren voordat de order klonk en hij zich aan de hemel moest overgeven?

'De Jappen zijn hun biezen aan het pakken,' had Lightfoot hun tijdens de instructiebijeenkomst 's ochtends vroeg verzekerd. 'Ze scheren zich uit Bangkok weg zo snel hun gele benen hen dragen kunnen. Misschien komen jullie op weg naar de stad nog wat treuzelkonten tegen, maar in de buurt van de droppingzone wachten vrienden jullie op en waarschijnlijk is het landen geen enkel probleem. Als jullie je chute hebben losgesneden zijn jullie vrij om op pad te gaan. Als een paar van jullie de verzamelplaats niet halen' – hij liet het idee van eenzaam ronddolen in vijandig gebied goed tot hen doordringen – 'ga dan op eigen kracht noordwaarts, naar de stad. Voeg je bij de anderen als de bevrijding een feit is.'

De bevrijding. Het was voor het eerst in al die lange jaren van gevechten en gecodeerde berichten dat het einde mogelijkerwijs in zicht was.

'En hoe zit het dan met de Siamezen?' had McQueen gevraagd. 'De niet-vriendjes? Pibul en zijn kornuiten?'

Tijdens hun junglegevechtstraining in de wouden van Ceylon had Lightfoot hun zorgvuldig ingelicht over de recente geschiedenis van Siam. Tijdens het grootste gedeelte van de oorlog was er een militair bewind geweest onder aanvoering van veldmaarschalk Pibul Songgram, dat de Japanse bezetter welgezind was. In 1939 had Pibul Siam herdoopt tot Thailand; in 1941 had hij de wereldwijde oorlog aangegrepen om de Franse protectoraten Laos en Cambodja aan te vallen. Hij had uit naam van de Thai een flinke hap uit het grensgebied genomen om vervolgens op zijn lauweren te gaan rusten en gedurende de rest van de oorlog naar Tokyo's pijpen te dansen.

'Pibul is niet gevaarlijk meer,' had Lightfoot geantwoord. 'Hij is gevangengenomen door onze oude vriend Ruth, de leider van de Vrije Thai.'

Roderick kende Ruth alleen van nachtelijke berichten, van krakende draadloze verbindingen voor het doorgeven van opdrachten van de Amerikaanse inlichtingendienst aan de Vrije Thai en verspreiding ervan over het hele schiereiland Malakka. Ruth was een vreemde *nom de guerre*, een vrouwelijke, bijbelse naam, maar Roderick had begrepen dat Ruth ook geen gebruikelijke man was. Hij had rechten gestudeerd en was constitutionalist, hij had een zeer brede ontwikkeling en was Europees georiënteerd, en hij was een charismatisch strijder die over stalen zenuwen beschikte. Ruth stond voor trouw en opoffering. En Ruth stond voor grote omzwervingen. Hij had de afgelopen drie jaar samengewerkt met de Thaise verzetsbeweging en met de inlichtingendiensten van de geallieerden.

'Onze bevrijdingsdropping is gecoördineerd met Ruths troepen,' had Lightfoot hun verteld. 'Als alles goed gaat...'

Als alles goed gaat, dacht Jack Roderick, zit ik morgen op de boot naar New York.

Hij had eigenlijk genoten van de trainingsweken in de wildernis van Ceylon, van het gezelschap van Singalese bewoners van het binnenland die de lage begroeiing met grote stokken te lijf gingen en de geallieerde soldaten rond waterpoelen leidden die midden in theeplantages plots konden opduiken. Hij genoot van de mist die in het hoogland ineens kon opzetten, vond het prachtig hoe de Europeanen ondanks de oorlogsomstandigheden stijf en strak aan zeer Britse gewoonten bleven vasthouden, met hun keurig gestreken damasten tafellakens, hun jachthonden en hun tijgervellen op hun marmeren vloeren. Maar hij hield nog het meest van Billy Lightfoot en de mannen die onder diens bevel stonden.

Lightfoot was een militair in hart en nieren, een polospelende luitenant-kolonel die spionnen voor 'Wild Bill' Donovan opleidde. Wild Bill was de onbetwiste spil van de clandestiene operaties; de Amerikaanse inlichtingendienst, de OSS, was zijn troetelkindje. In de zomer van 1940, toen Nazi-Duitsland zich opmaakte om Groot-Brittannië binnen te vallen, had Franklin Delano Roosevelt William Donovan als zijn persoonlijke afgezant naar Londen gestuurd om getuige te zijn van de oorlogsvoorbereidingen die door Churchill werden getroffen. In september, toen Groot-Brittannië groot gevaar liep en de voortdurende Duitse bombardementsvluchten over Het Kanaal het land kolossale schade toebrachten, was Donovan naar Washington teruggekeerd met op de Britten geïnspireerde plannen voor de eerste geheime inlichtingendienst van de Verenigde Staten, de Office of Strategic Services. Donovan rekruteerde een harde kern hiervoor onder afgestudeerden van de prestigieuze universiteiten van Yale, Princeton en Harvard, jongemannen die popelden om uit Wall Street weg te komen en naar bezet gebied te gaan. Hij reikte hun het vehikel aan om iets nuttigs te doen met hun stoffige kennis van het Frans, hun sociale vaardigheden en hun kennis van de wereld. En hij gaf hun Billy Lightfoot, die hij weghaalde bij de persoonlijke staf van generaal Patton, als hoofdmonitor.

Lightfoot was eigenlijk ingenieur. Hij bepaalde zijn overtuigingen zelf en had een harde leerschool gevolgd als vrijwilliger tijdens de Spaanse Burgeroorlog; het belangrijkste dat hij geleerd had was dat fanatici, of ze nu communist of fascist waren, een dodelijk kwaad waren. Lightfoot was sindsdien een groot voorvechter van democratie geweest. In Spanje had hij granaatscherven in zijn linkervoet gekregen, waarna hij voor actieve dienst was afgekeurd en veroordeeld leek tot het doceren van wiskunde aan de militaire academie, tot de aanval op Pearl Harbor kwam en hij opeens weer soldaat mocht spelen. Vervolgens hield hij zich bezig met het opblazen van bruggen, het leggen van mijnen en het begeleiden van troepentransporten door heel Europa.

Hij had het speciale talent de mannen die voor de OSS werkten het gevoel te geven dat ze op zomerkamp waren: keten dus. Hoeveel meisjes er ook bij de OSS op het hoofdkwartier in New York werkten om brieven te typen, cocktails te serveren en morseberichten te verzenden, de OSS in het veld was een echte mannenbedoening: een clubje Amerikaanse grote jongens die zich in hun natuurlijke habitat als een vis in het water voelden.

Jack Roderick was dol op dit soort jongensclubs, waarvan de leden elkaar onvoorwaardelijk accepteerden, waarin een onvoorwaardelijke kameraadschap heerste en uitleg overbodig was. Princeton in de jaren twintig, en daarvoor St. Paul's, waren ook jongensclubs geweest, en dat gold zelfs voor Manhattan in de begintijd van Rodericks omgang met Joan; alle mannen met wie hij daar te maken had waren van hetzelfde slag.

Later, eind jaren dertig, toen liefde, haat en jaloezie een onontwarbaar kluwen vormden dat hem dreigde te verstikken, werden deze jongensclubs een aanfluiting en had Jack niet meer geweten wat hij met zijn loyaliteit aan moest. Voordat Pearl Harbor en de Japanners hen beiden eindelijk bevrijdden, had Roderick het gevoel gehad alsof hij op een ijsschots zat en sneller en sneller wegdreef van Joan en de grillige skyline van Manhattan.

Roderick had bij Billy Lightfoot van alles geleerd: uit een vliegtuig springen, een eenmalige vercijfersleutel gebruiken voor middernachtelijke radiosignalen, een netwerk van onderagenten opzetten in vijandelijk gebied, ongemerkt opgaan in de bevolking van Fez, Corsica en Arles.

Lightfoot was lyrisch geweest op 6 augustus, nu bijna een maand geleden, toen de eerste atoombom op Hiroshima was gevallen.

'We hebben dat gele tuig laten zien hoe een stoere natie terugslaat!' had hij door de officiersmess in Trincomalee geschreeuwd.

De meeste aanwezigen schreeuwden met Billy mee en hieven samen met hem het glas op de vernietigingskracht van de geallieerden. Maar Roderick had zijn glas gin neergezet en was de moessonregen in gelopen. Voor de eerste keer tijdens deze oorlog wist hij niet zeker of de goede kant had gezegevierd.

En als ik morgen nu eens echt naar New York zou teruggaan, dacht hij terwijl hij wachtte tot Lightfoots door de maan beschenen arm in de deuropening omhoog zou gaan. Zou ik het dan niet een nog vreemdere plek vinden dan het sluimerende Siam onder me?

Gekraak van de radio vulde de cabine. Het vliegtuig dook en bokte in de turbulente hemel. Een woordenstroom die losbarstte als een machinegeweer. Het onwaarschijnlijke geluid van juichende mensen. Roderick zette zich schrap tegen de dunne wand van de vliegtuigromp en spande zich in om te horen wat er op de radio gezegd werd. Hij keek naar Alec McQueen en zag dat de ogen van de jongeman wijdopen waren.

Lightfoot kwam bij de deur vandaan en stortte zich in de richting van de cockpit.

'Zijn het de Jappen, denk je?' vroeg McQueen. 'Denk je dat ze ons in de smiezen hebben?'

Maar Rodericks ogen waren strak op Billy gevestigd, die als een dronkenman weer terug kwam lopen door de duistere cabine, onderwijl schouderklappen uitdelend.

'Ze hebben zich overgegeven!' schreeuwde hij. 'De Jappen hebben zich overgegeven! Vanavond landen wij als helden! De geallieerden hebben de oorlog gewonnen!'

2

'Hij heeft zich met zijn rolstoel in de afgrond dicht bij zijn huis gestort,' zei Oliver Krane op nuchtere toon, 'en is driehonderd meter omlaagge-tuimeld. Ik vind het verrot spijtig voor je, krullenbol. Ik weet dat jij het vreselijk vindt.'

Stefani kon geen woord uitbrengen.

'Ik denk dat hij er niet tegen kon om kreupel door het leven te gaan,' vervolgde Oliver behoedzaam, 'en niemand kan hem dat kwalijk nemen. Een man als hij. Zijn lichaam was zo geweldig belangrijk voor hem...'

'Ik geloof er niets van,' zei ze kortaf. 'Het klopt niet.'

'Stef, lief ding...'

'Harry Leeds, Oliver. *Harry Leeds* onder de wielen van een taxi in Kow-loon. Dat klopte niet, en dit klopt ook niet.'

Hij aarzelde – moord lag immers inderdaad voor de hand, als je bedacht wat er recentelijk allemaal gebeurd was met Max – en zei toen: 'Hij werd gezien terwijl hij daar in zijn eentje in de buurt van de afgrond in zijn rol-stoel zat. En even later lag de stoel beneden, in duizend brokken.'

'Wie heeft hem gevonden?'

'Het reddingsteam is nog steeds naar het lijk op zoek. Ze vermoeden dat het ergens in een spleet ligt. Maar er waren wel overblijfselen natuurlijk. De rolstoel, en een van zijn schoenen. Een stukje stof van het shirt dat hij aanhad.'

'Maar wie ontdekte die stoel dan, Oliver? Wie heeft de reddingswerkers ingeschakeld?'

'Sabine Renaudie.'

'Goeie god! Die kan hem heel goed zelf een duwtje hebben gegeven.'

'Dat lijkt me niet. Zij en Max waren de afgelopen tijd de beste maatjes.'

'En jij gelooft dat ze toevallig een wandelingetje langs die afgrond maak-te op de dag dat Max zelfmoord pleegde?' vroeg Stefani. 'Zoals haar vader Jacques zomaar opdook bij het begin van dat *couloir*?'

'Het schijnt dat ze die middag daar in huis was om te koken. Jacques Re-naudie was er ook en zijn advocaat, Knetsch. Ze hadden een feestelijk di-neetje gepland.'

'Een bijeenkomst van dieventuig zul je bedoelen.'

'Max was zelf in zijn rolstoel naar de afgrond gereden terwijl zijn advo-caat met hem meeliep. Hij kon zich intussen al behoorlijk snel met zijn handen voortduwen.'

Dus hij had zijn handen weer kunnen gebruiken, maar haar nooit iets laten weten.

'Max had Knetsch naar huis teruggestuurd om een biertje te halen. Knetsch was onderweg daarheen het meisje tegengekomen. Vijf minuten later hoorde hij haar schreeuwen.'

'Zág ze de rolstoel over de rand gaan?'

'Ik geloof het niet. Ze liep naar de plek waar Max had moeten zijn en vond daar op de grond verspreid een aantal vellen briefpapier.' Oliver zweeg een ogenblik. 'Een brief van jou, vrees ik. Daarop liep ze naar de rand van de afgrond, de richting waar de vellen haar heen leidden.'

Stefani sloot haar ogen. Had ze in haar laatste brief dingen geschreven die iemand tot zelfmoord konden aanzetten? 'Knetsch had Max over de rand kunnen duwen voordat hij naar het huis terugliep. Voordat hij Sabine tegenkwam.'

'Dat is mogelijk,' gaf Oliver ronduit toe. 'Maar bedenk nog eens hoe vreselijk *depressief* Max was, zo depressief dat hij je wegstuurde. Zelfs Strangholm was het opgevallen. Hij voerde oorlog met zijn lichaam, zoiets zei hij toch? Hij was ten einde raad.'

'Oliver, heeft iemand naar die rolstoel gekeken?'

'Ikzelf, om je de waarheid te zeggen. Ik ben in Frankrijk, zie je. Gezien mijn relatie met de cliënt.'

Al was die cliënt nu dood. 'En?'

'De remmen waren vastgezet.'

'Jezus...'

'Misschien bedacht hij zich op het laatste moment nog. Toen hij al bij de rand was.'

Ze zag Max voor zich, in vertwijfeling aan de remmen trekkend – Max met zijn zwakke handen, net te laat – en zei: 'De remmen waren vastgezet omdat hij geduwd werd, Oliver.'

'Maar zijn laatste wil dan, troeteltje?'

'Hoe bedoel je? Zijn wil om te leven? Of zijn wil om te sterven?'

'Zijn testament. Max heeft een week of vijf geleden zijn testament laten opmaken. Hij speelde duidelijk met de gedachte aan de dood.'

'Heeft Knetsch het opgesteld?'

'Nee, Knetsch was diep geschokt toen hij van het bestaan ervan hoorde. Blijkbaar had Max er een firma in Genève voor ingeschakeld.'

'Dus als het erop aankwam vertrouwde hij Knetsch toch niet.'

'Hierbij niet, want Max kon tegenstand van zijn kant verwachten.' Olivers stem had de lome, afstandelijke toon gekregen waarachter hij zoals ze inmiddels wist zijn emoties verstopte. 'Hij heeft namelijk alles aan jóu nagelaten. Het huis in Courchevel, de bankrekeningen in Zürich en de volledige nalatenschap van Jack Roderick in Bangkok, mochten zijn aanspraken daarop ooit geldig worden verklaard.'

Verdomme, Max. Zijn obsessie trotseerde zelfs het graf.

'Meneer Knetsch zul je nooit tot je vrienden kunnen rekenen,' voegde Oliver er onverstoorbaar aan toe. 'Hij wil met het testament aantonen dat Max niet goed bij zijn hoofd was.'

Ze schonk zich een straf glas Bombay Sapphire in en liet zich op het zijden donsdekbed neerzinken om het leeg te drinken. Ze was een week en een halve wereld verwijderd van een dode man die ze nooit aan zijn lot had mogen overlaten. Ze hadden hem te pakken gekregen, of het nu moord of zelfmoord was. Ze hadden hem hoe dan ook tot in het diepst van zijn ziel getroffen.

Ze stelde zich voor hoe hij naar beneden was gestort, zoals hij zich duizenden keren eerder van een berg had afgeworpen, zijn warrige haar wapperend in de wind, zijn ogen speurend naar een plek om neer te komen. En ineens hoopte ze dat hij inderdaad opzettelijk voor een einde als dit had gekozen. Het was beter dan dat hij wreed de afgrond in was geduwd, beseffend wat er gebeurde en zonder de mogelijkheid er iets tegen te doen en zichzelf te redden...

Het ginglas spatte uit elkaar tegen de muur van de slaapkamer.

De man die betaald had voor de moord op Max Roderick belde die middag naar de hoofdvestiging van Krane & Associates in New York. Hij werd ogenblikkelijk doorverbonden met Oliver Krane, die naar hij niet onterecht veronderstelde ook in New York was.

'Sompong.' Olivers begroeting klonk joviaal. 'Het is maanden geleden dat ik je stem heb gehoord. Hoe staat het in Bangkok en Phuket? Alles kits? Hoe gaat het met je vrouw? En met je maîtresse?'

De man die Sompong heette, keek neer op de twee zestienjarigen die in de verduisterde kamer lagen te slapen en zijn lippen krulden omhoog. Hij vroeg zo veel van ze tijdens hun dagelijkse sessie dat ze vaak als een blok in slaap vielen. Hij legde een biljet van duizend bath op de toilettafel en liep naar de deur.

'Ik heb de diensten van de firma nodig,' zei hij abrupt, 'voor die kwestie waarover we al eerder hebben gesproken.'

'Die kwestie is opgelost,' zei Oliver luchtig. 'Dossier gesloten.'

'Roderick is dood, ja. Maar hij heeft een testament nagelaten. Ik wil volledig worden ingelicht over de vrouw die alles erft. Stefani Fogg.'

'Je hebt met je advocaat gesproken, merk ik.'

'Alles,' herhaalde Sompong kortaf. 'Om zes uur vanavond. Bangkoktijd.'

'Nou, oké dan,' reageerde Oliver gegriefd, 'als je me maar genoeg betaalt.'

Ze liep die middag de Bamboebar binnen om een oude man die Thanom heette te zoeken — simpelweg Thanom, de naam waaronder hij al vijftig jaar bekend stond in het Oriental Hotel. Hij was de glanzende bovenkant van de bar aan het poetsen, met methodische halen van zijn verweerde hand. Op dit uur was de bar, een modernere versie van de oudste kroeg van expatriates in Thailand, geheel verlaten. De mensen zaten allemaal met hun drankje buiten, onder de grote parasols die het zwembad omringden. Toen hij Stefani zag, legde de oude man zijn poetsdoek uit het zicht en boog.

'Kan ik u helpen?'

'Ik hoop het. Mijn naam is Stefani Fogg. Ik ben op zoek naar iemand die Thanom heet. Meneer Rewadee zei dat ik hem hier misschien kon vinden.'

'Dat ben ik.'

Stefani ging op een barkruk zitten en liet haar puntige kin op haar handen rusten. Ze bestudeerde het gezicht van de man — vlekkerig van de zon, gegroefd door de tijd, met ogen die als weggekeilde kiezels diep in hun holten lagen. 'Volgens meneer Rewadee werkt u hier al heel lang.'

'Dat is zo, ja. Wilt u misschien iets drinken, mevrouw Fogg?'

'Tonic met twee schijfjes limoen. Hoe lang precies?'

Thanom glimlachte, maar zijn glimlach zag er niet direct vriendelijk uit. 'Als u de moeite hebt genomen om met meneer Rewadee te spreken, dan weet u al dat ik sinds 1946 in het Oriental werk, het jaar dat ik vanuit de zuidelijke provincies naar Bangkok kwam. Ik droeg bagage en deed allerlei boodschappen voor *mademoiselle* Krull...'

Germaine Krull. De Française die het hotel samen met een handvol investeerders, onder wie Jack Roderick, begin 1946 had gekocht.

'...en nu sta ik achter de bar.'

'Dan moet u Jack Roderick gekend hebben. In de tijd van *mademoiselle* Krull was hij een van de mede-eigenaren, is het niet?'

Thanom zette een glas met ijsblokjes behoedzaam neer op de bar en pakte een sifon. 'Meneer Roderick had wat geld in het bedrijf gestoken, ja, maar hij maakte ruzie met de andere eigenaren en trok zijn geld weer terug. Maar hij bleef hier wonen, om *mademoiselle* te treiteren. En toen *mademoiselle* later gedwongen was het hotel te verkopen en de mensen met het grote geld naar Thailand kwamen en het Oriental voorgoed een ander aanzien gaven, lachte meneer Roderick het hardst. Hij zette zijn zijdewinkel op in de lobby, richtte de koninklijke suite gratis in en verdiende grof geld aan de kapotgeslagen droom van mademoiselle Krull. We hebben moeten aanzien hoe hij dat deed.'

'Vertelt u me eens wat meer over meneer Roderick.' Stefani's ogen waren strak op het gezicht van de man gevestigd. 'Meneer Rewadee zegt dat u hem goed kende.'

Thanom keek haar uitdrukkingsloos aan. Toen pakte hij een mes en een limoen, sneed de vrucht met doelgerichte bewegingen open en deed twee druipende, transparante groene schijfjes in haar glas. 'Waarom wilt u zoveel weten over meneer Roderick?'

Ze nam een slokje tonic en haalde haar schouders op.

'Toeristen willen altijd van alles weten over meneer Roderick.' Hij zei het met ingehouden verachting. 'Hij was een stille man. Tegen zijn vrienden zei hij al niet veel, maar tegen Thanom, die met koffers liep te sjouwen en achter de bar stond, zei hij helemaal niets. Zelfs niet als hij aan het drinken was.'

'Kwam hij hier om zich vol te laten lopen?'

Thanoms ogen met de kleur van agaat schoten langs het plafond, de met dierfiguren bedrukte kussens en de met glasplaten bedekte tafeltjes. Ze bleven uiteindelijk rusten op het onnatuurlijk blauwe water van het zwembad dat achter de ramen lag te glinsteren. 'Nee, niet hier. In meneer Rodericks tijd kwamen de *farangs* bij bosjes rechtstreeks van de rivierkade naar de lobby, met alle modder en zweet van de jungle nog aan hun lijf om tot diep in de nacht te zuipen, te brallen en leugens te verkopen. Hij bood zijn nieuwe vrienden drankjes aan en hij lachte om hun grappen, maar zelf dronk hij niet veel en hij vertelde nooit iets over zijn eigen zaken. Kun je zo'n man vertrouwen?'

'Hij klinkt anders heel discreet.'

Thanom pakte zijn doek en ging verder met het poetsen van de bar; hij hield zijn ogen afgewend. 'Roderick luisterde met de bedoeling zijn vrienden in zijn macht te krijgen. Als je met zo iemand een glaasje drinkt, drink je verraad.'

'U gelooft de geruchten dat hij een spion was blijkbaar.'

'Een spion moet een baas hebben. Maar wat Jack Roderick deed, deed hij alleen maar voor zichzelf. Misschien is dat de reden voor zijn dood.'

Haar vingers omklemden het koude glas steviger. 'Wat bedoelt u, Thanom?'

'Meneer Roderick had ogen waarmee hij een mug in het donker kon zien vliegen en oren waarmee hij het stromen van de rivier kon horen; hij was machtig omdat hij zoveel wist en hij meende dat hij onaantastbaar was. Hij werd steeds machtiger en rijker en achter zijn rug noemden ze hem de Koning als hij door de khlongs ronddoolde. Maar hij vergat, mevrouw Fogg, dat hij zelf geen Thai was in het land van de Glimlachende Thai. Had u die uitdrukking al gehoord: de Glimlachende Thai?'

'Ja,' antwoordde ze. Zo had ze een reisleider het vriendelijkste volk van Zuidoost-Azië horen beschrijven.

De oude man leunde over de bar naar voren, in zijn ogen gloeide de haat van vele jaren. 'Er zijn honderd manieren om te glimlachen, mevrouw Fogg, en een ervan zegt: *Ik ga je vermoorden.*'

'Als ik gelijk heb en jij vermoord bent,' schreef Stefani aan Max op een vel papier met het briefhoofd van het Oriental Hotel, 'dan was het door een van deze drie: Sabine, Jacques of Knetsch. Alledrie verkeerden ze in de gelegenheid om elk van de aanslagen op jou te plegen: de lawine, de gesaboteerde skibinding, de fatale duw. Ze hadden alledrie toegang tot jouw huis en alledrie konden ze weten waar jij je bevond. Maar wie van de drie was omkoopbaar? Wie haatte jou zo erg?'

Ze keek naar het zwembad van het Oriental, naar de orchideeën die in de wind wiegden als vlinders, naar de gebronsde lijven van de bevoorrechte en goedverzorgde lieden die hier frequent te gast waren, naar het onaangeraakte glas rum met het papieren parasolletje dat zwierig boven de rand uitstak.

Ze had overwogen zich helemaal klem te zuipen. De Stefani van drie jaar geleden – of van nog maar een jaar geleden – zou dat gedaan hebben. Die zou tegen het vallen van de avond een wildvreemde hebben opgepikt, met een troep nieuwe zogenaamd 'beste vrienden' door Bangkok hebben gezwalkt en zich tegen de ochtend niets meer van Max hebben kunnen herinneren.

Maar ze was niet meer de vrouw van een paar maanden geleden.

Ze liet haar ogen uiteindelijk rusten op een zwartharige, krachtig gebouwde Aziatische man die tegenover haar in een ligstoel hing. Hij hield een krant vlak voor zijn gezicht, maar aan zijn loom gespreide knieën meende ze te kunnen aflezen dat zijn lectuur hem nauwelijks boeide.

'Sabine: al jaren verliefd op jou, maakte eten klaar in jouw huis. Meende misschien te kunnen profiteren van je hulpeloosheid. Je dankbaarheid. Heb je haar woede opgewekt door haar één keer te vaak af te wijzen?

Jacques: bezorgd om de toekomst van zijn dochter. Of nog altijd woest vanwege de affaire van zijn vrouw. Haatte hij jou soms om wat zijn huwelijk om zeep heeft geholpen?

Knetsch: je vertrouwde hem niet voldoende om hem je testament te laten regelen. Waarom heb je een Geneefse firma ingeschakeld? Je vermoedde dat Jeff omkwam in de schulden. Je minachtte zijn vrienden. Waarom hamert hij erop dat je krankzinnig was?'

Ze hield op met schrijven, de pen bleef boven het papier in de lucht hangen. Als Jeff de rolstoel de afgrond in had geduwd, was het voor hem noodzakelijk dat het op een zelfmoord zou lijken. En als hij Max krankzinnig liet verklaren, maakte dat diens zelfmoord alleen maar waarschijnlijker.

Ze verfrommelde het vel papier tot een compacte bal, stopte die in de grote tas die ze bij zich had en kwam uit haar ligstoel overeind.

De Aziaat tegenover haar kwam ook uit zijn stoel en rekte zich uit. Terwijl zij haar zonnecrème en paperback pakte, botste hij onhandig tegen haar dij aan, waardoor haar tas van haar schouder gleed. Vervolgens liep hij een verontschuldiging stamelend – althans daar leek het op – naar de glazen deuren die toegang gaven tot de lobby.

Stefani keek hem boos na. Haar boek was in een plasje water terechtgekomen en haar pen lag op de bestrating. Met zijn lompe voeten had hij haar tube zonnecrème kapotgetrapt.

Pas later, toen ze alweer terug was op haar kamer, kwam ze tot de ontdekking dat het verfrommelde vel papier verdwenen was.

3

Bangkok, 1945-1947

Het vliegtuig veranderde van koers en vloog naar Rangoon in Birma, waar Jack Roderick drie dagen lang praatte met Britse officieren die in een overwinningsroes verkeerden en kostbare sigaretten ruilde voor dingen die van geen waarde hadden geleken zolang ze met de bevrijdingsmissie aan de gang waren geweest. De OSS-mannen die in Rangoon terechtkwamen bezaten overalls en laarzen, en verder een tas met jodiumtabletten, gedroogd rundvlees, extra ammunitie en een legermes. Sommigen hadden een crucifix of een konijnenpoot bij zich, of foto's van hun kinderen. Roderick had een polaroidfoto van Rory die tijdens de kerst van het vorige jaar gemaakt was en Siamese baht ter waarde van tien dollar. In zijn borstzakje zat de afscheidsbrief aan Joan verstopt, waarin hij haar al haar zonden vergaf en zwoer dat hij haar eeuwig liefhad.

Deze brief duidde hij sarcastisch aan als zijn 'val-dood-brief', en was bedoeld voor het geval hij in zijn parachute verstrikt raakte, de parachute niet openging of hij landde op de bajonet van een vijand. In het geval dat hij de oorlog overleefde – en daar zag het naar uit – was hij bestemd voor de eerste de beste vuilnisbak.

Alec McQueen werd in die koortsige periode in Rangoon weer de journalist die hij voor het uitbreken van de oorlog was geweest. Als hij geen whisky zoop of zat te pokeren, interviewde hij iedere Birmese nationalist die maar een woord Engels sprak en verzond eindeloze verslagen naar United Press International. Hij was door het dolle omdat hij de oorlog had overleefd en had het erover de eerste boot naar de Filippijnen te nemen en om ontslag te verzoeken. Hij ging samen met Roderick op de foto, met een sigaar in zijn mond.

Op de ochtend van 6 september 1945 vlogen ze eindelijk naar Thailand. Toen ze het vliegveld naderden, bleek dat het er wemelde van vluchtende Japanse soldaten die bij duizenden de geallieerde troepen wilden mislopen en zo snel mogelijk naar huis vertrekken. Een haveloos groepje Thai – allemaal verzetsstrijders die een rode band om hun arm droegen – probeerde zonder succes orde in de chaos te stichten. De verkeerstoren was een week eerder in de fik gestoken en de communicatie met het vliegtuig verliep via een megafoon. Drie wanhopige Thai, die door slaapgebrek nog nauwelijks tot iets in staat waren, zaten met verrekijkers op het dak van een legertruck. Het vliegtuig bleef rondcirkelen.

De piloten grapten dat ze wel over het vliegveld zouden scheren om ruimte te maken, of de mannen de deur uit zouden schoppen, maar uiteindelijk slaagden ze erin te landen, zoals ze al zo vaak tijdens die vervloekte oorlog in de Pacific en in nog moeilijker omstandigheden hadden gedaan. Roderick wachtte op zijn beurt om uit het vliegtuig te komen en wierp over de schouder van McQueen voor het eerst een blik op Bangkok.

Junglevegetatie. Gepleisterde en houten huizen. Het centrum van de stad lag te ver van het vliegveld om er iets van te ontwaren, maar de omgeving leek nauwelijks anders dan die rond Rangoon. Alleen waren er geen Engelse sahibs te bekennen.

Wij zijn hier de sahibs, dacht hij, lichtelijk verbaasd.

Een groepje mannen in olijfgroen en bruin, zonder enig onderscheidingsteken, stond in stilte op het tarmac te wachten. Roderick zou niet hebben kunnen zeggen of het Thai of Japanners waren, vrienden of vijanden, totdat een van hen voor Billy Lightfoot salueerde toen de kolonel uit het vliegtuig kwam.

'Verrek, dat is Ruth,' fluisterde McQueen Roderick over zijn schouder toe. 'Pridi Panomyong zelve. Wat een klein opdondertje, hè?'

De man die rechts van Ruth stond, stapte naar voren en boog met zijn handpalmen omhooggeheven als was hij aan het bidden. 'Kapitein Roderick, neem ik aan? Ik ben de eerste luitenant van commandant Ruth. Zegt u maar Carlos. Dat doet iedereen.'

Het was Carlos die een jeep die door het Japanse opperbevel was achtergelaten aan de praat kreeg en Roderick en McQueen met een waanzinnige snelheid voortreed door de paar straten waar vierwielige voertuigen doorheen konden. Er werd vuurwerk afgeschoten en er klonken geweerschoten; vrouwen met zwart haar en betraande wangen klommen op en in de jeep als ze maar even de kans kregen; ze wierpen Roderick jasmijnslingers in de schoot. Hij voelde zich confuus door alles, het gebabbel in een vreemde taal, de onbekende geuren die van alle kanten op hem afkwamen, de kanalen die hij om zich heen zag met hun zeer bijzondere boten en felgekleurde wimpels. McQueen zat op het reservewiel wild te zwaaien, schreeuwend als een indiaan die gaat aanvallen. Hij kuste de vrouwen, sloeg mannen op de schouder en leek zich volstrekt niet te storen aan de onmogelijkheid van verbale communicatie. Overwinning, het was een taal die iedereen sprak.

'Suan Kularb zal u zeker bevallen,' schreeuwde Carlos boven alle herrie uit. Ruths plaatsvervanger reed als een wilde, maar met grote klasse; voor hen stoven honden en kinderen alle kanten op. 'Het is een paleis in een grote tuin, heel ruim en fris. U zult er alle comfort aantreffen. De Japanners hadden het er ook erg naar hun zin.'

'Hebben jullie de boel dan niet platgebrand?'

Carlos schudde zijn hoofd. 'We hebben alleen ouwe zooi in de fik gestoken; de paleizen hebben we heel gelaten voor onze vrienden.'

Een jongen met donker haar en een schitterende witte vogel op zijn schouder bracht Roderick naar een slaapkamer met een hoog plafond en teakhouten wanden met siersnijwerk. De hoge ramen waren voorzien van luiken en kwamen uit op een veranda met uitzicht op de tuin. Voorbij het gazon, tussen groene struiken, schitterde water. Een oude man liep over het gras met een zeis heen en weer. Roderick keek naar het bed en voelde zich ineens dodelijk vermoeid. Het was jaren geleden dat hij iets beters dan een brits had gehad om op te slapen.

De jongen goot water in een koperen wasbak en mompelde iets in het Thais. Hij stak zijn hand uit met de palm naar boven gekeerd. Roderick liet er een munt op vallen – uit zijn slinkende voorraad bath – en de jongen grijnsde van oor tot oor.

Hoe oud was hij? Tien? Vijftien? De zoon die Roderick in New York had achtergelaten was net acht. Zou Rory er ooit zo uitzien als deze bijna volwassen jongen, een levend geraamte met holle ogen?

'Hoe heet je?' vroeg Jack. Maar zijn blik was gericht op de witte vogel. Een kaketoe, dacht hij. Een grote kuif en zwarte kraalogen. Met zijn snavel trok hij voortdurend aan het oor van de jongen. Roderick klopte op zijn borst. 'Ik heet Jack. *Jack.* Kun je dat zeggen?'

'Mistah Jack.'

Roderick knikte.

'Boonreung,' zei de jongen, met zijn hand tegen zijn hart gedrukt. Hij stak de munt in zijn broekzak en liep op een holletje de kamer uit.

In Suan Kularb was het mogelijk je voor te stellen dat er nooit oorlog was geweest. Roderick werd 's ochtends wakker met vogelgezang en na een ontbijt van mangoestans en een bad in een marmeren badkuip liep hij de overdadig bloeiende tuin in om de namen van de bloemen en planten te leren. Boonreung vergezelde hem daarbij, zoals bij vrijwel alles wat hij in die weken deed. Naarmate de jongen beter Engels ging spreken, nam Rodericks kennis van het leven in Bangkok toe. Hij gebruikte de jongen als gids en tolk bij zijn zwerftochten door de stad. Boonreung zat dan bij hem in de jeep met zijn stakerige benen onder zich gevouwen en wees vol overgave van alles aan: de boten op de rivier, de mieventers en de amuletten-verkopers die op de markt in de buurt van het Veld der Koningen stonden en een verzameling rotzooi en edelstenen te koop aanboden.

In november had Roderick echter meer dan genoeg van zijn isolement in de luxe van Suan Kularb. Hij volgde Alec McQueen naar het Oriental Hotel en nam Boonreung mee.

Het Oriental was eind 1945 een met geallieerde expatriates volge-

147

stouwde bouwval die in de bruine rivier dreigde weg te zakken. Het was er broeierig warm. De kamers hadden halve klapdeuren met jaloezielatten, geen echte deuren, en de doorgezakte matrassen gingen schuil onder muskietennetten. Alec had een kamer boven de lobby waarin zich tevens de Bamboebar bevond, tussen een steeds wisselend groepje lagere officieren, die in die chaotische periode na de oorlog kwamen en gingen. McQueen was ietsje rustiger geworden sinds zijn ontslag uit het leger, maar hij gedroeg zich nog altijd als de jonge vlerk van een verslaggever die hij voor de oorlog was geweest: hij sloeg bloemrijke taal uit, doorspekt met krachttermen, en droeg gekreukte pakken en overhemden waar door de moessonhitte alle fut uit verdween zodra hij ze schoon had aangetrokken. Toen ze in september in Bangkok waren aangekomen had hij gedacht er niet langer dan een maand te zullen blijven. Maar in januari zat hij er nog en begon hij vanuit zijn hotelkamer een krant die hij de *Bangkok Post* had gedoopt. Hij zou nooit meer teruggaan naar zijn baan achter een bureau in de Verenigde Staten.

McQueen zat voortdurend achter de vrouwen aan: Engelsen en Françaises en tussendoor af en toe een Thaise. Roderick bleef echter trouw aan Joan om wat ze ooit voor hem betekend had, en aan zijn zoon, wiens portret hij op de vensterbank in zijn kamer naast die van Alec had staan. Daar had hij ook een foto neergezet van Billy Lightfoot, die inmiddels terug was gekeerd naar de basis West Point en de grilligheden van het bestaan in vredestijd.

Zonder de oorlog en vijanden om tegen te vechten voelde Roderick zich in die eerste drie doelloze maanden ontheemd. Hij voelde er niets voor om naar New York terug te keren, maar hij wist ook niet waarom hij in Bangkok bleef plakken. Hij maakte trektochten door de jungle naar de kust en stond onder bevel van Harold Patterson, chef van de post Bangkok van de OSS, die als zoon van zendelingen een gedeelte van zijn jeugd in Thailand had doorgebracht en de taal sprak, zij het niet erg vloeiend. Patterson was een zwijgzame man die gele vingers had van de goedkope sigaretten die hij kettingrookte. Tijdens de oorlog had hij als geheim agent met de Vrije Thai samengewerkt en het was duidelijk dat hij er onderhand aan toe was om naar huis te gaan. Hij zou nog maar kort in Bangkok blijven en had Roderick als zijn leerling-opvolger gekozen. Hij vertelde hem alles wat hij wist over de stad en de manier waarop de mensen er leefden.

'De sleutel tot Zuidoost-Azië, Jack, zijn de mensen die onder de Fransen hebben kunnen studeren en die zich nu opmaken om in de hand die hen gevoed heeft te bijten,' zei de chef. 'Dring door tot de broederschap der Fransozenhaters in Thailands flanken en je hebt de voorhoede van de komende revolutie te pakken.'

Patterson liet Roderick kennismaken met Cambodjaanse ballingen met aristocratische manieren en met Laotianen die voor de oorlog in Parijs als diplomaat hadden gewerkt, ideologen die met gelijke bevlogenheid de vrije liefde en het communisme nastreefden. De eerste die hij ontmoette was Tao Oum, Pattersons belangrijkste subagent, een zachtmoedige Laotiaan met een briljante geest. Volgens de geruchten was Tao Oum minister van Oorlog van de Laotiaanse schaduwregering, de democratische oppositie die voortdurend op Franse repressiemaatregelen bedacht moest zijn; hij vond niets heerlijker dan met Roderick te discussiëren over detailkwesties op het gebied van het constitutioneel recht, ook al had Roderick daar geen kaas van gegeten. De Laotianen, de Cambodjanen en zelfs een aantal Birmezen zagen Bangkok als een toevluchtsoord en alle Amerikanen als bevrijders, omdat Amerika zich twee eeuwen eerder aan het juk van de koloniale overheersing had ontworsteld en zijn vrijheid had bevochten met de eigen wapens van de Britse overheersers. Roderick hoorde alle dromen over revolutie aan, gaf rondjes in de kroeg en probeerde zich de namen van de verschillende bewegingen en vrijheidsstrijders in te prenten en een indeling te maken van vrienden en toekomstige vijanden.

Harold Patterson kende alle monniken, hoeren en handelaren in Aziatisch antiek die in de wirwar van khlongs te vinden waren. De fatalistische gedachte dat hij er nooit meer zou terugkeren maakte het voor hem moeilijk zijn greep op de stad te laten varen. Voor Roderick bestelde hij spijzen zo heet dat zijn ingewanden er bijna van oplosten; voor Roderick vorderde hij boten en jeeps en reisde hij dagen achtereen van hot naar her over het platteland; voor Roderick ondernam hij een drie uur durende tocht over kapotte wegen naar de oude hoofdstad Ayutthaya om tussen de ruïnes te kunnen rondwandelen. In de Nakorn Kasem, de 'Dievenmarkt' van Bangkok, waar allerlei soorten gestolen goederen werden verhandeld, vond Patterson lappen handgeweven zijde, tere vaasjes van celadonporselein en rijk gebrocheerde Birmese wandkleden voor hem. Roderick kocht alle artikelen die Patterson hem aanwees en stuurde ze op naar Manhattan, waar zijn vrouw Joan ze met een mengeling van geamuseerdheid en walging uitpakte.

Toen ze hem in de herfst van 1946 schreef dat ze wilde scheiden, keerde hij spoorslags naar New York terug. Aan boord van een tramp voer hij om India heen, waarna hij zijn reis over land voortzette naar Parijs. Hij kwam uiteindelijk dodelijk vermoeid en radeloos in New York aan, twee maanden te laat. Hij vocht de scheiding aan omdat dat hem de enige mogelijkheid leek, hij voerde strijd om de jongen en om de blik in Rory's ogen omdat het hem ondraaglijk voorkwam die te moeten missen. Maar Jack Roderick verloor, zoals hij wel geweten had dat zou gebeuren, zelfs toen hij nog in Bangkok was. Joan werd zijn gevolmachtigde en hij keerde begin 1947 terug naar Thailand.

Bij zijn terugkomst vond hij de stad volstrekt veranderd en tegelijk hetzelfde gebleven. Voorheen deed Bangkok exotisch aan, maar nu was het of hij de khlongs en bouwvallen als zijn broekzak kende.

De stad was in zekere zin van hem: hij was benoemd tot chef inlichtingen van het OSO, de naoorlogse opvolger van het OSS. Of het OSO iets aan Roderick zou hebben stond nog te bezien. Het was een wankele organisatie zonder duidelijke missie die van boven af geleid werd door een splinternieuwe instelling: de CIA, ofte wel de Central Intelligence Agency. Maar Roderick had gemerkt dat een heleboel oude vrienden van hem bij de OSO zaten – mensen die hij kende uit Manhattan, Princeton en de halfvergeten droppingzones verspreid over Europa. Alweer een jongensclub, maar een die was opgezet met het doel te intrigeren.

'Ben je voorgoed terug, Jack?' vroeg Alec McQueen toen hij zich weer in het Oriental installeerde en Rory's portret met de serieuze ogen op zijn vensterbank terugzette.

'Dat hangt ervan af.'

'Waarvan dan? Of je een baan kunt vinden? Die kun je van mij krijgen, wanneer je maar wilt. Je hoeft er alleen maar voor te kunnen kijken en luisteren, meer heb je niet nodig om journalist te zijn.'

Roderick lachte. 'Dank je, Alec. Maar ik heb andere plannen. Kijk eens in dat pakje.'

McQueen pakte het pakje dat op de toilettafel lag en scheurde het bruine pakpapier eraf. Een lap glanzende roze stof gleed tussen zijn handen door.

'Wat is dit?' vroeg hij sullig. De stof lag als een bloedvlek op de oude houten vloer.

'Zijde,' antwoordde Roderick. 'Ruwe Thaise zijde. In het noordoosten groeien moerbeibomen, Alec, in het gebied dat Khorat heet. Boonreung heeft me vorige week de bomen en de zijdedraad laten zien. Hij komt uit dat deel van Thailand, moet je weten – dat jong is in een moerbeiplantage geboren. Zijn hele familie begint meteen na het ontbijt met het oogsten van zijdecocons.'

'Boonreung,' herhaalde McQueen. 'Jack, je bent toch niet gek of zo?'

'Ik heb een weversfamilie gevonden, aan een khlong hier niet zo ver vandaan. In een streek die Ban Khrua heet. Ik heb alle leden ervan ingehuurd om stukwerk te verrichten in ruil voor een deel van de winst.'

'Niemand komt ooit in het noordoosten. Het is een godvergeten woestenij.'

'Een woestenij met een grens,' wierp Roderick tegen, 'en aan de andere kant van die grens, Alec, wonen een heleboel ongelukkige mensen. En ongelukkige mensen zijn mijn pakkie-an.'

McQueen raapte de zijde van de vloer op en hield de stof tegen het licht. 'Natuurlijk,' mompelde hij. 'Aan de oorlog komt nooit een einde. Dus daar is het je om te doen? Een dekmantel?'

'Ik zal de eerste paar honderd meter zijde mee naar New York nemen,' mijmerde Roderick, terwijl hij de zijde uit McQueens handen pakte en ze tussen zijn vingers door liet glijden. 'En dan zorg ik voor voldoende publiciteit. Ik zal de zijde aan de uitgever van *Vogue* doen toekomen. Als die Siamese zijde gaat promoten, heb ik in een mum van tijd investeerders genoeg.'

'En waar bestaat hun investering dan uit? Burgerlijke ongehoorzaamheid?'

'Aandelen in mijn bedrijf.' Roderick keek door het raam, over de foto van Rory heen, naar buiten; zijn aandacht werd getrokken door iets dat McQueen niet kon zien. 'En dat bedrijf krijgt de naam Jack Roderick Silk.'

4

'Mevrouw Fogg!' riep de assistent-bedrijfsleider opgetogen toen ze die avond in de deuropening van de Schrijverslounge verscheen. 'Fijn u weer in het Oriental te zien.'

De wekelijkse cocktailparty voor speciale gasten — een select gezelschap van genodigden — was in volle gang. Obers liepen rond met schalen vol exquise heerlijkheden. Op een tafel die versierd was met bloemslingers en kunstig gesneden fruit stond een groot assortiment sushi. Grijsharige mannen in blauwe blazers stonden vertrouwelijk te mompelen tegen vrouwen met indrukwekkende derrières. Er liepen hier zelfs mannen met Ascotdassen rond. Een jongeman met een weelderige zwarte snor had het aangedurfd om een kakelbonte harembroek aan te trekken die om zijn enkels slobberde, maar er waren verder weinig mensen die er wansmakelijk uitzagen. Stefani droeg een mouwloze japon van limoengroene Thaise zijde en een halssnoer van zwarte parels.

'Hallo, Paolo,' zei ze tegen de assistent-bedrijfsleider. 'Wat een drukte.'

Paolo was afkomstig uit Milaan en had de afgelopen vijftien jaar gewerkt in verschillende zeer selecte hotels verspreid over de hele wereld. Hij was blond, had een open gezicht en was door en door beleefd. Hij vergat nooit de naam van een gast, of die nu vijf weken geleden in het Oriental had gelogeerd of dertien jaar geleden in het Cipriani.

'Stefani.' Hij pakte haar hand. 'Fijn je te zien. Ik hoorde dat je door een tyfoon was overvallen.'

Ze was Vietnam alweer bijna vergeten.

Over de rand van haar glas rondkijkend zag ze een gezicht dat haar vaag bekend voorkwam — waarschijnlijk een toneel- of filmactrice. Naast haar stond een man die vergeefse pogingen deed er niet als haar bodyguard uit te zien. En achter hen zag ze de lompe Aziaat die die middag bij het zwembad tegen haar was opgebotst; hij stond tegen de muur achter de sushitafel geleund.

'Werkt die vent hier?' vroeg ze fluisterend aan Paolo. 'Of is hij een gast?'

De assistent-bedrijfsleider keek onopvallend in zijn richting. 'Geen van beide. Waarom?'

'Ik geloof dat hij vanmiddag mijn zakken heeft gerold.'

'Hij praat met Rush Halliwell.' Paolo's ogen rustten weer op haar. 'Ken je hem? Hij is van jullie ambassade.'

Halliwell was een lange vent die er elegant uitzag in een lichtgewicht kostuum dat Italiaans leek, maar waarschijnlijk door een van de plaatselijke kleermakers was gemaakt. Hij was schijnbaar de beste maatjes met de lomperik in het donkere jasje.

'Hij is van gemengde afkomst,' merkte Stefani op.

'Hij is half Thai. De enige van jullie corps diplomatique die vloeiend Thais spreekt, schijnt het. Een van de Californische Halliwells.'

'Nee maar.' Ze had bij FundMarket geld van de Halliwells belegd. De rijkdom van de familie was gebouwd op bauxietbedrijven, Zuid-Afrikaans chroom, suikerrietplantages in de Everglades, en waarschijnlijk hier en daar een sigarettenfabriek of chemiebedrijf. 'Ik wil hem graag leren kennen.'

Paolo ging haar zonder aarzelen voor tussen de voortdurend van plaats wisselende gasten. De bruut in het zwarte pak wierp een lome blik op de naderende Stefani, mompelde iets tegen Halliwell en verdween als een haas in de richting van de gewelfde deuren die op de tuin uitkwamen.

'Stefani Fogg,' zei Paolo plechtstatig, 'sta me toe u voor te stellen aan Rush Halliwell, een mede-Amerikaan.'

'Een genoegen,' zei Halliwell en stak haar zijn hand toe.

Hij had uitstekende jukbeenderen, een vierkante kin en donkere ogen die naar groen neigden. En een glimlach die al te poeslief, al te verwaand, zeg maar ronduit zelfingenomen was. 'Bent u al lang in Bangkok?'

'Ik ben hier de afgelopen maanden al een paar keer geweest. Het Oriental is onderhand mijn thuis.'

'Bent u dan hier voor zaken?'

'Niet direct.' Ze pakte het glas aan dat Paolo haar aanbood en deed expres nogal vaag. Ze achtte het waarschijnlijk dat Halliwell al heel wat van haar afwist. Hij had immers staan praten met de boerenhufter die haar aantekeningen gestolen had.

'Een persoonlijke reden dus. Laat me eens raden. U bent hier omdat u een kind wilt adopteren. Of u wilt een exportbedrijfje opzetten.'

'Nee.'

'Dan is een vriend van u valselijk beschuldigd van drugsbezit en zit nu in de gevangenis.' Hij wimpelde een ober die langskwam met pasteitjes nonchalant af. 'Ik kan u maar beter meteen vertellen dat de Amerikaanse regering in de meeste gevallen niets kan doen. De doodstraf betekent hier echt de doodstraf. En ik zou ook maar niet aan omkoping beginnen als ik u was.'

'Zijn dat de drie dingen waarvoor mensen bij de ambassade aankloppen?' vroeg ze op luchtige toon.

'Natuurlijk. Iedereen wil hier van alles, mevrouw Fogg. Dit is een stad waar iedereen pakt wat hij pakken kan.' Hij zei het allervriendelijkst maar zijn donkergroene ogen behielden hun berekenende uitdrukking.

'Geen zorg, Rush,' mengde Paolo zich erin. 'Mevrouw Fogg is een globetrotter zonder snode plannen. Als jullie het goedvinden, dan...'

153

Paolo gaf Stefani een knikje en gleed tussen de mensen door terug naar de deur. Iemand met heel hoge jukbeenderen en nauwelijks iets om het lijf – Duits topmodel? Russische actrice? – stak hem haar hand toe. De assistent-bedrijfsleider boog zich er zonder aarzelen overheen.

Stefani keek schuins naar Halliwell op.

'Waar ging het die vent met wie u net stond te praten dan om? Een kind, zaken, of de bajes?'

'Pardon?'

'Die Aziaat. Zwart jasje. Een lijf als een worstelaar. Toen wij eraan kwamen wist hij niet hoe gauw hij weg moest komen.'

Halliwell glimlachte. 'Ik zie er blijkbaar uit alsof ik tot het personeel behoor. Hij wilde weten waar het toilet was.'

'O?'

'Het komt door mijn Thaise oogopslag. Het gebeurt me de hele tijd. Vertel eens, waar woont u, Stefani? Als u niet hier bent, bedoel ik?'

Hij was dichter bij haar komen staan en vulde nu de ruimte die Paolo had ingenomen – waarmee hij de indruk wilde wekken dat al zijn aandacht op haar gericht was, maar er meteen in slaagde haar het zicht op de rest van de ruimte te ontnemen. Ze moest aan Thanoms woorden denken: *Hij bood zijn nieuwe vrienden drankjes aan en hij lachte om hun grappen, maar zelf dronk hij niet veel en hij vertelde nooit iets over zijn eigen zaken. Kun je zo'n man vertrouwen?*

'New York,' zei ze kortaf. 'En u?'

'Waar ze me maar naartoe sturen. Hiervoor woonde ik in Hongkong en daarvoor in Kuala Lumpur. En heel lang geleden intussen al in Ghana.'

Hij vermeed zorgvuldig om over Californië en zijn rijke familie te praten en ook over wat hij in Bangkok uitvoerde. Werkte hij werkelijk voor Buitenlandse Zaken? Of voor de ertegenaan schurkende CIA?

'Dus u bent globetrotter?' Hij graaide een sandwichdriehoekje van een passerend dienblad. 'Waar bent u zoal geweest de laatste tijd?'

'In Birma. En daarna in Vietnam.'

Hij trok een wenkbrauw op. 'Dan bent u zeker heel erg nat geworden?'

'Ik ben naar Bangkok terug komen zwemmen. Wat doet u precies op de ambassade, meneer Halliwell? Behalve cocktailparty's aflopen?'

'Ik ben ambtenaar derde klasse. Wat trok u in Vietnam?'

'De stranden. Wat doet een ambtenaar derde klasse?'

'Cocktailparty's aflopen.' Zijn ogen, boven de onberispelijke glimlach, waren spijkerhard.

'Daarmee zijn we weer terug bij af. Ik had gehoopt dat u me misschien zou kunnen helpen; hoe ik op feestjes moet converseren weet ik al.'

'Aha, nu komt het. Wat wilt u precies van me, dame?'

'Informatie.'

Hij zette een onschuldig gezicht en maakte een handgebaar. 'Als u wilt weten waar het toilet is...'

'Ik wil weten hoe je vervolging moet instellen tegen de Thaise regering.'

'Dan hebt u een jurist nodig, geen diplomaat. Wat heeft Thailand u misdaan?'

'De regering heeft iets gestolen dat van mij is. En ik wil het terug.'

Halliwell reageerde niet.

'Jack Rodericks huis. Dat kent u, dat weet ik zeker. Het museum. De kunstverzameling. Het teakhouten huis aan de khlong. Ik heb dat huis geërfd van Rodericks erfgenaam. Dus misschien kunt u, meneer Halliwell, me vertellen hoe een Amerikaanse zoiets aanpakt: in Thailand opeisen wat haar toekomt?'

5

De westkust van Thailand, december 1945

Het was Tao Oum, de vluchteling uit Laos, die hen die dag naar het zuidwesten reed in Jack Rodericks glanzende Packard. Ze waren gewapend
met de oude, inmiddels zwaar verfomfaaide legerkaarten die Roderick in
Ceylon had gekregen, een voorraadje gedroogde vis en papaya's en de
dienstrevolver van de OSS, die in het handschoenkastje lag. Ze deden met
z'n vijven met één veldfles in de hitte. Een vochtige wind vanaf de kust
woei door de open ramen naar binnen.

Boonreung zat in het midden, want hij was jong en mager, een bottenzak uit het noordoosten. Roderick had de jongen overgenomen van het
Suan Kularb-paleis, waar hij als ober had gewerkt, en gebruikte hem als
manusje-van-alles: Boonreung deed allerlei boodschappen voor hem, hield
zijn kleding op orde en reed hem rond. Roderick had schik in de jongen,
die vlot van begrip en goedlachs was, en leerde hem Engels.

Naast de jongen zat Vukrit en aan de andere kant van hem zat de man die
iedereen nog steeds Carlos noemde omdat dat de naam was die hij in de
oorlog had gekregen. Vukrit en Carlos waren met vrouwen getrouwd die
zussen van elkaar waren. Ze hadden ook broers voor elkaar kunnen zijn als
de oorlog geen wig tussen hen had gedreven. Vukrit had de pro-Japanse
dictator veldmaarschalk Pibul Songgram gesteund, terwijl Carlos zijn lot
had verbonden aan de held van de Thaise verzetsbeweging, Pridi Panomyong. De Japanners hadden zich vier maanden geleden overgegeven, maar
de twee mannen konden elkaar hun keuze niet vergeven. Vukrit diende in
het leger; toen de collaborateurs het loodje hadden gelegd moest hij boeten. Het leger was in ongenade gevallen en Vukrits oude vrienden moesten
niets meer van hem hebben. Carlos werkte inmiddels voor Pridi Panomyong op het splinternieuwe kantoor van de premier. Hij nam zijn mooie
vrouw Chao mee naar de schitterendste overwinningspartijtjes in de *farang*-wijk.

Boonreung zat tussen de zwagers in en diende het ene moment als buf-
fer en het volgende als schakel tussen hen.

Roderick zat voorin, naast Tao Oum, en luisterde naar de woorden die
de anderen in het Thais met elkaar wisselden. Hij sprak Frans met Tao
Oum, die de Fransen haatte, en Engels met de andere twee, en die drie
gingen ervan uit dat de *farang* de beschimpingen die ze aan de lopende
band uitwisselden toch niet zou snappen. Hij was Roderick en ze hielden
van hem, maar vreesden hem evenzeer; hij was en bleef *farang*.

Ze hadden de nacht doorgebracht in Phetchaburi, 123 kilometer ten zuiden van Bangkok, waar in de loop van een millennium talrijke koninklijke paleizen en tempels waren verrezen in het weldadig koele heuvelland langs de kust. Boonreung was nog nooit van zijn leven zo dicht bij zee geweest. Ze maakten misbruik van zijn kinderlijke verwondering en stopten gebakken zee-egels in zijn mond, terwijl ze tot diep in de nacht aan het bier zaten en de kaarten bestudeerden. Roderick kon niet genoeg krijgen van de oude heldenverhalen die ze hem in haperend Engels en Frans vertelden, en dus deden ze hem een plezier en verzonnen wat ze niet wisten te vertalen en disten aldoende zonder het te beseffen fragmentarische verhalen van grote poëtische schoonheid op. Ze verhaalden over olifanten, legers en onderworpen steden; over kluizenaars in de heuvels en de kostbare relikwieën die ze daar verborgen hadden; over vrouwen schoner dan edelstenen die zaten opgesloten in de geheime vertrekken van het koninklijk paleis, waar het gewone lieden op straffe des doods verboden was een voet te zetten. Ze praatten tot diep in de nacht, waarna ze op harde bedden in een vervallen logies sliepen en wakker werden van de geur van warme mie. De kok had zeewier in de miebouillon gedaan en Boonreung verdomde het ervan te eten. De jongen stikte nu van de honger, terwijl hij aan de veldfles lebberde en bedelde als een hond om stukjes gedroogde papaya. Roderick wierp hem over zijn schouder heen reepjes toe en lachte bulderend als de jongen ze met mijn tanden wist te vangen.

De smalle wegen zaten onder de kuilen van de granaatinslagen; de spoorlijn die erlangs liep was hier en daar nog onbruikbaar. Ze zagen daar ploegen werklui met biezen manden en houwelen zwoegen als slaven. Ze vorderden maar langzaam en hun gepraat verstomde geregeld als de weg te slecht werd. Boonreung uitte opgetogen zijn bewondering voor de kleur van het water aan hun linkerkant: een doorschijnend azuur, als glanzend gepolijste jade. Carlos riep hem echter op vlijmscherpe toon tot de orde. Carlos was een ontwikkeld man met een goedaardige inborst, maar hij was aan de westkust geboren en zou nooit vergeten hoe de Japanners vier jaar eerder, tijdens de bloedige invasie van december 1941, de mannen en jongens van de vissersdorpjes met bajonetten hadden afgeslacht. De kuststrook bij Singora en Patani was toen ingeklemd tussen twee legermachten: de Japanse grondtroepen die in zuidelijke richting op weg waren naar Malakka en de Britse voorhoede die naar het noorden optrok. De slachtpartij duurde vijf dagen; toen gaf veldmaarschalk Pibul zich gewonnen.

Roderick liet zich niet afleiden door familietwist of oorlogsherinneringen. Hij keek door het raampje naar de bergtoppen die uit het dichte groen oprezen. 'Er zitten – of zaten – tijgers in het oerwoud daar,' vertelde hij. 'En panters, gibbons, en twee soorten Aziatische beren. Grijze olifanten, lemuren en vogels.' De andere mannen hoorden de melancholie in

157

zijn stem en als ze de *farang*-namen die hij aan de dingen gaf niet begrepen, dachten ze aan Birma, het land dat achter die bergen lag en aan de robijnen die als vuurkooltjes in het hart ervan verborgen lagen.

Toen ze eindelijk het moerasgebied van Khao Sam Roi Yot bereikten, waar duizenden trekvogels in het gras scholen, en Tao Oum de Packard bij een bananenboom stilzette, voelden ze zich zo stijf als oude mannen. Boonreung holde uitgelaten naar een waterpoel en joeg daardoor een reiger op, terwijl de anderen zich gapend uitrekten en naar de vrouwen keken die gezeten op de rotsen garnalennetten herstelden. Roderick was het volgende moment al bezig canvas tassen uit de kofferbak te halen en voegde Tao Oum, die zich met een vochtige zakdoek het zweet van zijn voorhoofd stond te wissen, in vloeiend Frans bevelen toe. Carlos bood de jongetjes die zich in de buurt van de vissersvrouwen ophielden repen chocola aan. Die hadden liever *farang*-sigaretten gehad die ze voor geld konden verkopen, maar ze namen het snoep aan en beantwoordden Carlos' vragen. Vukrit leunde tegen de motorkap van de auto en volgde Rodericks doen en laten met een ondoorgrondelijke blik in zijn ogen.

Ze waren bijna tweehonderd kilometer naar het zuiden afgezakt in de hoop hier in de heuvels rijkdommen op het spoor te komen: geen panters of robijnen, maar verborgen toegangen tot grotten. Volgens de oude verhalen waren de hoge kalkstenen rotsen die zich aan de waterkant verhieven aan Boeddha gewijd en hadden mensen er lang geleden geheime altaren opgericht, die prachtig moesten zijn. Dat was de reden dat Roderick hen hiernaartoe had gesleept, ondanks hun onderlinge haat, jaloezie en strijd; hij wilde de jungle in en hij had behoefte aan gezelschap. Ze waren alle vier met hem meegegaan omdat ze zonder meer deden wat hij van hen verlangde. Bij Ta Oum was het een kwestie van loyaliteit, voor Carlos was het iets dat hij aan vrienden verschuldigd was. Voor Vukrit was het een test, voortgekomen uit nood en de gefnuikte behoefte aan liefde. Alleen Boonreung was geheel uit vrije wil meegekomen.

Ze gingen even na enen 's middags de wildernis in, in de wetenschap dat ze niet voor middernacht uit de bergen zouden terugkeren. Ze hadden twee plaatselijke jongens als gids meegenomen, want die hadden Carlos verteld dat er hoog in de bergen geheime grotten waren waar ze vaak bij in de buurt hadden gespeeld. De jongens zongen aanhoudend hetzelfde nonsensliedje terwijl ze blootsvoets over de paden voorop gingen. Ze leken zich geen zorgen te maken om vermeende tijgers.

De mannen volgden hen, aanvankelijk in stilzwijgen, Roderick als eerste. Hij dacht terug aan de gezichten van zijn OSS-makkers toen ze schouder aan schouder voortkropen tussen het gebladerte, terwijl houtmieren over hun vingers liepen. Hij dacht aan de verschrikkelijke doolhof van paadjes die hen verwarde en gevangenhield, het alomaanwezige vocht, de slangen die op takken leken, de verrassende bloemen die ze hier en daar tegenkwamen. Op Ceylon hadden ze geen eenzaamheid gekend, wel de sluipende vijanden Spanning en Uitputting.

Het werd steeds later en de paden voerden almaar verder naar boven. De veldflessen raakten leeg en werden weer gevuld in stroompjes die tussen de rotsen klaterden. De twee jongens hielden op met zingen en begonnen te praten in een dialect dat niemand verstond: de taal van hun dorp, of misschien die van hun jeugd. En eindelijk, toen Vukrit liep te klagen over de blaren die zijn stadse schoenen hem bezorgden en Rodericks bleke huid knalrood zag van de inspanning, hieven de jongens gezamenlijk een gehuil aan alsof ze dat van tevoren zo hadden afgesproken, en opende zich een afgrond voor hun voeten.

Het was een verbijsterende kloof van meer dan honderd meter diep, die in deze glooiende omgeving volstrekt onverwacht was. Beneden hing een kronkelend gordijn van mist, afkomstig van een waterval die van de rotsen naar beneden stortte. In kalkstenen spleten bloeiden orchideeën. Roderick staarde met stomme verbazing in het hart van de aarde; de anderen die achter hem stonden hielden op met praten. Een witte vogel vloog verschrikt op. Ergens krijste een gibbon.

Het geluid verbrak het net van stilte dat zich om hen gesloten had. Roderick was de eerste die sprak: 'Is hier de grot? In deze kloof?'

De twee jongens begonnen opgewonden te schetteren. Carlos luisterde en knikte. 'De opening is moeilijk te vinden. Hij bevindt zich daar aan de overkant, dat zwarte gat achter het vallende water.'

Ze bogen zich naar voren om het te zien en voelden de koele mist in hun gezicht slaan. Tao Oum kon niets onderscheiden in de versluierde rotswand, maar Roderick, die zijn lichtblauwe ogen tot spleetjes had geknepen, meende de opening van de grot te kunnen zien. Boonreung lachte hardop alsof hij een cadeautje had gekregen, en begon hun touwen en pikhouwelen uit de tassen te halen. Hij was een behendig klauteraar en zou als eerste langs de wand van de kloof afdalen.

Vukrit trok zijn schoenen uit. Hij wilde niet riskeren ze in de waterstroom te verliezen, maar had ook geen zin om alleen boven achter te blijven, in schande. Roderick bepaalde de volgorde waarin ze zouden afdalen, met Tao Oum tussen Vukrit en Carlos in, zodat de twee zwagers elkaar niet hoefden te zekeren. Roderick ging zelf als laatste, om hen allemaal als anker te dienen.

Bijna veertig minuten later bereikten Boonreungs knokige voeten de bodem van de afgrond. Hij keek naar boven naar de anderen die zoveel ouder waren dan hij en die zich hijgend en steunend met trillende vingers aan de rots vastklampten, en grijnsde naar de hemel. Toen danste hij door de bedding van de stroom, terwijl de zon zijn zwarte haar in gloed zette, en plaatste zijn tenen in de rotswand aan de andere kant.

Het duurde nog een uur voordat Boonreung zich lenig naar de opening van de grot omhoog had gewerkt, terwijl de mannen nog als mieren verspreid tegen de rotswand hingen. Door het watergordijn heen zag hij de twee kinderen, hun gidsen, boven op de rots aan de overkant spelen. Het beeld werd enige tijd later verstoord en loste zich op. Roderick had de grot voor de anderen bereikt; zijn sluike blonde hoofd, donker van het vocht, rees op als de kop van een cobra. Boonreung pakte zijn hand vast, die nat en glibberig was van het water uit de bergstroom, en ervoer de schok van de aanraking van de *farang*. Dat was iedere keer zo, bedacht de jongen: een schok van angst en verering, als raakte hij de zon aan...

Ze rustten uit tot de warmte van het klimmen verdwenen was en de vochtige kilte van hun kleren Boonreung kippenvel bezorgde. Carlos verscheen op de richel en toen Tao Oum, en weer een hele tijd later eindelijk ook Vukrit, bibberend en zonder een woord. Tegen die tijd had Roderick de touwen opgerold en de fakkel aangestoken die hij bij zich had. Hij hield hem omhoog en liep rondjes in het fijne stof dat de vloer van de grot bedekte: het was een kleine ruimte, eerder een tunnel dan een grot, met wanden die zich naar elkaar toe bogen en met onpeilbare holten. Boonreung pakte de andere fakkel en stak hem met hulp van Carlos aan.

'Ik ga niet nog een keer als laatste,' sputterde Vukrit. 'Je trekt die jongen voor, Roderick, terwijl er anderen zijn die beter zijn.'

'Een ereplaats moet je verdienen, Vukrit, die kun je niet kopen,' schamperde Carlos.

De man krabbelde woedend overeind en greep de fakkel vast, maar Carlos wilde hem niet loslaten en ze bleven er furieus van twee kanten aan staan rukken. Roderick schonk er geen aandacht aan. Met zijn geheven fakkel liep hij de grot verder in. Vukrit klauwde met zijn vrije hand naar het gezicht van Carlos, zijn adem kwam met horten en stoten. Tao Oum en Boonreung liepen weifelend achter Roderick aan.

De vloer van de grot liep enigszins af. In het begin konden ze rechtop lopen, maar na enkele minuten moesten ze zich bukken en gedurende een aantal uiterst spannende seconden leek het alsof de grot niets meer was dan een doodlopende holte, geen heilig pad. Ze hoefden hun handen maar uit te steken om de wanden aan beide kanten te raken, maar ze bleven met hun ogen op Rodericks rug gevestigd in het midden lopen. Ver achter zich hoorden ze schuifelende voeten en gehijg; Vukrit en Carlos hadden de fakkel laten vallen en waren in een worsteling verwikkeld.

'Laat ze maar,' zei Roderick tegen Boonreung, die terug wilde gaan. 'Misschien kunnen ze de toekomst van Siam voor eens en altijd regelen.'

Er waren treden in de rots uitgehakt, die naar beneden voerden. Roderick hief de fakkel hoog boven zijn hoofd en merkte dat het licht nergens door werd tegengehouden – de grot leek peilloos, naar boven en naar beneden toe. Tao Oum begon in het Laotiaans te mompelen, een smeekbede tot de goden; Boonreung legde een hand op de schouder van de oudere man.

De vloer van de grot. Gedrieën tuurden ze omhoog in het duister. En toen viel het licht op een gezicht – een gezicht hoog in de wand, bijna twintig meter boven hun hoofd: een sublieme, tedere weergave van een liggende Boeddha, sluimerend in een vergetelheid van mogelijk vele eeuwen. Zijn kalkstenen gestalte in reliëf uitgehakt, zijn hoofd edel en volmaakt. Op zijn voorhoofd schitterde een in cabochon geslepen robijn.

Boonreung slaakte een kreet.

'Ga terug om de anderen te halen,' zei Roderick kortaf.

De jongen bleef een ogenblik bewegingloos staan staren; toen draaide hij zich om en klauterde de treden op.

Bij het flakkerende licht van de fakkel werden rivaliteit en haat opzijgezet. Roderick liet de anderen zweren dat ze de ontdekking geheim zouden houden; vervolgens bespraken ze wat hun te doen stond: hun jonge gidsen betalen en de toegang tot de grot afsluiten tot ze hulp hadden gehaald.

'We hebben een deskundige nodig,' zei Roderick. 'Iemand van het museum of van de universiteit.'

'Nee, een monnik,' wierp Carlos tegen, 'en offergaven voor de geesten die het geheime beeld bewaken. Deze plek zou als oord van verering voor de mensen toegankelijk moeten zijn.'

'Wat we nodig hebben is een hamer en een beitel,' meende Vukrit. 'Er zijn mensen die heel wat zouden neertellen voor zoiets ouds...'

Uiteindelijk lieten ze de dromende Boeddha achter waar ze hem gevonden hadden en klommen de kloof weer uit. Ze daalden de berg weer af in de tropische duisternis onder een hemel bezaaid met sterren, en omdat alleen Vukrit een mes bij zich had, was hij het die voor Roderick de weg naar de plek markeerde door inkervingen te maken in de stam van regenwoudbomen. Ze aten vis, zwartgeblakerd boven een houtskoolvuurtje, sliepen op het zompige strand, en begaven zich de volgende ochtend in de smoorhete auto weer terug naar het noorden.

Roderick leek in trance te verkeren. Hij sprak aldoor over het preserveren, het redden van de erfenis van Siam; hij zwoer binnen enkele weken te zullen terugkeren met zijn deskundige van het museum of de universiteit. Carlos bezwoer dat premier Pridi hem ondersteuning zou verlenen en plukte onderwijl aan een amulet dat om zijn hals hing. Vukrit raakte het lemmet van zijn mes aan en tuurde naar de zee.

En Boonreung bekeek hen allemaal met toenemende kilte in zijn jonge hart. Zoals alle Thai met fatsoen en verstand vreesde hij de wraak der goden.

6

Het smalle steegje kronkelde zich van Chakkrawat Road naar Khlong Ong Ang, een smerig kanaal dat bijna te smal was voor een boot. Aan weerskanten ervan waren pakhuizen waarvan de ijzeren deuren voor de nacht waren afgesloten en langs het trottoir stonden hekken van harmonicagaas; groene afdaken van plastic staken schots en scheef uit boven betonnen deuropeningen en hieronder brandden houtskoolkomforen waarop kip geroosterd werd en mie stond te koken. Een zwetende kok boog zich er volijverig overheen en op de stoep zaten mensen op plastic stoelen te wachten: een monteur van motorfietsen, een moeder met een tweeling. Overdag stikte het hier van de mensen die handel dreven en hun klanten. De oude Dievenmarkt, de Nakorn Kasem, was maar een paar straten verder. Zelfs nu het relatief donker was, had het straatje niets dreigends. Maar Jeff Knetsch was zenuwachtig terwijl hij op weg was naar het open riool van de khlong. Hij rook de mie en het geschroeide vlees en voelde zijn maag samentrekken.

Hij was de vorige avond met het vliegtuig uit Genève vertrokken, dat hem over Rusland en India richting Zuid-Chinese Zee had vervoerd. Drie dagen eerder had hij op de rand van de afgrond gestaan waarin Max de dood had gevonden. Hij had een herdenkingsdienst moeten doorstaan die door bijna zevenhonderd permanente bewoners van Courchevel was bezocht. Uit de spleten onder Max' huis was geen lijk naar boven gehaald, maar Knetsch had teksten uitgezocht van Robert Frost en een tenor ingehuurd om 'Danny Boy' te zingen. Hij had vragen van verslaggevers beantwoord en een hek om het oude stenen huis laten zetten om te voorkomen dat het door souvenirjagers zou worden gesloopt. Hij stak een lofrede af die overliep van liefde, trots en smart. Zijn stem brak slechts eenmaal tijdens de zeventien minuten die zijn speech vergde.

En hij had gepoogd Sabine Renaudie, Yvette Margolan en Max' oude vriendin, Suzanne Muldoon – die onverwachts uit Oregon was overgekomen om Max de laatste eer te bewijzen – tot troost te zijn. Suzanne droeg een zwart pakje van Prada en een hoed met een sluier. Er werd gefluisterd dat ze de rechten op haar memoires had verkocht. Een dode Max leverde heel wat meer op dan een levende.

Zelfs Sabines moeder, Claudine, was naar Courchevel teruggekomen voor de rouwbijeenkomst. Maar van de familie Roderick was niemand meer over die kon rouwen en Stefani Fogg liet haar gezicht niet zien.

162

Knetsch, gokker in hart en nieren, duimde gedurende de hele toestand en bad dat zijn geluk hem niet in de steek zou laten. Hij balanceerde op de rand van de afgrond met Max in gedachten; een diepe spleet aan de ene en een peilloze hemel aan de andere kant. Hij zette de ene voet voor de andere en ging door, zonder gehoor te geven aan de impuls om over zijn schouder te kijken. Op dat soort momenten kwam Jeffs ijzeren zelfbeheersing hem goed van pas. Hij luisterde hoffelijk naar mensen die hem zo goed als onbekend waren en converseerde erop los. Hij legde zijn arm om Yvette Margolans schouder, dronk een borrel met Jacques Renaudie en praatte zelfs met bewonderenswaardige ingehoudenheid tegen Oliver Krane. Krane verscheen volstrekt onaangekondigd tijdens de ceremonie waarbij Max aan de vergetelheid werd prijsgegeven; in een zwarte kasjmieren jas met een belachelijke vilten fedora erboven stond hij naast een snikkende Sabine. Krane was blijkbaar van zins te zorgen dat zijn uitstaande rekeningen werden betaald. Maar Jeff had met Krane nog een appeltje te schillen – hoe bestond die man het om zijn risicomanagementfirma op zo'n manier te runnen: een man een inhalige vrouw op zijn dak te sturen, een vrouw die korte metten met hem maakte. Als het aan Knetsch lag zou Krane geen stuiver vangen voor zijn inspanningen.

'Maar aan jou ligt het niet, ouwe jongen,' had Oliver minzaam gemompeld terwijl hij zijn hand meelevend op Jeffs schouder legde. 'Jij bent niet de executeur-testamentair van Max, is het wel? Ik stuur mijn vordering wel naar zijn Geneefse firma, hoor. A propos, zou je zo vriendelijk willen zijn me door te verwijzen naar de jongens van het alpiene reddingsteam? Daar zou je me een enorme dienst mee bewijzen, kerel.'

Jeff had de hand van de man afgeschud zonder een woord en was op zoek gegaan naar een stevige borrel. De angst die hij dagenlang op afstand had weten te houden, vloog hem ineens naar de keel en dreigde hem te verstikken. *Krane wilde het reddingsteam spreken.* De mannen die de brokstukken van Max' rolstoel van de richel hadden geplukt, in de diepte onder Max' huis.

Zijn pas vertraagde toen hij halverwege de steeg in Bangkok was. Een zijstraat verder bevond zich het huis waar hij naar binnen moest, maar in de verte bewoog iets, vlak bij het zwakke geglinster van Khlong Ong Ang. Hij bracht zijn hand naar zijn ogen. De gestalte van een jongen in een skipak, elf of twaalf jaar oud, groot voor zijn leeftijd en met groene ogen die dwars door je heen keken. Aan de manier waarop hij liep was te zien hoe atletisch en zelfverzekerd hij was. De jongen liep op hem af en stak zijn hand uit. Een golf van doodsangst sloeg door Knetsch heen.

Ze nemen vandaag onze tijd op. Ik wou je even succes wensen. Het is daar ijskoud.

Het trottoir onder Knetsch' voeten leek te golven. Hij stak zijn aktetas naar voren om de demon af te weren – niet de jonge Max, onsterfelijk en gezegend, maar een hellegeest. Zijn knieën knikten en hij zou bijna gaan zitten op de stinkende stoep. Hij had rust nodig. Hij had in een korte tijds-spanne te veel tijdzones overbrugd. Hij was in geen drie weken thuis ge-weest. Hij had zijn vrouw in dagen niet gesproken. Zij dacht dat hij nog in Genève zat. Ze dacht dat hij naar huis zou komen.

Een van de tweelingjongens die met hun moeder zaten te eten, begon keihard te lachen en schoot tussen de plastic stoelen door. Hij stak een be-schuldigende vinger uit naar Knetsch, schreeuwde iets in het Thais en rende toen terug naar het houtskoolkomfoor.

Jeff balde zijn vuisten. Waar had die jongen hem voor uitgemaakt? Zijn ogen ontmoetten die van de moeder – zwarte, genadeloze ogen die hem leken te veroordelen. De kok staarde ook al naar hem, en de monteur met zijn smerige handen. De geur van mie, knoflook en frituurolie...

Hij boog zich ineens over de rand van de stoep en gaf in de goot over.

'Buitengewoon kunstzinnig,' mompelde de man die Sompong heette ter-wijl hij het terracotta beeldje van Boeddha dat hij in zijn hand had bestu-deerde. De halogeenlamp was op de gesluierde blik van het gezicht ge-richt. Hetzelfde gold voor zijn oogloep. 'Zevende eeuw, zei je?'

'Achtste zou ook kunnen. Bij dit soort dingen is het altijd lastig uit te maken.'

'Ja,' beaamde Sompong terwijl hij nadenkend zijn lippen tuitte, 'heel lastig.' Hij pakte een beiteltje en haalde uiterst behoedzaam een flintertje klei van het voetstuk van de boeddha. Fijn rood stof daalde neer op het plastic kleed dat de tafel bedekte. Sompong begon zachtjes te fluiten; de man naast hem slikte zenuwachtig. De beitel ging dieper. Het rode stof kleurde langzamerhand roze en toen wit. Sompong zuchtte; hij haalde de loep uit zijn oog.

'Ik ben teleurgesteld, Khuang,' zei hij op afwezige toon. 'Diep teleurge-steld. Ik heb je nog zo gezegd dat de keramiek zo delicaat als een zeldzame antiquiteit en zo stevig als een doodgewone pot moet zijn.' Met het heft van zijn beitel haalde hij uit naar het beeldje van klei. Er verscheen een scheur van de neus naar de haargrens. 'Dit is niks. Zo laten we een spoor achter van hier tot aan het Metropolitan Museum. Wil je me dood hebben?'

'Excellentie...'

'Noem me niet zo.'

'Meneer Suwannathat...'

'Wil je soms dat we de mist ingaan? Ik kan je anders verzekeren dat het jou de kop gaat kosten als ontdekt wordt waar de zending vandaan komt, en niet mij.'

'Dat weet ik, meneer.' Khuang slikte nogmaals – als een vis, dacht Som-pong, die net uit het aquarium is gehaald en lucht hapt. 'Maar wat u van me vraagt is onmogelijk. Wil een voorwerp niet als vervalsing door de mand vallen, dan moet de klei wel ontzettend fijn zijn....'

Een zoemer aan de straatkant van het pakhuis ging over. Khuang schrok zich een ongeluk.

'Ga opendoen,' zei Sompong vol verachting. 'Ik heb niet veel tijd.'

Jeff Knetsch was slechts een keer eerder in dit pakhuis geweest, twee jaar geleden, toen al het gepraat over Jack Roderick begonnen was en Max zijn eigen doodvonnis had getekend. Hij was er toen overdag geweest; stof danste in de paar zonnestralen die door de geblindeerde ramen in de verstikkende ruimte wisten door te dringen en lag in een dikke laag over de collectie kunstvoorwerpen. Vanavond brandde er een enkele halogeenlamp die gericht was op een lege werktafel waaraan een man zat – een man met de klassiek-serene trekken van een oud beeld uit Angkor Wat. Zijn voorhoofd weerspiegelde zijn Khmer-afkomst, zijn ogen verrieden iets van zijn Laotiaanse voorgeslacht en de zeer brede jukbeenderen hadden iets Chinees; maar het was Sompongs gezicht en daardoor vreesaanjagend.

Knetsch bracht zijn handen naar zijn voorhoofd, liet zijn schouders hangen om uitdrukking te geven aan zijn nederige onderworpenheid en hoopte dat zijn handen niet zouden gaan beven.

'Laat ons alleen, Khuang,' zei Sompong met toonloze stem.

De man maakte zich als een haas uit de voeten in de richting van de verste uithoek van het pakhuis, zonder nog een blik achterom te werpen. Knetsch wachtte, de stilte duurde een eeuwigheid.

'De advocaat,' zei Sompong eindelijk. Zijn stem droop van verachting. 'De advocaat uit New York die geen haar beter is dan alle juristen die ik ooit in mijn leven ben tegengekomen, in Bangkok, Singapore, Hongkong, Zürich of waar dan ook. U hebt niet gedaan wat ik u gevraagd heb, meneer Knetsch, en ik ben des duivels.'

'Maar hebt u het dan niet gehoord?' Jeff liet zijn handen zakken en staarde de ander vol ongeloof aan. 'Max Roderick is dood.'

Sompong trok achteloos een spoor met een beitel door het stof op de werktafel. 'Maar zijn wijf leeft en loopt in Bangkok vragen rond te strooien.'

'Dat is mijn schuld niet.'

'Schuld!' Sompong liet de beitel diep in het werkblad verdwijnen en Jeff maakte een beweging van schrik. 'Wat maakt mij het uit of het uw schuld is of niet! Ik wil weten wat u denkt te gaan doen om dit probleem op te lossen.'

'Wat ík eraan ga doen?' Jeffs maag begon weer op te spelen. 'Ik... ik... dacht... dat u dat wel... zou regelen.'

'Zoals met dat hoertje in Genève?'

'Zoiets ja.'

'U weet te veel van mij, meneer Knetsch,' zei Sompong. 'Veel te veel. En u kwam hier omdat u geld wilt, nietwaar? Daarvoor bent u over twee continenten komen aanvliegen. Voor het geld.'

'Ik heb gedaan wat u van me gevraagd had. Nu ben ik klaar. Afspraak is afspraak.'

'Maar we verschillen van mening over hoe u het er hebt afgebracht,' wierp de ander tegen, zoetgevooisd. 'Ik heb u gevraagd een einde te maken aan al het gevraag naar Jack Roderick. Maar de vragen gaan gewoon door.'

Plotselinge woede laaide op in Knetsch' binnenste. Zijn gokkersgeluk tolde in de rondte als een draaiende roulette; de bal viel op rood terwijl hij niet anders dan zwart verwachtte. 'Ik heb gedaan wat ik moest doen, Sompong, en nu wil ik mijn geld en naar huis.'

'Dat lijkt me heel onverstandig.' Sompong stond op en liep om de tafel heen. Hij was een kop kleiner dan Knetsch, maar zag er tien keer zo gevaarlijk uit. 'Ik weet waar u woont. En ik ken uw smerige leventje tot in de kleinste details, meneer Knetsch. Beide feiten zouden heel gevaarlijk kunnen uitpakken voor uw gezinnetje.'

Jeff voelde de zenuw boven zijn rechteroog trillen. Hij opende zijn mond om iets te gaan zeggen, maar er kwam geen woord over zijn lippen.

'Ik wil dat dat wijf ophoudt met haar gevraag,' herhaalde Sompong met zachte stem. 'U gaat niet uit Thailand weg voordat dat geregeld is.'

7

Bangkok, 1946

Roderick zou zich jaren later nog herinneren dat het die ochtend in juni helder en zonnig was, wat ongebruikelijk was in de eerste weken van het regenseizoen in Bangkok. Door het hele land begonnen jongens van achttien jaar aan een traditionele periode van retraite in het klooster, en dat was weer voor het eerst sinds de Japanners zich op 2 september 1945 aan de geallieerden hadden overgegeven. In de hele stad werden inwijdingsceremonies gehouden, waarbij het er ruw en tegelijk diep religieus aan toe ging. Alec McQueen was dronken en zong een Thais liedje, heel vals. McQueen sprak de taal beter dan alle andere buitenlanders uit Rodericks kennissenkring, ook als hij dronken was.

Hij struikelde toen ze de trappen naar de troonzaal in het Chakri-paleis beklommen en greep zich vast aan Rodericks arm.

'Sjorry, Sjack.'

Roderick ondersteunde zijn elleboog en hielp hem overeind.

De laatste dagen was McQueen bijna voortdurend boven zijn theewater. Hij had het moeilijk: met het einde van een liefdesaffaire, met zijn besluit niet meer naar huis terug te keren, met de dringende behoefte van zijn pas begonnen krant aan subsidiëring. Roderick voelde woede tegen Alec opkomen. Hij was zelf ook eenzaam, maar hij was het spuugzat om andermans problemen op te lossen. Hij had genoeg van gesprekken die hij niet kon volgen in een taal die veel te moeilijk voor hem was. Hij was vooral de regen zat, de ondergelopen straten, de schoenen waarin hij liep rond te soppen, de lakens die naar schimmel roken.

'Raap jezelf goddorie bij elkaar, Alec,' zei hij geprikkeld. 'Ik heb je nodig.'

De premier – Pridi Panomyong – had hen ten paleize ontboden voor een audiëntie bij de jonge koning Ananda, Rama de Achtste. Roderick vermoedde dat er gesproken zou worden over economische en politieke samenwerking van Thailand en de Verenigde Staten – een noodzakelijke stap voor de Thai als ze lid wilden worden van de Verenigde Naties, waarvoor Pridi zich enorm beijverde. De bewoordingen op het briefje dat die ochtend bij Roderick in zijn hotelkamer was afgeleverd, waren nogal vaag en de bode die het bracht sprak geen woord Engels. Roderick had McQueen, die hevig stonk naar de roggewhisky die ze in de Bamboebar serveerden, uit zijn bed verderop in de gang gesleurd en met zijn hoofd in een van de grote keramische kruiken geduwd, die dienst deden als wastafel.

Alec sproeide en sputterde en maakte Jack in drie talen uit voor alles wat mooi en lelijk was; een uur later stonk hij nog steeds naar whisky.

'Waarom zjit die knul eigenlijk in deze ouwe zjooi?' vroeg hij toen ze bij de fraai bewerkte, vergulde deur waren aangekomen. 'Ik dacht dat de koninklijke familie de pesjt had aan het sjtadssjentrum. Sjinds Rama nummer vijf heeft hier niemand meer gewoond en we zjijn onderhand bij acht, toch?'

'Ja.'

Sinds 1935, toen Rama de Zevende verbannen werd, had Thailand geen koning meer gehad. De nieuwe koning was nog maar een jongen; na Thailands capitulatie in september 1945 had zich een grote opleving van monarchistische sentimenten voorgedaan en had hij de oproep ontvangen zijn huis in Zwitserland te verlaten en naar Thailand te reizen. Ananda regeerde inmiddels krap acht maanden vanuit zijn Grote Paleis.

Roderick knikte naar de paleiswacht die als versteend aan een kant van de enorme deur stond. Een kleinere deur die in de grote was uitgesneden ging open, als door onzichtbare handen, en Roderick geleidde McQueen over de drempel. 'Wat ik niet begrijp is waarom de premier ook naar jóú heeft gevraagd. Hij zou toch onderhand kunnen weten dat er op jou niet te bouwen valt?'

'Je kwetst me, Sjack, echt waar,' mopperde McQueen. 'Na alles wat we sjamen...'

Binnen brandde nauwelijks licht, het plafond was heel hoog en er was niemand te zien. Zelfs de man aan de deur was niet blijven staan om hen welkom te heten. Roderick draaide zich naar alle kanten, speurend naar een levende ziel in de enorme ruimte, terwijl zijn nekharen overeind gingen staan. Hij greep McQueen bij zijn arm.

'Wat is er?'

'Ruik je het dan niet?'

'Wat?'

'De dood, verdomme. Ik ruik de geur van de dood.'

Hij begon te rennen. Als een pijl uit de boog schoot hij een gang door in de richting van het geluid van stemmen: Thais gebrabbel en het gegil van een vrouw. Een dodelijk verschrikt meisje streek langs hen heen, als een in zijde gehuld vogeltje dat tegen een raam aanvliegt. Ze hield haar hand tegen haar mond gedrukt. Roderick wilde haar vastgrijpen, maar ze was al verdwenen. De twee mannen renden verder, door lege zalen en door nog meer gangen, tot ze plotseling in het volle licht kwamen en alles opeens leek stil te staan.

Hij lag met zijn armen wijd gespreid en met zijn ogen op het open raam gevestigd. Het was een verrassend keurig kogelgat – zelfs McQueen zou dat wel opvallen, dacht Roderick; ze hadden genoeg hoofdwonden voor hun hele leven gezien. Sommige kogels rukten oren af, andere trokken een spoor van oor tot oor, maar deze wond was keurig rond alsof hij op de slaap van de koning getekend was. Hij was er niet minder dood om.

Drie mensen stonden aan het voeteneind van het bed van de koning: een oude vrouw die een hand tegen haar borst gedrukt hield, een man in het livrei van de koninklijke bedienden en nog een man wiens gezicht ze herkenden. Ze kenden die man.

'*Carlos*,' zei McQueen scherp. 'Wat voer jij verdomme uit?'

Hij draaide zich naar hen toe en ze zagen het pistool in zijn hand. Voordat Carlos het wapen had kunnen richten of iets kon zeggen, stond Jack Roderick al naast hem en nam zijn pols in een ijzeren greep. Het pistool kletterde op de vloer.

'Hij moet hem vermoord hebben,' zei Carlos zonder blikken of blozen. 'Hebben jullie hem te pakken gekregen? Is hij ontsnapt?'

Roderick gaf het pistool een trap zodat het op veilige afstand terechtkwam; het draaide rondjes over de marmeren tegels, als een dodelijke tol. 'Wie te pakken gekregen, Carlos? *Wie?*'

'Hij was gemaskerd. Hij gooide het pistool voor mijn voeten neer toen ik binnenkwam. Ik had achter hem aan moeten gaan... Maar ik ging naar de koning...'

Toen hij dit zei, vertrok zijn gezicht smartelijk.

De oude vrouw gilde weer en het volgende moment wierp ze zich als een harpij op Carlos en trok met haar nagels een bloedig spoor over zijn wang. McQueen greep haar armen vast. Ze stortte Thaise woorden als hagel over hen uit.

'Ze zegt dat ze hém gezien hebben. *Carlos*. Toen het schot gelost werd,' vertaalde McQueen haastig. 'Dat Carlos het gedaan heeft. Hij stond over de koning heen gebogen, met het pistool in zijn hand, toen zij hier binnenkwam.'

Voordat Roderick hem kon tegenhouden, draaide de bediende zich om en vloog de kamer uit. 'Wat doe jij hier in het paleis?' vroeg Roderick gespannen aan Carlos. 'Je hebt niets in de slaapkamer van de koning te zoeken.'

'Een briefje van de premier. Mij werd meegedeeld dat ik op papieren moest wachten...'

Een briefje afgeleverd door een boodschapper die nergens van afwist.

'Heb je Pridi zelf gesproken?'

Carlos schudde zijn hoofd.

Het geluid van rennende voeten weerklonk in de gang; Roderick draaide zich om met een peinzende uitdrukking op zijn gezicht. 'We zijn erin geluisd, mijn vriend. Als ik je pols loslaat, ren je naar het raam. Probeer naar onze oude ontmoetingsplaats te komen. Verstop je. Ik kom je opzoeken als het donker is. Nú... rennen!'

Carlos duwde de oude vrouw van zich af en rende naar het raam zonder om te kijken. Hij sprong erdoorheen – een vage gestalte: inktzwart haar, kaki kleren in de kleur van modder – en was verdwenen.

De oude vrouw lag op haar knieën en begon hartverscheurend te snikken. Wie was ze? Was ze een prinses? Een huishoudster? Roderick legde voorzichtig een hand op haar schouder. Ze spuugde naar hem.

De eerste van de paleiswachters stampte de kamer binnen. Vreemd, bedacht Roderick, dat ze er zo lang over hadden gedaan om in actie te komen nadat er een schot in de koninklijke vertrekken was afgevuurd. 'Zeg ze,' zei hij dringend tegen McQueen, 'zeg ze dat de moordenaar is verdwenen in de richting waar zij vandaan komen. En zorg dat die vrouw haar mond houdt.'

De vraag waar het om draaide, zo bedacht Roderick later, was niet waarom de jonge koning vermoord diende te worden. Dat vond hij bijna begrijpelijk. Ananda was in ballingschap opgegroeid, hij had op kostschool gezeten en was omringd geweest door familieleden die hem adoreerden; de jongen wist niets van regeren af, en niets van Thailand, maar het idee van macht had hem ogenblikkelijk aangesproken. Ananda was tien maanden eerder naar zijn hoofdstad afgereisd met het betreurenswaardige idee dat hij de absolute macht bezat en hij popelde om er gebruik van te maken. Hij had ruzie gemaakt met zijn eerste minister, Pridi Panomyong, die de mening was toegedaan dat koningen alleen de rol van stroman mochten spelen en dat de echte macht moest worden uitgeoefend door gekozen functionarissen. Pridi wist de koning niet te beteugelen, zoals hij ook het apparaat dat Thailand in Ananda's afwezigheid had bestuurd niet kon vermorzelen – de militaire factie die zijn lot had verbonden met dat van het Japan van Hirohito, een groot stuk betwist gebied buiten Thailands grenzen had geannexeerd en zich vervolgens in schande had moeten terugtrekken. De hoge militairen haatten Pridi en de koning in gelijke mate.

Nee, dacht Roderick, de kwestie was niet geweest óf de koning gedood moest worden, maar door wié. Wie uit het steeds wisselende konkelcircuit van staatsondermijnende activisten in de kleddernatte hoofdstad wilde Carlos – de grote vertrouweling en rechterhand van de eerste minister – onderuit halen, en via hem Pridi Panomyong? Wie wilde dat de moord op de koning ontdekt werd door Jack Roderick, het hoofd van de Amerikaanse inlichtingendienst in Thailand, en door Alec McQueen, die de Engelstalige pers in stelling kon brengen?

De grootste vijanden van de eerste minister: veldmaarschalk Pibul en de zijnen. De mannen die Jack Roderick had helpen verslaan en te schande zetten.

Hij stuurde Boonreung er die nacht op uit om Carlos te zoeken in de doolhof van kanalen en woonboten in de verste delen van Thon Buri. Daar was een plek waar ze altijd samenkwamen – een van de veilige huizen van Carlos tijdens de oorlog. Een sampan met een dak erop, een weduwe die op het water groente verkocht. Haar man was een van de vele gestorven verzetshelden; haar uitgemergelde kinderen gedroegen zich schrikachtig in het flakkerende licht van de lantaarn. Carlos hield zich schuil in haar boot als een opgejaagd konijn in het gras, terwijl de vrouw zich aan haar avondlijke bezigheden wijdde alsof ze van niets anders droomde dan van frituurolie. In de chaotische uren die op de dood van de koning volgden vroeg Roderick zich af of deze schuilplaats wel zo goed was. Hij kon al tijden geleden verraden zijn. Het zou de eerste plek kunnen zijn waar de vijand ging zoeken. Maar hij had geen tijd gehad om iets anders te bedenken. Eerst moest er van alles uitgelegd worden aan de paleiswacht. Zo waren er de geschreeuwde getuigenissen van de twee getuigen – de Zwitserse bediende van de koning en zijn oude verzorgster – die volhielden dat Roderick en McQueen met de moordenaar onder een hoedje speelden. Pas na eindeloos gedoe mochten ze bellen met de Amerikaanse ambassadeur Edwin Stanton en met de eerste minister, die hen helemaal niet naar het paleis had laten roepen. En toen ze dan eindelijk met grote tegenzin in vrijheid waren gesteld, werden Roderick ook nog eens de oren gewassen door de ambassadeur op zijn kantoor. Voor hem was dat nog wel het ergste en het zou aan zijn ziel blijven knagen.

'Heb jij dit fiasco in elkaar geflanst, Jack?' had Stanton hem toegesnauwd. 'Handelde je op orders vanuit Washington waar ik nooit van op de hoogte ben gesteld?'

'Denk je nu heus dat ik iemand ben die vuile spelletjes achter de schermen speelt, Ed?' antwoordde Roderick verhit. 'Denk je dat ik de moordenaar uit mijn eigen zak heb betaald?'

'Zulke geruchten doen op straat de ronde,' antwoordde Stanton, 'dus het maakt niet eens uit of het waar is of niet. Overal waar jij komt is het donderen, Roderick. Maar dit keer ben je te ver gegaan.'

'Dit keer ben ik onschuldig,' mompelde hij zuur; maar wat hij ook gezegd zou hebben, het deed er allemaal niets toe. Vanaf die dag waren de uren van premier Pridi geteld, hoe vaak Roderick ook bleef uitleggen dat ze er op een briljante manier waren ingeluisd – dat de echte schurken degenen waren die er nietsontziend naar streefden de macht opnieuw in handen te krijgen. Eén daad van bloedvergieten en laster – die de publieke opinie in een andere richting stuurde – bleek meer waard dan hele pantserdivisies in de straten.

De dood van koning Ananda werd als een ongeluk bestempeld. Niemand in heel Zuidoost-Azië geloofde dat.

'Carlos heeft me dit gegeven,' zei Boonreung die nacht tegen de ochtend tegen Roderick. 'Hij zei dat u wel zou weten waar hij vandaan kwam.'

Roderick draaide de gladde, donkerrode edelsteen om en om in zijn hand. Hij was gepolijst, maar hij zag er behoorlijk oud uit. Een granaat? Of een robijn? 'Heeft hij verder niets gezegd?'

'Alleen dat hij de steen op de vloer in het paleis heeft gevonden, naast het bed van de koning. Misschien was hij van Ananda.'

Roderick stopte de steen in zijn zak. 'Hoe ging het?'

Boonreung had Carlos in Thon Buri opgehaald met een gehuurde *long-tail*-boot en hem naar de rand van de stad gevaren. Roderick had vervoer geregeld – een vrachtwagen met vis die op weg was naar markten in het binnenland. Carlos had Boonreungs blouse vastgegrepen en hem gesmeekt voor zijn kinderen te zorgen. De jongen beloofde te doen wat in zijn vermogen lag en weigere vaarwel te zeggen.

'Ik zag Vukrit Suwannathat elke sampan en woonboot in Thon Buri doorzoeken, met drie soldaten in legeruniform, op het moment dat ik de boot de khlong uit boomde.'

'Heeft Vukrit je gezien?'

'Ik weet het niet. Misschien. Hij heeft in ieder geval Carlos op de bodem van mijn boot niet gezien.' De jongen haalde zijn schouders op. 'We zijn ontsnapt.'

Tenzij Vukrit jou heeft laten volgen, dacht Roderick – maar hij zei hier niets over tegen Boonreung. Carlos zou spoedig veilig zijn in het heuvelachtige gebied van Chiang Rai. Hij was van plan de grens naar Laos over te gaan zodra hij in de gelegenheid was. Als Vukrit meer wist dan Boonreung dacht, kon Roderick wachten tot de man zou proberen hem te chanteren.

Pas jaren later drong tot Jack Roderick door dat chantage helemaal geen rol speelde. Hij had Boonreung moeten redden.

8

Die dinsdagavond, rond tien uur, liet Stefani Rush Halliwell achter op het terras aan de rivier en keerde terug naar haar kamer. Halverwege de gang van de tuinvleugel hoorde ze opeens in haar hoofd de tonen van een viool. Ze bleef stokstijf staan, en waande zich hetzelfde moment weer in die maanverlichte slaapkamer in het oude stenen huis boven Courchevel.

'Max,' zei ze hardop in de verlaten gang. 'Max, ben je daar?'

De vage tonen verstierven. Ze streek met een hand over haar ogen, die vochtig waren geworden en begon haar sleutel te zoeken.

Uiteraard had Rush Halliwell haar uitgenodigd om met hem te dineren. Haar plompverloren mededeling dat ze aanspraak maakte op Jack Rodericks nalatenschap was bedoeld om zijn interesse te wekken en hij had ogenblikkelijk toegehapt, zoals ze wel verwacht had. Hij wilde er meer van weten. Was dat omdat alles wat met Jack Rodericks bestaan in Bangkok te maken had op iedereen een onweerstaanbare aantrekkingskracht uitoefende? Of was het omdat de ambtenaar derde klasse connecties had met Max' vijanden, wie dat ook mochten zijn?

'Ik weet niet zo heel veel van Roderick af,' had hij gezegd toen hij haar stoel voor haar onder hun tafeltje uitschoof. 'Niet meer dan wat in alle reisgidsen staat.'

Leugenaar, had ze gedacht, maar ze zei: 'Wat de meeste mensen van hem weten dus. Maar ik had het geluk dat ik een vriendin van de familie was.'

'Dat zal wel, als je bij testament tot erfgename bent benoemd. Maar ik dacht dat ook de familie geen enkel idee had hoe Jack Roderick aan zijn eind was gekomen.'

'O, wat dat aangaat,' zei ze luchtigjes, 'zijn er waarschijnlijk evenveel theorieën als er mensen zijn die ze bedenken. Het barst van de theorieën. Maar de waarheid, daar ontbreekt het aan, Rush.'

'En daar ben jij naar op zoek? Naar de waarheid?' Hij glimlachte schalks, alsof ze hem maar niet te serieus moest nemen; maar intussen was het precies wat hij wilde weten, dacht Stefani: hoe diep die onrustige doden begraven lagen en of zij misschien met een spade bewapend was.

'Ik wil mijn huis, dat is het enige dat ik wil.' Het huis van Max. Met alle geesten die het huisvestte.

'Dat zou wel eens lastig kunnen zijn.' Halliwell vouwde zijn servet met grote zorg open. 'Ik méénde begrepen te hebben dat Roderick zijn huis aan

Thailand had nagelaten. Als altruïstisch gebaar. Daarom werd er ook een museum van gemaakt, toch?'

'Als jij het zegt.'

'Zou er een andere reden voor geweest kunnen zijn dan?'

'Hebzucht. Van degenen die de collectie beheren.'

'Of van iemand anders. Gaat het om hebzucht van de mensen die de culturele erfenis van het land willen behoeden? Of om hebzucht van jouw kant?'

'Het hangt ervan af hoe men aan de collectie is gekomen,' verweerde Stefani zich pinnig. 'In dit geval kun je gerust stellen dat het diefstal op grote schaal is.'

Halliwell haalde zijn schouders op, niet onder de indruk. 'Dat is waarschijnlijk ook de manier waarop de oude Roderick zelf aan de spullen is gekomen: beroving van oude tempels die eeuwenlang in de wildernis verborgen waren. De man was kunstkenner, dat zeker, maar volgens de meeste mensen was hij ook een bandiet.'

'Ik heb nog nooit van een kunstkenner gehoord die dat niet was.'

'Dat is nog geen rechtvaardiging. Hoor eens, Stefani... De Thaise regering houdt Rodericks verzameling op orde en heeft haar opengesteld voor het publiek. Als ze dat niet zou doen, was de hele collectie allang versnipperd geraakt en verkocht. Beelden van Boeddha, figuren in kalksteen en brons, houtsnijwerk – de schatten in dat huis vertegenwoordigen een periode van veertien eeuwen. Roderick bezat het fraaiste voorbeeld van Thaise boeddhabeelden dat er bestaat. Als je daarbij bedenkt dat het in dit land bijna een misdaad is om heiligenbeelden in particuliere huizen tentoon te stellen, dan moet je wel stellen dat deze stukken nergens anders thuishoren dan in een museum.'

'Maar toch... was dat niet wat Roderick wilde. Dat stond niet in zijn testament.'

'Welk testament?'

'Het testament dat geldig is. Het testament dat na het document van 1960 is opgemaakt.'

Rush' vork bleef in de lucht hangen. 'Heb je dat testament gezien?'

'Natuurlijk. Roderick had waarschijnlijk het plan het testament van 1960 te vernietigen. Het uiteindelijke testament heeft hij een paar weken voor zijn verdwijning in 1967 opgesteld. Ongelukkigerwijs kwam dat document op een verkeerde plek terecht. Het werd pas onlangs aangetroffen in het huis van Rodericks zuster, nadat die gestorven was.'

'Samen met de dagboeken van Hitler en een onbekend toneelstuk van Shakespeare zeker?'

'De authenticiteit ervan is bevestigd, Rush.'

Hij keek haar met listige ogen aan. 'Probeer maar eens een Thaise rechtbank te vinden die zich hiermee akkoord verklaart. Heeft Jack alles aan zijn nazaten nagelaten?'

'En zij hebben op hun beurt alles aan mij nagelaten.'

Hij glimlachte. 'Wat ben jij een bofferd, Stefani.'

Ik zou van jou hetzelfde kunnen zeggen, dacht Stefani, de geweldige rijkdom van de Californische Halliwells in aanmerking genomen. 'Dus vertel jij mij nu eens: hoe kom ik aan wat van mij is?'

Hij nam een slok water. Was dat om tijd te winnen? 'Je moet een jurist zien te vinden die goed thuis is in het Thaise rechtsstelsel. Negen tiende van elk rechtssysteem heeft meestal betrekking op bezit. Als buitenlandse zul je er een harde dobber aan hebben om in dit land recht op bezit te verwerven. Je kunt het beste mikken op een soort compromis. Een regeling buiten de rechtbank om.'

'Ik heb een gloeiende hekel aan compromissen. En al helemaal als ik in mijn recht sta.'

'Dan zul je in Thailand nooit op je plek zijn. Hier in Thailand moet je buigzaam zijn als bamboe. Om een tyfoon te weerstaan moet bamboe buigen, anders breekt het. Weet je hoe het beheer van het museum in elkaar zit?'

'Het beheer is in handen van een particulier orgaan, de Stichting Thais Erfgoedbeheer. Die is gedeeltelijk afhankelijk van donaties, maar wordt in hoofdzaak in stand gehouden door een trust die beheerd wordt door Dickie Spencer, de directeur van Jack Roderick Silk. Dickies vader, Charles, werkte in de jaren zestig voor Jack. Charles nam het bedrijf over toen Jack verdwenen was. De Spencers vormen een soort lokale dynastie.'

'Je hebt je huiswerk goed gedaan. Wat was je van beroep in de States?'

'Ik was een tijdje beheerder van een beleggingsfonds.' Ze schonk hem een allerondeugendste glimlach; als Halliwell meende dat ze gevoelig was voor vleierij, kon ze maar beter doen alsof hij daar succes mee had. 'Ik denk dat ik die Spencer het beste als eerste kan aanpakken. Hij is blijkbaar degene die het meeste belang heeft bij het huis.'

'Maar het zijn de mensen met macht die feitelijk de dienst uitmaken achter de schermen. Ik ken Dickie Spencer vrij goed. Hij is prima als zetbaas voor de Stichting Thais Erfgoedbeheer, en hij zou het niet leuk vinden om het huis kwijt te raken – hij heeft er aardig wat geld ingestopt en het is prima voor het imago van het zijdebedrijf – maar emotioneel doet het hem niets.'

'De anderen wel?'

'Die zijn misschien wel in staat tot moord als ze het huis dreigen kwijt te raken.'

Hij zei het zeer bedaard, maar het dreigement was er niet minder reëel om. Over Jack Rodericks nalatenschap kon je maar beter geen grapjes maken. Stefani leunde achterover en keek Halliwell strak aan. 'Is dat een waarschuwing? Blijf er met je poten van af?'

175

'Ik verwacht niet van je dat je er iets mee doet.' Hij haalde opnieuw zijn schouders op. 'Maar je zei dat je op zoek was naar de waarheid.'

'Vertel me dan maar voor wie ik moet oppassen,' daagde ze hem minzaam uit. 'De machtige lieden achter de schermen.'

Zijn ogen schoten een andere kant op. Ze voelde dat hij bezig was te bedenken wat hij haar zou vertellen en wat hij zou achterhouden. 'Je begrijpt dat wat ik je vertel strikt vertrouwelijk is.'

'Natuurlijk.'

'Een gebaar en geen beroepsmatige bemoeienis. Het gaat dus niet om een officiële verklaring van de ambassade van de Verenigde Staten. En ik moet eerst met mijn superieuren spreken voordat ik je mijn hulp kan aanbieden.'

Heb je wel superieuren, vraag ik me af. Of verzin je ze gewoon als het je zo uitkomt, dacht Stefani. 'We zijn twee kennissen die een babbeltje maken tijdens het eten,' antwoordde ze gladjes.

'Zo is dat.' Hij hief zijn glas weer op, zodat zijn gebruinde pols onder zijn elegante mouw zichtbaar werd. 'De leden van de Stichting Thais Erfgoedbeheer worden benoemd. Ze genieten groot prestige maar zijn in feite de speelbal van bepaalde families en belangen. Wat je over de Thai moet weten, Stefani, is dat hun maatschappij een collectief karakter heeft. Ze zijn niet zo conformistisch als bijvoorbeeld de Japanners – de meeste Thai hebben de mond vol over individualisme en persoonlijke vrijheid – maar toch komt de groep wel degelijk op de eerste plaats.'

'Je bedoelt dat vriendjespolitiek hier normaal is.'

'Cliëntelisme,' corrigeerde hij haar. 'Het principe "voor wat hoort wat". De Thaise maatschappij is een hecht netwerk van horizontale en verticale verbanden, voortkomend uit persoonlijke verplichtingen. Gunsten en schulden, noem het zoals je wilt.'

'En dus moet je invloed hebben om in de stichting benoemd te worden?'

'Daar komt het op neer.'

'En wie heeft de macht tot benoemen?'

Rush lachte. 'Die naam moet je wel kennen.'

Ze fronste. 'Hoezo?'

'Omdat je blijkbaar alles weet.'

'Als dat zo was, zat ik hier nu niet met jou aan tafel.'

'Hoe openhartig van je.' Hij keek sip. 'De man die je moet hebben is Sompong Suwannathat. Hij is de huidige minister van Cultuur. In het volgende kabinet zal hij wel minister van Defensie worden. Cultuur en het bedwingen van de massa gaan in Thailand hand in hand.'

Sompong Suwannathat. 'Denk je dat die emotionele banden heeft met mijn huis?'

'Ik denk dat Suwannathat zelfs zou kunnen beweren dat het zíjn huis is,' antwoordde Halliwell. 'Sompong speelt al meer dan tien jaar de hoofdrol in de stichting, en zijn vader maakte er voor hem ook al deel van uit. Als Jack Rodericks erfenis aan iemand toebehoort...'

'...dan is het aan Sompong en niet aan het Thaise publiek,' vulde Stefani aan. 'Hè, fijn dat je me dit verteld hebt, ik kikker er helemaal van op. Het zal me geweldig veel deugd doen een mede-manipulator te beroven.'

'Ik zou het niet zo licht opvatten als ik jou was.' De ongedwongenheid die zo-even nog uit zijn ogen sprak was geheel verdwenen. 'Sompong is iemand om rekening mee te houden.'

'Wat wil je daarmee zeggen? Dat hij zich van boeventuig bedient?'

'Ongetwijfeld. Maar behalve dat werkt half Bangkok voor hem, en dat betekent dat hij half Bangkok in zijn zak heeft. Als je Sompong de voet dwars zet, komt je dat duur te staan. Dat is geen dreigement, het is gewoon zoals het is.'

'Ik zal de man opbellen en een afspraak met hem maken. Dat is één methode om met een dreigement om te gaan.'

'Zoals je ook met beleggingen omging? Heb je Max Roderick ontmoet via je werk als belegger?'

Stefani's vork gleed uit haar vingers. Rush boog zich onmiddellijk om hem voor haar op te rapen.

'Hij is de enige Roderick die nog over is,' voegde hij er ter verklaring aan toe. 'Ik heb in mijn jeugd trouwens vaak in Tahoe geskied. Max is daar een echte held. En ik volg de Wereldbekerwedstrijden ook nog steeds. Kreeg Max vorig jaar geen akelig ongeluk?'

'Hij is zes dagen geleden overleden,' zei ze behoedzaam. 'Zelfmoord.'

'Dat spijt me.' Halliwells sombere gezicht leek gepast medeleven uit te drukken, maar Stefani wist zeker dat het bericht geen nieuws voor hem was. 'Als jouw erfenis pas zes dagen oud is, naar ik mag veronderstellen, dan zou ik nog maar even wachten met Suwannathat van zijn troon te stoten. Je zult maanden moeten wachten voordat je je aanspraken rechtsgeldig kunt laten verklaren. Een gerechtelijke verificatie kost altijd veel tijd, vooral als de procedure zich over drie continenten uitstrekt.'

Over drie continenten. Met die drie woorden had hij zichzelf zojuist verraden: hij wist meer over Max dan normaal was voor een ambassadeambtenaar derde klasse in Zuidoost-Azië, zelfs als hij de Wereldbeker volgde. Ze dacht aan de kleerkast in het zwarte pak en met het keurige kapsel, de man die er eerder op de dag zo lang over had gedaan om Rush de weg naar het toilet te vragen. Ze dacht aan het verfrommelde vel papier dat hij uit haar tas gestolen had, en de namen en opmerkingen die ze daarop had neergeschreven. Ze dacht aan ongelukken die geen ongelukken waren. Aan moord die voor zelfmoord moest doorgaan. Aan Max die de ijle lucht in zeilde met zijn handen aan de remmen...

'Je hebt me enorm geholpen, Rush.' Ze glimlachte, recht in zijn groene

177

ogen kijkend. 'Ik wilde morgenmiddag Jack Rodericks huis gaan bekijken. Wat vind je ervan om daar met elkaar af te spreken?'

Ze stak de sleutel in het slot van haar kamerdeur. Er kwam zachte muziek uit de stereo-installatie en door de ramen zag ze het drukke rivierverkeer, een feestelijk schouwspel van lichtjes. Iemand had lychees op een porseleinen schaal gelegd. Ze liet het vreedzame tafereel een halve minuut op zich inwerken voordat ze de telefoon greep.

'Voel je je al wat beter, troeteltje?'

'Ik ben kapot.'

'Daarom bel je zeker vanuit je kamer. Ik heb toch liever dat je in het vervolg op straat gaat bellen.'

'Slordig van me,' gaf ze toe, geraakt door zijn verwijtende toon. 'Sorry.'

'Ik neem aan dat je iets van me wilt.' Opnieuw irritatie in zijn stem.

'Ik heb een goede jurist nodig. Eentje met een praktijk in Bangkok. Een Amerikaan als het even kan.'

'Civiel- of strafrechtelijk? Een bedrijfsjurist? Een letselschadespecialist? Je zegt het maar.'

'Een erfrechtdeskundige, dat weet je best. Iemand die me kan helpen een testament voor een Thaise rechtbank geldig verklaard te krijgen.'

Oliver zuchtte. 'Je wilt het onmogelijke en dat liefst gisteren. Goed, goed. Ik zal iemand die mij iets verschuldigd is op een onvergeeflijke manier uit zijn bed bellen. Je kunt Matthew French morgenochtend op het hotelterras aan het ontbijt verwachten. Het terras aan de achterkant wel te verstaan. En kom niet te laat beneden, want Matthews tijd is exorbitant kostbaar.'

'Dankjewel, Oliver.'

'Dat is toch nog niet alles, zeker?' Hij deed net alsof hij stomverbaasd was. 'Je hebt vast nog meer noten op je zang.'

'Ik wil dat je een paar namen natrekt. Het zou heel belangrijk kunnen zijn.'

'Voor je erfenis?'

'Om een reeks raadselachtige sterfgevallen tot een oplossing te brengen,' antwoordde ze scherp.

Hij zuchtte opnieuw. 'Doe me dan een lol, popje, en stuur ze me via je zwarte doos.'

Het versleutelde e-mailsysteem op haar laptop. Oliver had blijkbaar reden voor een strenge beveiliging.

'Is er soms iets gebeurd?'

'Er gebeurt altijd wel iets. Doe nu maar wat ik zeg.'

'Oké,' zei ze, maar hij had al neergelegd.

Ze liet zich in een stoel zakken en keek uit over de rivier; ze voelde zich onbemind. Oliver had niet eens gewacht tot ze hem verteld had van het gestolen papier. Had hij soms te weinig geslapen? Was hij kwaad? Of maakte hij zich zorgen?

De flard vioolmuziek in mineur bleef in haar hoofd zitten. Wat er ook met Oliver aan de hand was, op een afstand van bijna tienduizend kilometer kon ze er niets aan doen. Ze sloot haar ogen en sprak hardop Max' naam uit.

9

Bangkok, 8 november 1947

Af en toe bereikte hem nog het geluid van geweervuur vanaf het ovale veld dat als het Pramane-terrein bekendstond en dat enkele honderden meters bij de rivier vandaan lag; als hij had kunnen opstaan van de bodem van de sampan om in de duisternis te turen, had hij misschien vlammen boven het Grote Paleis zien uitrijzen. De tanks stonden als een strop rond de regeringsgebouwen en de Tempel van de Smaragden Boeddha opgesteld. Ze zouden schieten op iedereen die het aandurfde een steen of een molotovcocktail in de richting van de leiders van de coup te slingeren – maar zo iemand was er niet eens, dat wist hij zeker. Het was heel gewoon geweest om tegen de Japanners te vechten, zoals zovelen nog maar een paar jaar geleden ook hadden gedaan: met een mes door sluimerende tuinen kruipen en onder muskietennetten tasten naar het vlees van een keel om door te snijden. Tegen tanks vechten was een andere zaak. Een coup was niets anders dan gekrakeel van potentaten.

De bootbestuurder die Roderick had gestuurd om hem vanaf de kade onder de Tempel van de Smaragden Boeddha weg te brengen had ruwe zakken over hem heen gegooid; ze stonken naar knoflook en kriebelden. Hij lag met zijn gezicht naar beneden, zijn neus hing boven het stinkende boegwater; op zijn rug schommelden kratten met levende parelhoenders vervaarlijk heen en weer. Hij had een pak aan van zijde en zijn schoenen kwamen uit Bond Street in Londen; hij had geen tijd gehad om zich te verkleden. Hij had geen andere waarschuwing gehad dan de nerveuze glimlach op het gezicht van Tao Oum, de Laotiaan, toen die hem tijdens zijn avondmaal abrupt was komen halen: meneer Roderick had nieuws, hij moest meteen komen, hij moest zich haasten. De dringende woorden die Tao Oum tegen hem gesproken had terwijl ze naar de rivier renden, waar de boot met gedoofde lantaarn op hem lag te wachten. Het gerommel van tanks in de verte dat al hoorbaar was.

Hij vocht tegen de aandrang om te niezen. Het zachte gefladder van vleugels boven zijn hoofd, de muskusachtige geur van veren, het geplons van de vaarboom van de bestuurder van de boot: Boonreung, Rodericks jonge vriend en vertrouweling, een zoon van het droge noordoosten die vertrouwd was met dorst en ontberingen en die wist wat wraak was. Boonreung was misschien net zeventien, maar al een doorgewinterd krijger. Hij kon zich op Boonreung verlaten.

Als ze hem vonden zouden leger en politie hem neerschieten als een hond vanwege de koningsmoord die hij niet gepleegd had. De bekende misselijkheid en angst overvielen hem – bekend van eerdere ontsnappingen, nachtelijke aanvallen, regens van duizenden kogels. Hij vermeed te denken aan wat hij nu verder moest. Hij vermeed te denken aan zijn vrouw.

Hij heette Pridi Panomyong, al had hij zichzelf jarenlang Ruth genoemd op het clandestiene radionetwerk dat in de oorlog in de omgeving van Bangkok was ontstaan. Hij had de Vrije Thai in het geheim aangevoerd; hij had gedaan wat de leiders van de Vrije Thai in Washington en Londen hem hadden opgedragen plus nog veel andere dingen die zij in hun dromen nog niet eens mogelijk hadden geacht. Zijn mannen hielden van hem om zijn ongedwongenheid, zijn beschaafdheid, zijn vurige geloof in de democratie; ze hadden hem vereerd en velen van hen hadden hun leven voor hem gegeven, soms op vreselijke en beschamende wijze.

Toen de oorlog voorbij was en de Japanners uit Bangkok verdwenen waren, inmiddels meer dan twee jaar geleden, hadden de geallieerden op hun beurt de door de stad verspreide paleizen en villa's bezet. De mensen hadden hem door de straten gedragen, zwaaiend met kleurige wimpels en rokende wierookbranders. Hij had de pro-Japanse Pibul tot oorlogsmisdadiger verklaard en de jonge koning in ballingschap, Ananda Mahidol, uitgenodigd om in triomf naar Thailand terug te keren. Twee maanden na de Japanse overgave, in december 1945, was Pridi Panomyong – Ruth – premier geworden van een verwoest maar democratisch Thailand.

Hij onderhield contacten met de buitenlanders die dit Venetië van het Oosten binnenstroomden – de *farangs* die meenden dat Bangkok door hen was uitgevonden. Hij stond op vriendschappelijke voet met de Britse ambassadeur, at met de Amerikanen, en wisselde grappen en oorlogsverhalen uit met Jack Roderick zelf – Roderick die met de OSS in Frankrijk en Italië was geïnfiltreerd, die meer geheimen kende dan de meeste mannen die de oorlog overleefd hadden, die Pridi had geholpen een agentennetwerk te leiden in alle regenwouden van Zuidoost-Azië toen Ruth niet meer was dan een stem en een belofte die begeleid door veel gekraak via de radio te horen was.

Maar Ananda was gestorven toen hij krap tien maanden op de troon zat en nu was Pridi een op de vlucht geslagen koningsmoordenaar. De stad gonsde van de geruchten die meer waarheidsgehalte leken te krijgen naarmate ze vaker werden verteld. Pridi's ruzies met de monarch werden nu als een motief voor de koningsmoord voorgesteld, maar niemand beschuldigde de premier midden in zijn gezicht, er kwam geen proces en hij kreeg niet de mogelijkheid zijn naam te zuiveren. In het openbaar deed de koninklijke familie er het zwijgen toe, maar in het geheim steunde ze Pridi's vijanden. Ananda's neef, Bhumibol, liet zijn rustige bestaan in een klooster in de provincie achter zich en besteeg de troon een paar dagen na de moord op de jonge koning. De nieuwe koning was niet van het slag om tegen dictators, democraten of zelfs maar de andere leden van het koninklijk huis in te gaan. Vijf maanden na de negende juni 1946, de dag dat het schot in het Grote Paleis gevallen was, had Pridi Panomyong als premier zijn ontslag ingediend en verdween hij uit de openbaarheid.

Hij had nog een jaar in relatieve rust kunnen doorbrengen terwijl zijn grootste vijand, Pibul, steun om zich heen verzamelde, even steels als een rat die in het afval snuffelt. En nu stonden de tanks in de straten.

De rivier schokte als een geroutineerde hoer tegen de oude romp van de boot; brak water spoelde in zijn neusgaten, waardoor hij bijna stikte. Met een ruk tilde hij zijn hoofd op zodat de parelhoenders kokkerden en de zakken verschoven. Boonreung maande hem vanuit het duister stil te liggen, maar Pridi hoorde het niet. Zijn half gegeten maaltijd, een vijfgangendiner, speelde op en hij gaf over. Een megafoon scheurde de nacht uiteen. Tao Oum was naast hem, greep met een hand zijn nek vast en duwde hem in zijn eigen braaksel – 'Politieboot' siste de Laotiaan hem toe – waarna de zakken weer over hem heen werden gelegd.

Hij merkte dat de sampan langzamer ging, voelde het geschommel toen de politiesloep langszij kwam. Fel licht scheen door zijn gesloten oogleden heen; hij lag roerloos in de stank van hoenders en braaksel, terwijl het water zijn broek en zijn leren schoenen binnensijpelde. Hij zou worden doodgeschoten en zijn lijk zou overboord worden gesmeten om weg te drijven te midden van dode honden en afval. Zijn vrouw zou nooit te horen krijgen wat er precies met hem gebeurd was. Hoe lang zou ze blijven geloven dat hij nog leefde?

Weer die megafoon en Tao Oum die nerveus antwoordde in Thais met een Laotiaans accent. De straal van de lantaarn streek over de zakken en de opgeschrikte parelhoenders. De sampan schommelde wild toen een gelaarsde voet met een bons neerkwam op de bodem. Had de politie zich aangesloten bij de militaire verraders? Wisten ze dat hij gevlucht was? Werden alle grenzen in de gaten gehouden? Nog even en de stank van zijn braaksel zou hun neusgaten binnendringen en dan zouden ze de zakken wegtrekken en...

Tao Oums stem klonk nu minder paniekerig. Hij bood de politieman geld aan. De parelhoenders, zo zei hij, waren voor zijn zus. Haar kinderen waren ziek, ze moesten hoognodig verse eieren hebben, er was geen tijd te verliezen – het zachte gerinkel van munten die van eigenaar verwisselden. De sampan daalde en kwam weer omhoog: de politieman stapte uit de boot.

Opluchting sloeg door Pridi heen als een stormvlaag. Hij beet in de mouw van zijn jasje om een kreet in het duister te onderdrukken. De politiesloep voer weg.

Tao Oum zuchtte en veegde zijn hoofd af met een vuile zakdoek. Boonreung wachtte een ogenblik en stak zijn vaarboom toen weer in de modderige bodem.

'Waar wil je heen?' vroeg Roderick.

Hij wierp zijn sigaret in een vurige boog over de kaderand bij het Oriental. De peuk doofde sputterend in het water en verdween.

'Ik weet het niet,' mompelde Pridi. Hij keek vreesachtig over zijn schouder, maar ze waren alleen aan de rand van de hoteltuin; de hoge palmen en de dichte struiken vormden een scherm waar de gestalten van dansende mensen als fladderende motten doorheen schenen. Zijn vrouw was zich voor dit bal aan het kleden geweest toen hij zijn huis was ontvlucht. Er zouden charades worden gehouden. De hele *farang*-gemeenschap was present.

'We zouden je tegen de ochtend bij de grens met Laos moeten kunnen krijgen,' zei Roderick peinzend. 'Boonreung, breng zijne excellentie via de khlongs naar de noordkant van de stad. Daar zal Tao Oum jullie opwachten met de auto.'

Het oogwit van de Thaise jongen lichtte op in het vlekkerige licht van de lantaarns. Boonreung was een mooie jongen, dacht Pridi: een huid glad als van een meisje, een klassiek profiel. Hij was uitgelaten door het geheimzinnige gedoe in het donker, zoals Ruth ooit ook dronken van het gevaar was geweest; maar dat was vele jaren geleden, jaren waarin hij te veel doden had gezien.

'Het is link,' voegde Roderick eraan toe. 'Het leger patrouilleert. Maar het is je enige kans. Hier kun je niet blijven.'

De auto was van Roderick zelf, een vooroorlogse Packard die hij het jaar daarvoor uit New York had laten verschepen. Pridi herinnerde zich dat deze auto de Amerikaan meerdere malen naar het noordoosten had vervoerd. Roderick was blijkbaar dol op dat gebied. Hij had Boonreung daar aan de vergetelheid ontrukt, zijn chauffeur van hem gemaakt, zijn secretaris, en volgens sommigen ook zijn moordenaar. Tao Oum had ook heel wat reisjes naar het desolate achterland gemaakt, met Roderick aan zijn zijde; Tao Oum en al die andere Laotiaanse revolutionairen die in de salons van Bangkok de onafhankelijkheid van de Fransen voorbereidden. Pridi begreep plotseling, toen hij daar in de naar jasmijn geurende duisternis stond te wachten en flarden muziek van Tommy Dorsey de tuin van het Oriental in dreven, dat Roderick nooit gestopt was met zijn netwerk van geheim agenten. Het einde van de oorlog was slechts het voorspel tot een volgende, die subtieler en dus nog dodelijker was.

Het dreunen van een kanon. Te oordelen naar het geluid was het op kilometers afstand in het oosten afgevuurd.

'Tao Oum kent de wegen,' zei Roderick. Hij stond met zijn rug naar

Pridi toe. Blijkbaar praatte hij tegen zichzelf of tegen de rivier. Hij droeg een wit smokingjasje op een zwarte broek met messcherpe vouwen en uit zijn stem viel op te maken dat coups weliswaar betreurenswaardig waren, maar niet onverwacht. Hoe lang voor de aanval van deze avond was de Amerikaanse ambassade al op de hoogte geweest van Pibuls plannen?

Laos. Pridi's oude rechterhand, Carlos, was daar. Misschien zouden ze daar mettertijd een legermacht kunnen opbouwen.

Hij had de kleren aangetrokken die Roderick voor hem had meegebracht: een broek met een trekkoord en een hemd van ruwe katoen zoals vissers droegen. Boonreung had het braaksel op de bodem van de sampan opgeruimd. Tao Oum was een eindje van hen af gaan zitten; hij had zijn ogen gesloten en zijn kin rustte op zijn borst. Het was een gewoonte van hem die hij zich tijdens de hoogtijdagen van het verzet had aangemeten en die hij twee jaar na de oorlog nog niet verleerd was: slapen wanneer het maar even kon, om moeilijke uren beter te kunnen doorstaan.

De parelhoenders zouden waarschijnlijk eindigen in de keuken van het Oriental, dacht Pridi.

Hij legde zijn handen tegen elkaar en hief ze op tot voor zijn voorhoofd. Roderick deed hetzelfde met een eerbied die voor een *farang* zeer verrassend was. Toen haalde hij een gepolijste steen uit zijn zak, die bloedrood glansde in het licht van de Chinese lantaarns, en hield hem omhoog.

'Vertel me één ding, Pridi,' vroeg hij zacht. 'Heb jij hem omgebracht?'

'De koning?'

Meteen zag Pridi Zijne Koninklijke Hoogheid Rama de Achtste voor zijn geestesoog verschijnen: Ananda, een jongen vers van zijn Zwitserse kostschool geplukt, die hem hooghartig aankeek en met een vinger wenkte. De dode koning zei niets over het pistool of de kogels of wie de trekker had overgehaald; niets over het met bloed bespatte kussen op het koninklijke bed. Zoveel bloed. Ananda's ogen waren open, verstard in de dood, zijn hoofd was naar het raam gewend. Sommigen zeiden dat zijn aanvaller via dat raam was ontsnapt, anderen dat de schutter in het paleis zelf woonde.

Maar het was Pridi die de geschiedenis in zou gaan als koningsmoordenaar.

Hij keek nu naar Jack Roderick en bezag de koele zelfbeheersing van deze Amerikaan die zich nooit op de bevuilde bodem van een sampan zou hoeven kleinmaken terwijl zijn stad in vlammen opging. Met een plotselinge kwaadheid verlangde hij naar de eenvoudiger regels van het oorlogvoeren.

'Ik dacht dat je me kende, Jack,' antwoordde Pridi, en stapte in de boot.

Jack Roderick. Het laatste dat hij die avond op de rivier zag was Jack Roderick met op de achtergrond zeemeerminnen in baljurk, flarden Dorsey, kanonvuur, en het Oriental Hotel, die hele waanzinnige *farang*-toestand op de oever van de Chao Phraya. Roderick had weer een sigaret opgestoken; zijn ogen glinsterden in het maanlicht. Ze spraken van de treurige dood van koningen. Pridi wist dat hij de man zijn leven verschuldigd was, maar wat het hem zou kosten kon hij niet bevroeden. Dat was iets voor later, als ze elkaar weer zouden ontmoeten als gelijken.

Roderick volgde de sampan met zijn ogen terwijl die zich een weg zocht tussen de overblijfselen van een brug. Toen zijn sigaret was opgebrand en Boonreung de boot − zonder naar hem te wuiven − een khlong aan de Thon Buri-zijde van de rivier in had geboomd, stopte hij Carlos' robijn weer in zijn zak en ging terug naar het bal.

10

De sterke man in het donkere jasje stak zijn krant hoger in de lucht. Rush Halliwell kende hem van gezicht als een betaalde lijfwacht en bij een simpele naam: Jo-Jo. Soms zat hij achter het stuur van auto's, soms op de passagiersstoel als een zichtbaar beschermingselement; andere keren zwierf hij door de straten van Bangkok, Londen of Los Angeles, een wolf die zijn prooi achtervolgde. Het zien van Jo-Jo op een zeer besloten cocktailparty in het Oriental had een enorme indruk op Halliwell gemaakt. Hij had gekeken hoe de man als een zakkenroller tussen de bewegende menigte internationale gasten doorliep, zich afvragend welke prooi Jo-Jo die avond op het oog had. Hij had hem bij de sushitafel aangesproken met de bedoeling informatie uit hem los te peuteren. En toen had hij gezien hoe de man zich pijlsnel uit de voeten maakte zodra hij een glimp van Stefani Fogg had opgevangen.

Als Jo-Jo, zoals Rush vermoedde, achter de Amerikaanse erfgename aanzat, liep ze geen geringe risico's.

Rush stond verdekt opgesteld achter een enorme vaas van keramiek die aan het begin van de hoofdgang van het Oriental was neergezet en keek de lobby in.

Jo-Jo was geen type om een hele avond in een ruimte als deze te verdoen. Niet dat hij detoneerde in de hoge zaal – hij zag er aantrekkelijk uit, zat keurig in het pak en bulkte van het geld van anderen – maar hij hield meer van slechtverlichte gelegenheden met knipperende neon. Zijn mond had vanavond een dwars trekje. Rush zag hem de pagina's van de *Financial Times* doorbladeren zonder er echt in te lezen, terwijl in zijn linkerhand een sigaret bungelde. Op het fraaie tapijt eronder had zich al een kegeltje as verzameld.

Toen zag Rush Paolo Ferretti, de assistent-bedrijfsleider van het hotel, met sierlijke tred op Jo-jo aflopen en zich in een houding die bezorgdheid en spijt uitdrukte naar de man overbuigen om hem iets in het oor te fluisteren.

Aan het ritselen van de *Financial Times* kwam een einde. Jo-Jo keek Ferretti in het gezicht zonder een spoor van vriendelijkheid. Toen stond hij op. Hij vouwde de krant netjes op en gaf hem aan Ferretti alsof die de liftjongen was. Daarop begaf hij zich naar de draaideur van het Oriental.

'Wat zei je tegen hem?' vroeg Rush enkele seconden later aan Paolo toen die langs hem liep.

186

De assistent-bedrijfsleider bleef geschrokken staan. 'Ik weet niet wat u bedoelt, meneer Halliwell. Kan ik u misschien van dienst zijn?'

'Je hebt die vent gezegd de lobby te verlaten alsof hij een rugzaktoerist was. Geef het maar toe.'

Paolo rechtte zijn rug. 'Weet u wel hoe moeilijk dat voor me was? Hoe het me tegen de borst stuitte?'

'Waarom deed je het dan?'

Paolo weifelde. 'Hij hing de hele dag al in het hotel rond. Het is een openbare ontmoetingsplaats – je kunt mensen niet beletten er gebruik van te maken, mits ze netjes gekleed zijn en zich fatsoenlijk gedragen. Maar hij was zomaar binnen komen lopen tijdens onze besloten cocktailparty. Dat was storend voor onze gasten.'

Halliwell glimlachte. 'Ik zal er in het vervolg aan denken nooit meer onuitgenodigd te komen aanzetten. Dus wat zei je nu precies tegen hem? "Betaal voor de whisky die je gedronken hebt of ik stuur de politie op je dak"?'

'Het was wodka,' antwoordde Paolo stijfjes. 'Puur. En ik heb hem verzocht me de inhoud van zijn zakken te laten zien omdat een van onze gasten hem beschuldigde van zakkenrollen.'

Rush gaf hem een klap op zijn schouder. 'Toch was het een prima feestje. Bedankt, Paolo. En welterusten.'

Hij liep de lobby door, onbekommerd als een kleine jongen. En was nog net op tijd buiten om Jo-Jo aan het eind van de oprijlaan naar rechts te zien gaan. Aan die kant van het Oriental bevonden zich alleen een nonnenschool voor meisjes, die op dit uur in duisternis was ondergedompeld, en de kade waar de veerboten van de Chao Phraya Express aanlegden. Halliwell gaf hem een voorsprong van een halve minuut. Toen liep hij de oprijlaan af en ging achter Jo-Jo aan.

Jo-Jo liet Rush een geweldige kronkelroute volgen, al bleek uit niets dat hij in de gaten had dat hij geschaduwd werd. Hij nam de veerboot vanaf het Oriental, die hij na vier haltes weer verliet, bij de Ratchawong-kade; vervolgens liep hij een halfuur lang over de Charoen Kung Road, het hart van Chinatown in. Daar nam Halliwell een *tuk-tuk*, een van de driewielige taxi's die de straten van Bangkok verstopten en gaf de chauffeur opdracht langzaam te rijden. Het duister en de melkweg aan lichten van Bangkok maakten hem vrijwel onzichtbaar, maar Jo-Jo keek zelfs niet één keer om.

Toen zijn prooi de Nakorn Kasem in dook, betaalde Rush de chauffeur en ging te voet verder, met zijn jasje onder zijn arm en de mouwen van zijn overhemd hoog opgestroopt. Het was laat, maar er waren nog altijd veel mensen op de markt en hij gebruikte de drukte als scherm en afleidingsmanoeuvre, hier en daar bukkend om op het trottoir uitgestalde waar te bevoelen. Jo-Jo leidde hem naar de Chakkrawat Road, enkele straten van de oude Dievenmarkt verwijderd; en toen, opeens, leek hij in het niets opgelost.

Halliwell vertraagde zijn pas. Beneden aan de straat was de Khlong Ong Ang, als een smerig litteken. Aan een kant ervan zat een handjevol eters dicht op elkaar rond een gloeiend komfoor waarop een straatkok met een zwetend gezicht voedsel aan het bereiden was. Aan de andere kant waren alleen kale pakhuisdeuren. Een ervan was blijkbaar opengegaan voor Jo-Jo. De man was daar ergens binnen of hij had zich bediend van de oudste truc om een achtervolger af te schudden: hij was er aan de andere kant weer uitgegaan. Halliwell stak zijn hand in zijn broekzak en haalde zijn portefeuille eruit.

'De man in het zwarte pak,' zei Rush zachtjes in het Thais tegen de kok. 'Die hier net langsliep. Welke deur is hij binnengegaan?'

De kok staarde hem aan en stak toen zijn duim uit in de richting van een pakhuis dat een half stratenblok verder stond. 'De deur aan het eind. Naast de khlong.' Zijn vingers sloten zich om Halliwells geld.

Het was mogelijk, dacht Rush, dat Jo-Jo hem hier expres naartoe had geleid, dat hij hier zijn schuilplaats had en dat de kok door hem betaald werd om al te nieuwsgierige lieden de verkeerde kant op te sturen. Het was ook mogelijk dat aan de andere kant van de pakhuisdeur een gangster met stalen vuisten hem stond op te wachten. Hij had een decennium van rondreizen in verschillende delen van Zuidoost-Azië overleefd door zich een gezonde mate van behoedzaamheid aan te meten. Hij dook de steeg tussen twee met luiken afgesloten gebouwen in en liep om naar de volgende straat, zodat hij het pakhuis kon naderen.

Door de smalle kieren om de deur heen scheen licht naar buiten. Rush Halliwell liep er nonchalant naartoe, de echo van zijn voetstappen ging verloren in de herrie van de stad. Hij wierp door de smalle spleet in de deur een blik naar binnen.

Het licht van een schijnwerper die aan het plafond hing viel op een groepje van vier mensen: een grote, magere westerling in een gekreukt kostuum, die Rush niet herkende; een Thaise vrouw in minirok en op leren laarzen met hoge hakken, wier lange haar oranje was geverfd; achter een bureau stond nog een man, wiens houding respect en misère uitdrukte; en aan het bureau zelf, met een oogloep in zijn oog – maar dat was toch niemand minder dan...

Achter hem klonken voetstappen. Voordat Halliwell zich kon omdraaien knalde er iets tegen de onderkant van zijn schedel. Jo-Jo, dacht hij, terwijl hij tegen het trottoir sloeg; en toen dacht hij helemaal niets meer.

11

Bangkok, maart 1949

Jack Roderick stond naast de hoge ramen aan één kant van het kantoor van de ambassadeur. Met een hand duwde hij een van de zware gordijnen opzij, in de andere stak een sigaret. Hij hield zijn lichaam uit het zicht van een mogelijke sluipschutter. Eens had hij geloofd dat de Thaise politie nooit op de ambassade van de Verenigde Staten zou schieten — het hoofd van politie stond immers op het lijstje van mensen die hij betaalde. Maar dat was voor de standrechtelijke executie van Thaise vrienden van hem in de eerste week van maart en voordat het fraaie danspaviljoen in de Amphorn-tuinen van het ene moment op het andere was getransformeerd in een officiële verhoorkamer, en voordat Tao Oum naar Laos was teruggevlucht, inmiddels drie nachten geleden.

'Hoeveel staan er vandaag?' Alec McQueen zat onderuitgezakt in een met marokijnleer beklede stoel die ambassadeur Stanton uit Washington had laten verschepen, samen met een Ford uit 1947 en twee bedaagde poedels. Zijn lange benen lagen lui op het Turkse tapijt uitgestrekt en zijn sokken waren op zijn schoenen gezakt zodat een strook bleke huid zichtbaar was. Hij zat luidruchtig op kumquats te kauwen, zoals anderen pinda's bij een bokswedstrijd naar binnen werken.

Roderick bracht verslag uit: 'Groepjes van drie, om de andere hoek, langs de hele New Road.'

'Verduiveld warm werkje op dit uur,' mompelde Stanton, die achter zijn bureau zat. 'Hopelijk worden die rotzakken een beetje goed betaald.'

'Ze mogen blijven leven,' antwoordde Roderick afwezig, 'en daar mogen ze blij om zijn zoals het nu is.'

Ze waren allemaal aan het dansen geweest in het paviljoen in de Amphorn-tuinen op de avond van Pridi's mislukte couppoging, de voorlaatste avond van februari 1949. Als Roderick terugdacht aan de verhoren in dat paviljoen, zag hij de gloed van Chinese lantaarns en de gezichten van de beschuldigden in hun groteske kostuums. De Bangkokse politiemannen die in de straat onder hen wacht liepen, waren feitelijk ook gekostumeerd, dacht hij: hun tenue deed Brits aan, ook al had Siam nooit deel uitgemaakt van het Britse imperium. Op de chaotische hoeken keerden ze op hun hakken, zo keurig volgens de regels dat het wel leek of de menigte verkopers langs de New Road speciaal was ingehuurd als publiek.

'Ze houden me voortdurend in de gaten!' bulderde de ambassadeur. 'Jou ook, Alec?'

McQueen lachte. 'Weet je nog, dat artikel? Dat verdomd nobele artikel dat ik van ze moest afdrukken?'

Er was nu nog maar één artikel dat ertoe deed.

Pridi Panomyong was op 27 augustus in Bangkok teruggekeerd onder begeleiding van een kogelregen die de loop van de geschiedenis niet wijzigde en zelfs nauwelijks indruk maakte. Vier mannen – voormalige ministers van het oude kabinet-Pridi en vrienden van Jack Roderick – werden diezelfde nacht gearresteerd. Blijkbaar waren zij ook vrienden van Pridi geweest. Zeven dagen na de couppoging werden ze alle vier vermoord, slachtoffers van wat de politie 'een mysterieuze hinderlaag' noemde, maar wat in werkelijkheid, zoals Alec McQueen diezelfde dag nog zonder omwegen in de *Bangkok Post* suggereerde, een executie was die door de politie zelf was uitgevoerd. McQueen had de lijken gezien. Ze waren doorzeefd met meer dan tachtig kogels. Twee van de mannen waren voorafgaand aan hun dood gefolterd. Geen enkel lid van het 'politie-escorte' had bij de 'aanval' verwondingen opgelopen.

Later was Roderick in de tempel naast de stille, bange weduwen neergeknield, na bij de ingang zijn schoenen te hebben achtergelaten. Vier bronzen urnen gevuld met as, vier grote portretten van ernstig kijkende mannen. Wierook en geweeklaag. Roderick boog zijn hoofd en vroeg vergiffenis aan alle goden die hem wilden aanhoren. Hij had de smaak van as in zijn mond.

'De krant staat onder strenge censuur,' zei Alec, 'en ik ben niet zo gek dat ik alleen naar huis loop. Ik heb drie nachten achtereen geprobeerd een gewillige vrouw in bed te krijgen en betrapte zo'n klootzak die bij me naar binnen stond te koekeloeren. Mijn huisbediende is 'm gesmeerd en mijn kok schijt in zijn broek van angst. Ik denk er hard over om de stad de stad te laten en ervandoor te gaan.'

'Niet doen.' Rodericks ogen bleven gericht op de straat. 'We hebben je nodig.'

'"We"?' McQueen stopte nog een kumquat in zijn mond. 'Wie zijn "we"? Jij, Truman en die achterlijke chef van hoe ze de oss tegenwoordig ook noemen?'

'De Central Intelligence Agency,' zei Roderick geduldig. Het verbaasde hem niet dat Alec niet zo goed was in het onthouden van de acroniemen van de veiligheidsdienst: ze veranderden bijna maandelijks van naam. Rodericks Office of Special Operations, oso, was in 1948 omgevormd tot de opc, het Office of Policy Coordination. De invulling van Rodericks baan onderging elke paar weken een vergelijkbaar soort wijziging. Aanvankelijk had hij gedacht dat hij voor Washington diende te signaleren hoe het er met de toekomst van Thailand voorstond: informatie verzamelen over politieke bewegingen, weldenkende intellectuelen ertoe brengen voor democratie te kiezen en niet voor het communisme, een voorbeeldrol vervullen

190

om de grote waarde en superioriteit van de 'American way' duidelijk te maken. Maar hij zag weldra in dat hij niet meer was dan Washingtons geld-koerier. De Sovjets pompten geld in de Derde Wereld om de proletarische revolutie te bevorderen. En Roderick pompte geld in Bangkok om onheil te voorkomen.

'Het zijn niet de Verenigde Staten waar ik me om bekommer,' zei hij tegen Alec, 'maar Siam heeft jou nodig.'

McQueen snoof verachtelijk. 'Wat Siam nodig heeft is met rust gelaten worden. Jij en die andere verrekte boyscouts van Truman hebben maar-schalk Pibul dit land in de schoot geworpen en die houdt zijn benen als een maagd zo stijf tegen elkaar geklemd. Heb je nog wat van die malloot Ruth gehoord? Of heeft hij het te druk met nóg een leger op de been brengen?'

'En heb jij nog wat van die gewillige vrouw van je gehoord, Alec? Of heeft ze het te druk met de politie te vertellen hoe lang die pik van jou is?'

'Jack,' vermaande Stanton hem rustig.

Zo ging het altijd al tussen Roderick en McQueen. Als het er tijdens hun gevechtstraining vier jaar geleden al te heftig aan toe ging begon McQueen altijd ruige taal uit te slaan en gaf Roderick hem lik op stuk.

'Ruth is in China.' Hij keerde het raam de rug toe en het gordijn viel dicht, zodat er geen zonnestraal meer binnenviel. 'Hij rekruteert man-schappen uit het leger van de Chinese nationalisten, de Kwomintang.'

'Ik dacht dat de Kwomintang naar het zuiden op de vlucht was,' wierp McQueen tegen. 'Tjiang K'ai-sjek krijgt klop van die boer, die Chinese Hitler, Mao Tse-toeng.'

'Precies. De Chinese nationalisten komen bij bosjes Laos, Birma en de noordelijke provincies van Thailand binnen. Gewapende mannen die snak-ken naar een leider en een zaak om voor te vechten. Ze hebben er een ge-weldige klerezooi van gemaakt en een complete nederlaag geleden. En dat komt Ruth geweldig goed uit. Ze kunnen meteen weer aan de slag als vrij-heidsstrijders.'

'Snotverdorie!' barstte Stanton uit. 'Hij had toch gewoon naar Washing-ton of Londen kunnen gaan! Hij heeft nog altijd vrienden genoeg in Was-hington.'

'In Londen of New York kan Ruth geen leger bijeenkrijgen,' gooide McQueen er geërgerd uit, 'en die lul denkt nergens anders aan.'

Roderick zag weer het gemaskerde bal voor zich en het bange gezicht van het jonge Thaise meisje onder de *kinnari* op haar hoofd – een mythi-sche figuur, half vogel, half vrouw voorstellende – die hij bij dageraad naar huis had gebracht. Hij zag de opkringelende rook, het wanhopige geschiet, hoorde de kreten en de smeekbeden afkomstig van het ingenomen radio-station, begeleid door ruis. Zag de held die zij nog altijd Ruth noemden, klemgezet door het Thaise leger dat níét naar hem was overgelopen, van zijn kameraden weg rennen en naar de rivier snellen, de mannen die hem gevolgd waren aan een gewisse dood overlatend. Het was dit keer niet Roderick geweest die Pridi gered had.

'Als hij het nog een keer waagt,' zo verklaarde de ambassadeur, 'dan kan hij rekenen op volledige afkeuring van de Verenigde Staten. We zullen geen ene vinger uitsteken om hem nog eens uit de stront te halen.'

'We hebben de vorige keer ook geen vinger uitgestoken,' ging Roderick tegen hem in. 'We hebben hem als afval gedumpt en een regering erkend die geleid wordt door een man die met de Jappen heeft geheuld. Wat Pibul betreft was de geallieerde overwinning niet meer dan een kort tussenspel.'

'Vertel dat maar aan het Pentagon, Jack. De legeromes zullen het geweldig vinden te horen dat ze hun laatste oorlog voor niets gevoerd hebben.'

'Het Pentagon?' Roderick fronste. 'Waar heb je het over?'

'Een delegatie van militaire waarnemers.' Stanton keek hem boos aan. 'Ze kunnen elk ogenblik in Bangkok aankomen en ze willen jou zo ongeveer het eerst spreken. Het is mij een raadsel waarom. Ene Lightfoot informeerde speciaal naar jou.'

Lightfoot. Roderick keek naar McQueen. Het noemen van die naam bracht hen beiden onmiddellijk terug in de buik van een OSS-vliegtuig. Billy Lightfoots geheven arm in de maanverlichte deuropening.

'Sinds wanneer kan Thailand het Pentagon een reet schelen?'

'Washington maakt zich ernstig zorgen over de toestand in Zuidoost-Azië,' zei Stanton op verwijtende toon. 'Dat komt ongetwijfeld door de overtuigende kabelgrammen die ik ze heb gestuurd. Onrust aan alle kanten, koloniën in opstand, het Rode Gevaar dat in het noorden welig tiert... Jack, jongen, vergeleken bij Mao Tse-toeng is onze vriendelijke veldmaarschalk Pibul een tweede Jezus op aarde. Denk daaraan.'

'Hoe zou ik het kunnen vergeten, Ed,' ketste hij terug. 'Ik betaal Pibul duizend ballen per maand om lief te zijn voor de Verenigde Staten. Wat geef jij hem? Koekjes als hij op theevisite komt? Ik ben de grootste werkgever in Bangkok, meneer de ambassadeur. Ik betaal verdomme jongens van negentien om foldertjes uit te delen ter ondersteuning van de democratie aan de Chulalongkorn-universiteit. Ik betaal nieuwslezers om de waarheid uit te zenden voor de ongeletterden die Alecs krant niet kunnen lezen. Ik betaal de leiders van de democratische oppositie om campagne te voeren, ik betaal de schoften die aan de macht zijn om zich te gedragen, ik betaal de plaatselijke communistische ondergrondse om vooral maar ondergronds te blijven en ik zorg dat de zoon van de politiechef naar de universiteit van Philadelphia kan, godbetert. Ik heb voor de hoogste generaal van het Thaise leger een spiksplinternieuwe Ford gekocht. En dat allemaal in naam van de stabiliteit, de democratie en de ondergang van Rood-China. Dus kom mij niet aan met je kabelgrammen, die zijn alleen goed om je reet mee af te vegen. Oké?'

'Jack.' McQueen kwam overeind, ernaar snakkend om weg te gaan. Maar Roderick stond nog steeds met een woedend gezicht naar de ambassadeur te kijken. Stanton was paars aangelopen, zijn ogen puilden bijna uit hun kassen. Hij deed zijn mond open en vervolgens deed hij hem weer dicht. Het potlood dat hij tussen zijn vingers had brak – knák – in tweeën.

Hij was niet eens een slechte kerel, dacht Roderick. Op de geëigende plaatsen en tijden kon je zelfs respect voor hem opbrengen. Maar op het ogenblik was Stanton de kluts kwijt. Het gebrek aan regels, de snel wisselende situatie, de willekeurige samenstelling van deze buitenlandse ploegen: alles verbijsterde hem. Hij volgde de orders van Harry Truman op, en de adviezen van Roderick, en pretendeerde een onaantastbare standaard te vertegenwoordigen die al een generatie geleden in de loopgraven van Europa om zeep was gebracht. Hij waande zich als ambassadeur van gezag verzekerd, terwijl de Thai wisten dat hij niet meer dan een marionet was. Als Roderick hem niet zo minachtte, had hij misschien medelijden voor hem kunnen opbrengen.

'Je secretaris,' beet Stanton hem toe. 'Die jonge assistent van je.'

'Boonreung.' Roderick voelde zijn ingewanden samentrekken. 'Heb je iets gehoord?'

'Meer dan jij. Ben je soms vergeten de chef-folteraar te betalen?' Stanton plukte aan de kraag van zijn overhemd. 'Je jonge vriend is vannacht doodgeschoten toen hij probeerde te ontsnappen.'

Roderick greep zich vast aan de vensterbank, zich een ogenblik niets aantrekkend van op de loer liggende sluipschutters. Op 4 maart was hij Boonreung kwijtgeraakt, zes dagen na Pridi's mislukte couppoging, in een verlaten hotel in het noordoosten dat gerund werd door een oorlogsweduwe. Vijf mannen in legeruniform, een zwarte auto van de staat. Boonreung werd weggeplukt van de eettafel terwijl Roderick hulpeloos stond toe te kijken met de loop van een geweer in zijn rug gedrukt. Hij schreeuwde. In het Engels, dat niemand verstond.

'Vertel me de waarheid, Stanton,' zei hij tussen opeengeklemde tanden door. 'Aan die rotzakken van Pibul valt helemaal niet te ontsnappen. Ze hebben Boonreung helse martelingen laten ondergaan en hem toen een kogel door het hoofd gejaagd.'

'Het spijt me, Jack.' Alec had zijn hand op Rodericks schouder gelegd. 'Het was een goeie vent.'

'Het was nog maar een jongen.'

'Voor de huidige regering was hij een verrader,' corrigeerde Stanton hem, 'dat weten we toch allemaal. Je hebt Boonreung maandenlang naar Laos op en neer laten reizen, Jack. De jongen was jouw schakel met *Ruth*. Als jij geen Amerikaans paspoort had lag je nu dood naast hem in de khlong.'

'Denk je dat hij gepraat heeft voor hij stierf?' vroeg McQueen.

193

Een van de tiptop geklede agenten in de straat beneden stond open en bloot naar de ambassade te staren. Roderick dacht aan Boonreung zoals hij was geweest toen ze de grot met de Boeddha hadden gevonden, nu meer dan drie jaar geleden, Boonreung wiens huid glansde in het licht van de fakkel. Hij dacht aan de argeloze oprechtheid in de zwarte ogen van de jongen uit het noordoosten en aan al het bloed en alle ellende die die ogen hadden gezien. Hij schudde zijn hoofd. 'Boonreung zou liever sterven dan zijn vrienden erbij lappen.'

'Je zult je hoe dan ook gedeisd moeten houden, Jack,' zei McQueen toen ze snel de achtertrap van de ambassade af liepen en op weg gingen naar het hek dat uitkwam op een oude khlong die al een hele tijd droog stond en niet meer gebruikt werd. Jacks favoriete methode om ergens vandaan te komen: door de overwoekerde tuinen en afvalhopen van de mensen die dicht bij het water woonden. 'Ga naar Europa. Bevoel voor de verandering eens Italiaanse zijde. Bevoel Italiaanse meiden.'

'En Billy Lightfoot mislopen? Ik denk er niet over.'

'Die ouwe klojo.' McQueen verviel even in nostalgische gedachten. 'Dat wordt weer eens een avondje flink zuipen. Als vanouds.'

'Wat is het voor vrouw?'

'Wat?' Alec keek hem van opzij aan.

'Die willige vrouw van je. Die je aan het verleiden bent?'

'O, doet er niet toe.'

'Is het soms de vrouw van een ander? Van Stanton bijvoorbeeld?'

'Het is een Thaise.' Hij zei het kortaf. Einde bericht. De mannen die Roderick kende wilden nog wel eens toegeven dat ze met vrouwen uit de plaatselijke bevolking scharrelden, maar ze introduceerden deze vrouwen nimmer in de *farang*-gemeenschap en vertoonden zich zelden met hen in het openbaar. 'En zo willig is ze niet. Ze is als de dood voor haar vader. Alleen al omdat ze met me praat zou hij haar de keel kunnen afsnijden.'

'Ze zou bang voor jóu moeten zijn.'

'Maar naar waarschuwingen luistert niemand en naar de dood steken we onze middelvinger op. Hoor eens, Jack...' McQueen greep hem bij zijn arm. 'Ik meen het serieus. Als Boonreung wel heeft gepraat en ze nu weten dat hij voor jóu werkte toen hij Ruth vorig jaar hielp ontsnappen...'

'Dan komen ze achter me aan, 's nachts of overdag, Amerikaans paspoort of niet. Dat hoef je me niet te vertellen.'

Roderick bleef plotseling staan onder een longanboom en pakte zijn sigaretten. Hij schudde er een uit het doosje in zijn hand, bood McQueen er ook een aan en wachtte terwijl de ander een aansteker uit zijn zak haalde. Blauwe rook kringelde omhoog.

'Alistair Farnham neemt de boot naar huis,' merkte McQueen op.

Farnham was Rodericks tegenhanger op de Britse ambassade. Hij had voor de Secret Intelligence Service in Bern gewerkt tijdens de oorlog. De regering-Pibul verdacht hem ervan zijn oude kameraad Ruth te hebben helpen ontsnappen in de nacht na de mislukte couppoging, via een SIS-netwerk.

'Ik heb hem gisteren in de bar vrijgehouden,' zei Roderick. 'Hij is een aantal malen met de dood bedreigd. Hij wil niet weg, maar hij moet aan Marjorie denken.'

'Wie niet?' verzuchtte Alec. Farnhams vrouw was een fameuze verschijning in de expat-gemeenschap; ze had blauw bloed in de aderen en ze was slim, allercharmantst en ontmoedigend trouw aan haar echtgenoot. Roderick dacht aan haar adelaarsneus en haar prachtige ogen en dacht toen aan Boonreung, onder een kaal peertje ter dood gebracht. Hij haalde diep adem.

'Ben je verliefd op haar?' vroeg hij aan Alec.

'Op Marjorie?'

'Op je Thaise.'

Alec haalde zijn schouders op. 'Hoe je het maar noemen wilt. Ga verdomme naar Parijs, Jack. Ik wil niet morgen je overlijdensbericht in de krant hoeven zetten.'

'Ik wilde Joan op zo'n manier,' zei Roderick tussen de rook van zijn sigaret door. 'Zo heftig als ik nog nooit had meegemaakt, ik werd erdoor verteerd. Als ik haar op zo'n verdomd partijtje met een ander zag praten wilde ik haar met mijn blote handen wurgen.'

'Maar je bent ertussenuit geknepen,' zei Alec zonder omhaal.

Roderick trok zijn schouders op en gooide zijn peuk in de opgedroogde khlong. 'Zo leven, dat ging niet, met die gewelddadigheid die steeds maar op de loer lag. Het was ook niet goed voor de jongen.'

De jongen. Rory met zijn bleke gezicht en afgekloven vingernagels, die door een kier in de deur naar zijn vaders woede keek. Joan, loom in haar satijnen jurk die haar fraaie rondingen zo goed deed uitkomen, haar hals omkneld met diamanten. Een glas whisky op het parket kapotgesmeten. De luxueuze en schitterende flat op de dertigste verdieping aan Park Avenue, een kooi waarin ze als roofdieren om elkaar heen draaiden. Roderick had zijn zoon al twee jaar niet gezien. Niet sinds de scheiding.

'Is je vriendje Carlos bij hem?'

'Bij wie?'

'*Ruth*. De Kwomintang.'

Roderick haalde zijn schouders op. 'Alec, als Boonreung gepraat heeft, maakt een maand in Italië niet uit. Ik zou nooit kunnen terugkomen.'

'Is dat zo erg dan?'

'Ik zie jou ook niet uit Bangkok weggaan.'

'Ik speel geen spelletjes met de dictator, knul. Als ik moest kiezen tussen Europa of de dood, zou ik meteen naar Europa gaan.'

'Een opgejaagd man heeft niets te verliezen,' mompelde Roderick, 'behalve de jagers die achter hem aanzitten.'

'Wat bedoel je daar nou weer mee?'

Roderick liep verder langs de stinkende khlong. Het hoge krijsen van een boze vrouw zweefde over de achtertuinen en de gammele sluisdeuren. De geur van vissaus, gebakken mango en afval drong in zijn neusgaten. De stank van rotting.

Hij gaf McQueen geen antwoord.

12

Met een grote strohoed op en gekleed in een zijden sarong liep Stefani Fogg tussen de orchideeën en ritselende palmen in de achtertuin van het Oriental Hotel. Het was zeven uur 's ochtends op een natte woensdag begin november en het was nog erg rustig. De boot van het hotel bracht een paar gasten die vroeg uit de veren waren naar het badhuis-annex-fitnessruimte die zich op de andere oever van de Chao Phraya bevond; verder had ze de wereld even voor zichzelf. Alleen waren er de onzichtbare schimmen van Jack Roderick en zijn kameraden die onder het weelderige dak van groen een laatste sigaret rookten.

Het rivierterras baadde in gereflecteerd zonlicht. Het kostte haar geen moeite Matthew French te ontdekken. French was op en top het type dat volgens Oliver Kranes maatstaven bij de gelegenheid paste: zilvergrijs haar, strak in het pak ondanks de voorspelde hitte, en met een diepe groef tussen zijn wenkbrauwen. Zijn aandacht leek geheel in beslag te worden genomen door het wervelende rivierwater; de *Bangkok Post* lag veronachtzaamd op de tafel voor hem. Een zwartleren aktetas stond keurig rechtop naast de poot van zijn stoel.

'Meneer French?' informeerde ze. Het deed haar deugd dat hij zijn ogen vol interesse enigszins toekneep toen hij zich naar haar toe draaide.

'Mevrouw Fogg?'

Ze stak haar hand uit. 'Ik hoop dat Oliver u gisteren niet uit uw slaap heeft gehaald. Ik ben u erg dankbaar dat u op zo korte termijn bereid was tot een gesprek.'

'Geen dank.' Hij stond op en gaf haar een stevige hand.

Ze gleed in de stoel tegenover hem. 'Zit u al lang te wachten?'

'Drie minuutjes maar.'

'Oliver kan trots op me zijn.' Tegen de ober die bij haar was komen staan zei ze: 'Ik wil graag koffie, een bordje fruit, croissants en havermoutpap.' En tegen de heer French zei ze: 'Ik hecht aan een stevig ontbijt, meneer French. Vaak is het de enige maaltijd waar ik zeker van kan zijn.'

'Alleen koffie voor mij. Mevrouw Fogg...'

Ze overwoog even of ze hem Stefani zou laten zeggen, maar besloot dat niet te doen. Ze had meer behoefte aan een formeel grijs pak dan aan een vriend.

'Oliver Krane heeft me gisteravond slechts beknopte instructies gegeven,' begon French, 'maar hij heeft me vanochtend vroeg een aantal kopieën van documenten gefaxt en ik ben voorafgaand aan onze ontmoeting bijna twee uur bezig geweest met ze te bestuderen.'

Geen prietpraat, geen geruststellend geneuzel ter inleiding; meteen recht op het doel af met de kille feiten. Oliver kreeg waar voor zijn geld.

'Hebt u het testament bekeken?'

'Ik heb álle testamenten bekeken,' verbeterde French haar. 'Het document uit 1960; het tweede, van februari 1967, dat volgens Krane door uw juridisch adviseur in de Verenigde Staten authentiek is verklaard; en Max Rodericks laatste testament waarin hij alles aan u nalaat.'

Stefani's onverschilligheid verliet haar. 'Hebt u een afschrift van Max' testament?'

'Wilt u het zien?' De beslissing werd voor haar genomen, French was al bezig een stapeltje papier uit zijn aktetas te halen. Als verdoofd wachtte ze af.

'Het meeste hiervan is van geen belang. Maar waar het echt om gaat is dit.' Hij schoof één vel papier voor haar neus.

Aan mijn vriend Jeffrey Knetsch laat ik mijn Olympische medailles en alle Wereldbekertrofeeën na. Aan Jacques Renaudie de somma van honderdduizend Franse francs, bedoeld om een aantal maanden bij zijn vrouw, van wie hij vervreemd is, in Parijs te gaan doorbrengen. Aan Sabine Renaudie laat ik mijn ontwerpapparatuur en de inhoud van mijn werkplaats na, met het oog op haar tekentalent en in de hoop dat ze een carrière als ontwerpster zal nastreven met het enthousiasme waarmee ze achter het Oostenrijkse skiteam aan zat. Yvette Margolan laat ik mijn koperen pannen, mijn wijnkelder en mijn viool na, op voorwaarde dat ze na mijn heengaan een feestje te mijner nagedachtenis organiseert in Courchevel.

Stefani's keel was dichtgeknepen, maar het geluid dat ze voortbracht was een lach, geen snik.

Aan Stefani Fogg, wereldburger, laat ik de rest van mijn bezittingen na, waaronder begrepen mijn huis in Courchevel en de nalatenschap die de familie-Roderick achtervolgd heeft, met name de bezittingen van mijn grootvader, John Pierpont Roderick, die op dit moment op onwettige wijze door de regering van Thailand worden vastgehouden en vermeld staan in de laatste wilsbeschikking van John Pierpont Roderick, opgemaakt op 27 februari 1967. De begunstigde van de juridische afwikkeling van de nalatenschap van John Pierpont Roderick is Stefani Fogg, mijn directe erfgename.

Ze keek van het document naar French, die haar taxerend zat op te nemen. 'Interessante lectuur.'

'Inderdaad. In deze stad zou je het zelfs als explosieve lectuur kunnen aanduiden. Maar er kleeft een probleem aan, mevrouw Fogg.'

'Eén probleem maar?'

Naast Stefani's rechterhand werd koffie neergezet. Matthew French roerde een scheutje room door de zijne.

'Jack Roderick was meer dan legendarisch,' zei hij nadenkend. 'Roderick is een symbool geworden van een heel tijdperk in de Thaise geschiedenis; hij is een figuur die zo'n beetje tot het publieke domein is gaan behoren. En praktisch alles wat deze man toebehoorde is onderhand heilig.'

'Ach, wat een kul.' Stefani leunde achteruit in haar stoel; een hand lag boven op haar hoed en de andere om haar koffiekopje. 'Heilige ouwe koeien interesseren mij niet zo erg, meneer French.'

'Nee, dat dacht ik wel.' Hij liet zijn blik van boven naar onder over haar in sarong gehulde gestalte glijden. 'Wat bent u eigenlijk van plan met het huis?'

'Erin wonen. Daar zijn huizen voor.'

'Misschien,' opperde hij voorzichtig, 'zou het helpen als u de garantie gaf dat de kunstcollectie in ieder geval voor het publiek toegankelijk zou blijven. Dat zou de zaak aanzienlijk eenvoudiger voor u kunnen maken.'

'Voor de rechtbank? Of doelt u nu op de netwerken die feitelijk in Thailand de dienst uitmaken?'

'Elke Thaise rechtbank die maar een knip voor de neus waard is, zal uw aanspraken verwerpen op grond van het feit dat Max Roderick de erfenis van zijn grootvader nooit in zijn bezit heeft gehad voordat hij stierf,' antwoordde French, die geen moeite deed zijn ergernis te verbergen. 'Max' poging om zijn vage aanspraken op u over te dragen is – ik zeg het maar ronduit – ondeugdelijk. Het beste wat u kunt doen is proberen het op een akkoordje te gooien. Een regeling treffen buiten de rechtbank om.'

'Dat is een manier om ertegenaan te kijken.'

'Het is waarschijnlijk dé manier om ertegenaan te kijken,' zei French scherp. 'Laten we de feiten eens bekijken, mevrouw Fogg. Jack Rodericks bezittingen – het huis, de kunstcollectie – worden uitstekend beheerd door de Stichting Thais Erfgoedbeheer, die speciaal voor dat doel in het leven is geroepen. Ze zijn nooit uit handen geweest van de stichting sinds Jack Roderick in 1974 officieel dood is verklaard. Toen Max Roderick stierf had hij zijn aanspraken op de nalatenschap van zijn grootvader niet bewezen. De normale gang van zaken – de status-quo zo u wilt – gebiedt dan ook dat de rechtbank helemaal niets doet.'

Stefani prikte een schijfje mango aan haar vork. 'Maar laten we het eens over het grijze gebied hebben, meneer French.'

'Pardon?'

'Het grijze gebied dat de feiten omringt. Jack Roderick heeft een testament opgesteld waarin hij zijn bezit aan zijn directe erfgenamen nalaat. De Thaise regering heeft die wilsbeschikking systematisch genegeerd. Als de man werkelijk een legende is in Thailand – een bron van nationale trots, een heilige koe – dan kan er een geweldige rel ontstaan als bekend wordt dat zijn nalatenschap geroofd is. Wat denkt u dat de publieke opinie zou kunnen bijdragen aan mijn aanspraken?'

Matthew French keek haar recht in de ogen. 'Wou u de publieke opinie gaan bespelen?'

'Natuurlijk. Ik zal het moeten hebben van een publiciteitscampagne. Als ik me alleen op de rechtspraak zou verlaten, kom ik er niet, dat hebt u me net zelf verteld. Ik zal het allemaal op straat moeten gooien.'

French schoof zijn koffiekopje abrupt van zich af. 'Maar dan loopt u het risico juist die mensen tegen u in het harnas te jagen die u het hardst nodig hebt om te winnen. U bent *farang* – een buitenlander – en bovendien een vrouw. U zou… ongevoelig overkomen.'

'Bikkelhard. Macho. Ja, inderdaad.' Stefani glimlachte betoverend. 'Maar daarom heb ik ú ook nodig, meneer French. U kunt me van advies dienen. Ik weet zeker dat u me kunt vertellen hoe ik het precies moet aanpakken. Hoe lang woont u al in Bangkok?'

'Bijna tweeëntwintig jaar.'

'Dan weet u als geen ander wie hier achter de schermen de baas spelen, toch? Vertelt u me eens iets over…' – boog zich naar hem toe – '…Sompong Suwannathat. Voorzitter van de Stichting Thais Erfgoedbeheer.'

'En minister van Cultuur. Geen man om het mee aan de stok te krijgen. Sompong heeft half Bangkok in zijn macht.'

'Daar word ik toch zo moe van, die verhalen over mensen die hij heeft gekocht. Niemand zegt ooit iets over de mensen die hij heeft vérkocht. Die schoft moet toch vijanden hebben?'

'Dat zeker.'

'En bent u in al die tijd dat u in Thailand woont, meneer French, niet bevriend geraakt met een of meer van dat soort lieden?'

Matthew French nam vol aandacht slokjes koffie.

'Met vijanden van Sompong,' vervolgde ze, 'die voor de radio of de televisie werken… of voor de *Bangkok Post?*'

Rush Halliwell was gewend aan weinig slaap. Hoe laat het de vorige avond of nacht ook geworden was, stipt om vijf uur 's ochtends ontwaakte hij uit zijn dromen, als werd er een plons ijskoud water over hem uitgegoten. In het halfduister mediteerde hij dan een halfuur om vervolgens vijf kilometer door de ontwakende stad te rennen, voordat de vuile dampen en het snerpende geluid van *tuk-tuk*-motoren al te opdringerig werden. Om zes uur dronk hij zijn sinaasappelsap in de doucheruimte en klokslag halfzeven stak hij Wireless Road over naar de ambassade van de Verenigde Staten, die een heel stratenblok in beslag nam.

Op deze ochtend kneep hij zijn ogen echter dicht voor het streepje ochtendlicht dat door een kier in de gordijnen naar binnen viel. Zijn hoofd bonkte. Vloekend liet hij het terug op het kussen zakken. Zijn trots was minstens zo erg gekwetst als zijn hoofd. Hij had de man die hem in Chinatown tegen de vlakte had geslagen niet gezien, en diens wapen ook niet. Hij was even na enen op straat wakker geworden van een licht dat in zijn gezicht scheen en de laars van een politieman die in zijn ribbenkast stond te porren. Waarschijnlijk mocht hij van geluk spreken dat hij nog leefde…

De essentie van zijn vak, zo geloofde Rush, was strenge aandacht voor het detail. Hij hield zich zeer nauwgezet aan zijn eigen schema's, tenzij hij ze opzettelijk varieerde, opdat het voorspelbare hem niet noodlottig zou worden. Spionagewerk eiste minder slachtoffers dan deel uitmaken van een VN-vredesmacht, net zo weinig als een verwant beroep, dat van diplomaat. Maar in sommige uithoeken van de wereld dreigde meer gevaar dan elders. Rush hield van gevaar – of liever gezegd, als het hem gevraagd zou worden, zou hij kunnen antwoorden dat hij het geweldig vond om gevaarlijke lieden te slim af te zijn. Hij was de *case officer* van de CIA-post Bangkok die zich speciaal bezighield met de gevaarlijkste doelwitten ter plaatse: gewapende opstandelingen, drugskoeriers, mannen (en vrouwen) die in de illegale wapenhandel zaten. En hij was erg goed in zijn werk. Het hoofdkwartier had hem inmiddels al bijna vijf jaar in Thailand laten zitten – een ongebruikelijk lange periode, het was normaal om elke twee jaar overgeplaatst te worden. Ze waren ingenomen met het gemak waarmee hij de taal sprak en netwerken opbouwde; ze zetten nauwelijks vraagtekens bij zijn privé-leven en gaven hem medailles als blijk van waardering van de kant van de natie.

Hij zou, zo besloot hij nu, met geen woord reppen over zijn nachtelijke stommiteit.

Om negen uur zat Rush achter een bureau van de overheid met een afkoelende beker koffie voor zich en een koptelefoon op zijn hoofd te luisteren naar bandjes met gesprekken die op het ministerie van Cultuur waren gevoerd – een vervelende opeenstapeling van geklets en vage insinuaties met heel af en toe iets bruikbaars ertussen. Zestien maanden geleden had de voorzitter van een Amerikaans-Thaise delegatie op het terrein van antiquiteiten Sompong Suwannathat een zeldzaam Khmer-beeld van kalksteen cadeau gedaan. Het was een meter twintig hoog en bijna een meter breed en prijkte inmiddels op een dressoir in de kamer van de minister.

Sompong was dol op antiquiteiten; hij dorstte ernaar zoals een ander naar kostbare edelstenen. In de kalksteen zat een stem-geactiveerd microfoontje, meesterlijk gecamoufleerd onder een laag verguldsel. De geluiden in Sompongs kamer werden op een bandrecorder in de Amerikaanse ambassade geregistreerd.

Uiteindelijk zou het beeld misschien ergens anders worden neergezet of naar een museum verhuizen, en dan zou de bug gedeactiveerd worden. Maar voorlopig werd elk woord dat Sompong Suwannathat in zijn kantoor uitsprak afgeluisterd door de CIA-afdeling Bangkok. De Amerikaanse in-lichtingendienst kon de sterkte van de Thaise regeringsmacht afmeten aan de mate van stilte in een vertrek, de bloedeloze troonswisselingen van Sompongs maîtresses bijhouden, anticiperen op couppogingen binnen het ministerie en de persoonlijke agenda van de minister vrijwel feilloos in-vullen.

Dat laatste was het belangrijkste. Sompong besteedde zo min mogelijk tijd aan zijn officiële verplichtingen. Hij gebruikte zijn macht als minister van Cultuur daarentegen als springplank voor een verbijsterende hoeveel-heid activiteiten die buiten zijn eigen terrein vielen. Zo was hij flink aan het konkelen om in het volgende kabinet minister van Defensie te kunnen worden; vanuit het gezichtspunt van de plaatselijke CIA zou zijn benoeming op die post desastreuze gevolgen kunnen hebben.

Rush zat met een uitdrukkingsloos gezicht naar het bandje te luisteren. Het gesprek dat hij hoorde was in het Thais — en het was een te gevoelig bandje om door Thai die op de ambassade werkten te laten vertalen. Hij luisterde zo geconcentreerd dat hij niet eens opkeek toen Marty Robbins de beveiligde ruimte binnentrad.

'Is het interessant?' Marty boog zich naar hem over en bracht zijn ge-zicht vlak bij dat van zijn *case officer*. Marty was de veelgeprezen chef van de CIA-afdeling Bangkok. Ook iemand die altijd vroeg uit de veren was. Hij was gedetacheerd geweest in Vientiane, Kuala Lumpur, Hongkong en, nog maar pas geleden, Phnom Penh. Het was een strijdlustige vent met een lijf waarvoor geen confectiemaat bestond, hij droeg idioot opzichtige dassen en zijn hoofd was kalend. Hij behoorde tot de tweede generatie CIA'ers van na de Vietnamoorlog: uitgekookt, hard en gewetenloos, en tegelijk ver-bluffend aardig in een aantal opzichten. Waar het hun werk betrof, de bloe-dige jachtsport tussen de naties, was hij de rivaal van Rush, die maar net iets jonger was.

Marty stak een dikke vinger uit en zette de bandrecorder stop.

'Hij is er gisteravond al vroeg mee gestopt.' Rush legde de koptelefoon op het bureau en wreef voorzichtig over de achterkant van zijn hoofd. 'Hij heeft het vandaag koleredruk. Een ris publieke optredens. Morgen vliegt hij naar Chiang Rai.'

'Natuurlijk, weer naar Chiang Rai,' mompelde Marty met een vies ge-zicht. 'Sompongs privé-rijkje in het legendarische noorden. Neemt-ie ie-mand mee of gaat-ie alleen?'

'Hij vliegt in zijn eentje. Met het ministeriële vliegtuig.'

'Shit.' Marty maakte een halve draai op zijn hakken. Op zijn voorhoofd was het kloppen van een ader te zien. 'Weer een leverantie voor die kna-pen in de rimboe. Wat zou ik graag iemand uit Sompongs entourage rekruteren. Een onderhoudsmonteur van zijn vliegtuig. Iemand die ons een idee kan geven van wat hij uitspookt.'

'We zouden een van die lui uit het veld moeten zien te krijgen,' voegde Rush er peinzend aan toe. 'Om uit te vinden waarom ze aan het trainen zijn.'

Marty gaf geen antwoord. Ze hadden al een agent-in-spe verspeeld, een boer uit Sok Ruap die op een fraaie ochtend met doorgesneden keel was aangetroffen – en de CIA-medewerkers van de naburige basis Chiang Mai begonnen dwars te liggen. De basis Chiang Mai had al te veel op zijn eigen bordje liggen om zich ook nog eens te gaan bezighouden met samenzweringstheorieën uit Bangkok. In het grensgebied in het verre noorden hadden altijd al bendes gewapende mannen rondgezworven en dat zou wel zo blijven ook.

Maar Rush en Marty hadden Sompong Suwannathats vluchten naar de Gouden Driehoek de afgelopen zeven maanden bijgehouden. Verkenningsvluchten en infraroodfoto's leken aan te tonen dat er een niet geringe troepenmacht aan het trainen was in het oerwoudgebied waar Sompong Suwannathat vaak kwam, maar zelfs de CIA kon niet met harde bewijzen komen dat de minister van Cultuur van zins was naar de hoofdstad op te rukken om de macht te grijpen. Sompong was niet de officiële verbindingsman voor een geheime troepenmacht van de regering. Dus wat was dit voor leger?

'Misschien is het zijn persoonlijke lijfwacht,' had Marty geopperd tijdens een gesprek dat ze laat op een avond hadden gevoerd. 'Misschien doet hij er iets naast, iets dat heel gevaarlijk is, en zijn die mannen er om hem te beschermen.'

'Ze zitten wel erg ver van Bangkok af,' had Rush weifelend geantwoord.

'Dat geldt dan ook voor zijn nevenarbeid. Drugs misschien?'

Het was niet onmogelijk dat de minister van Cultuur met hulp van zijn mannen heroïne produceerde – de opiumcultuur was niet voor niets al sinds mensenheugenis van groot belang in de Gouden Driehoek – maar de CIA-afdeling Bangkok kon absoluut geen bewijs vinden dat Sompong in de hoofdstad met het sluiten van drugsdeals bezig was. Als hij in Bangkok was leidde hij een corrupt maar niet direct crimineel leven te midden van zijn gelijken. Zijn normale handel en wandel kwam niet voor gerechtelijk ingrijpen in aanmerking. De ondoorzichtigheid van wat de minister aan het doen was en waarom – plus de frustrerende loyaliteit van zijn persoonlijke medewerkers die zich tot dusver volstrekt immuun voor omkoping, dreigementen of verleiding hadden getoond – dreven Marty Robbins tot uitzinnige woede.

Rush overwoog heel even zijn baas te vertellen dat hij Sompong Suwannathat de vorige avond in een pakhuis bij de Dievenmarkt had gezien, bezig met het bestuderen van wat antiek aardewerk leek. Marty zou hem allerlei vragen gaan stellen, waardoor hij uiteindelijk zou moeten toegeven dat hij de afgelopen avond en nacht een behoorlijke tijd in een Bangkoks riool had doorgebracht, buiten kennis. Rush hield zijn mond.

'Hoe zit het met dat mokkel, die Fogg?' vroeg Marty zonder overgang. Als *case officer* was hij er heel goed in verbanden te leggen tussen verschillende aandachtsobjecten. Hij had veel meer oog voor toevalligheden dan voor vaste patronen. 'Moeten we haar in de categorie boeventuig onderbrengen?'

'Ik weet het niet, maar ze doet zich anders voor dan ze is. Ik heb haar gisteravond het ene na het andere onzinverhaal horen vertellen. En ik ben er nog niet uit wat er wel en wat er niet van waar was.'

'Waarschijnlijk helemaal niets dus. Jij hebt de band beluisterd.' Marty prikte weer met zijn vinger in de richting van de bandrecorder. 'Strontzak Sompong Suwannathat heeft zijn privé-speurneus gisteren om achtergrondinformatie over Fogg gevraagd. Hij heeft Jo-Jo als waakhond naar het Oriental gestuurd. Er is iets gaande, Rush. Waarom is die griet in Bangkok?'

'Voor haar plezier.'

'Op je ogen. Wat weet je van haar connecties?'

'Niets, behalve dat ze een heleboel bankrekeningen heeft.'

'Dus beweegt ze zich op de zwarte markt. Ze financiert zaakjes. Of ze int geld.'

'Ze was hiervoor in Vietnam. En in Laos.'

'Wat? Laat ze Birma links liggen?'

'Nee, daar is ze ook geweest,' gaf Rush deemoedig toe.

'En jij gelooft haar? Jezus, Maria en Jozef, Halliwell! Dat wijf verkoopt je een berg onzin en jij slikt het voor zoete koek. Dat moet wel een stoot wezen.'

'Ze heeft Jack Rodericks huis geërfd. Het museum aan de khlong.'

Marty staarde hem aan. 'Van die naam komen we ook nooit meer af, hè?'

Rush haalde zijn schouders op. 'Ze heeft me gevraagd haar daar vanmiddag te ontmoeten. Ze zegt dat ze hulp van de ambassade wil bij het aanpakken van de Stichting Thais Erfgoedbeheer.'

'Van Sompong Suwannathat dus. Tjezus. Fogg doet of ze een vijand van de minister is en van alles wat hij voorstaat, en betrekt jou erbij. Een dame met ballen. Denk je dat ze weet dat je van de Agency bent?'

'Dat kan niet missen.'

'Hou je aan die afspraak in Rodericks huis,' beval Marty, 'en zorg dat je bij die Fogg in de buurt blijft, puur uit vriendschap uiteraard. Ik laat Avril haar naam checken. Om te kijken of dat verhaal over het huis klopt.'

Avril Blair was de juridisch attachee van de ambassade – de vertegenwoordigster van de FBI in Bangkok. Het was CIA-medewerkers bij wet verboden om de achtergrond van een Amerikaans staatsburger na te trekken. Maar de FBI werd door hen vaak *aangemoedigd* dat wel te doen.

Rush keek toe terwijl Marty zichzelf een kop koffie inschonk. Toen pakte hij de telefoonhoorn en hield die een eindje van zijn zere hoofd af.

'Avril,' sprak hij zachtjes in de hoorn, 'ik wil weten wie keramiek heeft opgeslagen in een pakhuis aan Khlong Ong Ang. Ik geef je het precieze adres.'

13

Bangkok, maart 1949

De dag nadat hij het nieuws over Boonreungs dood vernomen had, ging Jack Roderick naar het hoofdbureau van politie in de wijk Dusit en verzocht om het vrijgeven van het lijk van de jongen. Hij had een officieel document van de ambassade van de Verenigde Staten en ook een van het Thaise ministerie van Binnenlandse Zaken bij zich, voorzien van stempels en zegels, en hij was bereid te wachten terwijl deze papieren werden nagekeken. Hij sprak slecht Thais maar verstond aardig wat woorden, en terwijl hij zat te wachten, zich kalm voordoend, luisterde hij naar de zinnetjes die de mannen op het bureau onderling uitwisselden.

'Een speciaal geval.'

'Ik weet nergens van.'

'Een van de jongens van Gyapay.'

'Ik weet nergens van, dat zei ik je toch.'

'De politieke afdeling.'

'Niets over zeggen, gek, je kan beter je kop houden.'

'De *farang* zit te wachten. Zijn papieren...'

'Stuur hem naar het lijkenhuis. Daar komen alle jongens van Gyapay uiteindelijk terecht.'

Rodericks Packard reed traag tussen een zwerm *tuk-tuks* door over Chulalongkorn Road naar het stadsmortuarium, waar de lijken van arme mensen en politiek uitgestotenen op veldbedden lagen die de Japanners vier jaar terug hadden achtergelaten. Hij liep met een zijden zakdoek tegen zijn mond en neus gedrukt rond en lichtte de zakken op waar de lijken mee bedekt waren.

Oude mannen met ingevallen monden zonder tanden. De obscene naaktheid van oude vrouwen. Een jong meisje, gestorven aan dysenterie of gele koorts, met ribben die scherp uitstaken onder de ontluikende borsten. Een tiener wiens hals was opengesneden.

Roderick liep de middenpaden af terwijl de misselijkmakende stank van gezwollen vlees zich in zijn haar en neusgaten nestelde. Vliegen zoemden om hem heen als een vijandelijk eskader.

Toen hij Boonreung had gevonden, veegde hij het gezicht van de jongen voorzichtig af met zijn zijden zakdoek. Hij nam nauwgezet notitie van de in het oog lopende dingen – de tenen aan de smalle voeten waar de nagels waren uitgerukt, de schroeiplekken op de balzakken waar elektroden hadden gezeten. Toen tilde hij het frêle lichaam op – de bottenzak uit het noordoosten – en keerde het behoedzaam om op het doorzakkende veldbed. Het lichaam was slap en Roderick in al zijn verdriet onhandig, maar hij zag de wond meteen: geen kogel die was afgevuurd op een vluchtende rug, geen willekeurig schot, maar een precies gat aan de onderkant van de schedel. Boonreungs glanzende haar stond stijf van het bloed.

Hij wikkelde de jongen in een schoon gestreken laken van het Oriental Hotel en droeg hem naar de auto. Een lompe versie van een *pietà*, met een volwassen man die huilde.

Die avond zat Roderick alleen te midden van het geroezemoes en gebabbel in de Bamboebar. Thanom, de jonge barkeeper, bewaarde Rodericks Kentucky-bourbon op een speciale plank naast de maltwhisky van McQueen. Beide dranken waren via allerlei omwegen en voor schrikbarende bedragen vanuit Europa geïmporteerd; de namen van de eigenaren stonden op de flessen en niemand anders uit het hotel mocht ervan drinken. Roderick liet het whiskyglas tussen zijn handen draaien; Boonreungs kaketoe zat op zijn schouder.

'Wilt u een pinda voor de vogel?'

'Waarom niet? Dan eet er in ieder geval nog iemand.'

De barkeeper liet een noot op de bar vallen en keek hoe de vogel hem met zijn scherpe snavel kraakte. Thanom was ongeveer van Boonreungs leeftijd, dacht Roderick; de twee jongens waren bevriend geweest. Boonreung hing als hij vrij was vaak rond in de bar, lachend en pratend in zo rad Thais dat Roderick het niet kon volgen. Thanom wist heel wat van de gasten in het Oriental af – wat ze graag aten en dronken, of ze veel wonnen of verloren met gokken, of ze van jongens hielden en niet van meisjes, hoe vaak ze het precies deden. Wat had Boonreung Thanom allemaal verteld in die vrije uurtjes? Had hij opgeschept over wilde ontsnappingen door een doolhof van khlongs, over autotochten naar de grens met Laos? Over een rit naar het noordoosten in een *farang*-auto, vier dagen na Pridi's mislukte couppoging?

'Wacht u op iemand, meneer Jack?'

'Ja,' antwoordde Roderick. 'Op een man die Gyapay heet. Ken je hem?'

Thanom was de bar aan het afnemen met een vochtige doek; zijn bewegingen bleven geconcentreerd. 'Ik heb die naam wel eens gehoord. Een man uit het leger. Mijn oom kent hem vast wel.'

'Zit je oom in het leger dan?'

'Niet meer. Wat hij nu doet is zo geheim dat hij er niet over durft te praten.'

'Ik zou je oom graag ontmoeten.'

'Hij heeft het heel druk.' Er klonk geen aarzeling door in Thanoms stem; hij was pas zeventien, maar onderhandelen ging hem goed af.

Roderick trok zijn portefeuille uit zijn broekzak en haalde er een biljet van duizend baht uit, het bedrag dat Thanom met een maand werken verdiende. Hij schoof het biljet over de glanzend gepoetste bar en keek toe terwijl de jongen zijn hand eroverheen legde.

'Mijn oom werkt 's avonds,' mompelde Thanom. 'Overdag kunt u hem vinden in Thon Buri, bij de Chakkawat-markt. Vraag naar Maha. Dat is de naam waaronder hij bekendstaat.'

De kaketoe krijste en pikte naar Thanom. De jongen gooide hem nog een pinda toe. 'Zo'n vogel trekt zich van niemand iets aan. Waar is Boonreung vandaag?'

'Aan de vlammen prijsgegeven.'

Alle kleur trok weg uit het gezicht van de barkeeper.

'Iemand heeft hem verraden, Thanom,' zei Roderick zacht. 'En ik zal die iemand laten boeten.'

Een watertaxi bracht hem stroomopwaarts naar de bocht in de Chao Phraya en zette hem af op de aanlegplaats bij de Chakkawat-markt. Als de mannen die Pridi Panomyong haatten en vreesden achter hem aanzaten, zoals Alec McQueen geloofde, zouden ze hem eerder te grazen nemen in zijn kamer in het Oriental Hotel dan in de doolhof van kanalen aan de rand van de stad. Roderick begon zich steeds onbehaaglijker te voelen terwijl hij luisterde naar het gefluit van de mensen die op het water woonden, als nachtvogels die van de ene oever naar de andere riepen.

Zijn vriend Carlos was heel goed bekend geweest in de Thon Buri-kant van Bangkok, maar Carlos bevond zich inmiddels al drie jaar in het heuvelgebied van Laos. Roderick was blij dat het water zo laag stond als gevolg van het droge seizoen en zocht zich, als bij instinct, een weg langs de modderige oevers, in de richting van de menigte sampans en huizen op palen bij de markt. Een weduwe genaamd Dunadee woonde in een boot in een doodlopende khlong. Ze had een groot aantal kinderen. Bij haar had Carlos ooit onderdak gevonden toen ontsnappen het enige was waar het op aankwam. Misschien, dacht Roderick, kon zij hem helpen de man die zich Maha noemde te vinden.

Twee dagen later kwam kolonel Billy Lightfoot Bangkok binnengefladderd als hoofd van een delegatie militairen uit de Verenigde Staten. De kolonel lachte luidkeels bij het aanschouwen van het verschil dat vier jaar uitmaakten: het keurige nieuwe vliegveld en de positieve instelling van de mensen. Hij sloeg McQueen op de schouder, dronk sherry met Stanton op de kamer van de ambassadeur, stelde zijn collega's voor en zorgde dat niemand nog om de naam Jack Roderick heen kon.

'Je weet wel, jongens, al die verslagen over Laos die jullie gelezen hebben?' bulderde de kolonel. 'Over de revolutie die op uitbarsten staat? Het einde van Indochina? Dit is de vent die het allemaal bij elkaar heeft geharkt.'

Later, toen het hengstenmaal gedaan was en de rest van de delegatie er onder aanvoering van McQueen opuit was getrokken om het bruisende nachtleven van Bangkok te verkennen, nam Roderick zijn oude instructeur mee op een privé-tour.

'Had nooit gedacht dat Pridi Panomyong de boel nog eens zo zou versjteren,' mijmerde Lightfoot terwijl Roderick de neus van de Packard door het drukke verkeer op New Road manoeuvreerde. 'Weet je nog hoe hoog we hem in de oss-tijd hadden zitten, Jack? Hij verdomde het om het bijltje erbij neer te gooien, ook al rolden de Japanners over hem heen. Ruth stond toen voor iets. Maar tegenwoordig is hij alleen nog een vervelende lastpak. Iedere keer als hij het land binnenkomt, is er weer gelazer.'

'En die klojo die we toen de stad hebben uitgegooid is nu weer de baas. Dan vraag je je af waar we het allemaal voor gedaan hebben.'

Lightfoot zuchtte. 'Je kunt van Pibul veel zeggen, maar hij is in ieder geval soldaat. Plicht en eer komen voor hem op de eerste plaats, vóór persoonlijk gewin. Niet dan? En hij is geen communist.'

'Dat was Hitler ook niet.'

'Hitler is dood. Maar Stalin is springlevend. Weet je wel wat Truman in Korea tegenover zich heeft? Een massale rode strijdmacht, die fanatiek uit is op revolutie. De Commies zijn ook al in Vietnam aan het stoken en weet je wie die klootzakken betaalt? Mao. Het communisme wordt dé volgende grote oorlog, Jack. En Pibul staat nu ten minste aan ónze kant.'

'Het is verdomme geen footballwedstrijd, Billy.' Roderick zette de auto stil voor een winkel aan Silom Road, waar luiken voor zaten en die op dit uur verlaten was. De Chinese karakters op het uithangbord onthulden dat het een wasserij betrof, maar die kon Lightfoot niet lezen.

'Heb je hier een vrouw zitten?'

'Nee, een man. Hij heet Gyapay en is minister van Marteling in het kabinet-Pibul. Het hoofd van de geheime politie.'

Lightfoot floot zachtjes tussen zijn tanden.

'Ze werken hier met zijn vijven, Billy. Twee doen de elektroshocks, een het slaan en schoppen, en weer een ander lapt de slachtoffers op zolang ze ze nodig hebben. En de laatste, Gyapay, stelt de vragen. Ik ken de namen en gezichten van alle vijf.'

'Tjezus, jij krijgt ook overal je vinger achter, ouwe gabber.' Billy Lightfoot tuurde met een half dichtgeknepen oog het duister in, als door het vizier van een geweer.

'Twee nachten geleden volgde ik iemand die Maha heet – specialist in castratie – vanaf zijn huis naar hier. Ik heb hier op straat tot de volgende ochtend staan wachten, tot Maha en zijn vriendjes weer naar buiten kwamen. In de afgelopen achtendertig uur heb ik uitgevonden waar ze allemaal wonen en wat ze in hun dagelijks leven doen. Gyapay is de baas van het spul en de echte schurk. De anderen doen wat hij zegt.'

'Wat wou je hiermee aantonen, Jack?'

'Dit is wat die Pibul van jou, die goeie soldaat, onder plicht en eer verstaat, Billy. Hij martelt de oppositie om die tot zwijgen te brengen. Hij heeft een vriend van mij doodgemarteld.'

'Was dat een communist?'

'Het was nog maar een jongen.'

'Wat een mazzel dat wij in die goeie ouwe US of A wonen, niet?' mompelde Lightfoot.

Toen de volgende ochtend in Thon Buri het eerste lijk opdook, veroorzaakte dat weinig ophef bij de mensen die op de boten woonden. Het mocht dan zo zijn dat de keel van Oude Man Maha op een heel lelijke manier was opengehaald en dat toen zijn lijk uit de khlong werd opgevist de ratten zijn ogen hadden weggeknaagd, maar, zoals de weduwe Dunadee voorzichtig opmerkte, Oude Man Maha was ook een slechte vent geweest, en had zijn verdiende loon gekregen. De bootmensen brandden wierook, betastten hun amuletten en hielden hun ogen afgewend totdat de verwanten van Maha zich over het lijk ontfermden.

De volgende drie dagen doken er nog drie lijken op, steeds in een ander deel van de stad. Eentje had een meswond, midden in het hart, de tweede een kogelgat in zijn slaap, de derde was met wurgstokjes omgebracht. De moorden kregen weinig aandacht in de Thaise pers: men wist dat de slachtoffers lid waren van de geheime politie en dus gehate figuren waren. Maar tegen de tijd dat het vierde lijk werd ontdekt, begon Alec McQueen van de *Bangkok Post* bepaalde vermoedens te krijgen.

'Stuk voor stuk ex-militairen,' mompelde hij tijdens het lezen van de politierapporten. 'Messen in het donker. Christus. Het lijkt het verzet van vroeger wel.'

Maar toen hij bij Jack Roderick langsging in zijn kamer in het Oriental Hotel, toonde die zich allerminst geïnteresseerd in het verhaal. Sinds die jongen vermoord was, dacht McQueen, viel met Jack nauwelijks te communiceren.

De laatste avond van Billy Lightfoots verblijf gaven Roderick en McQueen het ene rondje na het andere in de Bamboebar. Thanom droeg een zwarte band om zijn arm en keek tussen gezwollen oogleden door naar de *farangs* die sterke oorlogsverhalen uitwisselden en elkaar dronken voerden. Uiteindelijk nam Roderick zijn vrienden mee in zijn bejaarde Packard om echt Thais te gaan eten. Hij en McQueen praatten terwijl Lightfoot bijna stikte in limoenblaadjes en *galangal* en zijn ananascurry en gefrituurde meerval wegspoelde met grote glazen bier. Drie vrouwen met koperkleurige ledematen dansten voor hun plezier in de gestileerde, hypnotiserende Thaise *lakhon*-stijl, en toen McQueen meldde dat hij zo geil als boter was en het desnoods met een geit zou doen, stelde Roderick voor om een bezoek te gaan brengen aan Miss Lucy's Hall of Girls.

Miss Lucy's Hall of Girls stond in de *farang*-buurt bekend als de enige tent waar westerse mannen zich vleselijk met Thaise vrouwen konden vermaken zonder het risico te lopen afgeperst of vermoord te worden. Roderick waaide op tijd met zijn gevolg bij Miss Lucy's binnen om de nachtelijke revue te kunnen zien, waarbij de meisjes de laatste minieme lapjes kleding die ze nog aanhadden afwierpen. Hij koppelde Billy Lightfoot aan een rijzige Russische emigrante die zich de naam Lola had aangemeten. McQueen kon niet kiezen uit de Aziatische meisjes en dus koos Roderick voor hem, waarna hij in het gezelschap van Miss Lucy zelf achter zijn vrienden aan naar boven ging.

Miss Lucy was een pientere vrouw met scherpe ogen, een gulle glimlach en een fantastisch benenpaar; het waren benen die volgens de plaatselijke overlevering ooit op een Parijs' podium hadden rondgedanst. Roderick bewonderde Lucy's talent om het iedere man in Bangkok die maar wilde naar de zin te maken, maar waar hij nog meer aan hechtte was haar discretie. Lucy was een oude vriendin en vertrouwelinge van Harold Patterson – Rodericks voorganger als chef van de inlichtingendienst in Bangkok – en het was Patterson die Jack had verteld dat hij op Lucy kon bouwen. Ze had zijn vertrouwen nog nooit beschaamd.

Hij keek toe terwijl ze haar schoenen uittrapte, zich uit haar jurk wrong en hem haar uit haar beha puilende boezem aanbood. Hij stopte een bundeltje bankbiljetten tussen haar borsten en gaf haar een kus op haar wang.

'Jack, Jack,' pruilde Lucy, 'kom je alwéér voor zaken? Wanneer laat je je nu eens verwennen?'

'Genot wordt alleen maar heftiger als je het uitstelt, lieverd. Ik heb weer een alibi nodig. Geef me drie uur.'

Hij liet zich geluidloos als een kat uit het slaapkamerraam in de weelderige tuin van de hoerenkast zakken. Gelach en westerse jazzmuziek, blikkerig klinkend door de afstand, kwamen door de zoet geurende atmosfeer aandrijven.

Chacrit Gyapay was een gedrongen man van drieënvijftig jaar met een onopvallend gezicht en bruine ogen die in de verte deden denken aan die van een basset. Hij was deze avond in een keurig militair uniform gestoken en hoewel zijn maîtresse bijna een uur bezig was geweest om zijn gepommadeerde zwarte haren in de war te brengen, lagen ze nu weer glimmend in het gelid onder zijn uniformpet. Iedere avond verliet hij om drie minuten over elf het appartement waar hij zijn maîtresse onderhield en liep naar de auto met chauffeur die hem langs het trottoir opwachtte. Vanavond was het al niet anders. Gyapay verschikte iets aan zijn manchetten en keek het verlaten trottoir in beide richtingen af. Zoals in veel zijstraten van Bangkok ontbrak ook hier verlichting. In het vage schijnsel dat van het appartementengebouw naar buiten viel, onderscheidde hij de omtrekken van de auto met de chauffeur erin. Alles was zoals het moest zijn. Waarom voelde hij dan een licht onbehagen langs zijn ruggengraat omhoogkruipen? Waarom verstoorde de wrede dood van vier mannen – door en door professionals, dat wel, maar bij lange na niet zo vreesaanjagend als Gyapay zelf – zijn gemoedsrust?

Hij liep met ferme pas naar de achterbank. Zijn chauffeur gleed achter het stuur vandaan om het portier voor hem te openen. Hij hoorde het geruststellende dichtslaan ervan. De auto reed weg en hij wierp een achteloze blik over zijn schouder naar het licht in het gebouw waar zijn maîtresse woonde. Het was al twaalf over elf toen tot hem doordrong dat zijn auto de verkeerde kant op ging.

'Waarom hebt u de jongen genaamd Boonreung gefolterd en vermoord?'

'Ik folter geen mensen, ik begrijp niet wat u bedoelt.'

'Leugenaar. Vertel op, voordat ik u ombreng zoals ik uw mannen heb om gebracht.'

Gyapay had vermoeid zijn schouders opgetrokken, als ontbrak hem het geduld zich op zijn dood voor te bereiden.

'Is hij voor mij gestorven? Of voor een van mijn vrienden?'

'Hij is gestorven omdat de minister die opdracht had gegeven.'

'Welke minister?'

'Er is er maar een die ertoe doet.'

'Ik wil zijn naam weten.'

'Waarom zou ik die zeggen, Roderick? Je schiet me toch een kogel door mijn kop.'

Daar had hij uiteraard gelijk in: Roderick zou nooit zijn toevlucht tot marteling nemen, zoals Gyapay had gedaan, alleen maar om aan informatie te komen. Roderick doodde hem uiteindelijk omdat hem niets anders te doen stond.

Miss Lucy wachtte hem op; diep weggezonken in de kussens lag ze haar nagels te vijlen. Roderick verliet haar bij het aanbreken van de dag en zorgde dat Lightfoot kon douchen en een ontbijt met gebakken eieren kreeg voorgezet, voordat de kolonel weer wegvloog uit Bangkok. Toen hij weer alleen was, reed hij in zijn Packard naar het noorden, tot diep in Khorat, met achterin de ijzeren kist waarin Boonreungs as zat.

'Ik heb de moord op uw zoon gewroken,' zei hij tegen de kleine vrouw die hem tussen de verwelkte moerbeibomen opwachtte. 'Zijn geest heeft rust gevonden.'

'Maar de uwe niet, *farang*. En ik denk niet dat die ooit rust zal vinden.'
Ze legde een slinger van jasmijn om zijn hals en boog diep, terwijl ze de
ceremoniële *wei*-groet uitvoerde.

Roderick zette alle ramen van zijn auto open zodat de wind erdoorheen
kon waaien en reed terug naar de stad. De geur van de dood bleef hangen.

14

De verslaggevers met hun televisiecamera's — van ten minste drie verschillende televisiemaatschappijen, waaronder CNN — wachtten die woensdagmiddag geduldig op de grote binnenplaats van het huis van Jack Roderick, ook al was er drie minuten geleden een regenbui losgebarsten. De museumgidsen in hun traditionele Thaise kledij en de zakelijk in Donna Karan-pakjes gestoken vrouwen die in het kantoor werkten dat zich boven de met het museum verbonden winkel bevond, hadden aanvankelijk hun best gedaan de verslaggevers te weren. Ze hadden echter niets meer kunnen uitrichten toen de verzamelde radio- en krantenjournalisten versterking hadden gekregen van televisieploegen die in busjes met schotelantennes en jupiterlampen arriveerden. De gidsen hadden uiteindelijk ingestemd met een compromisoplossing: de horden journalisten werden bijeengezet in een hoek van de binnenplaats, afgezet met touwen, om ze te onderscheiden van de zeven volgens taal opgesplitste groepen museumbezoekers die geduldig in het naastgelegen café wachtten. De koele dames in hun zakelijke outfit stonden doelloos te drentelen bij de ingang van het museum, met klemborden en microfoontjes tegen hun borst gedrukt.

'Wat is er gaande?' vroeg Dickie Spencer toen hij om kwart voor een aankwam en de regen van zijn paraplu schudde. De directeur van Jack Roderick Silk had een boodschap ontvangen van de wanhopige secretaresse van de Stichting Thais Erfgoedbeheer dat hij naar het museum moest komen. Spencer was onmiddellijk naar het huis van Jack Roderick gereden.

'Een soort persconferentie,' zei een van de vrouwen met klemborden tegen hem. 'We dachten dat u ervan wist.'

Om een uur stond er een fikse menigte op de binnenplaats. De puntige daken van Jack Rodericks huis met hun dieprode pannen en het weelderige groen van de tuin vormden een schitterend decor voor de televisiecamera's. De technici richtten hun lenzen al en schreeuwden bevelen naar de belichtingsmensen. De regen hield abrupt op alsof dat in het draaiboek stond. De toeristen bekeken het spektakel met stomme verbazing en luisterden niet naar de gidsen die hen bezwoeren hun fototoestellen af te geven en hun schoenen uit te trekken om de geboende teakvloeren niet te beschadigen. Iemand fluisterde dat een koninklijk gezelschap het museum bezocht, maar of het om Britse of Thaise gekroonde hoofden ging wist niemand te vertellen. Dickie Spencer haalde zijn stompe vingers door zijn peper-en-zoutkleurige haar en belde zijn assistent via zijn mobiele telefoon.

Een crèmekleurige Mercedes sedan, bestuurd door een chauffeur in uniform, werd om zeven minuten over een toegelaten tot de binnenplaats. Spencer ging de figuur die in het geblindeerde voertuig op de achterbank zat ogenblikkelijk begroeten. Hij stak zijn hoofd door het raam dat was opengegaan en praatte enkele seconden met de inzittende, maar werd niet uitgenodigd om erbij te komen zitten. Vervolgens spurtte Spencer over de binnenplaats naar de winkel en het groepje keurig aangeklede dames. Hij verdween naar binnen.

Klokslag kwart over een kwam een zwarte slee de Soi Kasemsan oprijden, de smalle laan die naar Jack Rodericks huis leidde. Drie verslaggevers braken door het cordon dat de verzamelde pers scheidde van de eigenlijke binnenplaats en renden naar een betere positie bij de toegangspoort. Er werd geflitst. De auto stopte vlak bij de voordeur en een heer met zilvergrijs haar kwam met zoveel aplomb van de achterbank af dat de toekijkende meute zichzelf voor de gek hield en dacht dat het Jack Roderick zelf was met zijn gesoigneerde kapsel en elegante postuur, geen steek ouder geworden sinds de dag, vijfendertig jaar geleden, dat hij verdwenen was.

'Iemand riep: 'Hij is terug! Jack Roderick is terug!'

De gestalte in het grijze kostuum stak glimlachend zijn hand in de lucht. Toen zag de wachtende menigte dat het niet de Zijdekoning, niet de Legendarische Amerikaan was. Hij boog zich de auto in en er stapte een vrouw uit die zijn hand had vastgegrepen: ze was slank en in keurig zwart gekleed. Ze was in de rouw.

De journalisten en toeristen keken zwijgend toe.

Rush Halliwell, die vanuit een raam op de eerste verdieping van het museum naar beneden keek, bezag het tafereel met een geamuseerde glimlach.

Stefani Fogg, zo dacht hij, was een circusdirecteur, die heel Bangkok in een circus had omgetoverd.

'Gezien de duidelijkheid van meneer Rodericks geldige testament,' zei Matthew French plechtstatig, 'verzoeken wij de Stichting Thais Erfgoedbeheer en het ministerie van Cultuur vriendelijk het testament van 1967 aan een herziening te onderwerpen, evenals het beleid van de Stichting ten aanzien van het beheer van Jack Rodericks huis, om aan de aanspraken van mevrouw Fogg op eerlijke wijze tegemoet te komen.'

Sereen verplaatste hij zijn ogen van zijn aantekeningen naar de toeschouwers. 'Dank u voor uw aandacht. Mevrouw Fogg zal graag enkele vragen van u beantwoorden.'

Er brak een hevig tumult los. Aan de andere kant van de binnenplaats gleed het achterraampje van de crèmekleurige Mercedes geluidloos omlaag en Stefani zag het hoofd van een man die al zijn aandacht op haar had gericht. De blik van de man droop van venijn en was kil als de ogen van een adder.

'Mevrouw Fogg! Mevrouw Fogg!'

De verslaggevers riepen om het hardst. Een Thaise vrouw werd bijna platgedrukt tussen twee plompe manspersonen, haar arm hield ze smekend omhoog gestoken. Stefani wees naar haar.

'Waarom heeft de familie van Jack Roderick zijn tweede testament zo lang achtergehouden?' riep de vrouw, en hield haar microfoon in Stefani's richting uitgestoken.

'Het schijnt dat Jack Roderick het testament per ongeluk op een verkeerde plaats heeft neergelegd,' antwoordde Stefani. 'Toen het document achttien maanden geleden werd aangetroffen bestreden de Stichting Thais Erfgoedbeheer en het ministerie van Cultuur de authenticiteit ervan. De advocaten van de familie Roderick hebben echter aangetoond dat de handtekening van Jack Roderick authentiek is en dat er geen twijfel over bestaat dat het testament de uiterste wilsbeschikking van meneer Roderick is. Ik sta hier nu voor u omdat ik wil dat gerechtigheid geschiedt.'

'Denkt u dat Jack Roderick is vermoord om de Thaise regering in de gelegenheid te stellen zijn kunstcollectie in te pikken?' schreeuwde een man.

'Niemand weet wat er met Jack Roderick gebeurd is. Wat we echter wel kunnen vaststellen is dat de Thaise regering heeft geprofiteerd van Rodericks nalatenschap en zijn familie niet.'

Stefani's ogen dwaalden over de oprukkende massa verslaggevers en bleven rusten op een man die geen microfoon, bandrecorder of pen bij zich had. Het was een forsgebouwde Aziaat met uitdrukkingsloze ogen en glimmend zwart haar, die zijn armen beschermend voor zijn borst had gevouwen. De schurk uit het Oriental Hotel. Haar schaduw. Rush Halliwel moest hem verteld hebben waar en wanneer hij haar kon vinden. Ze had Rush vanmiddag uitgenodigd naar het museum te komen als een soort test; nu had ze haar antwoord.

'Wat wilt u met het huis gaan doen?'

De vraag kwam van een man met een zachtmoedige oogopslag en helderblauwe ogen, een westerling met een blocnootje in zijn hand.

'Ik heb op dit moment nog geen plannen,' antwoordde ze. 'Het ligt in mijn bedoeling Jack Rodericks nagedachtenis te eren en zijn familie schadeloos te stellen, want de rechten van de familie zijn jarenlang veronachtzaamd.'

'Maar de familie bestaat niet meer, mevrouw Fogg,' ging de verslaggever tegen haar in. 'Geeft u dat maar toe. U jaagt een fortuin na ten koste van het Thaise volk. U hebt het op onze nationale kunstschatten gemunt.'

Onze kunstschatten dacht ze. 'Het ligt niet in mijn bedoeling het publiek de toegang tot de collectie te ontzeggen. Als de Thaise minister van Cultuur, de heer Suwannathat, bereid is mij tegemoet te komen, kunnen we mogelijk een compromis over de toekomst van het museum sluiten.'

Aan de andere kant van de binnenplaats gleed het raampje van de Mercedes weer geluidloos dicht. De motor werd gestart.

Aan de andere kant van de Soi Kasemsan klonk een sirene. Dickie Spencer had de politie gebeld.

'Leuke voorstelling,' fluisterde Rush Halliwell in haar oor. Hij was de hoofdtrap van het museum afgelopen en door de voordeur naar buiten gekomen, zodat hij pal achter Stefani stond toen de politie arriveerde. 'Je lijkt me een vrouw die consulaire hulp goed kan gebruiken. 'Wil je dat ik ingrijp?'

'Roep je waakhond terug,' zei ze pinnig.

'Mijn waakhond?'

Ze knikte in de richting van de breedgeschouderde man met donker haar die in het gedrang naar hen op weg was. Achter hem deinden de hoofden van journalisten als kegels op een bowlingbaan. De bult op Rush' achterhoofd klopte pijnlijk.

'Die kerel heet Jo-Jo en hij hoort bij die vent in de Mercedes,' mompelde Rush. 'Sompong Suwannathat als ik me niet vergis. Ik ken zijn nummerbord.'

Ze verstijfde. 'Stel je me aan hem voor?'

'Aan de minister? Nee, dankjewel.' Hij greep haar stevig bij haar pols en duwde en trok haar mee naar de wachtende zwarte limousine.

Maar Jo-Jo was er eerder dan zij; hij had zich stevig voor het portier geplant, als een ondoordringbare muur. Via de toegangspoort was er geen ontsnappen aan: de politie was gewapend met megafoons bezig de journalisten naar de enige uitgang te drijven. Cameraploegen waren het allemaal druk aan het filmen.

'Shit,' mompelde Rush in zichzelf.

Stefani wrong haar hand los uit zijn greep en rende terug naar het huis. Ze wilde naar de tuin, naar de poort bij de khlong en het water erachter.

De khlong. Misschien lukte het.

Hij draaide zich abrupt om en botste keihard tegen de borst van Matthew French op. De advocaat staarde de vluchtende gestalte van zijn cliënte na.

'Hou die vent die de auto blokkeert tegen,' zei Rush dringend. 'Doe wat je kan. Ze loopt gevaar.'

Ze had een tuinbank naar de muur van sierstenen gesleept en probeerde een been over het akelige prikkeldraad dat eroverheen liep te slaan.

'Vond je het nu echt nodig om vandaag zo'n rok aan te trekken,' zei Rush. 'Tjezus, wat een strak geval.'

Hij sprong naast haar omhoog en begon met zijn Zwitserse legermes het prikkeldraad door te snijden.

'Ik heb jou niet nodig om...'

'Jawel. Hou vast.'

Hij gaf haar zijn jasje en dook zonder aarzeling de khlong in.

Het water was kouder dan hij verwachtte, kouder dan in de tijd dat hij geregeld van de sluisdeuren sprong, samen met andere gebruinde, halfblote jongetjes, Thaise jongetjes, puur voor de lol. Hoe oud was hij toen geweest? Acht? Tien? Rush kwam proestend weer boven en zwom naar de Ban Khrua-kant van de khlong en de steiger die in het water uitstak. De weversgezinnen waren allang verdwenen en wat hier nog restte waren schuren van handelsondernemingen. Hij wilde liever niet denken aan wat er nog meer in het bruine water om hem heen rondplaste.

Hij hees zich op de steiger, die hevig schommelde op zijn drijvers. Op de modderige oever lagen twee boten op hun kop. Hij draaide de kleinste om en vond de peddels die eronder lagen.

Hij hoorde een plons en toen hij haastig omkeek zag hij Stefani's donkere hoofd boven het woelige water uitkomen. Jo-Jo stond aan de tuinkant van de khlong-poort, met zijn handen op de muur.

Ze hees zich naast hem op de steiger; Rush liet de boot in het water zakken en ze stapte er meteen in. Aan twee kanten van de khlong stonden nu mensen naar hen te schreeuwen.

Terwijl ze wegpeddelden stak ze haar middelvinger naar Jo-Jo op.

'Die kerel kwam gisteravond op de cocktailparty in het Oriental naar jou toe om verslag uit te brengen,' zei Stefani, terwijl ze khlongwater uit haar haar perste. 'Leg uit.'

'Jo-Jo is een betaalde lijfwacht die bij voorkeur een Uzi hanteert.' Rush peddelde stevig door en de boot schoot over het bruine water; de stank van afval en rottende waterplanten was verschrikkelijk; Stefani trok haar neus op terwijl ze haar verpeste zwarte pakje bekeek.

'Ik hou Jo-Jo al jaren in de smiezen,' vervolgde Rush, 'maar ik ben hem nog nooit eerder in het Oriental tegengekomen. Ik versperde hem de weg op die party en toen vertelde hij me in vloeiend Maleis dat ik zijn reet kon likken.'

'Hij zat in de lobby van het hotel toen ik dinsdagochtend aankwam. Die middag gapte hij iets uit mijn tas. En als ik me niet vergis, had hij daareven het plan me met geweld mee te slepen. Binnen vierentwintig uur is hij van observeren op kidnappen overgegaan.'

'Hij voert orders van Sompong uit.'

'Wil de minister met me babbelen?'

'Ik zou er niet zo luchtig over doen,' zei Rush botweg. 'Jo-Jo is geen zachtzinnige knaap en ik maak me nu meer zorgen om je veiligheid dan gisteravond – en gisteravond was ik al ziek van bezorgdheid.' Hij vertrok zijn gezicht toen hij aan de slag tegen zijn hoofd dacht. 'Wat heeft hij uit je tas gegapt?'

'Een blaadje papier. Ik had er aantekeningen op gemaakt.'

'Ga er dan maar van uit dat Sompong die gelezen heeft.'

Ze tuitte haar lippen, maar meer informatie verschafte ze hem niet.

'Stefani, je moet me vertellen waarom de minister zijn ingehuurde kleerkast op jou heeft afgestuurd.'

'Ik wil Sompongs huis.'

'Zo simpel ligt het niet. Hij wist al wat je kwam doen.'

'Wou je me nu echt wijsmaken dat Sompong Suwannathat vóór vanmiddag mijn naam al kende en wist wat ik in Bangkok kwam doen? Dat is belachelijk.'

'Van mij geloofde je dat anders wel,' merkte hij kalm op.

'Jij hoort bij de Amerikaanse regering,' kaatste ze terug. 'Jij weet veel meer dan gezond is voor wie dan ook. Gisteren zou ik gezworen hebben dat jij me Jo-Jo op mijn dak had gestuurd. Maar omdat je er vandaag niet in geslaagd bent me aan hem over te dragen...'

'Laat ik een ding even heel duidelijk stellen, juffrouw Fogg,' zei Rush kwaad. 'Ik zoek geen contact met een observant die voor mij werkt in het volle zicht van mijn doelwit. Ik nodig iemand die ik volg niet voor een intiem dineetje uit. En ik zou zo ontslagen kunnen worden – of nog erger – wegens het volgen van een Amerikaans staatsburger. Ik heb die hond niet op je losgelaten.'

Haar donkere ogen namen hem nauwlettend op. 'Ik ben gewaarschuwd voor jou. Of liever voor de mensen voor wie je werkt.'

'Door wie?'

'Max Roderick. Hij vertelde me dat de CIA op de hoogte is van de omstandigheden waaronder zijn grootvader de dood vond. En dat ze zouden zorgen dat de waarheid niet aan het licht kwam.'

'Wie heeft jou verteld dat ik voor de CIA werk?'

Ze snoof minachtend en bleef hem aankijken.

Halliwell zuchtte geërgerd. 'Jij denkt dat Max vermoord is, hè? Ik ook. Maar ik heb zijn rolstoel niet de afgrond in geduwd. En ook niemand van degenen voor wie ik werk.'

Hij zag aan de kleine beweging die ze met haar hoofd maakte dat hij haar verrast had met zijn laatste opmerking. Hij liet de peddels rusten.

'Max heeft me achttien maanden geleden hetzelfde sprookje over zijn grootvader verteld. Hij had het tweede testament net een paar weken daarvoor gevonden en was voor korte tijd naar Thailand gekomen. En daarmee begonnen al zijn moeilijkheden.'

'Heb je hem *ontmoet?*' zei ze snel, en op een toon alsof alleen al die gedachte pijnlijk voor haar was. 'Waarom heb je me dat verdomme niet verteld?'

'Ik heb drie dagen met hem doorgebracht. Hij kwam naar de stad toen onze minister van Defensie hier ook was. Zo'n beetje de hele ambassade liep toen pluimstrijkend achter die man aan. En ik bleef zitten met het echte werk. Ik raakte met Max in gesprek.'

Haar ogen hadden een hunkerende uitdrukking gekregen die hij verontrustend vond. De boot schommelde zacht heen en weer op de trage stroming.

'Wat wilde hij?' vroeg ze recht op de man af.

'Hij wilde alles weten wat wij over zijn familieleden wisten. Hij dacht misschien dat we ladenvol dossiers over Jack Roderick zouden hebben. Ik kon hem niet verder helpen.'

Ze lachte wrang. 'Hij verwachtte dat jullie hem zouden tegenhouden. En dat hebben jullie gedaan.'

'Van Jack Roderick werd beweerd dat hij een groot deel van zijn leven spion is geweest. Wie weet hoe sterk zijn banden met de Verenigde Staten waren sinds hij zijn zijde-industrie had gevestigd? Voor iemand die in de jaren vijftig en zestig zogenaamd druk bezig was met het beramen van coups besteedde hij wel erg veel tijd aan het aan het werk houden van wevers en het verzamelen van kunst. Max leek ervan overtuigd te zijn dat zijn grootvader tegen de oorlog in Vietnam was – en dat hij daarom door de inlichtingendienst waar hij zelf voor werkte geëlimineerd werd.'

'Is dat zo gek gedacht dan?'

'Schiet toch gauw op, Stefani,' snauwde Rush. 'Het is een klassiek voorbeeld van de cynische gedachtegang van iemand die overal complotten in ziet. Onwetendheid verstopt achter het mom van zogenaamde clandestiene informatie. En dat heb ik ook tegen hem gezegd. Maar toen bedacht ik: *Max is een Roderick.* Twee generaties mannen van de familie Roderick stierven een gewelddadige dood waarvoor geen verklaring is gevonden. Dus wat zal de derde generatie dan geloven?'

'Het was niet alleen maar theorie,' hield Stefani vol. 'Als kleine jongen zag hij dingen die...'

'De man in uniform die de trap af rende,' zei Rush spottend. 'Roderick die met een bebloed gezicht stond te schreeuwen. Wat bewijst dat, verdorie? Niets, behalve dat een kind van vier enge spoken ziet als hij onverhoeds uit zijn slaap wordt gerukt.'

'Heb je ooit geprobeerd er meer over aan de weet te komen?'

'Dat was niet nodig.' Hij liet de peddels weer in de khlong zakken. 'Als je de geschiedenis van de oorlog in Vietnam hebt bestudeerd, dan weet je dat de CIA voortdurend in gevecht met het Pentagon is geweest over het waarheidsgehalte van spionagerapporten. Over het inschatten van de troe-

220

penmacht van Noord-Vietnam bijvoorbeeld: de CIA gaf veel hogere schattingen van het aantal vijanden dan de legerleiding wenste door te geven aan Johnson. Het leger maakte er andere getallen van en kreeg klop toen er veel meer Viet Cong uit de rijstvelden kwamen gekropen. Er rolden koppen. Mannen die naar eer en geweten hun best hadden gedaan kregen het voor hun kiezen. Maar niemand werd letterlijk om zeep geholpen. Ook Jack Roderick niet.'

'Feit blijft dat Roderick verdwenen is. En niemand – in Thailand of de Verenigde Staten – heeft ooit willen vertellen waarom.'

'Misschien heeft hij wel zelfmoord gepleegd,' opperde Rush. 'Als je twintig jaar bezig bent geweest zielen van mensen te kopen, kan dat je naar de keel vliegen.'

15

Bangkok, 1951

In de maanden na Boonreungs dood stortte Jack Roderick zich geheel en al op de verkoop van zijde. Hij besteedde uren en uren aan de dingen waar hij van hield en niet aan Edwin Stanton of Stantons opvolgers op de ambassade. Terwijl de jaren-Truman plaatsmaakten voor de periode-Eisenhower en Mao Tse-toeng China steeds sterker in zijn greep kreeg meed Roderick de Amerikaanse ambassade en leefde zoals hij zelf wilde, een boegbeeld van de expat-gemeenschap en het middelpunt van alle geruchten die onder Thai de ronde deden.

Het was niet onterecht dat er zo over hem gefluisterd werd. Ook al had hij met de CIA afspraken gemaakt waardoor hij te werk kon gaan zoals hij wilde – als exporthandelaar zonder banden met de ambassade en zonder diplomatieke status – hij bleef de ogen en oren van de spionnenmeesters in Washington en er waren te veel Thai die daarvan op de hoogte waren. Zijn talrijke, vaak invloedrijke vrienden kwamen uit alle lagen van de Bangkokse bevolking: ambulante politieagenten, mieverkopers, courtisanes en kappers, assistent-hoofden van politie. Die laatsten waren ambitieus en lieten zich daarom sneller inkapselen. Ze zaten met hem aan tafel en legden hun ziel bloot, ventileerden hun opvattingen, verrieden de geheimen van hun liefjes. En als na zo'n avondje een bescheiden bedrag van hand tot hand ging... ach, dat geld was niets anders dan een blijk van achting en welgezindheid. Je kon het nauwelijks een bindend contract noemen. De kracht van Roderick school niet zozeer in het feit dat hij mensen kon kopen, maar in de charmante manier waarop hij dat deed. Voor al zijn vrienden was duidelijk dat Roderick van ze hield, dat hij hen begreep, dat hun dromen van een expansieve toekomst hem na aan het hart lagen.

En toch waren er ogenblikken dat zijn heldere, lichte ogen dwars door iemand heen keken, tot in het diepst van zijn ziel, en dat de herinnering aan het lot van Gyapay zijn gemoedsrust kwam verstoren; het geld werd snel en onvoorzichtig overgedragen, en niet zonder huivering.

Roderick was Washingtons coördinatie- en verrekencentrum voor alle clandestiene operaties die in Thailand werden opgezet. In dat decennium tijdens de Koude Oorlog vormden clandestiene operaties de bestaansgrond voor de CIA. De Agency deed wat de president of het Congres nooit zou willen toegeven: kiezers beïnvloeden, democratische kandidaten een steuntje in de rug geven, verkiezingen op touw zetten, krantenuitgevers onder druk zetten, carrières maken of breken. En zij die deze clandestie-

222

ne operaties uitvoerden konden terugvallen op de ruime fondsen die jaarlijks beschikbaar werden gesteld door Defensie met instemming van het Congres, en ze deden het om de Sovjets eronder te krijgen, die er – samen met Mao's China – op gebrand waren om de wereld onder hun heerschappij te brengen. Het was een vuil spelletje en het slaagde gedeeltelijk door het prestige dat de Amerikanen genoten. De Amerikanen hadden de wereld tijdens de laatste oorlog bevrijd van tirannie. De Verenigde Staten stonden voor vrijheid. Ze waren het enige lichtende baken dat bestand was tegen de immense Russische duisternis. En Roderick zette nooit vraagtekens bij de uiteindelijke doelstelling. Hij was Amerikaan op grond van privilege, geboorte en overtuiging. Hij wist dat hij een object van jaloezie voor minder bedeelden was.

Washington stelde zich er tevreden mee dat veldmaarschalk Pibul aan de macht bleef. Pibul was geen democraat, maar hij was van alle krachten in Thailand de minst communistische. Sinds Pridi Panomyong naar Peking was gereisd om zich onder Mao's hoede te plaatsen, stond de CIA wantrouwig tegenover mensen die tijdens de oorlog in het verzet hadden gezeten en hun twijfelachtige ambities. Voor zolang als het duurde gedroeg veldmaarschalk Pibul zich vertrouwenswekkend verstandig. Pibul had lering getrokken uit het gruwelijke einde van zijn folteraar en hield zijn geheime politie nu beter in toom.

De mensen in Bangkok waren allang tot de slotsom gekomen dat Roderick verantwoordelijk was voor de dood van Gyapay en zijn kornuiten en waren hem daar grotendeels dankbaar voor – met uitzondering van Thanom, de jonge barkeeper in het Oriental Hotel. Thanom had zijn verdenking tegenover het andere personeel niet onder stoelen of banken gestoken, en al kon hij niet bewijzen dat Roderick zijn oom de keel had doorgesneden en kwam het niet in zijn hoofd op iets los te laten over de martelingen die tot Oude Man Maha's takenpakket behoorden, zijn woorden klonken wel degelijk overtuigend. Het was alom bekend dat Roderick in de armen van Miss Lucy lag toen het hoofd van de geheime politie, Chacrit Gyapay, in zijn eigen auto was doodgeschoten. Maar Thanom wist de indruk te wekken dat hij alles afwist van sinistere daden van de *farang* die zich voordeed als een van de hunnen, en sprak daar op geheimzinnige toon over. Achter Rodericks rug maakte Thanom het bezwerende gebaar tegen kwaad. En uiteindelijk leidde dat ertoe dat aan de Amerikaan huiveringwekkende krachten werden toegeschreven. Hij werd met voorkomendheid en respect bejegend.

Roderick verhuisde uit het Oriental naar kamers niet ver van Ban Khrua waar zijn zijdewevers woonden.

Hij merkte tot zijn verrassing dat het leiden van zijn bedrijf hem op een onverwachte manier met het leven in Siam verbond. Hij begon zich te interesseren voor de gewoonten van de wevers, de voorschriften van hun islamitische geloof, de naam en leeftijd van hun kinderen. Vroeg in de ochtend zat hij met gekruiste benen bij hen op hun houten veranda's, terwijl Boonreungs verweesde kaketoe aan zijn oor knabbelde, en hakkelde woorden in het Thais waarvan geen van zijn westerse vrienden wist dat hij er iets van verstond. Hij verdiepte zich in de geschiedenis van Siam, in de studie van antieke kunstvoorwerpen, in de chemie van Zwitserse aniline-verfstoffen, en hij begon te experimenteren in het water van de khlong, hing strengen zijde te drogen op hoge rekken, cerise, aquamarijn, chroomgroen. Hij maakte tochten met vrienden van het Siam Genootschap, een plaatselijke groep bestaande uit enthousiaste liefhebbers van antiek, diep de dichte wildernis van het binnenland in, en keerde terug met schatten van verloren rijken. Nooit meer zou hij een zo kostbare zeldzaamheid als de Boeddha-grot overlaten aan de nietsontziende bijlen en messen van plunderaars. Hij was slechts eenmaal sinds die eerste tocht in 1945 naar de kust in het zuiden van Thailand teruggekeerd en had de grot geplunderd aangetroffen; het hoofd van de Boeddha was op ruwe wijze uit de wand van de grot gehakt.

Maar hij reisde keer op keer naar de oude hoofdstad Ayutthaya.

De stad was in de veertiende eeuw gebouwd als oord om aan de pokkenepidemie te ontsnappen, op een groep eilandjes op de plek waar drie rivieren bijeenkwamen. Ayutthaya's macht en rijkdom breidden zich uit tot de stad aan het eind van de zeventiende eeuw heel Siam onderworpen had. Maar toen, in 1767, plunderden de Birmezen de stad, en brachten al degenen die ze niet aan hun zwaard regen tot slavernij.

Nu rezen de ruïnes troosteloos omhoog tussen de gespreide bebouwing van de nieuwe stad. Grauwende *singha's*, mythische leeuwen zo groot als paarden, op wacht bij vervallen *wats*. Sterrenobservatoria boven in torens. Afbrokkelende paleizen met opgedroogde fonteinen. Graftombes van prinsen uit lang vervlogen tijden in de wurgende greep van slingerend onkruid. Zelfs de heilige tempel waarin de voetafdruk van Boeddha bewaard was gebleven ging schuil onder groen.

Roderick zwierf er rond en staarde niet naar *wats* of paleizen maar naar de huizen van de gewone mensen, die gebouwd waren van rijkversierd hout: huizen van drie eeuwen oud, waarvan de houten wanden door houten pennen bijeen werden gehouden en met spitse daken. Aan de hoeken hingen de *cho fa*, cobra-achtige gevelornamenten die Siam van de Khmer had overgenomen. Roderick was helemaal wild van de houten huizen met hun houtsnijwerk. Hij trof ze aan in de oude hoofdstad zelf, en in de dorpen ten noorden van Ayutthaya, en zelfs in de wirwar van kleine straatjes in de armste wijken van Bangkok. Hij had ooit, in die verre periode voor de oorlog en voor Joan, een architectenopleiding gevolgd, en iets van dat vak had hij nog steeds in zijn vingers. In maart 1951 kocht hij zes van deze oude teakhouten huizen van eigenaren die ze maar al te graag aan hem kwijt wilden, en haalde ze ter plekke uit elkaar.

Het stuk land waarop hij ze weer in elkaar wilde zetten bevond zich op de oever van Khlong Mahanak. Hij kende dat kanaal heel goed, want de wijk waar de zijdewevers woonden grensde eraan. Iedere ochtend liep hij tussen deze mensen rond om de zijde te bekijken die van hun weefgetouwen kwam. Hij stelde zich een huis voor, heel ruim, met vleugels opgebouwd uit de zes huizenskeletten, in een goed onderhouden tuin. Hij zag een terras voor zich van zachte Ayutthaya-stenen van driehonderd jaar oud, met uitzicht op de khlong. Hij zag fakkels voor zich en mensen en hij hoorde hun gelach in het nachtelijk duister. Hij zou schuiten huren om zijn zes huizen over de Chao Phraya te vervoeren naar de plek aan de Khlong Mahanak, en hij zou de wanden van de huizen omgekeerd neerzetten, zodat hij binnen zijn handen over het houtsnijwerk kon laten glijden. Hij zou handwerkslieden uit de oude hoofdstad laten overkomen die nog wisten hoe er in de oude stijl gebouwd werd. Hij zou zijn vloeren beleggen met koninklijk marmer dat hij uit verlaten paleizen had geroofd.

Tijdens de lange maanden waarin het huis aan de khlong gebouwd werd, kwamen er driemaal boeddhistische priesters naar deze plek. De eerste ceremonie werd op een nauwkeurig bepaald tijdstip vroeg in de ochtend gehouden, het uur waarop volgens astrologen goedgunstige geesten aanwezig zouden zijn en de werklieden de eerste teakhouten zuil van het huis het best konden oprichten. Roderick gaf een feestje voor zijn vrienden, de brahmaanse priester en de negen gewone monniken uit Ayutthaya, die gebeden opzeiden terwijl de zuil omhoog werd getrokken. Schalen met voedsel werden op voorgeschreven plaatsen op het terrein neergezet om de aardgeesten ertoe te bewegen Roderick en zijn bouwvakkers te behoeden. Het voedsel werd door de ratten uit de khlong opgevreten, maar aangezien dit te verwachten viel werd het als een gunstig teken gezien. De bouw ging voortvarend van start. Maanden werd er hard gewerkt, tot het tijd was voor de volgende ceremonie.

Die bestond uit het oprichten van het geestenhuis in Rodericks tuin. In Thailand is het noodzakelijk de geest die men uit zijn plek in de aarde verjaagt onderdak te verschaffen, en aan de geesten van Ban Khrua en Khlong Mahanak werd veel macht toegeschreven. Het huis van de geest mocht nimmer geraakt worden door de schaduw van een gebouw. In de drukke straten van de stad begon dit een flink probleem te vormen. Alle mogelijke slechte zaken – inbraken, een gebrekkige riolering, geruzie met bedienden en slecht lopende zaken – konden worden teruggevoerd op slechte zorg voor het geestenhuis. De priester had bijna een hele ochtend nodig om vast te stellen dat het huis precies op de plek kon worden neergezet waar Roderick het het liefst wilde hebben; vervolgens raadpleegde de oude man zijn astrologische tabellen en bracht de genealogie van de huisgeesten in kaart.

De dag om te verhuizen vereiste opnieuw raadpleging van de tabellen en verdere berekeningen. In Rodericks geval bleek het beste tijdstip om zich van geluk te verzekeren en het Lot gunstig te stemmen verscheidene weken voor de voltooiing van het huis te vallen, maar hij liet de negen monniken weer komen. In de lotushouding namen ze plaats op de ruwe vloer van zijn woonkamer, met hun gezicht naar de khlong gewend. Ze baden en zegenden het huis opnieuw. Bladgoud en sandelhoutpoeder werden op de lateien van alle deuren en op Rodericks voorhoofd aangebracht. Hij sliep die nacht alleen op de vloer van zijn slaapkamer en werd wakker van het gezang van zijn wevers aan de overkant van de khlong.

En eindelijk, op een dag dat het regende en de zon scheen, ging hij op weg naar de Nakorn Kasem, de oude Dievenmarkt, terwijl een leeuwerik in zijn binnenste zong en zijn handpalmen tintelden. Iets wachtte hem op in de wirwar van steegjes en winkeltjes waar alle kunstschatten van Azië uiteindelijk belandden; er was iets dat meezong met de stemmen van de wevers en de rimpelingen in de khlong. Op zo'n dag kon hij geen kwaad doen – hij was op jacht. En de jacht, daar leefde hij voor.

Hij betastte schalen van bewerkt zilver en Bencharong-kopjes; bevuilde zijn vingers met het stof van manuscripten en waste ze weer voordat hij zich aan een lunch van garnalen met bier zette. Hij ging met zijn vingers over de kralen en het borduurwerk van een paar zijden schoenen. Hij hield een robijnen broche tegen het licht, voordat hij zich ontmoedigd herinnerde dat hij geen vrouw meer had om zoiets naartoe te sturen. En nog steeds was de roep van de leeuwerik in zijn borst niet beantwoord.

Pas toen hij alweer op weg naar huis was tussen de stalletjes van Chakkrawat Road struikelde hij erover.

Een gedicht in steen; de kalkstenen ogen in sublieme sereniteit halfgeloken, het voorhoofd lichtjes rustend tegen een hand. En op de plek waar hij wist dat het hoofd overging in de hals en de massieve romp: niets, behalve een gat.

De Boeddha van de verborgen grot. *Zijn* Boeddha.

Waar ooit een robijn in het voorhoofd had gezeten bevond zich nu alleen een gat als een rafelige wond. Hij bukte zich en liet zijn vinger langs de rand van het gat glijden, denkend aan de edelsteen die hij al vijf jaar in zijn slaapkamer bewaarde. De robijn die zijn oude vriend Carlos naast het lijk van een vermoorde koning had aangetroffen.

'Waar hebt u dit hoofd vandaan?'

De handelaar glimlachte. 'Het is fraai, hè? Heel kostbaar. Heel oud...'

'Ik weet het,' zei Roderick, en keek hem recht in de ogen. 'Ik heb het beeld zes jaar geleden zelf gevonden in een grot aan de kust in het westen. Toen zat er nog een lijf aan. Ik vraag u nogmaals hoe u eraan komt.'

De glimlach van de handelaar werd zuur. Hij liep achteruit zijn winkel in. 'Meneer vergist zich. Meneer heeft dit beeld nooit eerder gezien. Het heeft al dertien jaar in mijn pakhuis gelegen. Ik heb het van een heel oude klant van me, uit Vientiane...'

Roderick hield de houten deur tegen die anders voor zijn neus zou zijn dichtgeslagen. 'Laten we om de waarheid dobbelen.' Hij haalde een portefeuille uit zijn zak en hield hem de handelaar onder zijn neus. 'Tweeduizend baht. Als het geluk aan uw zijde is, vertelt u me niets en zijn de tweeduizend voor u. Maar als het geluk aan mijn kant is, betaal ik u tweeduizend voor het hoofd en de naam van de man die het u verkocht heeft. Akkoord?'

De dief van Nakorn Kasem dacht na over het aanbod en keek toen in de genadeloze ogen van de man tegenover hem. Zijn vingers sloten zich om het geld.

16

Stefani Fogg fronste terwijl ze op donderdagochtend voor het raam van haar privé-ontbijtkamer een clementientje zat te pellen. Dat kwam niet doordat het uitzicht op de rivier minder betoverend was dan de avond ervoor. Ze had goed geslapen en was voor het ontbijt de Chao Phraya overgestoken om te fitnessen en zich te laten masseren. Wat haar nu dwarszat was de manier waarop de spectaculaire persconferentie van gistermiddag in *The Bangkok Post* werd weergegeven.

De lokale televisie had zes minuten aan het verhaal gewijd, compleet met beelden van Stefani, haar advocaat en de politie die in oproertenue was komen opdraven. Een Bangkokse televisiezender had het nieuws neutraal gebracht, en een andere met duidelijk positieve aandacht voor haar aanspraken. CNN gebruikte het item als springplank om het sinistere verhaal over Jack Rodericks verdwijning en zijn vermeende spionageactiviteiten op te pakken; ze sloten het onderwerp af met een rondgang door het huis met zijn kunstschatten. Stefani had dit laatste stukje met bijzondere aandacht gevolgd vanaf de comfortabele sofa, gehuld in een katoenen ochtendjas van het Oriental en met een blos van zelfingenomen tevredenheid.

The Bangkok Post echter bracht de persconferentie niet als nieuwsitem, maar had het verhaal verstopt in een column van een van zijn oudste redacteuren.

GELUKZOEKSTER CLAIMT BANGKOKS TROTS luidde de schreeuwerige kop. Een foto van Stefani in haar rouwkleding ontbrak, evenals een fraaie prent van Rodericks beroemde huis. Er stond slechts een fotootje bij van de schrijver van de column: een man met grijs haar en een vriendelijk gezicht, onschuldig en waarachtig ogend. De verslaggever van middelbare leeftijd die gisteren lastige vragen had gesteld. Ze las het bijschrift: Joe Halliwell.

Joe *Halliwell*? Hij kon toch geen familie van Rush zijn? Het was vast toeval.

Stefani las verder.

De toon van de verslaggever was verontwaardigd. Stefani Fogg maakte misbruik van de legendarische naam van de Bangkokse Zijdekoning, Jack Pierpont Roderick, om zichzelf in de schijnwerpers te plaatsen en zich te verrijken. Ze was een buitenlandse, een vrouw uit New York die op geen enkele manier verwant was met de familie Roderick, en ze had de dood van Rodericks kleinzoon schaamteloos aangegrepen om een uiterst respectabel museum en het bestuur daarvan te bestoken met aanspraken waarvoor ze nauwelijks bewijzen had. Halliwell besloot zijn stukje met een oproep aan de inwoners van Bangkok om als één man achter Dickie Spencer te gaan staan, die Rodericks erfenis op zo sublieme wijze had beheerd, en te eisen dat de gift van de Legendarische Amerikaan aan het Thaise volk – zijn huis en onschatbare collecties – onaangetast bleven. Dat zou het enige gepaste eerbewijs zijn aan Jack Roderick en aan alles wat hij voor Thailand had betekend.

'Nog zo'n verdomde heilige koe,' mompelde Stefani en smeet de krant door de kamer.

Halliwell. *Halliwell*. Het was geen alledaagse naam zoals Jones of Smith. Dus moest Rush zijn rijke familie te hulp hebben geroepen om de belangrijkste Engelstalige krant van Zuidoost-Azië naar zijn hand te zetten en nu had blijkbaar *The Bangkok Post* Stefani de voet dwarsgezet.

Rush was gisteravond nog wel zo áárdig geweest – hij had geduldig in de Bamboebar zitten wachten terwijl zij zich douchte en verkleedde, al waren ook zijn kleren smerig en stonk hij naar het khlongwater. Ze had op verraad bedacht moeten zijn, ze had de valsheid achter zijn glimlach moeten zien. Maar ze was moe geweest en niet genoeg op haar hoede. Ze hadden met elkaar geklonken, ze hadden samen whisky gedronken – voor medicinale doeleinden – had Stefani gezegd, al deed de rooksmaak haar met weemoed denken aan Oliver Krane. Rush had beloofd dat hij op zeer korte termijn een ontmoeting met Sompong Suwannathat voor haar zou regelen en dat hij haar persoonlijk zou vergezellen naar het ministerie. Hij had na een glas whisky afscheid genomen en ze was hem dankbaar geweest. Zijn waarschuwing bij vertrek klonk nog na in haar oren.

'Jo-Jo is geen fijn type, Stefani. Als Sompong hem op je heeft afgestuurd, wil hij je echt de stuipen op het lijf jagen. De volgende keer beperkt Jo-Jo zich niet tot zakkenrollen. Pas alsjeblieft op.'

Gisteravond had ze zelfs gedacht dat Max ernaast had gezeten – dat Rush Halliwell, de Amerikaanse ambassade, en zelfs de CIA niet tegen haar waren. Maar de krantenkop van vanochtend had alles weer veranderd.

Het was tijd, zo besloot ze, om Oliver te vragen een onderzoek naar Rush in te stellen. En wat Oliver niet kon vinden, was niet de moeite waard.

'Vasthoudend en niet onintelligent,' zo vermeldde het rapport van Krane & Associates, 'maar geneigd tot een overdosis aan zelfvertrouwen. Haar belangrijkste zwakheid is dat ze vaak te veel in zichzelf en te weinig in het kwaad op de wereld gelooft.'

'Met andere woorden,' sprak Sompong Suwannathat in zichzelf, 'gewoon een vrouw.'

Hij stopte het stapeltje papier in een leren koffertje en keek uit het vliegtuigraampje. De zon was aan het opkomen boven Chiang Rai. Hij bescheen de landingsbaan en de verspreid liggende hotels voor rugzaktoeristen. De heuvels met terrassen beplant met kool, thee- en koffiestruiken lagen echter nog in langgerekte schaduwen ondergedompeld.

Sompong kende Chiang Rai op zijn duimpje, net zo goed als zijn eigen dakterras in Bangkok: de straten, de *wats* en het kolossale standbeeld van een dikke, zittende Boeddha die zijn hand ten teken van vrede geheven houdt. Hij had het Bergvolkmuseum jaren geleden zelf ingewijd, toen hij nog gewoon ambtenaar op het ministerie was. Hij had zelfs een bloedhete middag doorgebracht op een boot op de rivier, voortdurend vaag glimlachend en buigend naar de hoofden van de Akha, Hmong, Karen en Lisu die als honden en paarden waren komen opdraven voor het reizend spektakel dat het ministerie van Cultuur jaarlijks ten behoeve van de organisatie Foreign Aid uit de Verenigde Staten op touw zette. De mensen van Foreign Aid zetten zich in voor het behoud van de fijnzinnige gevarieerde culturen in de Gouden Driehoek voordat die reddeloos ten onder gingen. Ze moedigden de teelt van kool, thee en koffie in de heuvels aan, als te prefereren alternatief voor de opiumpapavers waarover de Hmong en Lisu bijna de gehele voorgaande eeuw bloedige strijd hadden geleverd.

Reisbureaus over de hele wereld prezen de schoonheid van de provincie Chiang Rai lichtvaardig aan: adembenemende vergezichten tot in Laos en Birma, kunstnijverheid van de bergvolken en schitterende rivieren die zich door de moessonwouden slingerden. Maar Sompong kende de dorpen Fang, Mae Salong en Tha Ton beter dan de touroperators. Hij kende de bergpaden en de rivieroevers, waar hij overheen liep met het gemak van de jongen die hij eens was geweest, een kind van zeven dat los in het woud ronddoolde, als een wolf; en hij wist ook dat de Gouden Driehoek een broedplaats van illegale handel en oorlog was en altijd zou blijven.

Het gebied werd omringd door heuvels en de grenzen van drie landen: Birma, Thailand en Laos. China lag als een kropgezwel verder naar het noorden en uit China kwamen de bekende kwaden: oorlog, verslaving en het geweld dat met beide gepaard ging. In 1949 kwam het onheil van de nationalistische troepen van Tjiang K'ai-sjek, de Kwomintang, die zijn laatste fatale nederlaag tegen Mao Tse-toeng geleden had. De Kwomintang streek neer in Mae Salong. Ze ruzieden om de vrouwen van de Lisu, bewerkten onder toezicht van bereden wachters de papavervelden, gaven de straten nieuwe namen in een vreemde taal en noemden hun kinderen naar verslagen warlords. In 1959 had de koning van Thailand een verbod op de opiumcultuur uitgevaardigd, maar daardoor werd de handel alleen maar lucratiever. Aan het begin van de jaren zestig, Sompongs jeugdjaren, was een leger onder aanvoering van de Birmese warlord Khun Sa het rijke berggebied binnengedrongen om van daaruit tegen de Chinezen te vechten. Ze deelden de heuvels op, kochten raketten van de Sovjet-Unie en vergoten bloed om het recht op het aanleggen van papavervelden te verkrijgen.

De Amerikaanse oorlog met Vietnam had de wetteloosheid in de Gouden Driehoek alleen maar versterkt. De mensen die er de velden bewerkten, raakten ervan overtuigd dat alleen heil te verwachten viel uit de loop van geweren. De communisten en nationalisten die elkaar in Peking hadden afgeslacht, verplaatsten hun slagveld naar het zuiden en alle oude koninkrijken van Zuidoost-Azië werden meegesleept in burgeroorlogen.

Khun Sa had zich in de jaren tachtig weer in Birma teruggetrokken, maar de mannen met geweren waren achtergebleven. Niemand minder dan Vukrit Suwannathat, veldmaarschalk en later minister van Defensie, was dood gevonden langs de weg die naar Mae Salong voerde; zijn lichaam was doorzeefd met kogels en zijn ministersauto gereduceerd tot een uitgebrand stalen skelet. Vukrit was in 1986 vermoord. Tijdens de nasleep van deze schandelijke daad waren er regeringstroepen ingezet om af te rekenen met de laatste drugsboeren. Sompong zelf had toezicht gehouden tijdens de campagne waarbij de tactiek van de verschroeide aarde was toegepast; hij had toegekeken terwijl chemicaliën de velden waarin hij als jongen had gespeeld deden verdorren. De productie van opium in de Gouden Driehoek was in de afgelopen tien jaar met bijna tachtig procent afgenomen, tot Sompongs grote tevredenheid.

Hij was er met het fiat van de regering in geslaagd de voorraden van zijn belangrijkste concurrenten te vernietigen.

Thee, kool en andere marktgewassen die door de koning werden gepropageerd, groeiden nu op de hellingen met terrassen, maar nog steeds werden er illegale producten gesmokkeld via de rivieren en geheime paden: schaars geworden ivoor, verboden teakhout, robijnen ontstolen aan het hart van Myanmar.

De oorspronkelijke bergbewoners dienden zoals altijd als pionnen die nauwelijks voor hun inspanningen betaald werden, en hun aantallen slonken met het jaar.

'Wat de mensen van de stammen willen is heel simpel, mijn zoon,' had Sompongs vader hem dertig jaar geleden voorgehouden. 'Ze willen geen roem of gerechtigheid of de heerschappij over de wereld. Ze willen alleen rijst op tafel. En ze willen beschermd worden tegen oorlog.'

'Klopt, pap,' zei Sompong bij zichzelf. 'Macht en roem behoren toe aan lieden zoals ik.'

Tweeënhalf uur later, toen de zon al hoog aan de hemel stond, liet hij zijn huurauto achter en ging te voet verder naar de basis in de bergen.

Hij had geen chauffeur en geen lijfwacht meegenomen. Dat volgde uit de belangrijkste regel waar Sompong aan vasthield: 'Vertrouw op niemand behalve jezelf in zaken die om leven en dood gaan.' Hij had deze overlevingsstrategie lang geleden ontdekt, toen hij zich schuil had gehouden in de lage begroeiing in het oerwoud en naar zijn vader en de mannen onder bevel van de generaal had gekeken. Loyaliteit was goedkoop. Het was levensbloed waarvoor duur betaald moest worden.

Hij hoorde in de bomen boven hem een gefluit als van vogels; hij herkende het signaal en schonk er geen aandacht aan. Het gefluit zou overgaan in radioberichten die in microfoons gemompeld werden en tegen de tijd dat hij de laatste aftakking van het pad had genomen, zou het hele gezelschap hem opwachten. Hij ging wat rechter lopen onder de blikken van de onbekende verkenners, en probeerde niet te hijgen van inspanning toen het pad naar boven voerde, al was hij inmiddels de veertig gepasseerd en zou hij nooit meer met de soepelheid van een jongen kunnen rennen. Iets van de oude adeldom daalde niettemin weer onzichtbaar op zijn schouders neer. Hij stond als machtig man alleen tegenover een zootje ongeregeld. Hij was de zoon van de Generaal.

Heel even drong de gedachte aan de Amerikaanse vrouw zich onweerstaanbaar op.

'Ze heeft ontzettend veel lef en laat zich niet zo gemakkelijk afschrikken. Is dit soms een weerspiegeling van haar geloof in haar eigen onsterfelijkheid? Of erger nog: is het een uiting van minachting voor haar eigen leven? Hoe dan ook: ze houdt van een stevig robbertje vechten.'

'Dan is ze nog nooit verslagen op de manier die ze verdient,' zei hij grimmig en nam de laatste afslag van het pad.

Hij had een hekel aan de Amerikaanse vanaf het moment dat hij haar de vorige middag op de binnenplaats van Jack Rodericks huis had gezien. Hij had haar zien poseren en zich uitsloven voor de fotografen, met haar te magere, harde *farang*-lijf en haar te schrille stem. Die vrouw was naïef en om die reden stompzinnig; ze zou zich op een fatale manier vergissen in haar vijanden. De Amerikanen mochten nog zoveel wapentuig bezitten, ze hadden geen enkel idee van de manier waarop geweld orde schiep in een samenleving. Geweld zagen ze als een modern kwaad, de gruwelijke keerzijde van een ongeremd kapitalisme. Terwijl Sompong Suwannathat als kleine jongen van zijn vader had geleerd dat de grootste verdienste die geweld opleverde macht was. Alleen met geweld kon een hiërarchie gevestigd worden. Geweld bracht koningen voort.

Na die bezopen persconferentie was hij direct naar het Peninsula Hotel gereden, woedend op Jo-Jo omdat die er niet in was geslaagd de vrouw zijn auto in te duwen, zoals hem was opgedragen. Hij had de bedrijfsleiding van het Peninsula – die bij Sompong in het krijt stond, zoals een groot deel van Bangkok – ertoe bewogen hem in de kamer van Knetsch te laten. Sompong had bijna twee uur in de schemerige kamer moeten wachten tot de advocaat zijn kamer binnenstrompelde. Knetsch had nog last van jetlag en iets nog ergers – een slopende, dodelijke angst.

232

Sompong had niet veel tijd nodig gehad om te zeggen wat hij wilde.

Hij bereikte het hoogste punt van het pad, waar zich als een tapijt een uitzicht ontrolde op drie landen: Birma, Laos en Thailand. Zijn persoonlijk koninkrijk. Zijn paradijs op aarde.

Zijn plicht en zijn eerbewijs aan de vader die zo wreed uit het leven was weggerukt, inmiddels al lang geleden.

Een gewapend escorte begeleidde Sompong naar de kleine hut waar de transacties gewoonlijk gesloten werden.

Het was een hut van vijf bij vijf meter, vochtig en zonder ramen. De maten waren hem bijna exact bekend, doordat hij hier als jongen een tijd gevangen had gezeten. De vloer was van aangestampte aarde, maar iemand had er gedroogd gras over uitgespreid om de hut prettiger te laten ruiken. Voor Sompong zou dit echter nooit iets anders kunnen zijn dan een executieruimte.

Vertel me nog eens van die nacht dat Jack Roderick stierf.

Hijzelf, veel jonger, met zijn rechterhand vastberaden om de greep van het pistool. De loop tegen het oor van de oude man. Een kring soldaten om de hut heen, een erehaag die al uren op wacht stond ter nagedachtenis van hun gevallen kameraden. De stank van zweet van onder zijn eigen oksels en van urine uit de blaas van de oude man. De andere twee, die al door schoten geveld waren, maar nog leefden en met doffe ogen staarden naar wat er van hun knieën over was. De oude man die begon te beven.

Vertel me nog eens...

Vandaag lagen er jute zakken op de plek waar vijftien jaar geleden de lijken hadden gelegen, en nu zat Wu Fat op de plaats van de oude man. Sompong dacht aan de granaatwerpers en de grond-luchtraketten die in onderdelen in de buik van zijn ministeriële vliegtuig in Chiang Rai lagen, en ervoer een geweldige opluchting bij de gedachte aan de prachtige deal die zijn beslag zou krijgen. Vandaag zouden er geen kreten of pistoolschoten opklinken; het droge gras op de vloer zou niet besmeurd worden met uiteengespatte hersenen. Een handdruk en de uitwisseling van onschatbare artikelen.

Vandaag deed het er weinig toe hoe Jack Roderick gestorven was.

Wu Fat schoof zijn stoel achteruit en begroette de zoon van de Generaal.

17

Bangkok, 1952

Op de avond van de eerste volle maan van het droge seizoen in 1952 zette Jack Roderick de deuren van zijn huis voor heel Bangkok open, en ze kwamen, per boot, per auto, over de oprijlaan van gravel, over de kanalen, onder de lantaarns door die waren opgehangen tussen de oerwoudpalmen, als met juwelen bezette vuurvliegjes.

Toortsen brandden langs de oprijlaan en de trap van zijn magistrale entree, waar het wemelde van in zijde gehulde vrouwen. Er speelde een westers orkest en er was champagne en kaviaar. De mannen hadden vrijwel allemaal gemillimeterd haar en waren in avondkleding gestoken. Ze rookten Dunhill-sigaretten. De aanwezige Thai waren voornamelijk mensen van wie Jack Roderick was gaan houden tijdens de oorlogsjaren of tijdens de expedities naar de oude grotten in het westen: het waren artsen en advocaten, of mensen die niets van Pibul moesten hebben en in het openbaar zelfs nooit over politiek praatten. Sommigen waren agenten die voor Roderick werkten, maar dit was geen avond om het over werk te hebben. Alec McQueen had verslaggevers en fotografen met enorme lampen naar het feest gestuurd, die vooraanstaande nieuwe gasten in een fosforescerende gloed onderdompelden.

Vanavond was zo'n beetje de hele *farang*-gemeenschap uitgelopen: vrouwen van leden van de Franse legatie die over *l'Indochine* spraken met guttural stemgeluid; Britse gezanten die de ondergang van de zegevierende Mao in de zin hadden; Amerikaanse zakenlieden die met hun brallerig gelach leken te willen duidelijk maken dat de wereld een grote oester was en dat zij het juiste gereedschap bezaten om die te openen. Alec McQueen droeg een witte sjaal en had een grote sigaar in zijn hoofd; zijn slordige zwarte haar hing over zijn bezwete voorhoofd. Een zeer blonde languissante schoonheid, een gescheiden vrouw die puur voor de lol naar Bangkok was gekomen, streed om Rodericks aandacht met een zwartogige Chinese vrouw in een nauwer-dan-nauwsluitende *chongsam*. Verscheidene mannen waren al flink tipsy van Rodericks whisky en begonnen vanaf de muur om het terras champagnekurken te smijten in de richting van de khlong. Aan de overkant van de khlong zaten de zijdeweversgezinnen van Ban Khrua zachtjes schommelend op de drempel van hun huizen op palen.

De wevers keken naar de lichtjes in en om Rodericks huis en luisterden naar de buitenlandse muziek die hun kinderen uit de slaap hield; een jongen dook plotseling het water in en kwam weer boven met een handvol kurken, zich wild lachend om die gekke *farangs*.

De minister van Cultuur, Vukrit Suwannathat, verscheen zonder zijn vrouw Li-ang, die hij onlangs had ingewisseld voor een exotische maîtresse. Vukrit straalde macht uit, een macht waarin hij zich veilig waande. Zijn lijfwachten stonden langs de wanden opgesteld met drankjes die ze niet aanraakten. Waar Vukrit verscheen weken de gasten uiteen als een rijstveld waar een plotselinge rukwind doorheen jaagt. Roderick lachte net zo uitbundig als de rest van de Amerikanen, maar met zijn ogen volgde hij Vukrit voortdurend, als vreesde hij dat de man hem zou bestelen. McQueens verslaggevers vormden plichtsgetrouw een kring om de minister heen en noteerden alles wat hij zei in hun opschrijfboekjes terwijl de camera's zijn beeld vastlegden.

Om elf uur, toen het vrolijke gedruis enigszins leek af te nemen en het feest dreigde in te zakken, gaf Roderick opdracht alle elektrische lichten te doven, zodat de ruimte alleen nog verlicht werd door op kokosolie brandende toortsen. Hij liet zijn ogen over de verleppende menigte zwetende mannen en vrouwen gaan, die zich willekeurig verspreid tussen zijn felgekleurde zijden kussens en kostbare antieke stukken ophield, en klapte toen twee keer in zijn handen. De deuren naar het terras gingen open en toen verschenen de *lakhon*-danseressen.

Het waren er acht en ze waren gehuld in zijde, versierd met juwelen, en droegen een rijkversierde hoofdtooi. Hun maskers en beschilderde gezichten leken van de muren van het Grote Paleis afkomstig. Stilte daalde neer; de meeste gasten hadden wel eens eerder Thaise danseressen gezien, maar nooit op deze manier, in het flakkerende licht van toortsen en met het eindeloos stromende water van de khlong op de achtergrond. Even leek het of ze met z'n allen verplaatst waren naar de tijd toen het dansen een hofritueel was en de bewegingen van soepele danseressen alleen voor koningen bestemd waren. Vanavond, zo leek Roderick te willen uitdragen, ben ik ook een koning. Roderick in zijn paleis. Koning Roderick.

De muziek werd gespeeld op blaas- en snaarinstrumenten en de bewegingen van de danseressen waren beheerst en volledig ingestudeerd. Een onzegbare gratie sprak uit de buiging van een vingertop, het draaien van een kaak, en het meest gracieus was nog wel de eerste danseres, een vrouw die het kostuum droeg van Taksin, de oorlogsgod van Ayutthaya. De ogen van de danseres keken uitdrukkingsloos de menigte in, maar een keer – en niet meer dan een keer – verwijdden ze zich enigszins, als geschrokken of angstig. Dat was toen ze op Roderick vielen, die in zijn elegante avondtenue iets afzijdig van de rest stond. Zijn bleke haar was van zijn hoge voorhoofd weggekamd en in zijn hand had hij een vergeten brandende sigaret. De pols van de danseres leek even te trillen terwijl ze hem uitstrekte in een choreografische pose van ontkenning; toen was de trilling verdwenen en danste ze weer door.

'Hoe heet zij?' vroeg Roderick fluisterend aan Alec McQueen. Als iemand het wist, was het Alec.

'Thongchai Pithuvanuk,' antwoordde hij traag. 'Ze is opgeleid in het Koninklijk Paleis. Haar vrienden noemen haar Fleur.'

'Fleur,' herhaalde Roderick. 'Dat past wel bij haar.'

Later, toen de laatste gasten afscheid hadden genomen en Roderick door zijn tuin liep om Alec en de vrouw die Fleur heette te zoeken, stuitte hij in de passage tussen de palen waarop zijn huis rustte op Zijne excellentie de minister van Cultuur die tegen een groot kalkstenen hoofd van een achteroverliggende Boeddha leunde. Het hoofd lag in een vierkant van gravel, als een meteoor die uit de hemel was gevallen.

'Dus dit komt er van je fijne praatjes, Jack,' zei Vukrit vol afkeer. 'Je had het over experts en priesters, er moest iemand van het museum bij komen... Je schrikte ons allemaal af met je gepraat over heilige zaken waar je niet aan mocht komen, maar intussen ben je zelf teruggegaan en heb je dit ding uit de muur gehakt.'

Roderick bleef stokstijf staan, met zijn handen in zijn broekzakken. 'Jij weet wel beter, Vukrit. Jij bent immers van alles op de hoogte? Jij bent de verzamelaar van sprookjes. Je weet ze uit de lucht te plukken. Je verkoopt ze zelfs aan wie het hoogste bod doet. Zoals je je vrienden hebt verkocht. Carlos. En Boonreung.'

'Ik zou je kunnen laten arresteren,' antwoordde de minister op vlakke toon, 'wegens het stelen van kostbare nationale kunstschatten. Wat heb je nog meer verstopt? Ik zou morgen mijn garde hierheen kunnen sturen om je papieren te controleren en je huis te confisqueren...'

'"Er is maar één minister die ertoe doet." Dat is wat ik een stervende man hoorde zeggen. Bedoelde hij jou?'

Vukrit gooide zijn hoofd naar achteren en lachte. 'Dat hoop ik wel, zeg. Mag ik vragen hoe hij heet?'

'Chacrit Gyapay. Het was zo ongeveer het laatste wat hij zei.' Uit zijn zak haalde Roderick iets tevoorschijn – een dofrode steen. Hij paste hem voorzichtig in het gat in het hoofd van de Boeddha en stak hem toen weer in zijn zak. 'Hoeveel heb je gekregen voor je zwager, Vukrit? Vertel me dat eens.'

'Carlos is nooit gevonden.' Het lachen was abrupt gestopt en Roderick zag in het licht van de toortsen dat er zweet parelde op het voorhoofd van de minister, wiens ogen heen en weer gingen van Rodericks broekzak naar de plaats waar de edelsteen had gezeten. 'Carlos' leven is geen cent waard als hij terugkomt. Hij heeft onze koning vermoord.'

'Nee,' zei Roderick. 'Carlos niet. Dat is weer zo'n verhaal dat jij hebt opgedist.'

'Wou je mij een leugenaar noemen?'

'Ik kan je beter een moordenaar noemen.'

Er schoot iets tussen hen heen en weer als het flitslicht van een camera: haat, moordlust. Roderick deed een stap in de richting van de man die hij minachtte zoals hij een onder zijn schoen vertrapte adder zou kunnen minachten. Vukrit deinsde onwillekeurig achteruit, zijn rug drukte tegen het oude stenen hoofd.

'Ik ken ook een aantal verhaaltjes, minister. Ik ken het verwoestende spoor dat je door het oerwoud hebt getrokken, ik ken de kunstschatten die je op de Dievenmarkt hebt verkocht en ik ken de man die jou betaald heeft. Je hebt Carlos uit het leven weggehakt, zoals je dit beeld hebt weggehakt van de wand van de grot die we samen gevonden hadden.' Roderick hield de robijn op als was het een symbool van een heilig bondgenootschap. 'Ik zal Carlos wreken, zoals ik Boonreung gewroken heb.'

'Boonreung was een verrader,' stootte Vukrit verachtelijk uit. 'En jij bent een *farang*. Je hebt op het verkeerde paard gewed, op Pridi! Mijn god, ik kom niet meer bij van het lachen.'

'Ik zet in op álle paarden, Vukrit.' Rodericks stem klonk laag en meedogenloos. 'Ik steun je baas, veldmaarschalk Pibul, en ik steun zijn grootste rivaal Sarit Thanarat. Ik heb mijn geld op de favorieten gezet en op de toekomstige winnaars, ik heb de *bookies* in mijn zak zitten en ik bepaal zelfs de inzet. Want weet je, ik ben degene die de race organiseert. En het enige paard dat niet meedoet is dat van jou.'

'Hé, Jack, ben je hier?' klonk McQueens lijzige stem in het schemerduister. Zijn haar hing voor zijn ogen, zijn sjaal over zijn schouder en aan zijn arm hing een vrouw. *Fleur*. Rodericks hart begon sneller te kloppen.

Ze had het oorlogstenue uitgetrokken en haar verbijsterende make-up verwijderd. Nu droeg ze een lange, strakke rok van zijde die, zoals hij onmiddellijk zag, uit zijn eigen winkel afkomstig was. Ze zag er heel jong uit – achttien? – en de structuur van haar gezicht was als van porselein. Ze hief eerbiedig haar handpalmen op, maar hij hief de zijne ten antwoord nog veel hoger, als was hij het eerbetoon onwaardig.

'U hebt een prachtig huis,' stamelde ze.

Ze had een luide, diepe stem, de stem van een godin, niet die van een kind.

'En u hebt prachtig gedanst.'

Ze wendde nederig haar ogen af, maar hij zag dat het compliment haar genoegen deed. Vukrit greep haar bij haar arm en voegde haar in snel Thais iets toe dat zeer onaangenaam klonk. Rodericks gezichtsuitdrukking veranderde toen tot hem doordrong wat dit te betekenen had. Hij deed een stap naar voren, maar werd door Alecs uitgestoken arm tegengehouden.

'Waarom zo'n haast, minister?' vroeg McQueen aan Vukrit. 'We zijn hier met vrienden onder elkaar. Of waren Jack en jij een coup aan het beramen?'

'Ik doe helemaal niets met deze man.' Vukrit spuugde met opzet in het gravel voor Rodericks voeten.

Alecs rechterhand duwde nog steviger tegen Rodericks borst. Met zijn linker greep hij naar zijn nek als zou hij Jack de keel jolig dichtknijpen als die in zijn eigen tuin doorging met ruziemaken. 'Kalm, kalm,' zei Mc-Queen zachtjes. 'Er zijn verslaggevers in de buurt.'

Vukrit verstevigde zijn greep op de pols van het meisje en trok haar woest mee in de richting van de poort bij de khlong. Fleur liep te struikelen in haar strakke rok en op haar hoge hakken; ze zei smekend iets in het Thais. Vukrit draaide zijn hoofd niet om.

'Dat arme kind zal moeten boeten omdat ze aardig was tegen jou,' zei Alec op zachte toon tegen Jack. 'Ze was nog maagd toen hij haar kocht. Die klootzak liep erover op te scheppen.'

Een vlammende woede laaide op in Jacks binnenste. 'Hoe lang?'

'Hoe lang ze zijn maîtresse is? Drie maanden. Misschien iets korter.'

Hun schouders raakten elkaar bijna zoals ze daar stonden in de geurende duisternis. McQueen bood hem een sigaar aan, maar Roderick weigerde. De geur van de khlongs in het droge seizoen en de lucht van brandende tabak vermengden zich tot iets dat leek op wierook. *Koning Roderick.*

Hij had een man bedreigd en voor gek gezet en vervolgens met diens speeltje geflirt. Hij had Vukrit een excuus gegeven om haar te verkrachten.

Beschaamd en met een verstikkend gevoel in zijn keel doofde hij de toortsen.

18

'Hebt u de kranten gelezen?' vroeg Matthew French haar die donderdagochtend via de telefoon. 'Mijn kantoor wordt de hele ochtend al door verslaggevers bestookt. Enorm storend.'

'Heeft het iets interessants opgeleverd?' vroeg Stefani op haar beurt.
'Exclusieve interviews? Uitnodigingen voor praatprogramma's?'

'Ik vrees dat de media behoorlijk negatief zijn in hun berichtgeving,
mevrouw Fogg.' De stem van de advocaat klonk afkeurend. 'Uw publieke optreden gisteren voor het museum wordt gezien als een gerichte poging de minister van Cultuur en de Stichting Thais Erfgoedbeheer te be-
ledigen.'

'Ocharme,' zei Stefani kwelerig.

Aan de andere kant van de lijn klonk geritsel.

'Hier, moet u horen wat Sompong Suwannathat zegt in een van de Thais-
talige kranten die u wel niet gezien zult hebben: "Het betreft een schaam-
teloze poging van een *farang*-vrouw om misbruik te maken van een nationale legende en het Thaise volk van zijn onschatbare erfenis te beroven."'

'Sompong heeft dus nog meer mensen van de media omgekocht dan ik
dacht. Knap werk van de minister. Wat kunnen we hier eens aan doen?
Moeten we publiekelijk om een onderhoud met het bestuur van het museum verzoeken?'

'Ik zou u dringend willen aanraden de publiciteitsaanval te staken en het
via andere kanalen te proberen.'

'Welke dan?'

'Welke u maar ter beschikking staan,' zei French ter afronding. 'Ik moet
u meedelen dat ik u noodgedwongen niet verder kan bijstaan. Verschillende cliënten hebben me vanochtend laten weten dat ze op een andere firma
overschakelen. Ik kan het me niet langer permitteren mijn naam met de
uwe te verbinden.'

'Ik snap waarom erfrecht uw specialisme is, Mattie, dat is echt zo'n juridische tak waar je je moeilijk een buil aan kunt vallen.' Het klonk vinnig,
maar ze voelde iets van paniek in zich opkomen.

'Daar vroeg u toch om, of niet soms?' kaatste hij terug. 'Ik heb nooit gezegd dat ik de aangewezen persoon was voor een publiciteitsstunt.'

'Weet Oliver Krane dat u me laat vallen?'

'Meneer Krane was zo vriendelijk me van harte gelijk te geven.'

'Wanneer?' vroeg Stefani. Oliver leek van de aardbodem weggevaagd.

Zijn privé-nummer was afgesloten. En hij had haar geen antwoord gestuurd op haar per e-mail verstuurde informatieverzoeken.

'Ik heb vanochtend een telegrafische opzegging van ons contract ontvangen.'

Stefani vloekte zachtjes. 'Matthew, ik moet Oliver spreken. Kunt u me met hem in contact brengen?'

'Jammer genoeg niet.' French klonk zelfvoldaan. 'Hij vroeg me niets te zeggen over waar hij zich bevond, een verzoek waaraan ik heel eenvoudig kan voldoen, aangezien ik nooit weet waar Oliver is.'

De vrouw die in haar eentje aan een wankel tafeltje voor Jimmy Kwai's Guest Café zat, had een Michelob voor zich staan en een bord kledderige *phat thai*, waarin ze een beetje zat te roeren. Dat deden ze altijd met *phat thai*, dacht Jeffrey Knetsch; het was wat zo'n beetje alle rugzaktoeristen in Khao San Road aten, net als de geïmporteerde cheeseburgers, soba-mie en Oreo-koekjes die hier aan de lopende band aan Amerikanen met heimwee werden verkocht. Maar meestal zag je dit soort vrouwen in groepjes van twee of drie, als ze tenminste geen vent hadden. Het moest hen beschermen tegen overvallen, Thaise mannen die hen anders voortdurend aanspraken en tegen de eenzaamheid die plotseling kon toeslaan. Dus, concludeerde Jeff, had deze vrouw die in haar eentje aan het tafeltje naast het zijne zat, waarschijnlijk iemand met een kater achtergelaten in een bed in een van de goedkope logementen in deze buurt.

Ze droeg dé outfit van vrouwelijke rugzaktoeristen: een flinterdunne sarong die haar gebruinde benen goed deed uitkomen en een topje met spaghettibandjes dat makkelijk te wassen was in een wastafel. Haar haar was heel blond, maar dor en gebleekt door excessieve blootstelling aan de zon, en haar kaken waren bijna uitgemergeld; op haar voorhoofd had ze een provocerend glitterlaagje aangebracht. Was het een Californische die voor vrijwillige ballingschap had gekozen? Of een Australische die het hele gebied rond de Stille Oceaan afreisde? Terwijl Jeff zat te kijken schoof ze het bord mie met de plastic vork erin van zich af en boog zich defensief over de paperback die op haar schoot lag. Met een vaag gevoel van verwachting besefte hij dat ze doorhad dat hij naar haar keek.

'Smerig eten, hè?' begon hij.

Ze keek op. 'Och, het is in ieder geval goedkoop.'

Nieuw-Zeeland waarschijnlijk. Of Zuid-Australië. Hij vroeg zich af of de persoon die ze in bed had achtergelaten een man of een vrouw was, en of ze massage of aromatherapie beoefende. Iedereen die je in Khao San Road tegenkwam deed of het een of het ander. En behalve dat gebruikten ze Ecstasy, marihuana en psychedelica, als ze al niet met heroïne rotzooiden. Ze reden het land door op de achterbak van vrachtwagens richting Tibet en Bhutan; ze dansten drie dagen achtereen op techno-rave op de

240

stranden van Ko Pha Ngan; en ze geloofden allemaal in een universele liefdes- en vredeservaring, althans tot het geld van hun ouders op was.

Na zijn angstaanjagende gesprek met Sompong Suwannathat van de vorige avond in het Peninsula Hotel, had Knetsch zijn kamer onmiddellijk opgezegd en was in een *tuk-tuk* gesprongen die hem had afgezet op Khao San Road met zijn massa bars, restaurants en Internetcafés. Hij was lang genoeg gokker om te weten wanneer het lot zich tegen hem had gekeerd. Zijn bloedgeld had hij niet gekregen. Hij kon niet naar huis; hij kon de schulden waaronder hij volledig bedolven dreigde te raken niet betalen. Sompong had de hele stad in zijn macht en Sompong zou hem wel weten te vinden.

Knetsch was op Khao San Road aangekomen in het pak met das dat hij al twee dagen droeg en had een kamer voor tien dollar per nacht genomen in een logement waarvan hij de naam en het adres prompt vergeten was. Rond middernacht had hij zijn pak geruild voor een geknoopverfde broek met koordsluiting en een T-shirt met op de voorkant de tekst HARD ROCK CAFÉ, REYKJAVIK. Zijn instapschoenen had hij om drie uur 's nachts ingeruild voor een kaartje voor *Mission Impossible 2* en voor zijn attachékoffer had hij een paar Taiwanese Tevas gekregen. Khao San Road barstte van de winkeltjes die afgedankte spullen van rugzaktoeristen verkochten of ruilden. Reisbureautjes boden goedkope vliegreizen aan van onbekende maatschappijen naar obscure bestemmingen. Miniwinkeltjes, ingeklemd tussen straatventers en tatoeagesalons verkochten slaapmatjes, jodiumtabletten, zakmessen en Walkmans. In een ervan verkocht hij voor een habbekrats zijn mobiele telefoon. Daarna voelde hij zich op een absurde manier bevrijd, alsof hij zijn laatste band met het leven had doorgesneden.

Te midden van het lawaai en de neonverlichting was de schimmige gestalte van de geest van de jongen die hem door heel Bangkok had nagezeten moeilijker te onderscheiden. Maar Knetsch hoorde nog wel Max' stem, die maar doorbabbelde over hoeveel sneeuw er lag, kloktijden en de nieuwe skiwas die Jeff wel van hem mocht lenen, maar als Knetsch deuntjes van Gilbert & Sullivan begon te zingen, radeloos en vals, hoorde hij Max nog nauwelijks.

Het besef dat hij achterna werd gezeten – door Sompongs mannen, door de geest van de jongen – dreef hem onverbiddelijk voort door de winkeltjes en arcaden, alsof hij niet te vinden zou zijn als hij maar in beweging bleef.

Tussen vijf en negen uur 's ochtends bestelde hij op verschillende plaatsen gebakken eieren met bacon, gebakken eieren met worstjes, gebakken eieren met mie. Hij praatte met Israëlische militairen die na hun dienstplicht een paar weken vrij waren voordat ze in Tel Aviv naar de academie zouden gaan; hij praatte met Duitsers en Denen die meenden het paradijs op aarde gevonden te hebben; met Amerikaanse vrijwilligers van het Peace

Corps die na in Afrika, Nieuw-Guinea en Boekarest gestationeerd te zijn geweest terug zouden gaan naar de Verenigde Staten. En hij dronk een grote plons bier. Bier was er in overvloed en het was goedkoop, zoals alles op Khao San Road. Hij was gaan bierdrinken om zijn zinnen te verdoven, maar gaandeweg begon hij plezierig dronken te worden, al lieten gedachten aan wat hij gedaan had, aan wat hem zou kunnen overkomen en aan wat hij van zins was te doen hem nog steeds niet met rust.

De aromatherapeute uit Nieuw-Zeeland sloeg haar gidsje dicht en stond abrupt op. Ze had geen tasje bij zich maar een soort geborduurd zakje dat van een van de bergvolken afkomstig was, en haar blote armen waren mager en gespierd. Jeff zat naar de vrouw te staren – haar stakerige benen, haar ingevallen gezicht, haar uitgedroogde haar – en kreeg plotseling de onweerstaanbare behoefte haar te redden.

'Kom met mij mee,' zei hij vol aandrang. 'Dan nemen we een kamer in een mooi hotel en dan gaan we uit eten in een fantastisch restaurant. Wat dacht je van het Peninsula Hotel? Dat ligt aan de rivier. Heb je de rivier al gezien?'

Het meisje keek naar zijn geknoopverfde broek en hopeloos ouderwetse T-shirt, zijn bleke tenen in de afgetrapte Tevas. 'Als je me niet met rust laat roep ik de politie,' zei ze.

Om drie uur 's middags dronk hij zijn laatste biertje, betaalde zijn rekening bij Jimmy Kwai en begaf zich tussen de toeristen door laverend naar het adres dat hij uit zijn hoofd kende.

Het was een piepklein huis met een kralengordijn voor de ingang en een uithangbord waarop in vijf talen te lezen stond dat er tarotkaarten werden gelegd. Jeff gleed tussen de slingerende strengen kralen door en bleef op de drempel even staan omdat zijn ogen aan de schemering binnen moesten wennen. Op een boeddhistisch altaar in een hoek aan de andere kant van de ruimte brandde een wierookstokje. De atmosfeer was vochtig warm alsof er vlakbij iemand aan het douchen was.

Het was zo stil dat Max zich ongetwijfeld weer zou laten horen. Knetsch kneep zijn ogen dicht en begon weer te zingen.

'Kan ik u helpen?'

Een Thaise vrouw, gekleed in een blouse met lange mouwen en een krap zittende werkbroek kwam vanuit het duister naar hem toe.

'Ik ben op zoek naar Chanin.'

De uitdrukking op haar gezicht werd nog vijandiger.

'Ik kom van Sompong.'

'Je bent dronken. Ik ruik van hier af dat je bier gedronken hebt.'

'Ik heb net gegeten.'

'Gedronken zal je bedoelen. Ik wil niets met dronken *farangs* te maken hebben. En Chanin ook niet.'

Jeff bracht zijn hand naar zijn voorhoofd; het voelde klam aan. Hoe heette zijn logement ook weer? Hij had zijn bagage daar achtergelaten. Zijn ticket naar huis. Een golf van paniek sloeg door hem heen. Het lied zong door in zijn hoofd.

'Ik moet hem spreken. Sompong...'

'Je gebruikt die naam te gemakkelijk.' De vrouw perste haar lippen opeen van woede. Achter haar blafte een mannenstem een Thais woord. Ze keek over haar schouder en keek Jeff toen weer onwillig aan.

'Je kunt nu naar Chanin,' zei ze.

Dickie Spencer bracht zijn dagen gewoonlijk door in de directiekamer van Jack Roderick Silk, die zich aan de achterkant van de hoofdvestiging aan Surawong Road bevond. Het gebouw stond er nog maar net toen Jack Roderick verdween. De zaak was pas een paar weken open toen die fatale paasvakantie in maart 1967 aanbrak en hij door het hoogland van Malakka werd verzwolgen zonder een spoor na te laten. Spencers domein was echter ingericht om een schijn van oude glorie op te roepen: het vertrek had gebeeldhouwde teakhouten wanden en was gestoffeerd met zijde in vele tinten, er stonden koloniale rieten stoelen in, en in nissen in de wanden stonden urnen van aardewerk.

Toen Stefani die middag deze kamer werd binnengelaten stond Spencer gebogen over een tekentafel – een lange, schrale man met stroblond haar en de gevlekte huid van een Engelsman die niet thuishoort in de tropen. Zijn broek was van ivoorkleurige flanel, zijn zijden overhemd had dezelfde tint en zijn kasjmieren colbert was lichtbruin. Ze verwachtte dat de hand die hij haar toestak perkamentachtig zou aanvoelen, als de bladzijden van een oud boek, maar hij was juist zacht als van een baby. Op de tekentafel, onder een lamp, lagen kleurenschetsen van textielpatronen.

Spencer bood haar een van de rieten stoelen aan waarin enorme kussens van karmijnrode en groengele zijde lagen. Ze liet zich erin zakken en voelde zich ogenblikkelijk tactisch de mindere doordat ze er helemaal in wegzonk. Het was een stoel om een glas rum in te drinken, niet om een onderhandelingsgesprek te voeren. Spencer leunde tegen de tekentafel en keek op haar neer, volledig op zijn gemak.

'Aardig van u dat u me zo zonder vooraankondiging ontvangt,' zei ze.

'Dat kun je wel zeggen,' zei hij instemmend. 'Ik heb het gewoonlijk veel te druk om erfgenames te woord te staan, vooral als het brutale Amerikaansen zijn. Ik heb begrepen dat u me de hele donderse boel wilt afpakken – de fabriek, de zijdevoorraden, het oude huis aan de khlong – alles. Maar u komt nu tenminste niet in een zwarte limo of geëscorteerd door een jurist. Dat geeft de burger moed. En trouwens, mijn volgende afspraak gaat om onduidelijke redenen niet door, waardoor ik met een gat in mijn programma zit. Vandaar dus.'

Ze lachte. 'Ik ben niet hier om u de sleutels van uw rijk te ontfutselen. En ook niet om een ultimatum te stellen. Ik wil eigenlijk alleen wat informatie.'

'Over Jack Roderick? Van mij zult u niet wijzer worden. Ik vind dat een legende het verdient... een legende te blijven.'

'Eerlijk gezegd ben ik meer geïnteresseerd in Sompong Suwannathat.'

Onmiddellijk kreeg Spencers gezicht een behoedzame uitdrukking, die het volgende moment alweer plaatsmaakte voor pure nieuwsgierigheid. 'U bedoelt de minister van Cultuur?'

'De belangrijkste man van de Stichting Thais Erfgoedbeheer die beschikt over mijn huis. Ik stel me zo voor dat hij ook een dikke vinger in de pap heeft in uw bedrijf.'

'Lieve dame, ik leid een bedrijf dat meer dan honderdduizend zijdewevers in dienst heeft en dertig textielontwerpers. Ik exporteer over de hele wereld. Sompong dient me van tijd tot tijd misschien van advies, maar hij vertegenwoordigt de publieke sector en ik de particuliere.'

'In Thailand lopen die zaken altijd door elkaar. U bent in Bangkok opgegroeid. Uw vader werkte voor Jack Roderick, in een tijd dat Sompong Suwannathat nog een jongen was. U bent geheel en al ingebed in de cultuur van dit land en uw bedrijf zou niet kunnen bestaan zonder dat er sprake is van het verlenen en ontvangen van gunsten. U moet duizenden redenen hebben om de minister te respecteren – of te haten.'

Spencer trok schalks een wenkbrauw op. 'U houdt niet van indirect gezwets, hè? Ik geef toe dat in Bangkok beroep en privé-zaken nogal eens door elkaar kunnen lopen. Maar ik ben een ouderwetse *farang* en snij me niet zomaar in mijn eigen vingers.'

'Meneer Spencer,' zei ze plompverloren, 'ik ben van plan om Jack Rodericks huis in mijn bezit te krijgen. Misschien gaat me dat maanden kosten. Of misschien wel tientallen jaren. Misschien kost het me een fortuin aan juridisch advies. Dat maakt me niet uit. De man van wie ik hield is een gewelddadige dood gestorven omdat hij het huis wilde hebben. Zijn grootvader had het hem bij testament nagelaten. Ik ben van plan ervoor te zorgen dat zijn recht op die erfenis wordt erkend.'

Spencers lippen vertrokken. 'U weet helemaal niets van Thailand, wel? Hier bekommert niemand zich om rechtmatigheid. Iedereen heeft het veel te druk met pakken wat hij pakken kan.'

'Ik ben hier om een deal te sluiten,' vervolgde ze onverstoorbaar. 'Stél dat mijn recht op het huis van Jack Roderick wordt toegekend. Dan kan ik een heleboel dingen doen. Ik kan de kunstcollectie door Sotheby's laten veilen. Ik kan het huis als weekendverblijf gebruiken. Of ik kan er een luxe hotel van maken en een fortuin vragen voor één nacht.'

'Dat zou allemaal een gruwelijke aantasting van een nationale schat zijn,' antwoordde Spencer zacht.

'Daar ben ik het mee eens.' Ze leunde achterover en keek hem aan. 'Maar misschien overweeg ik wel om het huis en het beheer van de collectie over te dragen aan een zorgvuldig samengesteld team van curatoren en gevolmachtigden. Ik zou namelijk graag zien dat de zorg voor alles wordt toevertrouwd aan de mensen die de Jack Roderick Silk Company al die jaren draaiende hebben weten te houden. Mensen zoals u en uw medewerkers, die de legende-Roderick in stand hebben gehouden. En geen politici of bureaucraten. Niet Sompong Suwannathat.'

'Zo.' Spencer keek haar standvastig in de ogen. 'Ik dank u, mevrouw Fogg, voor het door u uitgesproken vertrouwen. U wilt dus hulp bij het omverwerpen van Sompongs persoonlijke imperium?'

'U slaat de spijker op z'n kop.'

Enkele ogenblikken lang bestudeerde hij de dansende stofdeeltjes die gevangen zaten in de strook zonlicht die tussen hen beiden inviel. Toen zei hij: 'Ik heb pas enkele maanden geleden van dat testament gehoord. Het tweede, bedoel ik. Ik heb me vaak afgevraagd waar het gebleven was. Ik was namelijk gevraagd als getuige, samen met mijn vader, vijf of zes weken voordat Jack verdween. Maar verder werd er nooit meer iets van vernomen.'

'Ik heb uw handtekening op het document zien staan. Roderick heeft het testament tussen een stapeltje blauwdrukken gelegd en die naar zijn zus opgestuurd. Het testament is pas na dertig jaar gevonden.'

'Wat vreselijk jammer toch dat niemand de moeite heeft genomen om die blauwdrukken te bekijken. Jack kon zo geweldig goed tekenen. Dit zijn ontwerpen van hem, weet u. Hij had een ongelofelijk gevoel voor kleuren.'

Spencer reikte haar de schetsen aan die ze op de tekentafel had zien liggen. Een ingewikkeld damastpatroon in blauw en groen, ineenvloeiend als een blauwe hemel met lentegroen; een Schotse ruit in kersenrood en mangogeel, die van het papier afspatte. In krachtige, dunne letters stond onderaan de naam Roderick geschreven. Ze volgde de naam met haar vingertop en verlangde naar Max.

'Beseft u welke risico's er verbonden zijn aan wat u van me vraagt, mevrouw Fogg? Of bent u alleen maar vreselijk naïef?'

'Allebei. Maar ik hoor alleen maar over Sompong Suwannathat praten als iemand die gevaarlijk is. "Een man om respect voor te hebben" zegt iedereen steeds achter zijn naam aan. Maar zo'n man heeft altijd veel vijanden, meneer Spencer. Ik ben van plan vriendschap te sluiten met Sompongs vijanden.'

'Hoe Thais van u. Misschien moet u mij dan maar Dickie noemen.'

Van verrassing begon Stefani hardop te lachen. 'Oké. Zeg eens... Dickie, waarom maakte Jack eigenlijk vijf weken voor zijn verdwijning een nieuw testament?'

'Omdat Jack een oude man was geworden. Hij zat in over zijn zoon en

245

wilde hem na al die tijd alles geven wat hij hem in zijn jeugd onthouden had. Weet je van Rory?'

'...en het Hanoi Hilton? Een beetje. Mijn vriend Max, die mij het huis naliet, was Rory's enige kind.'

'Ach.' Spencer wreef in zijn ogen alsof ze pijn deden. 'De Vietnamoorlog heeft vreselijke dingen met Jack Roderick gedaan. De grond onder zijn hele bestaan in Azië leek erdoor aangetast.'

Stefani wachtte zwijgend op de uitleg van deze laatste zin.

'Toen Jack na de Tweede Wereldoorlog in Thailand kwam, had hij een groots visioen van wat er van het land zou kunnen worden. Maar de jaren die hij hier doorbracht, en mogelijk ook het werk dat hij deed, leidden tot een heel ander soort land dan waarop hij gehoopt had.' Spencer haalde zijn schouders op. 'Hij haatte de nieuwe wegen, de dichtgegooide khlongs, de seksindustrie en de lelijke, lukraak neergezette betonnen wolkenkrabbers. Tegen de tijd dat hij verdween leek hij geen enkel plezier meer te hebben in alles waar hij vroeger altijd gek op was geweest – de huizen van de zijdewevers in Ban Khrua, de handelaren op de Dievenmarkt. Misschien was hij gewoon moe.'

'U geeft de oorlog de schuld. Jack ook?'

'Ik weet het niet,' zei Spencer peinzend. 'Mijn vader vertelde me dat Jack tegen de Amerikaanse inmenging in Zuidoost-Azië was. Voor het eerst in zijn leven had Jack Roderick problemen met het land dat hij altijd gediend had.'

'Bedoel je de Verenigde Staten? Of Thailand?'

'Het is lastig die twee te scheiden. Tijdens de Vietnamoorlog waren ze twee handen op één buik. De relatie tussen Thailand en de VS was in die periode opperbest. Washington had behoefte aan een bevriende uitvalsbasis voor zijn troepen en Thailand had behoefte aan steun in de regio – in de rest van Zuidoost-Azië had iedereen de handen vol aan communistische opstand of revolutie of allebei. Het was een verstandshuwelijk tussen twee vreemdelingen die geïsoleerd op een eilandje zaten.'

'Hoe oud was u in 1967?' vroeg ze opeens.

'Drie weken na Jacks verdwijning werd ik zestien.'

'En wisten de mensen dat Jack een spion was?'

'In onze familie noemden we hem bij voorkeur medewerker van de inlichtingendienst,' antwoordde Spencer. 'Een spion, dat kon van alles zijn: iemand zonder eer die verhalen verkocht aan de hoogste bieder. Maar zo iemand was Jack Roderick niet. Hij was integer. En misschien zei hij daarom uiteindelijk: En nu is het welletjes.'

'Max was ervan overtuigd dat zijn grootvader gestorven is omdat hij tegen de Vietnamoorlog was.'

'Geëlimineerd door fanaten van de ene of de andere partij?' Spencer schudde zijn hoofd. 'Ik geloof niet dat iemand Jack vermoord heeft. Ik vermoed dat hij zijn verdwijning zorgvuldig in scène heeft gezegd, dat het zijn bedoeling was van de aardbodem te verdwijnen zonder een spoor achter te laten. En kennelijk is hem dat gelukt.'

Stefani staarde hem sprakeloos aan.

'Niemand gelooft mij, mevrouw Fogg.' Zijn glimlach was ontwapenend. 'Niemand is het ermee eens. Het is een veel te simpele oplossing namelijk. Maar denk eens aan het geld. En aan Fleur.'

'Aan Fleur?' herhaalde ze verbijsterd.

'Fleur Pithuvanuk. Jacks onsterfelijke geliefde, een weergaloze *lakhon*-danseres. Ze was jaren en jaren jonger dan hij. Tegen het eind van zijn leven waren ze uit elkaar geraakt, maar een paar weken voordat Jack naar Malakka vertrok kwam ze weer opdagen. Volgens mij is Fleur de reden dat Jack verdween.'

'Ik heb haar naam nooit eerder horen vallen.'

'Fleur is de sleutel van alles.' Spencer zei het zachtjes. 'Ze was de minnares van een andere man, voordat zij en Jack elkaar vonden. Jack heeft haar van Vukrit Suwannathat afgetroggeld, de vader van Sompong. Roderick en Vukrit konden elkaars bloed daarna wel drinken.'

Stefani herinnerde zich iets dat Rush Halliwell haar had verteld. 'Sompongs vader was ooit ook minister van Cultuur.'

'Het is een sinecure van de familie.'

'Dickie... denkt u dat Vukrit Roderick vanwege Fleur zo haatte dat hij hem in het Cameron-hoogland vermoord heeft?'

'Volgens mij haatte Vukrit Jack zo hevig dat hij hem met zijn blote handen had kunnen wurgen. Maar er is een grondig onderzoek ingesteld naar Vukrit – niet door zijn vriendjes in de Thaise regering, maar door het Amerikaanse team dat de zaak-Roderick op zijn bordje kreeg. Jacks familie was zeer vasthoudend. Maar Vukrit is nooit iets ten laste gelegd.'

'Maar waarom zou Jack gewoonweg... verdwijnen? Zonder iemand te vertellen waar hij heen ging?'

'Misschien wilde hij niet gevonden worden,' opperde Spencer. 'Moet je horen: twee dagen voordat Jack naar Malakka vertrok nam hij me in ditzelfde vertrek even apart. Hij gaf me een verzegelde envelop en een koffertje. "Dickie," zei hij, "je moet iets voor me doen. Ga naar de bank en geef deze brief aan de manager. En doe dan wat hij zegt. Kom daarna regelrecht terug en praat er met niemand over."'

'Wat zat er in dat koffertje?' vroeg ze.

'Helemaal niets. Ik kon aan het gewicht voelen dat het leeg was. Maar ik vroeg er niet naar en de verzegelde brief heb ik ook niet gelezen. Ik speelde heel vaak boodschappenjongen voor Jack, het was een van de manieren om het bedrijf te leren kennen. Ik ben in een gehuurde *tuk-tuk* naar de bank gereden en ik herinner me die rit meter voor meter. Het was afgrijselijk heet die dag en de uitlaatgassen van het verkeer waren om te stikken. Ik dacht dat ik nooit zou aankomen.'

Hij zweeg even en keek haar ernstig aan. 'Van de weg terug herinner ik me bijna niets. Ik was te ontdaan. Ik had nog nooit van mijn leven zoveel geld bij me gehad. Die brief aan de bankmanager bevatte waarschijnlijk de opdracht al het geld van zijn rekening te halen en aan mij mee te geven.'

'Dus Jack gebruikte dat geld om een nieuw leven te beginnen?'

'Hij had zijn testament gemaakt, waarbij hij alles wat hij verder nog bezat aan zijn verwanten naliet. Hij had zijn zoon Rory, die in het Hanoi Hilton in de val zat, niet kunnen helpen. En hij had meer dan genoeg van Bangkok. Jack verliet het zinkende schip.'

'En die Fleur, verdween die ook?'

'Op Goede Vrijdag vertrok Jack met Fleur en dat koffertje vol met geld naar het Cameron-hoogland. Op zondag, tegen de avond, verdween hij. Maar om de een of andere reden bleef Fleur achter. Ze heeft nooit uitgelegd waarom.'

'Hebt u haar gesproken dan?'

'Iedereén heeft haar gesproken.' Spencers stem klonk geamuseerd. 'Ze had geassisteerd bij een van de spectaculairste verdwijntrucs uit de geschiedenis. *The NewYork Times* stuurde zijn correspondent uit Bangkok naar haar toe, ze werd bestookt door *Agence France-Presse*, UPI, en zelfs de *Bangkok Post*.'

'En wat vertelde ze?'

'Ze zei dat Jack in de jungle verdwaald moest zijn. En in zekere zin was dat ook zo – met meer dan een miljoen Amerikaanse dollars op zak. Was iedereen maar zo gelukkig.'

Er werd op de deur geklopt. 'Sorry, Dickie,' zei Spencers assistent, 'maar die vrouw van het museum is er eindelijk. Ze heeft een hele dikke portfolio bij zich, dus heb ik haar maar in de vergaderruimte gelaten.'

'Prima,' zei Spencer. 'Ik vond het leuk met u te praten, mevrouw Fogg. Maar ik vrees…'

Stefani's antwoord ging verloren in een spervuur uit de mond van een Britse.

'Dickie, schát, héérlijk je weer te zien. Ik kon niet wáchten om uit Londen weg te komen, het is er toch zó vreselijk in oktober. Hoe staat het met je verrukkelijke optrekje buiten het centrum? Smácht je huisknecht nog naar me? Zal ik vanavond dan maar bij je komen eten?'

Er was maar één vrouw die tot dergelijke brutale familiariteit in staat was.

'Ankana.' Stefani draaide zich om naar de deur. 'Ankana Lee-Harris. Wat doe jij in Bangkok?'

'Ik zou jou hetzelfde kunnen vragen – als ik de krant van vanochtend niet had gezien!' De vrouw breidde haar armen uit. 'Stefani, *lieverd*. Ik vond het toch zo trágisch van Max. Ik heb mijn ogen uit mijn kop gehuild toen ik het hoorde. Nu was het met zijn leven toch al gedaan – het was uit met het skiën, uit met de seks, zo'n rolstoel is geen lolletje, je kon eigenlijk ook niet verwachten dat hij zo'n leven zou volhouden. We moeten maar accepteren dat hij gestorven is zoals hij geleefd heeft, niet waar? En wij moeten door, zo is het toch?'

Spencer keek van Stefani naar Ankana. 'Dus jullie kennen elkaar?'

Ankana trok met haar gemanicuurde vingers een spoor over Spencers mouw. 'Mmmm, yummy, yummy dit kasjmier, Dickie, maar ja, dat geldt ook voor de arm eronder, mmmmm. Wil je al praten, of zullen we er eerst even ons gemak van nemen?'

'We gaan praten,' zei hij op ferme toon. 'In de vergaderzaal. Je zou al een uur geleden hier zijn.'

Ze lachte schalks. 'O, maar ik ben alleszins het wachten wáárd! Je zult helemaal wíld zijn van wat ik allemaal heb meegebracht. Ik heb mijn ziel moeten verkopen om eraan te komen!'

'Ankana en ik werken samen aan de grote tentoonstelling in het Metropolitan die over een maand geopend wordt,' legde Spencer aan Stefani uit. 'Tweeduizend jaar Zuidoost-Aziatische kunst, luidt de titel. Binnenkort wordt er een formidabele schat aan beeldhouwwerken, houtsnijwerk en keramiek naar New York overgevlogen.'

'Uit Rodericks huis?' Stefani wendde zich tot Ankana. 'En uit het Hayes Museum?'

'Natuurlijk,' antwoordde ze. 'Maar wat wij hebben kan niet tippen aan de schatten van Jack Roderick. Je hebt helemaal gelijk dat je de collectie voor jezelf wilt, inhalig typetje, dat zou ík tenminste ook willen. Heb je wel enig idee wat het allemaal wáárd is?' De lepe ogen van het mens glinsterden boosaardig. 'Ik kon gewoon niet gelóven dat Max jou zo'n fortuin heeft nagelaten. "Ze moet wel fantástisch neuken," zei ik nog tegen Jeff, "dat hij na één week zijn hele hebben en houwen aan haar overdraagt! Hij had míj toch op z'n minst zijn wijnkelder kunnen nalaten.'

'Ik stuur je wel een flesje,' zei Stefani poeslief. 'Dus je hebt Knetsch pas nog gesproken?'

'Gisteren. Jeff is ook in Bangkok.'

En Oliver Krane was in rook opgegaan. Hoe had ze haar precaire situatie zelf ook weer genoemd? Een koorddansact zonder vangnet? 'Ik dacht dat Knetsch in Frankrijk was.'

'Vorige week, ja. Als lid van de raad van bestuur van het Met moet Jeff besprekingen voeren met het ministerie van Cultuur. Die hebben het maar druk, met onze tentoonstelling en jouw gesnaai, maar ze komen er blijkbaar wel uit. Hun chef is namelijk een kanjer. Sompongs tentakels reiken heel ver.'

Ankana's gezicht was een en al glimlach. Op dat moment begonnen bij Stefani een hoop muntjes te vallen.

Jeff Knetsch was een bekende van Sompong. Jef Knetsch, Max' persoonlijk juridisch adviseur en beste vriend. Volgens Oliver verkeerde Knetsch in grote financiële moeilijkheden... Suwannathat zou hem eruit kunnen helpen.

'Jeff heeft Max verraden,' zei ze hardop. 'Hij heeft Max bespioneerd. Hij heeft alles in kaart gebracht – zijn privé-leven, zijn activiteiten, zijn problemen met justitie, zijn dromen – en alles wat hij wist verkocht aan Max' ergste vijand.'

Ankana haalde haar schouders op. 'Lieverd, we moeten ons allemaal staande zien te houden. We doen allemaal foute dingen. De een is een nog groter hoer dan de ander. Als ik jou was zou ik mijn mond dus maar houden.'

19

Bangkok, 1954

Niemand in Bangkok – zelfs Alec McQueen niet – kon weten hoe verslingerd Roderick aan dansen was.

Hij hield het zorgvuldig geheim, als een seksuele perversie. Maar deze hoogst intelligente, eenzame man kon het verloop van zijn obsessie zelf heel goed aflezen aan de hoogte- en dieptepunten in zijn leven en het onheil dat het hem persoonlijk had gebracht. Het was begonnen toen hij als jongen van acht – een en al knieën in zijn korte broek, zoals zijn vader, die hem stierlijk verwende, had kunnen zeggen – met zijn rijke, cultureel ingestelde familie in Parijs was geweest.

Het kwam door *L'après-midi d'une faune*, of anders misschien *Le sacre du printemps*, in ieder geval iets onstuimigs van Diaghilev. Hij had op het puntje van zijn Louis XVI-stoel gezeten, met zijn kin steunend in zijn handen boven de rand van de loge, en na drie uur van kleurrijk tumult was hij nooit meer dezelfde geweest.

Het waren vooral de decors – bontgeverfde lappen, waar de kleur van afspatte, niet ingetoomd door het keurslijf van de klassieke traditie – die een geweldige indruk op hem achterlieten. Later begreep hij pas dat de schuivende schermen en monumentale objecten iets diepers uitdrukten: het onstuimig kloppende hart van de danser. Hij smeekte zijn moeder hem mee naar het ballet te nemen als hij met vakantie thuis was. Terug op school repte hij nooit over voorstellingen die hij gezien had.

Toen hij op de universiteit zat, speurde hij de kranten af naar aankondigingen van reizende balletgezelschappen en kocht stiekem kaartjes voor voorstellingen, zoals anderen een bordeel bezochten. En toen hij als dertigjarige vrijgezel in Manhattan woonde, stak hij al het geld dat hij kon missen in het Monte Carlo Ballet, George Ballanchines experiment in de grootse traditie van Diaghilev.

En als gevolg daarvan ontmoette hij Joan – hij zag haar voor het eerst toen ze op handen en knieën zat, met een penseel tussen haar tanden.

Ze was dertien jaar jonger dan hij, een *debutante manquée*, met een pikant gezicht en uitstekende jukbeenderen. Haar vader was bij de crash van 1929 zijn vermogen kwijtgeraakt en haar moeder was 'geïndisponeerd' zoals het fijntjes werd omschreven: ze zat ergens in Poughkeepsie in een inrichting. Joan was enig kind; ze was gigantisch verwend en had een geweldig ego. Ze was het product van een hele reeks gouvernantes, scholen die niet wisten wat ze met haar aan moesten en lange reizen naar de andere kant van de Atlantische Oceaan. Ze bezat echter een groot talent – ze had een geweldig gevoel voor kleur en vorm en was vooral goed in het kleuren van grote vlakken – en ze hield van provoceren.

Haar kleding bestond uit een allegaartje van prachtige ouderwetse jurken en modieuze afdankertjes. Ze bezat een perfect lichaam en bewoog zich met een natuurlijke gratie die mannen tot razernij kon brengen. Ze lachte veel, om haar eigen grapjes vooral, maar soms ook om die van anderen. Ze kon tot diep in de nacht vol overgave, aangeschoten en wel, over sociaal onrecht doorpraten. Toen Roderick haar ontmoette meende hij een verwante geest te hebben gevonden: ze hadden allebei een afkeer van frivoliteit en een groot respect voor kunst en waarachtigheid. Voor Joan liet hij de Republikeinse partij in de steek en sloot zich aan bij de Democraten. Roosevelt was op dat moment president, een man met een vergelijkbare achtergrond als hij; daarom was de stap ook weer niet zo groot. De ommezwaai bezorgde hem echter wel een bijna gevaarlijk gevoel van onafhankelijkheid. Hij nam Joan ter kennismaking mee naar zijn familie in Delaware, en al genoot hij van haar brutale uitstraling en originele standpunten, hij vond het ergens ook wel prettig dat ze wist hoe ze een vismes moest hanteren.

Vier maanden later trouwden ze.

Hij wilde haar alles geven: kleren bont als vogelveren, een studio op het noorden. Hij verkocht zijn belang in het Monte Carlo Ballet en wijdde zich aan de architectuurstudie. Joan gaf haar baan als decorschilder eraan en begon met olieverf te experimenteren. Gezamenlijk dobberden ze regelrecht het societyleven in waar hun achtergrond hen voor had bestemd en het leek allemaal minder erg dan ze zich ooit hadden voorgesteld.

Pas toen ze Rory's derde verjaardag vierden, in 1939, begon het bij Roderick te dagen. Hij ving een steels uitgewisselde blik op, zag een hand die te lang op een arm bleef rusten. Joan had een volle bak nodig voor al haar optredens en zocht een andere tegenspeler. Roderick bleek omringd door rekwisieten en toneelgordijnen en bijrolspelers die hij zelf niet had ingehuurd, en stond als acteur zelf voortdurend op het punt af te gaan. Het was voor hem een soort opluchting toen de Japanners Pearl Harbor bombardeerden.

Een andere belangrijke gebeurtenis in Rodericks leven, beschenen door het licht van toortsen op het terras achter zijn huis: de avond dat hij Fleur Pithuvanuk voor het eerst zag dansen.

Niets in de bewegingen van *lakhon* deed in de verste verte denken aan Diaghilev; en ook de echo van trommen zoals bij Debussy ontbrak. Maar wat niet ontbrak was een bijna dierlijke energie. Roderick keek met zijn rug tegen de muur geleund en met een brandende sigaret in zijn vingers. Fleur maakte een draai, haar armen uitgestrekt in een krijgshouding. De fakkels flakkerden. Er voer een rilling door Fleur heen en uit haar ogen sprak vervoering. Zijn hart klopte wild in zijn keel.

Hij gebruikte alle vakkennis die hij ooit had opgedaan, instinctmatig of tijdens zijn training, om bij haar in de buurt te kunnen zijn.

Zo plaatste hij terloopse opmerkingen tegen vrienden en bekenden die hem complimenteerden met het geboden amusement. 'Ja, die Thaise meisjes zijn verschrikkelijk goed. De buitenlandse gemeenschap zou hun meer steun moeten geven dan ze doet. Ik zal er met de ambassadeur eens over spreken.' En hij liet tegenover een van Alecs verslaggevers de subtiele hint vallen dat hij erover dacht de *lakhon*-productiemaatschappij zijde voor kostuums te schenken. En toen hij bij toeval hoorde dat de dochter van de nieuwe Amerikaanse ambassadeur gek was op ballet, deed hij geheel spontaan het voorstel om een intercultureel dansfestival te organiseren, onder auspiciën van de ambassade en Jack Roderick Silk.

Zijn filantropische daad bood hem dekking. Hij was erdoor in de gelegenheid zes weken lang de zware repetities van Fleurs *lakhon*-groep bij te wonen; en ook om bij Fleur te zijn en uren te besteden aan het bestuderen van de welving van haar rug, de stand van haar kin, de precieze lengte van haar pink als ze die omkrulde in de richting van haar pols. Ze was prachtig, ze was etherisch en ze was zo treurig dat zijn hart ervan brak, een vogeltje dat stierf omdat het niet mocht vliegen. Terwijl hij hand in hand zat met het dochtertje van de ambassadeur, keek Roderick naar de vloeiende bewegingen van Fleur. En bedacht hoe hij Vukrit Suwannathat ten val kon brengen.

Ze kwam naar hem toe op een avond dat het stortregende, twee dagen voor het geplande einde van het interculturele dansfestival. In de beschutting van zijn huis stond ze met haar voeten in het water van de overstroomde khlong.

'Fleur,' zei hij, vanuit de poel van licht boven aan de trap, 'wat is er?'

Haar zwarte haar was drijfnat en haar ogen stonden wijdopen van angst; haar lip was gescheurd omdat Vukrit haar geslagen had. Ze had de bus genomen en was verder komen lopen door de overstroomde straten.

'Zijn vrouw. Een vreselijke scène. Ik kon het niet verdragen te blijven maar toen ik probeerde weg te lopen sloeg hij me in mijn gezicht. Ik haat hem, Jack.'

Het was voor het eerst dat ze zijn naam uitsprak. Hij liep langzaam de trap af en vermeed zorgvuldig haar aan te raken. Maar ze stak zelf haar hand uit en legde die op zijn schouder, als gingen ze samen walsen onder het hoog oprijzende huis; en hoewel de moessonlucht zwaar en warm was, beefde ze onophoudelijk. Hij had gewaarschuwd moeten zijn.

'Je lip,' zei hij. 'Je lip bloedt.'

'Ik voel het niet.'

Hij haalde handdoeken en een kamerjas voor haar en terwijl ze haar natte kleren uittrok verwarmde hij sake boven een vlam. De regen roffelde op de rode pannen van zijn dak als was zijn huis een boot die beschut tegen de storm in de haven lag; de vloer onder hem leek te deinen. Hij moest de sake neerzetten en diep ademhalen om zijn zelfbeheersing terug te krijgen. Hij was negenenveertig. Hij schatte dat zij nog geen twintig was.

Toen hij opkeek zat Fleur met haar gezicht naar het terras van oude stenen gekeerd naar de woest wuivende kruinen van de palmen te kijken. Hij liep door de kamer naar haar toe en reikte haar de sake aan.

'Kan ik je soms ergens heen brengen? Naar een vriendin bijvoorbeeld?'

Ze draaide verschrikt haar hoofd om.

'Urana, wat dacht je van Urana?' vroeg hij.

Urana was de leidster van de *lakhon*-groep, een veeleisende en gesloten vrouw.

'Die zal Vukrit meteen opbellen,' fluisterde Fleur, 'en me dwingen naar hem terug te gaan. Ons gezelschap is afhankelijk van het ministerie van Cultuur.'

En toen begreep hij het, hoe het machtsmisbruik in zijn werk ging. Vukrit had een van de koorden van de geldbuidel van de regering in handen. De minister bepaalde waar het geld dat hij in beheer had naartoe ging. En om het te ontvangen was Urana bereid als hoerenmadam op te treden. Er waren ook andere *lakhon*-gezelschappen die Vukrit geld zou kunnen geven, maar zolang de minister over Fleur kon beschikken zou Vukrit de troupe van Urana geld geven. Het was een klassieke vorm van zakendoen in een land waar iedereen – íédereen, dacht Roderick – wel iets te verkopen had.

'Hier zal hij niet komen. Dit is het enige huis dat hij niet durft binnen te gaan. Dat heeft hij me zelf verteld. Hij haat jou, Jack, net zo erg als ik hem haat.'

Hij had gewaarschuwd moeten zijn.

Maar in plaats daarvan raakte hij haar lip aan waar het bloed was opgedroogd. Ze deed haar ogen dicht en vlijde haar wang tegen de palm van zijn hand.

'Je zult naar hem terug moeten.'

'Pas over heel veel uren,' zei ze dromerig. 'Misschien wel nooit.'

Dat was een leugen, uiteraard. Maar op dat ogenblik geloofde hij dat leugens voldoende waren.

20

Sompong Suwannathat was van plan de schemering af te wachten alvorens terug te keren naar het vliegveld en het ministeriële vliegtuig.

In de resterende uren daglicht liet Wu Fat de mannen exerceren en schietoefeningen doen en na een lunch met gebraden geit bood hij Sompong een jong Akha-meisje ter vermaak aan.

Tegen het vallen van de avond bezocht Sompong de schrijn van de Generaal. Die bevond zich op een lage verhoging naast een sijpelend stroompje; aan de bomen in de buurt hingen saffraangele en dieprode gebedsdoeken. Sompong dacht aan de as die zich met de alkalische bodem aan het vermengen was. Hij dacht aan de kolf van een pistool, die warm in zijn hand lag, op een nacht vijftien jaar geleden. Toen wierp hij zijn sigaret weg en floot om Wu Fat.

De zes mannen droegen uniformen van het koninklijke Thaise leger, die Sompong van een vriend op het ministerie van Defensie had geleend. Op dat van Wu Fat prijkten de strepen van een kolonel. De geüniformeerde mannen vormden een correcte militaire lijn bij het bagageruim en begonnen de zakken met heroïne vanuit de jeep in het vliegtuig over te hevelen, ze aan elkaar doorgevend. Wu Fat voerde hen aan en inspecteerde alle houten kratten met projectielen en granaatwerpers persoonlijk. De hele operatie werd in achttien minuten volbracht, vijf minuten korter dan toen ze dit voor het eerst deden.

'Ik kom gauw weer terug,' zei Sompong tegen Wu Fat. 'Morgenavond of anders misschien zaterdagochtend. Zorg dat de hut gereed is voor het proces.'

Hij salueerde op het tarmac. Wu Fat hief zijn rechterhand en verrichtte een Chinese zegening. De motoren van het vliegtuig brulden en de mannen verdwenen in het duister.

Drieëntwintig minuten na het vertrek haalde Sompong een verslag uit zijn koffertje en vond de bladzijde waar hij die ochtend gebleven was met lezen.

'Kenmerkend voor haar is de korte aandachtsboog. Max Rodericks erfenis intrigeert haar ongeveer in dezelfde mate als Roderick zelf haar intrigeerde. Geef haar een paar weken en dan verdwijnt ze vanzelf.'

'U gaat achteruit, meneer Krane,' zei hij zachtjes in het schemerduister. 'Ik geef een vrouw nooit zoveel tijd.'

De hologige man in het *Hard Rock Café*-T-shirt en de broek met koordsluiting zwaaide licht op zijn benen toen de avond viel over Khan Sao Road. Hij had zesendertig uur niet geslapen, leed aan jetlag en was duizelig van het goedkope bier, maar het gezang in zijn hoofd hield de angst op afstand zolang het nog dag was.

Het waren nu regels uit de *Mikado* die in falsetto door zijn hoofd zongen. Jeff Knetsch was op zoek naar nog een ander deuntje; de operette kon hij zich niet te binnen brengen, maar het had iets te maken met zwarte honden die huilden in het maanlicht tijdens het spokenuur.

Het spokenuur.

Hij bleef staan bij een telefooncel en stak zijn hand in zijn broekzak, op zoek naar een munt die hij in de gleuf kon steken. Hij vond er geen.

Was het jaloezie geweest, vroeg hij zich af. Was hij jaloers geweest op een leven vol hoogtepunten waar hij nooit bij in de buurt had kunnen komen? Nee, jaloezie was een te banale emotie om de totale vernietiging van een man van wie hij gehouden had te rechtvaardigen. Terwijl hij tegen de telefooncel geleund stond in de afnemende hitte van een tropische dag, moest hij plotseling aan zichzelf denken toen hij dertien jaar oud was en klappertandend van angst naar het wedstrijdparcours keek vanuit het startpoortje. Misschien had het ijs hem van zijn stuk gebracht — of kwam het doordat drie van de mededingers een geweldige smak hadden gemaakt en een van hen schreeuwend van pijn was afgevoerd? En Max die naast hem stond, ongeduldig, vol ongeloof. Knetsch! De klok loopt al! De zoemer is gegaan! Ga dan, sukkel! Hij wist nog steeds niet of Max hem uiteindelijk een zet had gegeven.

Max kende geen aarzelingen. En hij was nooit berekenend. Knetsch liet eerst alle mogelijkheden de revue passeren en ging er dan pas op los. Hij had te weinig risico's genomen. Tot aan zijn laatste gok aan toe: Sompongs geld, en het leven van zijn allerbeste vriend.

Ergens vanuit zijn ooghoek ontwaarde hij iets, een schim die weg was zodra hij zijn hoofd draaide. *Ga weg!* smeekte hij en hoorde de schrille stem van een kind. Die hem van iets beschuldigde.

Hij moest iets te drinken hebben. Zijn handen beefden en de duisternis viel. Het duister had twee kanten: het onttrok zowel het roofdier als zijn prooi aan het zicht.

Toen hij moeizaam tussen de plastic stoelen en metalen tafeltjes van Joe's Fish & Chips door strompelde, gebeurde het: een stevig gebouwde Aziaat met sluik zwart haar en een donkere bril botste onhandig tegen zijn schouder op. De advocaat sloeg achterover tegen een tafeltje, plotseling ten prooi aan een heftig claustrofobisch gevoel dat aan paniek grensde. De Aziaat hervond zijn evenwicht met zijn hand op Jeffs heup en mompelde iets in het Thais. Het volgende moment was hij verdwenen.

Jeff haalde even hijgend adem; het zweet stond in druppels op zijn voorhoofd. Al die lichamen die zich langs hem wrongen, het aanhoudende lawaai van *tuk-tuk*-motoren. Hij greep zich vast aan een lege stoel aan een tafeltje waaraan al twee jongens zaten, en liet zich erop zakken.

Hij zat aan zijn negende glas bier van die dag toen de schim in zijn ooghoek vaste vorm aannam.

Een vaste vorm, onbeweeglijk, die zijn zicht op de straat belemmerde. De jongens die tegenover hem zaten – twee Duitsers op vakantie – keken gealarmeerd.

'Bent u Jeffrey Knetsch?'

'Ik wás Jeffrey Knetsch.'

Een gehandschoende hand werd op zijn arm gelegd. De politieagent hoorde naar hem te glimlachen, dacht Jeff, hij was toch Amerikaan? De twee Duitsers schoven hun stoel achteruit. Jeff kwam wankelend overeind.

'Is er iets niet in orde?'

'U staat onder arrest.'

'Omdat ik een biertje drink?'

Als een goochelaar haalde de agent een plastic zakje met wit poeder uit Jeffs achterzak. 'Wegens heroïnebezit. Komt u mee, alstublieft.'

De hoofdgang van de Tuinvleugel was altijd leeg, ook al lagen er minstens twintig kamers aan met bijbehorende butlerbediening. Die butlers deden hun werk blijkbaar onzichtbaar en de gasten zelf hadden het veel te druk om van de lift naar hun luxe suite te wandelen en vice versa.

De tijd voor het diner was aangebroken in het Oriental, maar Stefani wilde gebruikmaken van de room service. Ze had behoefte aan rust en privacy. Haar bezoek aan Spencer van die middag had haar heel wat stof tot nadenken gegeven. Ze wist nu dat Sompong Suwannathat in maart twee handlangers in Courchevel had gehad: Jeffrey Knetsch en Ankana Lee-Harris. Allebei hadden ze heel gemakkelijk Max' ski's kunnen saboteren om hem die vreselijke val te laten maken. Knetsch was ook in Frankrijk geweest toen Max stierf. En nu was zowel Knetsch als Ankana in Bangkok – om haar in de weer te zien met Max' testament?

De strijd stond er nu anders voor. Gisteren had ze nog gedacht dat ze de leiding had over de campagne, maar Sompong was haar voor geweest en had een strategisch voordeel behaald. Ze voelde hoe hij op de achtergrond aan het werk was, ze zag zijn schaduw achter Jo-Jo, in Ankana's lepe ogen; ze nam zijn kwaadaardigheid waar zoals ze het profiel van de man heel even in de schemerige auto had waargenomen. Ze moest heel omzichtig te werk gaan wilde ze niet verstrikt raken in het net dat hij voor haar aan het spannen was.

Waar hangt Oliver Krane verdomme uit? Rush Halliwell had gelijk gehad met zijn waarschuwende woorden. Ze moest heel erg oppassen.

Ze stak de sleutel in het slot van haar kamerdeur. Toen hij openging, sloot een hand zich als een bankschroef om haar nek. De kamer was in compleet duister gehuld.

De stalen hand om haar nek trok haar over de drempel; de deur sloeg dicht. Ze maakte een heftige beweging, maar toen greep een tweede hand haar bij haar haar en trok haar hoofd naar achteren. Er was geen ander geluid te horen dan haar stokkende ademhaling. Uit de kracht van de gehandschoende hand en de dikte van de vingers leidde ze af dat haar aanvaller een man was. Ze graaide naar de pols die het dichtst bij haar keel was, met klauwende nagels.

Het was zinloos. Ze kreeg geen adem. Ze hoorde een zacht metalig klikgeluid – een geluid dat ze herkende en dat haar ziek van angst maakte – en ze wist op hetzelfde moment hoe het zou gaan: de stiletto die ondanks het duister feilloos zijn weg zou vinden, het bloed dat bubbelend uit haar nek zou stromen. Binnen een paar seconden zou het gebeurd zijn.

Ze stak haar beide armen naar achteren, greep haar aanvaller bij zijn schouders en boog zich met zoveel kracht dubbel dat hij zijn evenwicht verloor. Hij schoot over haar hoofd naar voren en landde met een smak op zijn rug. Er vloog iets over het tapijt – de stiletto, als ze geluk had. Stefani maakte een duik naar de borst van de man, haar handen zochten zijn keel. De c-greep die Oliver haar had geleerd: met gekromde vingers de adamsappel grijpen en omhoog duwen. De in het zwart geklede Ken-pop gilde. Ze moest het alarm afzetten. *Ze moest het afzetten...*

Zijn luchtpijp bewoog onder haar vingers en zakte toen in als een zachtgekookt ei. De man slaakte een hijgerige zucht en lag levenloos op de grond.

Naar adem happend krabbelde Stefani overeind. Haar hand zocht de lichtschakelaar.

Hij lag met zijn gezicht naar boven, een vrouwenpanty vlakte zijn trekken op een groteske manier af. En toen zag ze het.

Ze had Jo-Jo verwacht. Maar deze man kende ze niet.

21

Provincie Chiang Rai, 1955

Jack Roderick was de eerste drie weken van juni op pad geweest. In een geleende jeep was hij via de onverharde wegen van Khorat naar de bergen van Laos gereden. Overal waar hij kwam zag hij de armoede en het harde gezwoeg van de mensen op het Aziatische platteland, maar gedurende deze tocht zag hij nog iets dat er voorheen niet was geweest en zeer sinister aandeed: overal geweren. Zelfs jongetjes van tien jaar liepen zelfbewust met een geweer op hun rug; ze vuurden schoten af op zelfgemaakte doelwitten, zoals ze vroeger steentjes in de rivier hadden gekeild. Als Roderick probeerde uit te vinden waar de geweren vandaan kwamen, kreeg hij vage of brutale antwoorden. De jongens probeerden zijn handen te grijpen, bedelend om kleingeld, maar ze vertelden hem alleen maar leugens.

Hij vermoedde dat de geweren uit China kwamen – afgedankte schatten van Mao's zegevierende troepen, die voor brood waren geruild. Wat moesten die plattelandsjongens met wapens? Wie was hun vijand, wie hun vriend? Hij voelde zich steeds onbehaaglijker naarmate hij met de jeep vorderde.

Hij onderbrak zijn tocht in Vientiane, waar hij sprak met groepjes laconieke mannen in ruimtes achter winkels, 's avonds na sluitingstijd. Zo ontmoette hij zijn oude vriend Tao Oum en anderen zoals hij, wier onstilbare haat tegen de Franse heersers in Indochina inmiddels gevoed werd door een nieuwe religie: Mao's communistische preken hadden zich net als de geweren verspreid. Ook de Laotianen liepen met revolvers onder hun hemd, en als ze gingen slapen legden ze hun wapen onder hun bamboe matten. Hij beloofde hen de steun van president Eisenhower en hij beloofde hen voorspoed door vrije handel; beloften al zo oud als Roosevelt en Truman, even schraal als het grensgebied van Khorat.

'We hebben luchtafweergeschut nodig,' zei Tao Oum tegen hem. 'We willen de garantie van Washington dat Amerika niet zal interveniëren in de onafhankelijkheidsstrijd die we tegen Frankrijk voeren.'

Roderick hoorde hem ongemakkelijk aan en dacht aan Eisenhower die in 1944 de geallieerde landingen op de stranden van Frankrijk had geleid. Hij kon de woorden die Tao Oum van hem verlangde niet uitspreken.

Hij begon last te krijgen van het soort nachtmerries dat hij maar één keer eerder in zijn leven had gehad, in juli en augustus 1945 in Ceylon. Nachtmerries waarin hij volslagen alleen in het hart van de jungle liep terwijl sluipschutters vanuit de bomen hun geweer op hem richtten. Maar zijn OSS-tijd lag al tien jaar achter hem, het conflict in Korea was op een impasse uitgelopen en Ike speelde inmiddels golf op de allergroenste fairways ter wereld. Wat kon er nog misgaan?

Op een nacht in Laos werd hij wakker, schreeuwend, kleedde zich gejaagd in het donker aan en reed in zijn auto richting Thaise grens.

Hij had door kunnen rijden naar Birma om in Rangoon de situatie te peilen. Hij had het moment van zijn afrekening met het verleden kunnen rekken, maar hij was dood- en doodmoe van geweren, moord en doodslag en doelloze gesprekken. Hij voelde zich neerslachtig en oud. Hij miste zijn huis, hij miste de wevers die aan de andere kant van de khlong naar Mekka bogen, en hij miste de wind die gordijnen van regen over zijn oude stenen terras waaierde. Het werd tijd voor zijn allerlaatste afspraak.

De weg naar Thailand werd niet bewaakt. In Bangkok liet men zich nauwelijks iets gelegen liggen aan het verre noorden, de Gouden Driehoek, waar de bergvolken zich vrijelijk vermengden met de woeste horden Chinese soldaten die voorheen tegen Mao hadden gevochten. Het verre noorden was een verbanningsoord, bandeloos en ruig, maar tegelijk een soort Hof van Eden. Er stonden geweldig dikke teakbomen. Hoger in de heuvels en bergen verhieven regenwoudnaaldbomen zich zwart en stil tegen de hemel. De weelderige begroeiing wemelde van insecten en ongedierte; langs de rivieroevers stikte het van de slangen en de prachtigste vogels. De bodem was nauwelijks geschikt voor bebouwing, maar al bijna een eeuw werden er op de terrassen opiumpapavers in overvloed gekweekt, dansend op hun stengels als vlinders. En tussen de bloembedden patrouilleerden nog meer mannen met geweren.

Hij bereikte Sop Ruak bij dageraad. Het was een verzameling krotten die er al sinds mensenheugenis stonden. De bevolking was een mengeling van Laotianen, Birmezen en Thaise Lue; en de laatste tijd vielen er in de gezichten van veel kinderen Chinese trekjes te onderscheiden. Terwijl de jeep rammelend tot stilstand kwam bij de rand van de nederzetting zag Roderick dat de deuren van de bouwvallige huizen al openstonden. In de hoofdstraat lagen of knielden vrouwen bij de gevallen lichamen van hun mannen, weeklagend. Uit het dak van een van de hutten sloegen vlammen. Een heel klein meisje liep op wankele voetjes door de straat, krijsend van angst. Haar haar stond in brand.

Roderick greep zijn jasje, sprong uit de jeep en sloeg met de stof naar de vlammen. Hij hijgde van angst, ontzetting en verbittering, het kind rolde voor zijn voeten heen en weer en schreeuwde niet meer. Een vrouw trok aan zijn arm, smekend, maar hij kon haar niet verstaan en toen hij een stap terugdeed wierp ze zich huilend over haar dochtertje heen.

De loop van een geweer drukte tegen de achterkant van zijn hoofd, op de plek waar zijn schedel overging in zijn nek. Hij verstijfde, happend naar lucht en stak zijn armen omhoog.

'Je kunt niet zomaar op de bonnefooi de heuvels van Chiang Rai binnenwandelen,' zei een stem zachtjes in het Engels, 'ook al doe je in Bangkok nog zoveel gevaarlijke dingen, mijn vriend.'

Roderick sloot zijn ogen en zei: *'Carlos.'*

'Ze komen de rivier over vanuit Birma, in de buurt van Fang of misschien Mae Sai. Bandieten en overlopers, aangevoerd door één leider. Waar ze eroverheen komen varieert, afhankelijk van het seizoen, maar het lijkt wel alsof ze steeds weer een andere route weten te vinden, waar we ook patrouilleren.'

'Waarom doen ze het?' vroeg Roderick. 'Om te plunderen?'

Carlos haalde zijn schouders op. 'Ze zijn uit op de papavervelden die het eigendom zijn van mijn mannen. Ik weiger ze op te geven. En dus steken ze 's nachts de velden in brand en komt de lucht van opium met de rook van de heuvel aandrijven. En sterven goeie kerels om verkeerde redenen.'

'Zijn het Birmezen?'

'Nationale grenzen betekenen helemaal niets in deze uithoek van de wereld.' Carlos keek hem grimmig aan. 'De opiumoorlogen tussen Birma en de Chinezen – en mijn mannen zijn bijna allemaal Chinees – dateren al van heel lang geleden. Je zou de Britten de schuld kunnen geven, die de handel hebben overgenomen en over hun hele imperium hebben uitgebreid, tenminste als je liefst alleen blanken de schuld wilt geven van de problemen in Azië; of je kunt de lokale heersers van Birma en Thailand, die hun boeren laten verhongeren, de schuld geven. We zitten hoe dan ook met het probleem van nachtelijke slachtpartijen en brandstichting. Wapens en patrouilles horen bij het leven in het noorden.'

'Maar wat doe jij hier, Carlos?'

Hij haalde opnieuw zijn schouders op, met half geloken ogen. Ze zaten neergehurkt bij de rivier, op drie kilometer van Sop Ruak, in de schaduw van een teakboom, om bij te praten en longans te eten. 'Mijn lot werd omgegooid door een pistool, Jack, zoals je misschien nog weet.'

Alsof de moord op koning Ananda gisteren pas had plaatsgevonden, zag Roderick een jongere Carlos voor zich die volkomen verdwaasd met een pistool in zijn handen stond. Hij zag de schreeuwende oude vrouw en Ananda's gezicht dat naar het raam was gekeerd. Het nette kogelgat en de geweldige hoeveelheid bloed. Het was bijna tien jaar geleden.

'Je hebt je daarvóór nooit gedragen als een slachtoffer van de omstandigheden, Carlos.'

'Nee?' Hij reikte naar voren om een sigaret van Roderick te pakken. 'Hoor je nog wel eens van Ruth? Zet hij de strijd voort?'

'Ik heb gehoord dat Pridi Panomyong zijn ziel heeft verkocht voor een Mao-jasje. Hij heeft inmiddels een vooraanstaande post in Peking.'

'Dan heb je leugens gehoord.' Carlos spoog op de grond. 'Het is fijn je

261

weer eens te zien, *farang*. Ik was helemaal vergeten dat mensen hier vroeger ook in dat soort kleren rondliepen.'

Roderick glimlachte, voor het eerst in dagen. Carlos droeg het verweerde tenue van een Kwomintangsoldaat, voorzien van generaalsstrepen. Rodericks zijden jasje was op verscheidene plaatsen geschroeid en stonk vreselijk. Hij rolde het op en gaf het aan Carlos. 'Veel plezier ermee.'

'Dankjewel,' zei Carlos serieus en stopte het in zijn rugzak. 'Mijn vrouw is heel handig met naald en draad. En onze zoon groeit maar door.'

'Hoe is het met Chao?' vroeg Roderick. *Chao*. Het Thaise woord voor rivier. Toen hij haar de laatste keer gezien had, in 1948, was het een zeer aantrekkelijke vrouw. Ze was frêle als glas en heel intelligent; tijdens de oorlog had ze zich onmisbaar gemaakt in de Vrije Thaise Beweging. De laatste tocht die Boonreung voor Roderick had gemaakt – de laatste voor de mislukte couppoging van 1949 en de executie van de jongen – was bedoeld om Carlos' gezin naar het noorden te smokkelen.

'Chao is altijd in beweging, als het water waarnaar ze vernoemd is.'

'Je was altijd al een dichter.'

'Maar nu niet meer.' De generaal gespte zijn rugzak om en stond op. 'We moeten voor het avond wordt brandstapels oprichten voor de mannen die gesneuveld zijn. Dat verlangt onze eer.'

'Je bent blijkbaar de baas in dit dorp, Carlos.'

'Het is nog veel erger, *farang*. De boeren zien mij als een god.'

Hij had niet overdreven, dacht Roderick tien minuten later toen hij Carlos zijn kamp zag betreden. Een groepje mannen, sommige geharde soldaten, andere nog heel jong, sprongen in de houding toen de generaal naderde. Drie Birmese overvallers waren die nacht gevangengenomen; het trio was met proppen in de mond vastgebonden aan palen die op een afstand van zo'n dertig meter bij Carlos' lage hut vandaan in de grond stonden. Chao stond in de deuropening, met een arm om de schouders van een kleine jongen geslagen. Toen ze Roderick zag lichtte haar gezicht, dat eens zo mooi was geweest, op. Toen wierp ze een blik op de drie gevangenen en verdween elke uitdrukking. Ze draaide zich om en ging de hut in, haar zoontje voor zich uit duwend.

Carlos stelde op luide toon een vraag, in pidgin-Chinees, vermoedde Roderick. Een soldaat die op wacht stond bij de gevangenen schreeuwde een antwoord terug.

'Ze zijn aangeklaagd wegens moord en schuldig bevonden,' vertaalde Carlos langs zijn neus weg. 'We zullen de straf snel voltrekken. Maar eerst gaan we flink ontbijten! Je eet uiteraard mee.'

Roderick voelde zijn huid prikken op de plek waar Carlos zijn geweer ertegenaan had gezet, net onder zijn schedel. Een stevig maal voor de executie. Met de jongen binnen gehoorsafstand. Hij dacht aan zijn eigen zoon, aan Rory die nu bijna achttien was. Hij volgde Carlos zwijgend het kleine huisje in.

Chao zonk voor hem op haar knieën, haar handpalmen hoog geheven in de ceremoniële *wei*. Er liepen tranen over haar ingevallen wangen. Hij boog voor haar. Ze kreeg een lange, pijnlijke hoestbui.

'We hebben rijst en fruit en boven houtskool geroosterde vis,' zei Carlos. 'Vertel ons tijdens het eten al het nieuws dat je voor ons hebt, Roderick.'

'Jij bent van alles eerder op de hoogte dan ik.'

'Informanten, Jack. Eens zullen ze onze redding blijken.'

'Of ons vermoorden als we liggen te slapen.'

Carlos gaf geen antwoord. Hij gebaarde naar een stoel, en ging zelf zitten. De jongen was naar de vliering gegaan; ze konden hem horen zingen terwijl hij aan het spelen was. Voordat Chao terugging naar haar komfoor en haar kommen van aardewerk zei ze: 'Jack...'

'Ja, riviergodin?'

Ze boog haar hoofd. 'Ik vroeg me af... Jij kent de minister natuurlijk, Vukrit Suwannathat.'

'De enige minister die ertoe doet.'

'Hij is met mijn zus Li-ang getrouwd. Ik heb al twee jaar niets meer van haar gehoord. Ik vroeg me af...'

'Je zus is je vergeten,' onderbrak de generaal haar ruw. 'Daar zorgt haar man wel voor. Voor Li-ang ben jij dood, Chao. Zij zou voor jou ook dood moeten zijn.'

'Ik geloof,' kwam Roderick er behoedzaam tussen, 'dat *madame* Suwannathat bij haar echtgenoot uit de gunst is. Ze is weg uit Bangkok, ze woont in een villa aan de kust bij Pattaya.'

'Het huis van onze ouders,' mompelde Chao, 'waar we woonden toen we klein waren. Li-ang is vast heel gelukkig als ze daar weer is! Heeft Vukrit haar te schande gezet?'

'Vukrit zet zichzelf te schande.'

Chao keek rond in de hut. 'Er zijn mensen die zouden zeggen dat ik me voor mijn huidige leven zou moeten schamen. Maar ik ben hier gelukkig. Carlos is een goeie man.'

'Dat weet ik, Chao. Ik zal proberen meer over je zus aan de weet te komen en dan zal ik je bericht sturen.'

Ze boog en ging verder met koken.

'Ik hoor zo af en toe wel eens wat uit Bangkok.' Carlos wrikte met de punt van zijn mes de dop van een bierflesje. 'Ik heb begrepen dat Vukrits positie sterker is dan ooit en dat de regering-Pibul nooit zal vallen. Dat de westerse mogendheden kennis zullen maken met de woede van Indochina en door het zwaard ten onder zullen gaan.'

'Dat is communistische propaganda.'

'Het is ook de waarheid. Dit deel van de wereld is als een rijstveld dat geheel is opgedroogd en in de zon ligt te bakken. Een vonkje volstaat om het in brand te steken.' Hij nam een ferme slok van het warme bier en veegde zijn mond met zijn hand af. Carlos' hand was net zo sterk veranderd als zijn uniform, vond Roderick. Hij zag er bruin en gehard uit en zijn nagels waren smerig van het vet van wapens. 'Maar ik blijf loyaal aan het westen, Jack, en mijn mannen ook. Het zijn Chinese nationalisten die Mao en alles wat hij doet haten. Ze hebben gezworen bloedige wraak te zullen nemen. Als de tijd daar is, weten ze aan welke zijde ze moeten vechten en dat zullen ze doen ook.'

'Ik geloof je.'

Carlos hield hem de fles voor. Roderick nam een slok en proefde de bittere nasmaak. Chao zette een schaal met fruit en geroosterde vis op tafel. Opeens had hij een geweldige honger, ondanks de Birmezen die als hompen vlees aan de palen buiten waren vastgebonden.

'Ik heb ook gehoord,' vervolgde Carlos, 'dat Roderick tegenwoordig niet meer in zijn eentje in bed ligt, maar met een danseres zo mooi als jasmijn die 's nachts bloeit, dat wordt althans beweerd. Ben je gelukkig?'

'Iemand die verliefd is is nooit gelukkig, Carlos.'

'Nee. Liefde verblindt. Met liefde haal je de dood in huis. En toch ben jij niet dom, Jack. Ik heb je geloof ik maar een keer dom zien doen en dat was toen je Vukrit Suwannathat lang geleden je hand gaf, aan de westkust.'

'Hij zette er zijn tanden in, mijn vriend.'

'En toch laat je zijn Bloem toe in je bed. Ben je niet goed snik? Heb je je niet afgevraagd wat hij haar daar laat doen? Kies je er zo gewillig voor je te laten verwonden dat je zelf degene bent die het mes plant, Jack?'

Rodericks gezicht vertrok en hij sloot zijn ogen. Onmiddellijk was ze daar: haar zwarte haar glanzend in het maanlicht, zijn ochtendjas die achter haar over de vloer sleepte. Slaperig zag hij haar gewelfde rug, zich aftekenend in de zijde, en de bewegingen van haar handen. Ze was een danseres, bij alles wat ze deed, ook nu. Ze hadden gevreeën en waren samen in slaap gevallen, maar voor het aanbreken van de ochtend was hij wakker geworden en had gezien hoe ze in zijn papieren snuffelde. Wat voor risico ze had genomen...

Waar zocht ze naar? Wat had ze nodig? Iets wat haar verloste van hen allebei – Vukrit en Jack?

'Ik ben een stommeling, mijn vriend,' zei hij op vermoeide toon.

'Dat ben je zeker, dat je zo'n geweldig ontbijt laat staan,' zei Carlos. 'Het is tijd voor de executie. Kom mee, Jack!'

Toen het voorbij was en de Birmezen ingezakt als neergeworpen kleren ter aarde lagen, nam Roderick afscheid.

'Je hebt geen kennis gemaakt met mijn zoontje,' zei Chao toen hij voor haar boog. Ze hoestte achter haar hand en wendde zich af. 'Ik ben ziek, Roderick. Ik heb niet lang meer te leven.'

Hij keek naar de verlepte vrouw die naar een rivier was vernoemd en zei: 'Jij leeft net zo lang als de Chao Phraya zelf.'

'Lieg niet,' antwoordde ze kortaf. 'Je hebt het leven van mijn man gered – en me een eeuwigheid in eenzaamheid bespaard. Maar ik moet je om nog één gunst verzoeken.'

Haar donkere ogen gloeiden vurig in haar verwoeste gezicht. Zes jaar geleden hadden ze gedanst in de Amphorn-tuinen. De ballingschap had afgerekend met Chao's schoonheid zoals water een rivierbedding tot keiharde rots uitslijt.

'Ik zal doen wat je maar wilt,' zei hij en meende het ook.

'Breng mijn zoon naar mijn zus Li-ang als ik er niet meer ben. Mettertijd zal hij deze plek vergeten.'

'Hij zal jou nooit vergeten. En Carlos ook niet.'

'Carlos wil dat Sompong het leven krijgt dat hem is afgenomen. Maar als Carlos onze zoon zelf naar Bangkok brengt, wordt dat zijn dood.'

'Ik beloof het,' zei Roderick en salueerde voor de vrouw van de generaal.

22

'Meneer Halliwell,' zei Paolo Ferretti op donderdagavond via de telefoon, 'ik vrees dat we hier in het Oriental met een probleempje zitten. Weet u nog, mevrouw Fogg? Die Amerikaanse vrouw die u afgelopen dinsdag op de cocktailparty hebt ontmoet?'

Rush leunde tegen het bureau van zijn secretaresse in het halfverlaten ambassadegebouw. 'Ja,' antwoordde hij.

'Ze heeft zojuist een man gedood.'

Halliwell vloekte binnensmonds.

'Ik moet de politie bellen,' vervolgde de assistent-bedrijfsleider. 'We zouden het erg op prijs stellen als u meteen hierheen komt om mevrouw Fogg te vertellen wat haar rechten zijn voordat de politie hier is.'

'Natuurlijk. Hoe is ze eraan toe?'

'Ze is niet gewond.' Paolo aarzelde even. 'Maar ze houdt zich misschien alleen maar goed. Ze is aangevallen, moet u weten. Het is erg eigenaardig allemaal. We zijn zoiets totaal niet gewend hier. Hoe die man in…'

'Wou je zeggen dat die man in haar kamer was?'

'Ja.'

'Ik kom er meteen aan,' zei Rush en hing op.

Paolo bracht alle andere gasten uit Stefani's vleugel elders in het hotel onder, zonder verdere uitleg maar met een fles champagne als doekje voor het bloeden. Ze lieten het lijk liggen zoals het lag.

Ze zat in een stoel die opzij van zijn bureau stond, met een glas cognac in haar handen. Iemand had een deken om haar schouders gelegd, alsof ze van de verdrinkingsdood was gered, en haar een sigaret aangeboden. Die lag nu veronachtzaamd in Paolo's asbak op te branden.

'Hoe… hebt u het gedaan?' vroeg de assistent-bedrijfsleider.

'U zou u beter af kunnen vragen hoe hij in mijn kamer is gekomen.'

'Met de sleutel.'

Ze keek verrast op van haar cognac.

'Uw butler is in de dienstlift gevonden. Dood.'

'Ik heb de luchtpijp van de rotzak fijngeknepen,' kwam ze hem tegemoet. 'Instinct, denk ik.'

'Instinct,' herhaalde Paolo, en wendde zijn blik af.

In Bangkok zijn er twee soorten verkeersdrukte: het spitsuur en nog erger. Vanavond waren de straten zo verstopt dat zelfs de hoofdstedelingen er niet doorheen kwamen. Halverwege het hotel stapte Rush uit de taxi en ging verder lopen. De politie maakte gebruik van sirenes. Toch was hij ze nog drie minuten voor.

'Wat is er gebeurd?' vroeg hij toen hij met snelle passen Paolo's kamer binnenliep.

Stefani keek op. 'Rush, hij wou me de keel afsnijden...'

'Maar je was hem te snel af.'

'Wat kost het in deze stad om een vreemdeling om te leggen? Honderd dollar?'

'Veertig valt te proberen.'

De politie van Bangkok was vijf uur en tweeënveertig minuten in het Oriental Hotel bezig. Ze verzegelden de lift waarin de vermoorde butler lag, verzegelden Stefani's suite, lieten een forensisch team sporen veiligstellen en mompelden in walkietalkies. Ze vonden niets op de dode man waaruit zijn identiteit viel op te maken.

Wat ze wel vonden was een pakje kreteks en een boekje lucifers waarop de naam van een tatoeagesalon aan Khao San Road stond afgedrukt. Ze maakten polaroidfoto's van het hoofd van de dode en stuurden een volijverige jonge agent op onderzoek uit in het district waar de rugzaktoeristen verbleven.

Rush ging samen met Paolo Ferretti een dienstlift in die uitkwam op de verlaten gang. Hij nam de situatie in Stefani's suite in ogenschouw: haar laptop op de salontafel, een fles Bombay Sapphire die nog voor driekwart vol was. Ze hield van een Bulgari-parfum dat naar groene thee rook en ze had maar heel weinig bagage. De kamer was niet overhoop gehaald. Maar hij wist toch al dat inbraak niet het motief was geweest.

Een lid van de medische politiestaf had de panty die de trekken van de dode man verborg opengesneden. Het was een Aziatische man, niet oud en niet jong, en zijn met henna gekleurde haardos stond in met gel aan elkaar geplakte spikes overeind. Hij staarde naar het plafond met een uitdrukking van opperste verbazing op zijn gezicht. Rush boog zich over hem heen om zijn verbrijzelde keel te bekijken.

'Hoe is het toch mogelijk?' fluisterde Paolo geïntimideerd. 'Zo'n klein vrouwtje...'

Halliwell schudde zijn hoofd. 'Het is een techniek van de Groene Baretten. En het ging niet per ongeluk. Heeft de politie daar al iets over gezegd?'

'Nee.'

'Dat komt dan nog. We gaan.' Hij richtte zich op en zei in het Thais tegen de politiemedewerker: 'Wij hebben deze man nooit eerder gezien.'

De man met de hoogste rang uit de hele ploeg politiemensen, een inspecteur die Itchayanan heette, nam de ondervraging van Stefani Fogg op zich. Hij was bezig Engels te leren en greep de gelegenheid aan om te oefenen. Hij schoot er niet veel mee op.

'Ik ken de man niet en ik weet niet hoe hij mijn kamer is binnengekomen. Hij had een mes en probeerde het te gebruiken. Ik weet niet precies hoe ik hem gedood heb. Hij kneep mijn nek dicht en ik heb hem in het donker een flinke zet gegeven. Hij lag opeens op de vloer. Ik heb geen idee waarom iemand mij zou willen aanvallen. Ik ben in Bangkok voor mijn plezier. Mijn vaste woonadres is in New York City. Ik heb geen baan.'

'Stefani Fogg,' zei Itchayanan, de vreemde naam op zijn tong proevend. 'U bent de *farang* – de Amerikaanse dame – die Jack Rodericks huis wil stelen.'

Stefani gaf geen antwoord.

'Ik heb u op tv gezien. U bent behoorlijk brutaal, hè?' Itchayanan zwaaide met zijn pen onder haar neus. 'Die vent die u gedood hebt wilde u waarschijnlijk een lesje leren.'

Ze haalden haar kamer overhoop, op zoek naar drugs, grote hoeveelheden contanten en ivoor of kunstobjecten van de zwarte markt. Ze onderzochten de paarse plek in haar slanke nek waar drie vingers die hadden omkneld en voerden de stiletto die ze onder haar salontafel aantroffen in een plastic zak af. Ze hielden rekening met de mogelijkheid dat het om een poging tot verkrachting ging. Ze vroegen waar mevrouw Fogg laatstelijk was geweest en waar ze verder nog naartoe zou gaan en waarom. Toen zeiden ze haar dat ze hangende het onderzoek in Bangkok diende te blijven.

Een uur en veertig minuten later stelde inspecteur Itchayanan de ambtenaar derde klasse van de Amerikaanse ambassade op de hoogte van het feit dat ze mevrouw Fogg niet op verdenking van moord zouden arresteren. Die zat intussen nog steeds in de stoel naast Paolo's bureau. Ze rolde minachtend met haar ogen.

Die Amerikanen, dacht Itchayanan verbitterd, dachten altijd maar dat alles vanzelf ging.

Rush gaf een van de chauffeurs van de ivoorkleurige Mercedessen die altijd, dag en nacht, voor het Oriental op klanten stonden te wachten een seintje. Toen de auto voorreed stelde hij de man een vraag in het Thais. Het antwoord beviel hem blijkbaar niet, want hij gaf een klap op het dak en wenkte de volgende chauffeur uit de rij. Maar die beviel hem ook niet. En de derde ook niet. Toen de vierde Mercedes voorreed, snauwde Stefani hem toe: 'Als je deze ook wegstuurt, ga ik ervandoor.'

Rush gleed naast haar op de achterbank en sloeg het portier dicht. Een Thaise woordenstroom kwam op gang.

'Wat is er aan de hand?'

'Ik heb liever een chauffeur die geen Engels spreekt,' mompelde Rush.

'Dan moet je een andere taxi nemen, niet een van het hotel.'

'Alstublieft,' zei hij tegen de man achter het stuur, 'zet even wat muziek op. Hard graag. We proberen wakker te blijven.'

De chauffeur boog zich gehoorzaam naar voren om aan een knop te draaien. Het volgende moment klonk een nummer van de Beatles, 'Penny Lane', uit de luidsprekers bij de achterbank. De auto reed weg van het Oriental. Stefani dacht niet dat ze er ooit nog zou terugkeren.

'Heb je al gegeten?' vroeg Rush.

'Ik heb alleen ontbeten.'

'En het is nu bijna twee uur in de nacht. Je moet nooit iemand op een lege maag vermoorden.'

Hij wierp een blik op de achteruitkijkspiegel, maar de chauffeur leek zich niet met hen bezig te houden. Stefani nestelde zich in de hoek van de bank, met haar armen stevig voor haar borst gevouwen. Ze was opeens volslagen wee en uitgeput van haar intieme ontmoeting met de dood.

'Neem me niet kwalijk, ik heb iets met galgenhumor,' zei Halliwell onverwachts. 'De politie heeft de vrouw van de man die je aanviel trouwens opgespoord in een waarzeggershol aan Khao San Road. Ze zijn haar nu aan het ondervragen. Waarom zou een vent die zich normaal gesproken bezig houdt met voorspellingen aan de hand van theebladjes jou willen vermoorden?'

'Een bijbaantje, denk ik,' zei ze ad rem. 'Waarom was het niet Jo-Jo die daar op de grond lag?'

'Wees maar blij van niet. Jo-Jo is veel te sterk en te slim om zich door een meid op zijn rug te laten gooien.'

Ze bleef naar de stroom lichtjes op straat kijken. Het was niet meer zo druk. 'Waar breng je me naartoe?'

'Naar het huis van mijn vader in Nonthaburi. Daar komt niemand je zoeken.'

'Is jouw vader Joe Halliwell? Van *The Bangkok Post*?'

'Ja.'

Daar zat ze nou echt op te wachten: een journalist die haar slechtgezind was aan het ontbijt. Ze overwoog even om tegen te stribbelen. Maar een hotel vinden zou op dit uur niet gemakkelijk zijn. En hotels zouden in de gaten worden gehouden. Ze huiverde bij de gedachte aan weer zo'n kamer alleen.

'Ik heb zijn column gelezen,' zei Rush ongemakkelijk. 'Je moet er maar geen aandacht aan schenken. Het onderwerp Jack Roderick ligt bij hem nogal gevoelig.'

'En je moeder?' vroeg Stefani. 'Die is toch Thais, als ik het goed heb?'

'Ze is gestorven toen ik tien was. Daarna ging ik bij Joe wonen.' Hij sprak deze zinnen zo omzichtig uit dat ze wist dat ze niet verder moest vragen.

Waren zijn ouders soms niet getrouwd geweest? Ze stelde zich Rush als jongen voor: half Thais, onwettig, losgeslagen met veel te veel geld in Zuid-Californië. Een Euraziaat was vaak een soort mikpunt in de beide culturen waar hij product van was. Had Rush zich in zijn jeugd voorgenomen bij geen van beide te horen? Was hij de wereld overgezworven om zijn ogen en oren als spion de kost te geven, met zijn aangeboren charme als camouflage? Voor het eerst sinds ze gehoord had dat Max dood was voelde Stefani mededogen met iemand anders dan zichzelf.

Joe Halliwell bewoonde een klein huis met een weelderige tuin aan de rand van Nonthaburi. Slechts een licht doorboorde het duister. 'Dat is het raam van de logeerkamer,' fluisterde Rush toen ze op de stoep stonden. De gehuurde Mercedes wachtte op hem; in plaats van de Beatles klonk er nu jazz. 'Pap ligt waarschijnlijk al in bed. Red je het wel, denk je?'

'Natuurlijk.'

'Heb je een wapen?'

Ze glimlachte vaag. 'Natuurlijk niet, ik ben een toeriste.'

'Dat ben je niet,' zei hij. Ze hoorde ergernis in zijn stem doorklinken. 'Ik bel je morgenochtend.'

23

Bangkok, 1957

In februari 1957 was veldmaarschalk Pibul een oude man van tweeënzestig; hij zat alles bij elkaar al bijna twintig jaar in Thailand in het zadel, met een onderbreking van twee jaar waarin hij in de gevangenis had gezeten. Washington maakte zich zorgen om Thailand – vanwege de toenemende grilligheid van de regerende elites, de onrust onder studenten, de roep om democratie en de steeds grotere aantrekkingskracht van het communistische verzet. In Indochina werd een gewapende strijd tegen de Franse kolonialen gevoerd: legertjes gewapende mannen hielden zich op in het hoogland van Laos, de rijstvelden van Vietnam en zelfs de brede, lommerrijke boulevards van Phnom Penh. In het dominospel dat in Zuidoost-Azië gaande was, kon Thailand als volgende aan de beurt zijn.

Washington maakte zich zorgen om de wapens en Washington was van mening dat veldmaarschalk Pibul door zijn leeftijd inmiddels te laks was geworden om de stroom goedkope geweren van Sovjet- en Chinese makelij die zijn land binnenvloeide een halt toe te roepen. Het was tijd voor een omwenteling.

'Meld breuklijnen in de huidige regeringskliek,' seinde Langley naar de Amerikaanse ambassade in Bangkok. 'En ook geschikte kandidaten die voor de komende verkiezingen geheime steun verdienen.'

In Thailand hadden verkiezingen nooit veel voorgesteld. Ze kwamen neer op lippendienst aan de inwoners, die daardoor het idee moesten krijgen dat ze hun nationale volksvertegenwoordigers zelf kozen, hoewel die in werkelijkheid slaven waren van de leden van het kabinet die hun zetels voor hen gekocht hadden.

'Zouden we geen vrije, eerlijke verkiezingen moeten ondersteunen?' vroeg de jonge *case officer* die op een avond tegen het einde van januari bij Jack Roderick thuis aan een maal van gebraden varkensvlees met mangoestan zat. 'Daarvoor zitten we hier toch eigenlijk? Om de democratie te bevorderen?'

Hij was misschien vierentwintig, dacht Jack Roderick; een voormalige quarterback van de honkbalploeg van Yale. Hij heette Chip. De chef van de CIA-afdeling op de Amerikaanse ambassade had de knaap naar Roderick gestuurd voor een jaarlijks herhaald ritueel dat werd aangeduid als 'zitten aan de voeten van de Grote Blanke Veteraan'. Roderick werd geacht aankomende *case officers* het een en ander aan hun verstand te peuteren.

Het was een rol die hem steeds zwaarder viel. De nieuwelingen deden hem denken aan de man die hij vroeger was geweest: idealistisch, betrokken en vol vertrouwen in de goede zaak. Niet zo vermoeid, zuiverder. Zeker van zijn doelstellingen en de motieven die eraan ten grondslag lagen. In een poging zich te concentreren richtte hij zijn aandacht op het verbijsterde gezicht tegenover hem.

'Vrije, eerlijke verkiezingen zijn een grote farce. Bij de ingangen van de stembureaus staan altijd massa's smeerlappen stemmen te kopen, als kaartjes voor een honkbalwedstrijd. Bij de verkiezingen van volgende maand zal het niet anders toegaan. Het wordt zelfs erger dan ooit. De Coupgroep ruikt bloed. Ze staan klaar om Pibuls benen onder hem vandaan te schoppen. En ze zullen elkaar de strot afsnijden om maar een zetel te kunnen veroveren.'

De Coupgroep was Pibuls kabinet, genoemd naar Pibuls coup van 1947 die hen aan de macht had gebracht. De ministers waren afkomstig uit het leger en de marine. Zelfs uit het korps mariniers dat met hulp van Washington was opgericht en geleid werd door Pibuls zoon, schout bij nacht Prasong. Ze waren geen van allen loyaal aan Pibul.

Chip zat schaapachtig te kijken.

Roderick probeerde het nog eens. 'Je kunt niets uitrichten tegen de stroom contanten waarmee gewapperd wordt. Dus kun je er zelf ook maar beter het een en ander tegenaan gooien. Ter ondersteuning van de juiste personen. Snap je wel?'

De man die de hoogste ogen gooide om de macht te grijpen was veldmaarschalk Sarit Thanarat, en hij was degene op wie Jack Roderick had ingezet. Roderick had Sarit al jaren geleden aan een evaluatieonderzoek onderworpen, toen de veldmaarschalk nog maar kolonel was; hij zag hem als een intelligente, meedogenloze man, die geen vriendjes was met Mao. Sarit had de regering-Pibul in 1951 óók al uitgedaagd, maar was tot nu toe koest gehouden met een reeks snelle promoties: hij had het geschopt tot luitenant-generaal en vervolgens tot opperbevelhebber van het leger en was nu minister van Defensie. Sarit had de afdeling Financiën van het Staatsloterijbureau onder zijn hoede en hij roomde grote bedragen af om politieke steun te kunnen kopen. Maar de ware reden dat Jack Roderick Sarits voortgang bijhield en stimuleerde was dat Sarit de machtbasis probeerde te ondermijnen van een andere minister die hij haatte: Vukrit Suwannathat. Alle vijanden van Vukrit vond Jack Roderick de moeite waard om te betalen.

Zijn probleem van het moment was echter Chip. 'Luister,' probeerde hij het nog eens. 'Bekijk het eens als een voetbalwedstrijd. Je kunt je bij je pogingen om te scoren helemaal laten slopen door een tegenstander die allerlei smerige geintjes uithaalt. Of je kunt je een goed beeld vormen van het andere team – in dit geval de Sovjet-Unie – en voorkomen dat ze hun vuile spelletjes doorzetten. Misschien scoor je dan minder dan je zou willen, maar je geeft ze in ieder geval niet de kans je te verslaan. Is dat verstandig of niet?'

Chip knikte weifelend. 'Ik vind het alleen zo... on-Amerikaans. Ik kan me gewoon niet voorstellen dat Ike dit soort tactieken ooit zou toestaan.'

'En daarom ben jij hier,' zei Roderick om de zaak kort maar krachtig af te ronden. 'Om te zorgen dat hij dat nooit hoeft te doen.'

In augustus, maanden later, in het regenseizoen, nam hij Fleur per boot mee naar Ayutthaya. Bij haar voeten stond een picknickmand. Hij werd geacht geen aandacht te schenken aan Fleurs voeten – in Thailand is het heel onbehoorlijk om zelfs maar een snelle blik op iemands voeten te werpen, aangezien voeten als het laagste van het laagste werden gezien – maar hij was dol op Fleurs voeten omdat ze zo sterk en soepel waren en haar tenen zo oneindig beweeglijk. Hij was vaak idioot lang bezig met het strelen van haar voeten, die op talloze podia de grote tragedies van Thailand hadden neergezet. Ze waren naar zijn idee bedoeld om op een zijden kussen te steunen, om de wereld vanaf de rug van een olifant te onderwerpen. Maar Fleur was ontzettend verlegen met deze obsessie van Roderick. Hij bedwong zich nu en stelde zich er tevreden mee naar haar te kijken zoals ze op de voorplecht van de boot zat, tussen de vrolijk gekleurde vlaggetjes die het schip van voor naar achter sierden.

Ze waren al vaak samen naar de oude hoofdstad geweest, maar dan hotsend over de slechte wegen in zijn geïmporteerde Buick, de opvolger van de Packard, een glimmend monster, diep groen als een krokodil. Hij had al eens een schitterend Bencharong-theestelletje voor haar gekocht in een stoffig winkeltje in het nieuwe gedeelte van de stad en ze hadden samen ook over de eilandjes gelopen bij de samenloop van de drie rivieren, waarbij hij steeds weer verrukt was van de klanken die haar lippen vormden als ze in oude steen uitgehakte woorden oplas. Roderick had de subtiele toonwisselingen van het Thais – hoog, midden en laag, rijzend en dalend als stadia van de zinnelijke liefde – nooit onder de knie gekregen; en aan het elegante schrift met zijn tachtig kronkelige karakters had hij zich zelfs nooit gewaagd. Deze gezamenlijke tochten van Fleur en Roderick vormden een nieuwe versie van de oudste verhalen van het koninkrijk, die bol stonden van verraad, passie en onherstelbaar verlies. Daarom had hij Ayutthaya vandaag opnieuw uitgekozen als bestemming.

'Wat ben je toch serieus, Jack,' zei ze, terwijl ze een hand water uit de rivier schepte en hem ermee besprenkelde. 'We worden nog eens hele saaie oudjes als we niet uitkijken.'

'Age cannot wither her, nor custom stale/Her infinite variety,' zei hij met de weemoed van iemand die nooit meer jong zal zijn. Shakespeare was haar onbekend, maar ze had heel veel weg van Cleopatra, vond hij, zoals ze daar met opgeheven hoofd en haar enkels over elkaar voor in de boot zat. Ze was nog geen vijfentwintig. De verlorenheid die ze op jongere leeftijd had uitgestraald was verdwenen, maar haar ogen waren nog even donker, onpeilbaar en veranderlijk als in de tijd dat hij haar voor het eerst had gezien.

'Serieus en somber,' herhaalde ze. 'Wat zit je dwars, Jack? De zijdehandel? De politiek?'

Het was een goede vraag. De algemene verkiezingen van februari waren nog smeriger dan anders verlopen. Studenten hadden demonstratieve optochten gehouden en Pibul had de oproerpolitie op hen afgestuurd. Er waren tientallen gewonden gevallen, waarop veldmaarschalk Sarit Thanarat de zijde van de studenten en andere betogers had gekozen en zijn ontslag als minister had ingediend. Volgens de meeste Thai wachtte hij op een goede gelegenheid om zelf de macht te grijpen. Pibul had onlangs Sarit zijn belangrijkste inkomstenbron ontnomen door hem het toezicht op de Staatsloterij af te pakken.

'Ik zit over mijn huis in,' zei Roderick abrupt. 'Je vriend de minister — Vukrit Suwannathat — heeft er gisteren twee mannen naartoe gestuurd. Ik was er niet en ze hebben vier kleine, bronzen boeddhabeelden meegenomen, hoe mijn huisbediende en mijn kok ook protesteerden. Die zie ik nooit meer terug en ik mag heel erg van geluk spreken als er geen ergere dingen te gebeuren staan.'

'Flauw, hoor. Vukrit is net een stout jongetje dat aan tafel met erwtjes zit te schieten, vind je ook niet?'

'Ik was gek op de boeddha's. Zó gek, Fleur, dat ik ze al bijna twee jaar in een voorraadkast had staan, opdat niemand anders ze maar zou zien. Maar Vukrits mannen wisten precies waar ze waren.'

Ze tuurde in het water; haar profiel tekende zich af tegen het vergulde dak van een *wat* in de verte. 'Ik herinner ze me,' mompelde ze. 'Je hebt ze me geloof ik een keertje laten zien. Kijk, een koninklijke sloep!'

Hij keek in de richting waarin ze wees en zag een grote boot die door zo'n veertig roeiers werd voortbewogen; op het ritme van hun gezang haalden ze hun peddels door het water. Hoog op de achterplecht stond een eenzame roeier die de enorme peddel die als roer dienst deed bediende. De passagier midscheeps — koninklijk of niet — was op deze afstand nauwelijks te onderscheiden en was niet meer dan een dwerg te midden van alle pracht en praal.

'Op dat schip hoor jij thuis, Cleopatra,' zei hij.

'Ik word misselijk van al dat gedein op de rivier,' zei ze, 'en ik wil niet als een prinses behandeld worden.'

'Mooi. Ik ben dol op de huidige koningin, vooral als ze mijn zijde draagt, maar van de meeste koninklijke personen moet ik niet zoveel hebben.'

'Vanwege koning Ananda,' zei ze zachtjes. 'Omdat het paleis volhoudt dat zijn dood een ongeluk was. Maar jij weet hoe het echt gegaan is, hè? Dat zegt Alec McQueen tenminste.'

Hij keek haar doordringend aan. 'Maar dat is toch van voor jouw tijd, kindje.'

'Maar de beste verhalen heb ik allemaal gehoord.'

Hij kon het niet laten wreed te vragen: 'Zeker op de knie van de minister?'

'Houd op over hem. Dat is nu al de tweede keer vandaag. Je bent jaloers en je wilt per se alles verpesten.'

'Ik weet dat je nog steeds met hem omgaat.' *Ik weet dat je hem alles vertelt. Jij bent zijn ogen en oren in mijn huis.*

'Daar hebben we het nu al zo vaak over gehad,' zei ze vermoeid. 'Soms zou ik willen...'

'...dat je me nooit had ontmoet?'

'Dat ik met geen van jullie tweeën iets te maken had.'

Rodericks gezicht kreeg een harde uitdrukking. 'Je kunt altijd teruggaan naar het zuiden, Fleur. Niemand houdt je vast. Als het erop aankomt.'

Ze kwam overeind zitten alsof ze een klap had gekregen. 'Je weet dat ik nog liever zou sterven dan bij jou weggaan. Ik ben alleen misselijk en ik heb hoofdpijn en het was stom van me om dat te zeggen. *Jack...*'

'Je zou inderdaad nog liever sterven dan naar het zuiden teruggaan, ja,' ging hij onverzoenlijk door, 'maar niet omdat je zoveel van me houdt. Het is vanwege de dans. Jouw kunst. Ik begrijp dat wel, Fleur, ik begrijp het zelfs zo goed dat ik in staat ben om je bijna alles te vergeven. *Bijna* alles. Voor jouw kunst neem ik op de koop toe dat het ministerie van Cultuur tussen mijn spullen neust, neem ik het snotjongetje dat met erwtjes schiet op de koop toe. En neem ik genoegen met maar een heel klein stukje van je hart. Want zonder je kunst zou je maar half de vrouw zijn die je nu lijkt te zijn.'

Hij stak zijn hand naar haar uit.

'Je zei "bijna",' fluisterde ze. 'Wat kun je me niet vergeven, Jack?'

De verleiding was groot om te zeggen: *Mijn bronzen boeddha.* Maar dat zou als een echte beschuldiging klinken, en die kon hij niet over zijn lippen krijgen zolang ze daar tussen die wapperende vlaggetjes zat.

Fleur at niet veel. Roderick vroeg haar van alles over haar plotselinge ziekte, maar ze gaf hem halve antwoorden of zei helemaal niets, zodat hij er uiteindelijk over ophield. Het leek beter te gaan toen ze van de boot af waren. Hij beloofde dat hij voor de terugreis naar Bangkok een auto zou huren.

Ze doezelden wat op het gras tussen de restanten van hun lunch en het werd zo'n plezierige middag dat hij bijna vergat haar een vals bericht in het oor te fluisteren.

'Ik moet over drie dagen weg,' zei hij, 'voor een week of nog langer. Je mag wel zolang in mijn huis blijven.'

Ze richtte zich op een elleboog op en keek op hem neer. 'Waar ga je heen?'

'Naar Khorat en dan naar Vientiane. Misschien kom ik via Chiang Rai weer terug.'

'In Chiang Rai is toch geen zijde? Er zijn daar alleen bergvolken en gewapende bendes. Waarom zou je daar dan naartoe willen?'

Hij glimlachte vaag. 'Oude schulden.'

'Van het soort dat niet met geld vereffend wordt zeker,' zei ze scherp. 'Spionagegedoe.'

'Ik ben al sinds 1947 geen spion meer, Fleur.'

'Ik geloof er niets van. Jij wilt altijd alles weten en wat je weet hou je voor je.'

Hij plukte grassprieten voordat hij antwoord gaf. 'Ik heb een afspraak in Chiang Rai. Met een oude vriend uit het verzet. De zwager van jouw minister. Ze haten elkaar.'

'Ik ben mijn minister spuugzat. Wie is die oude vriend dat je een week met hem in plaats van met mij wilt doorbrengen? Is hij een zij, misschien?'

'Het is een dappere, uitgeputte man die al wat hem lief was verloren heeft, onder andere zijn vrouw. En nu ga ik zijn zoon ook nog bij hem weghalen.'

Ze legde haar handen gespreid op zijn borst; zelfs als ze rustte, krulden haar vingertoppen nog om, als de blaadjes van een zich ontvouwende bloem. 'Wie geeft er nu zijn eigen zoon op?'

Hij dacht aan Rory en zei: 'Iemand die geen andere keus heeft. Beloof me dat je in mijn huis logeert.'

'Om je bed warm te houden?'

'Ik zou het een prettige gedachte vinden dat je daar bent.'

Ze keek hem zijdelings aan. 'En waar moet ik me jou dan voorstellen?'

'Vlak bij Sop Ruak, waar de rivier in het oerwoud verdwijnt,' zei hij nadrukkelijk. 'Daar ben ik over een week om mijn oude vriend te ontmoeten.'

Ze zuchtte en liet zich weer op het gras vallen. 'Je moet een cadeautje voor me meenemen uit Vientiane.'

'Beloof je me dat je in mijn huis gaat logeren? In Bangkok zou er een geweldsuitbarsting kunnen plaatsvinden terwijl ik weg ben. In Ban Khrua ben je veilig.'

'Een geweldsuitbarsting? Waar heb je het over?'

'Een man met een geweer en een legertje achter zich. Jouw minister weet er alles van. Maar ook al weet hij het, dat zal hem dit keer niet redden. Beloof je dat je in mijn huis blijft?'

'Ik heb zo genoeg van die legertjes,' klaagde ze. 'Ze zorgen iedere keer voor storing in de elektriciteitsvoorziening. Breng maar een Lisu-hoofdtooi voor me mee, Jack. Iets kleurigs uit het hoogland. Misschien vergeef ik je dan wel.'

Hij vertrok de volgende ochtend al, twee dagen eerder dan hij gezegd had, maar hij ging helemaal niet naar Khorat.

In plaats daarvan reed hij regelrecht naar het noorden, voorbij Ayutthaya waar hij voor het laatst met zijn lief in het gras had gelegen; verder dan Lop Buri waar hij een klein beeldje van een grommende *singha* kocht om aan Fleur te geven; verder dan het oerwoud van Thung Yai Naresuan waar tijgers zich schuilhielden in het wuivende groen; en na vele uren bereikte hij de oude ruïnes van Sukkothai, de verste uithoek van het oude Khmer-imperium. Daar hield hij halt om in de koelte van de avond mangoestans te eten en te kijken naar drie kleine jongetjes die op de modderige rivieroever aan het worstelen waren. Hij voelde zich bedroefd maar ook hoopvol, als iemand die aan de dood ontsnapt is.

Twee dagen later kwam hij in Sop Ruak aan en begaf zich via de slingerende oerwoudpaden naar het bolwerk van de generaal in de heuvels. Hij was zich bewust van de wachters die hem vanuit de bomen gadesloegen en van het gefluit en geroep dat aan zijn nadering voorafging. Hij liep door in het zenuwslopende besef dat geweervizieren hem in de peiling hielden en weerstond de aandrang om te gaan rennen.

'Carlos, mijn vriend, het is tijd om op te breken,' zei hij toen hij diens hut betrad, 'want anders zullen Vukrit en zijn soldaten je hier vinden.'

'Laat Vukrit maar komen,' antwoordde de generaal zonder aarzeling. 'Ik zal hem als een twijgje breken.'

'Je zit niet al elf jaar lang in de heuvels op je mensen te passen alsof het je kinderen zijn om ze nu ineens voor de leeuwen te werpen. Vukrit vecht voor zijn politieke hachje. Weldra heeft hij weer een nieuwe meester en hij heeft behoefte aan een gemakkelijke overwinning – zoiets als het gevangennemen van een koningsmoordenaar. Je moet voor de avond weg zijn.'

Carlos stond met zijn handen op zijn heupen over de velden de richting van Birma uit te kijken. 'Vukrit zou mij doden, zeg jij. En ik geloof je. Maar waarom zou ik dan mijn zoon naar hem toe sturen?'

'Omdat Chao dat wilde. Omdat Vukrit geen kinderen heeft en jouw zoon als zijn eigen zoon zal behandelen. Omdat Vukrit Sompong een leven kan bieden waarin ruimte is voor meer dan alleen papapervelden en wapens.'

Toen de ander niet antwoordde, voegde Roderick eraan toe: 'Je zoon zal bij jou terugkomen, Carlos.'

De generaal spoog op de grond. 'Ik vervloek de dag dat ik Chao mijn woord gaf!'

Hij was sinds haar dood veranderd, besefte Roderick. Alles wat mild en zacht was in zijn karakter was van zijn ziel gesneden met een mes zo scherp als diamant.

'Heeft jouw Bloem ons verraden?' vroeg de generaal.

'Ik weet het niet. Maar het lijkt me beter om niet af te wachten.'

Carlos wreef over zijn haar met zijn handen, vuil van wapenvet. 'Ik kan de jongen geen geld meegeven.'

'Daar zorg ik wel voor.'

'Het opvoeden van een zoon is een vreselijke plicht. Ik kom er bij mijn vijand door in het krijt te staan.'

'Dan is de balans weer in evenwicht,' antwoordde Roderick. Hij hield hem de in cabochon geslepen robijn voor die Boonreung hem had gegeven op de nacht van Carlos' vlucht uit Bangkok – op 6 juni 1946. 'Hoe lang heb je Vukrits leven nu al in handen gehad? Sinds de dood van de koning? Of al eerder?'

De ogen van de generaal waren op de robijn gevestigd. 'Ik heb die robijn op de vloer van het Grote Paleis gevonden. De moordenaar van koning Ananda moet hem hebben laten vallen.'

'Deze robijn is losgewrikt uit het voorhoofd van het boeddhabeeld dat we samen in die verborgen grot hadden gevonden. Vukrit heeft het hoofd uit de rots gehakt en het verkocht. De robijn heeft hij bij zich gehouden, tot de ochtend dat hij de koning vermoordde.'

'Dan droeg Vukrit een masker in het paleis,' zei Carlos koppig. 'Ik heb zijn gezicht niet gezien.'

'Maar je hebt het altijd geweten,' hield Roderick aan.

'Soms heb je verplichtingen, Jack. Mijn vrouw hield van haar zus. Ik kon mijn zwager niet verraden.'

'Ook al greep hij de gelegenheid aan om jou te verraden?'

'Ik bezit blijkbaar meer eergevoel dan Vukrit. Dat heb ik wél altijd geweten.'

Roderick keek van de richel waarop ze stonden naar het dichte bladerdak. Een felgekleurde vogel wiekte uit een boomtop op. 'Ga samen met je zoon en mij mee terug naar Bangkok. Of laat mij je anders naar het noorden brengen, naar Vientiane.'

'Ik geloofde in Pridi Panomyong toen we tegen de Jappen en adders als Vukrit en veldmaarschalk Pibul vochten. Als je nergens in kunt geloven, Jack, waar moet je dan nog voor leven?'

'Ik weet het niet,' antwoordde Roderick rustig. 'Maar soms, mijn vriend, kost geloof gewoon te veel.'

De generaal schudde zijn hoofd. 'Ik heb alleen nog de manschappen die mij volgen. Ik kan hun trots niet knakken. Ze zijn alles wat ik nog heb.'

'Dictator Pibul staat op het punt te vallen. En Vukrit valt misschien wel samen met hem. Dan kun je toch naar huis komen?'

'Ik heb geen ander thuis dan hier.'

'Maar ik zeg je toch dat het verraden is,' zei Roderick kortweg. 'Breek je kamp op en roep je zoon.'

Zeven nachten nadat Roderick Fleur verteld had van zijn voornemens, in het gras van Ayutthaya, lag Roderick rusteloos te draaien op zijn brits in Sop Ruak. Carlos had de hutten van zijn kamp in brand gestoken en zijn mannen meegenomen op een lange, kronkelige tocht naar het zuiden, via het grensgebied van Birma. De generaal had het plan om naar het Cameron-hoogland in Maleisië te trekken. Sinds de gevechten op Malakka in de Tweede Wereldoorlog bood het hoogland een schuilplaats aan rondzwervende groepen gewapende mannen. Tot hier zou zelfs Vukrit Suwannathat zijn tentakels niet kunnen uitsteken.

Een kever liep doelgericht langs de latten van het plafond, waar jungleplanten naar binnen waren gedrongen; Roderick telde de seconden van de minuten en de uren af terwijl het schijnsel van de maan zich verplaatste over de vloer van aarde. Hij dacht aan het pad langs de rivier waar die in het oerwoud verdween en aan de papavervelden, rood van de vlammen. Hij dacht aan Vukrit en de soldaten die hij moest hebben meegebracht, zoals ze door de modder kropen. Hij vond het heerlijk om zich de woede van de minister voor te stellen bij de ontdekking dat Carlos hem ontglipt was.

De jongen lag in een diepe slaap verzonken op de brits tegenover de zijne. Hij was zeven jaar, dacht Roderick, en hij had de jukbeenderen van Chao en de neus van Carlos. Sompong was een mager maar taai kereltje; het rennen en spelen op de bergpaden had hem sterk gemaakt. Toen plotseling in de heuvels van het noordwesten geweervuur losbrak als een regenbui, zuchtte hij alleen maar in zijn slaap en rolde zich op als een egel. Het was een geluid dat hem al vanaf zijn geboorte vertrouwd was.

Roderick liet hem slapen. Toen het ochtend werd, liep hij in de eerste stralen van de zon naar Chao's begrafenisschrijn en knielde tussen de teakbomen. Hij vertelde haar wat hij gedaan had en vroeg om haar zegen. Toen ging hij haar zoon ophalen en reed in de Buick zuidwaarts.

Fleur was weg uit het huis aan de khlong toen Roderick terugkwam. Hij ging niet naar haar op zoek.

Hij stuurde de gebeeldhouwde *singha* en de Lisu-hoofdtooi naar Urana, de *lakhon*-meesteres.

De jongen leverde hij af bij Chao's zus, Li-ang, in de villa aan de kust bij Pattaya.

En op 16 september 1957 greep Sarit Thanarat de macht in Thailand.

24

Joe Halliwells huis in Nonthaburi was heel vredig. Stefani droomde niet van moordenaars of van handen die haar keel dichtknepen. Ze sliep door tot tien uur in de ochtend en werd wakker van een krijsende vogel.

Iemand probeerde me te vermoorden. Oliver zou het wel fijn vinden om te horen dat zijn C-greep haar leven had gered.

Ze trof de vader van Rush achter zijn computer aan. Hij zat als een razende te typen. In zijn gezicht of manier van doen leek hij in niets op zijn zoon. Er zat een witte vogel op zijn schouder en even wist ze zeker dat ze het zich verbeeld had. De kaketoe tilde een chroomgroene poot op toen ze dichterbij kwam.

'Welkom.' Zijn ogen bleven op het scherm gericht. 'In de keuken kun je koffie en fruit vinden. Doe alsof je thuis bent. Ik heb niet vaak logé's.'

'Dank u wel,' zei ze. 'Ik zal u niet lang tot last zijn.'

'Ik heb begrepen dat zich in het Oriental een probleempje heeft voorgedaan.'

'Zo zou je het kunnen noemen.'

'Achterlijke stad. Die persconferentie van je was misschien geen al te best idee.'

Bij wijze van antwoord zei ze: 'Hoe komt u aan die vogel?'

Halliwell streek de veren van de vogel met een van zijn stompe vingers glad. 'Je komt die beesten overal in Thailand tegen. Het is niet zo'n kwaaie rakker. Maar hij is wel lawaaierig.'

'Jack Roderick had er een.'

'Dat is zo. Heb je wel eens doerians gegeten?' Halliwell stond op, zette de vogel op zijn stok en ging haar voor naar de keuken. 'Die groeien hier in de omgeving. Ze zien eruit als dinosauruseieren en ze stinken als de hel. Neem een schijfje.'

Het was een vrucht met een harde schil en met mosterdkleurig vruchtvlees dat een pikante smaak had.

'Je moet aan de smaak wennen,' zei Joe. 'Ik heb er jaren over gedaan, maar nu kan ik er geen genoeg meer van krijgen. Het is iets dat je in het bloed gaat zitten.'

'Zoals Thailand?' vroeg ze.

'Voor sommige mensen gaat dat wel op, misschien. De mensen die willen ontsnappen. Als je hier lang genoeg blijft, kies je voor Thailand – of kiest Thailand voor jou.'

'Wanneer hebt u uw keuze gemaakt?'

'Veertig jaar geleden. Ik heb Rush voor een tijdje meegenomen naar Californië om daar naar school te gaan. Ik wilde dat hij een idee kreeg hoe het was om in de Verenigde Staten te wonen. Ben jij van plan te blijven?'

'Dat hangt af van het huis. Waar ontsnapte Jack Roderick aan? Toen hij voor het eerst naar Bangkok kwam, in 1945?'

'Aan zichzelf waarschijnlijk. Uiteindelijk deed het hem de das om.'

'O ja?' Ze keek hem nieuwsgierig aan. 'Weet u hoe hij gestorven is?'

'Iedereen heeft daar zijn eigen theorie over.'

'Maar niemand wil er iets over kwijt.'

'Ik zou graag de rest van mijn leven in Thailand wonen,' zei Joe zonder omwegen, 'en ik ben van plan heel lang te blijven leven. Ik praat niet vaak over Jack Roderick.'

'Omdat hij uw vriend was?'

'Jack was nieuws,' corrigeerde Joe haar ijzig. 'Ik volgde zijn doen en laten alleen maar met het oog op de krant.'

Hij pakte de schijfjes doerian en ging haar voor naar een serre met glazen wanden, tegen de zon beschut met bamboe jaloezieën. Er stond geen zuchtje wind; vanuit de wilde tuin klonk het gezoem van een insect. Overal had hij foto's van Rush staan en hangen, maar nergens een foto van diens Thaise moeder. Nog een verhaal zonder gelukkige afloop?

'Zo,' zei hij bruusk. 'Je werd bijna vermoord, maar in plaats daarvan legde jouw aanvaller het loodje. Jack Rodericks naam trekt ellende aan, zoals bloed muggen. Ik zou je moeten adviseren het eerste vliegtuig naar huis te pakken en Bangkok te laten voor wat het is.'

'Ik zou toch niet gaan. U vindt mij maar niks, hè?'

Zijn ogen keken een andere kant op. 'Het is beter om al die oude kwesties te laten rusten. Als mensen beginnen te wroeten, zijn het steeds onschuldigen die er de dupe van worden.'

'Ik was gisteren de dupe,' zei Stefani botweg. 'En ík vroeg niet naar de waarheid achter Jacks dood. Ik vroeg alleen maar om mijn erfenis.'

'Dat komt op hetzelfde neer. Laat slapende honden toch rusten, juffrouw Fogg. Je lost het raadsel niet op door toestanden te maken. En misschien is er wel helemaal geen sprake van een mysterie. Misschien is Jack wel door een tijger verscheurd. Of doodgereden door een vrachtwagen die van de weg af raakte. Heb je die Maleisische vrachtwagenchauffeurs wel eens zien rijden? Ze zitten allemaal onder de amfetaminen.'

'Ik wil gewoon het huis.'

'Jack kón dat huis helemaal niet weggeven, want het was niet van hem,' luidde Halliwells onverwachte commentaar. 'Het ministerie van Cultuur heeft er op de dag dat hij vertrok beslag op gelegd. Heeft niemand je dat verteld?'

'Wat?'

'Dat Jack een misdadiger was. Zo werd hij door de Thaise regering aangemerkt. "Wegens handel in gestolen kunstvoorwerpen", zo luidde de precieze omschrijving geloof ik; zijn huis werd geconfisqueerd, inclusief de gehele inboedel. Het veroorzaakte in die tijd een sensatie.'

Ze fronste. 'Met het ministerie van Cultuur bedoelt u zeker Vukrit Suwannathat – Sompongs vader.'

'Vukrit was in 1967 minister van Defensie. Hij had een aantal jaren op een zijspoor gestaan nadat zijn maatje veldmaarschalk Pibul met een geweer in zijn rug was weggestuurd, en iedereen dacht dat het met hem gedaan was, maar Vukrit wist zich er weer bovenop te worstelen. Hij liet zich nooit lang op zijn kop zitten.'

'Ik heb gehoord dat hij en Jack vijanden waren.'

'Dat waren ze ook.' Halliwell verschoof op zijn stoel. 'Vukrit had al jaren gedreigd Roderick uit te kleden. Het maakte hem razend dat een *farang* Aziatische kunstvoorwerpen in zijn huis had, religieuze kunstvoorwerpen op de koop toe. Uiteindelijk verdween Jack en wist Vukrits opvolger als minister van Cultuur beslag op de boel te leggen.'

'Handig.'

'De regering riep de Stichting Thais Erfgoedbeheer in het leven, die het huis zeven jaar als museum heeft gerund, tot Jack officieel werd doodverklaard. En toen bepaalde een Thaise rechtbank dat het huis de staat toebehoorde. Maar dat wist je al.'

'Denkt u dat iemand Roderick heeft vermoord om zijn huis te kunnen inpikken?'

'Nee.' Halliwell verschoof opnieuw in zijn stoel. 'Iedereen wist dat Vukrit achter de beslaglegging zat, ongeacht welk ministerie hij toentertijd leidde. Het bezit van Rodericks spullen was een soort symbool voor Vukrits macht geworden – al heeft hij er weinig aan gehad. Hij werd in 1986 doodgeschoten, moet je weten, op een weg ergens in Chiang Rai. Zijn auto ging in vlammen op en zijn lichaam was doorzeefd met kogels. De regering beweerde dat drugskoeriers er verantwoordelijk voor waren, maar Vukrit had een heleboel vijanden. Wie zal zeggen wat er werkelijk gebeurd is?'

'Wie waren Jacks vijanden, meneer Halliwell?'

Zijn gezicht kreeg een listige uitdrukking. 'Als je me de dag voordat Jack naar het Maleisische hoogland vertrok had gevraagd of hij kans liep vermoord te woorden, juffrouw Fogg, dan had ik je midden in je gezicht uitgelachen.'

'Zag u hem dan als een onkwetsbaar persoon?'

Halliwells uitdrukking veranderde weer enigszins, als luisterde hij naar een stem die zij niet kon horen. 'Politiek is een heel vuil spel en plannen lopen soms verkeerd af, maar Jack geloofde echt in de maakbaarheid van een betere wereld.'

'Dat klinkt nogal naïef.'

'Na de Tweede Wereldoorlog waren we allemaal naïef. We hadden immers de goede strijd gestreden; we hadden de wereld veilig gemaakt, zodat de democratie kon opbloeien. Vietnam haalde ons uit de droom. Als je napalm op kleine kinderen gooit, word je al gauw cynisch, heel gauw. Maar Jack leefde en stierf als een idealist. Daarom knaagden zijn mislukkingen ook zo aan hem.'

'Ik wist niet dat die er waren.'

Halliwell zuchtte. 'Als Jack naar Thailand keek, zag hij echte mensen en niet de politiek of de belangen van de Verenigde Staten. Dat bracht hem in moeilijkheden − zowel hier als in zijn geboorteland. Hij heeft nooit echt thuisgehoord in een van beide. Tegen de tijd dat hij verdween was hij zo afstandelijk als de Mount Everest. Mijn baas, Alec McQueen, was Jacks beste vriend, maar zelfs hij begreep hem niet. Hij pikte alleen af en toe het een en ander van hem op.'

'Waar had het mee te maken? De napalm? Het spioneren? Dat hij een *farang* was in het land van de Glimlachende Thai?'

'Jack Roderick was gek op spioneren. En hij was gek op de Glimlachende Thai. Er zijn mensen die van zuipen houden, maar dat betekent nog niet dat hun lever er niet aangaat.'

'Wat deed Roderick precies in deze stad voor de Verenigde Staten?'

'Hij hield de gewapende lieden in de gaten. Die waren er maar zat in die tijd. Mensen die na 1950 geboren zijn, vergeten nogal eens hoe het er toen aan toe ging in de wereld. Overal dreigde het Rode Gevaar. In 1949 hadden we China aan Mao verloren. Het volgende jaar vochten we een oorlog uit op het Koreaanse schiereiland. Eind jaren vijftig werden de Fransen Indochina uit geslagen en braken overal communistische opstanden uit, waarbij mensen tot aan de tanden toe gewapend waren. Het was Jacks taak het tij te keren.'

'En die Vukrit? Was dat een communist?'

Halliwell snoof. 'Hij was iemand die achter sterke mannen aanliep, verder niets. Jack zag mensen, Vukrit zag alleen maar Vukrit. Vukrit was een geweldige opportunist.'

'U moest niets van hem hebben.'

'Het was een gemene schoft.'

'En zijn zoon?'

'Is nog erger.'

Ze zwegen allebei even. Toen vroeg Stefani: 'Wat maakte het allemaal de moeite waard? Ik bedoel: waarvoor leefde en stierf Jack Roderick?'

'Hij wilde koning zijn,' antwoordde Halliwell op zachte toon. 'Zo noemden ze hem toch? En hij kende zijn gelukkige momenten, juffrouw Fogg. Als Jack bij de wevers was en hen bezig zag aan hun weefgetouw of zijde zag verven. Als hij een zeldzaam stuk Bencharong-keramiek in de Nakorn Kasem tegenkwam.'

'Maakte Fleur hem gelukkig? Of was ze alleen maar onderdeel van zijn collectie?'

Joes ogen fonkelden. 'Fleur was een van de mooiste klassieke *lakhon*-danseressen, en ze was op haar hoogtepunt.'

'Maar voor Jack Roderick behoorde ze Vukrit toe.'

'Fleur deed wat ze moest doen om in leven te blijven. Jack begreep dat niet; hij wilde zeker zijn van zijn bezittingen. Maar Fleur was nooit anders dan tijdelijk bezit.'

'Wat is er van haar geworden?'

'Ze heeft zich in de khlong verdronken.' Halliwell zei het bruusk. 'Niet lang na Jacks verdwijning. Ik wil het er niet over hebben.'

'Die familie werd echt door ongeluk achtervolgd. Weet u dat Jack een zoon had?'

De hand van de oude verslaggever balde zich onwillekeurig tot een vuist; ze zag zijn knokkels wit worden.

'Hebt u Rory Roderick wel eens ontmoet?' drong ze aan.

'Een keer maar. Rory kwam ergens in de jaren zestig een keer naar Bangkok. Een aardige jongen. Heel anders dan Jack.'

'Rory werd in het Hanoi Hilton geëxecuteerd, slechts een paar weken na Jacks verdwijning met Pasen. Oppervlakkig bezien bestaat er geen verband tussen de dood van hen beiden.'

'Er is geen enkel verband. In heel Vietnam stierven jonge jongens bij de vleet.'

'Hoorden jullie van *The Bangkok Post* van de executie van Rory Roderick?'

'Als hij een paar weken na Pasen gedood werd, moet ik in het Cameron-hoogland hebben gezeten. Ik vloog erheen zodra we het bericht van Jacks verdwijning kregen.'

Ze keek hem een ogenblik bewegingloos aan. 'Bent u naar Jack op zoek gegaan?'

'Wie niet? Dat deel van het oerwoud was een tijdlang net een bijenkorf.' Hij liet een vreugdeloze lach horen. 'Een dikke tweehonderd mensen kamden het regenwoud uit. Maar ze vonden geen voetsporen, geen getuigen en geen lijk.'

'Jack zou een miljoen Amerikaanse dollar in een zwart koffertje meegenomen hebben toen hij naar het hoogland vertrok.'

'Dickie Spencer heeft dat onzinverhaal verteld aan wie het maar horen wilde.'

'Maar het hoeft daarom nog geen onzin te zijn. Wat ging Jack in het hoogland kopen?'

De telefoon ging.

'Rush,' zei Halliwell opgelucht in de hoorn, 'het gaat prima met haar. We hebben zitten kletsen over vroeger. Ik heb haar gezegd dat ze het verleden beter kan laten rusten.'

Hij reikte Stefani de hoorn aan.

'Inspecteur Itchayanan belde net naar de ambassade,' zei Rush zonder verdere inleiding. 'Een Amerikaan genaamd Jeff Knetsch is gisteravond gearresteerd wegens drugsbezit. Hij beweert dat hij jou heeft vermoord.'

25

Voor de ochtend aanbrak had Jef eindelijk even geslapen met zijn hoofd rustend op de schouder van zijn smerige T-shirt. Er was maar weinig licht in de groepscel – het schijnsel van een kaal peertje op de gang – en in de broeierige schemering om hem heen had hij voortdurend mensen tegen elkaar horen mompelen. Hij beefde van uitputting. Af en toe fladderden de vingers van een ander in de buurt van zijn gezicht; hij schrok als ze zijn wang raakten.

Misschien, dacht hij, zou hij toch nog gered worden. Hij zag er toch eerlijk genoeg uit? Hij had zijn argumenten op de best mogelijke juridische wijze uiteengezet. Hij was een Amerikaan; er was een ambassade die voor hem op kon komen.

Hij was in een valstrik gelopen.

Sompong. De minister had iedereen in Bangkok in zijn zak zitten: Ankana, Jeff en die Chanin, die natuurlijk geklikt had over de huurmoord. De minister had zelfs de politie in zijn zak zitten.

Hij dacht aan Shelley, zijn vrouw. Ze zou onderhand zijn chef wel wanhopig hebben gebeld omdat ze niet wist waar hij was. Zijn firma had misschien aan de politie of de FBI doorgegeven dat hij vermist werd – maar waarschijnlijk toch niet, bedacht hij, gezien de discretie die juristen nu eenmaal eigen is. 'Rustig maar, Shelley. Wacht maar tot Jeff belt. Misschien is hij een weekje aan het rondtrekken in de Alpen. Mensen met verdriet kunnen soms opeens rare dingen doen.' Had hij tien dagen geleden in Courchevel geen groot verlies te incasseren gekregen? Hij had een lofrede afgestoken voor zijn beste vriend.

Wat had ik op een andere manier moeten doen? sarde Max hem van buiten de cel. Hij was vandaag ouder, leek meer op de man die Jeff het laatst in de rolstoel had gezien. *Had ik betere vragen moeten stellen? Meer tijd moeten uittrekken? Je beter moeten betalen?*

'Ik wilde alleen maar winnen,' antwoordde Jeff kribbig. 'Het kwam me m'n strot uit dat ik altijd en eeuwig tweede was.'

Terwijl hij toekeek stond Max op en duwde de rolstoel weg. En zonder hem nog een blik waardig te keuren stapte hij gewoon door de muur van de gevangenis naar buiten.

Jeff voelde een vlaag paniek vermengd met verdriet opkomen. Hij stond met een ruk op, duwde her en der lichamen opzij en greep de tralies van zijn cel vast, die plakkerig waren van het zweet van anderen, en schreeuwde luidkeels een naam.

Het geroezemoes achter hem viel plotseling stil.

En toen, als een regenbui die met klateren begint, zwol het gelach aan. Hij draaide zich met een ruk om om hen aan te kijken. Twaalf, misschien vijftien mannen van uiteenlopende achtergrond en uiterlijk, die allemaal naar alcohol, viezigheid en verschaalde urine stonken. Hun ogen keken hem meedogenloos spottend aan. En ze begonnen naar hem op te dringen.

'Je zei dat die Ankana je gisteren vertelde dat Knetsch in Bangkok was,' herhaalde Rush omwille van de duidelijkheid terwijl hij met Stefani zat te wachten in de spreekkamer die de politie hem na kort maar heftig gekibbel in het Thais met tegenzin had toegewezen. Voor hen op tafel lagen een blocnote en twee pennen waarvan de dop door tanden van andere mensen was stukgekauwd. 'Hij bevond zich al in hechtenis toen jij met haar sprak. Hij sloeg wartaal uit over moord.'

Op Stefani's horloge was het vrijdag, bijna twaalf uur 's middags. Ze dronk Thaise ijsthee en snakte naar een sigaret. Ze betwijfelde of Rush sigaretten bij zich had. Tijdens de rit vanaf zijn vaders huis had ze hem alles over Jeff Knetsch verteld wat ze wist: dat hij Max' juridisch adviseur en beste vriend was geweest. Dat hij goede maatjes was met Ankana Lee-Harris, een Britse vrouw van Thaise afkomst, van wie Max een afschuw had. Dat Knetsch zwaar in de schulden zat en waarschijnlijk informatie had verkocht aan Sompong Suwannathat. Dat laatste kon ze niet bewijzen, gaf ze toe.

Ze repte met geen woord over Oliver Krane.

'Ankana vertelde me dat Jeff een afspraak had met de minister over het uitlenen van kunstschatten aan het Metropolitan Museum of Art in New York,' voegde ze eraan toe. 'Over een paar weken wordt er een tentoonstelling geopend waarmee zowel Ankana als Knetsch bemoeienis heeft. Hij maakt deel uit van het bestuur van het Met en zij is curator van een Brits museum.'

Rush keek nog geïnteresseerder dan daarnet. 'Bedoel je dat ze schilderijen lenen?'

'Dickie Spencer had het over keramiek en beeldhouwwerk. Hij leent ze stukken uit de collectie van Jack Roderick.'

'Keramiek,' zei Rush peinzend. 'Van de week heb ik een glimp opgevangen van een aantal potten van aardewerk in een pakhuis in de buurt van de Dievenmarkt. Hoe ziet die Ankana eruit?'

'Ze is een Thaise met oranje gebleekt haar.'

Rush zat onrustig met zijn vingers op de tafel te trommelen. 'Ik heb haar gezien — met de minister van Cultuur en een vent die misschien wel Knetsch was. Maar daar kunnen we het straks nog wel over hebben.' Hij keek met een veelbetekenende blik naar de wand aan de overzijde van het vertrek.

Daar hing een grote ingelijste spiegel. Aan de andere kant konden Bangkokse politiemensen erdoorheen kijken. Aan het plafond hingen microfoons. De politie had niet de moeite genomen ze aan het zicht te onttrekken.

De deur zwaaide open en er schuifelden drie mannen naar binnen: een stevige politieman in het nauwsluitende donkere uniform van de politie van Bangkok, een man in de blauwe overal die cipiers droegen en Jeff Knetsch. Om de handen van deze laatste zaten handboeien.

Even herkende Stefani hem niet.

Rush Halliwell ging staan. 'Meneer Knetsch? Rush Halliwell van de Amerikaanse ambassade. Gaat u zitten. We hebben niet veel tijd.'

'U moet me hieruit halen.' Knetsch schudde de hand van de cipier van zich af en werd met een ruk naar de tafel geduwd waaraan Stefani zat, zodat hij struikelde. Zijn ogen waren gezwollen, zijn huid zag asgrauw en zijn wangen gingen schuil onder een stoppelbaard. In zijn nek zat een paarse plek, zo te zien afkomstig van de beet van een mens.

'Wat is er met jóu gebeurd, Jeff?' vroeg Stefani.

Toen hij haar stem hoorde, dwaalde zijn vage blik af naar haar gezicht. 'Jij bent dood,' zei hij met grote stelligheid. 'Dus hou je kop.'

Rush zond haar een waarschuwende blik toe en Stefani verroerde zich niet.

'Meneer Knetsch... Gaat u alstublieft zitten.'

'Haal me hier godverdomme vandaan.'

'Zo eenvoudig is dat niet, vrees ik.' Rush liep om de tafel heen en hielp Jeff te gaan zitten.

Hij zonk op de harde houten stoel neer en liet zijn wang op tafel rusten, als een kind. 'Ze hebben me gevisiteerd, weet je. Zonder een bevel daartoe! Mijn kleren. Mijn... mijn... *lichaamsholten*.' Zijn schouders bewogen op en neer. Hij stootte droge, hortende snikken uit. 'Hij heeft me in de val gelokt.'

'Wie?'

Jeff schoot naar voren als een duveltje uit een doosje. 'Ik praat niet met jou,' zei hij op sluwe toon. 'Ik wil een advocaat. Een Amerikaanse advocaat.'

'Er is geen wettige organisatie speciaal voor juridische bijstand aan buitenlanders. Ik kan proberen een plaatselijke advocaat voor u te vinden, maar dat zal een Thai moeten zijn die volledig op de hoogte is van het Thaise strafrechtsysteem. Tot die tijd is het misschien zinvol als u me gewoon vertelt wat er gebeurd is.'

'Laat die gorilla's weggaan,' zei Jeff gebiedend.

Rush zei in het Thais iets tegen de onverstoorbare politieman en de cipier. De twee mannen gingen de kamer uit.

'Dat zal veel uitmaken,' mompelde Stefani met een blik op de spiegel.

'Ik zei toch dat je je kop moest houden,' zei Jeff op ruzieachtige toon. 'Jij bent *dood*.'

Stefani voelde Rush' hand onder de tafel waarschuwend in de hare knijpen. 'Heb jij haar vermoord, Jeff?' vroeg hij.

'Ik maak mijn handen niet vuil.' Hij zei het vol minachting. 'Ik heb die knul betaald om het te doen. Hij vroeg er niet veel voor. En moet je kijken waar ik nu zit. Die vuile rat, die klootzak heeft bij Sompong geklikt. Hij heeft me in de val gelokt.' Knetsch stak zijn arm plotseling naar voren en trok Rush aan zijn jasje naar zich toe. 'Ze hebben me er ingeluisd, hoor je me! Ze hebben dat verdomde spul in mijn zak gestopt.'

'Ik hoor je wel,' zei Rush bedaard. 'Kom, ga nu weer gewoon zitten en laten we dan eens rustig bij het begin beginnen.'

'Het was een vent met een donkere bril en een tropenhemd. In een fish & chipszaak aan Khao San Road. Hij botste tegen me op. En het volgende moment toveren agenten heroïne uit mijn zak tevoorschijn. Vijfentwintig gram nog wel.'

'Was dat nadat je die knul – Chanin, neem ik aan – betaald had om Stefani te vermoorden?'

'Tweeduizend baht,' mompelde Jeff. 'Alles wat ik nog aan geld overhad. Ik kan niet eens meer een taxi naar huis betalen. O god, ik wil naar huis...' Hij kromp weer in elkaar en huilde in zijn handen.

Tweeduizend baht, dacht Stefani. Voor een rottige vijftig dollar was bijna mijn keel doorgesneden.

'Waarom wilde je haar dood hebben?' vroeg Rush. Hij klonk verstrooid.

'Omdat ze te veel vragen stelt. Dat zegt Sompong. Ze laat anders alles in de soep lopen – de zendingen, de tentoonstelling. Sompong is zo gek als een deur, hij is zo pissig als wat.'

'Op wie? Op jou?'

'Ik heb hem laten zitten. Eerst met Max, en nu weer hiermee... Ze had nooit in zijn buurt mogen komen.'

'In Sompongs buurt?' vroeg Rush scherp.

'In Max' buurt.' De stem van de huilende man werd bijna hysterisch. 'Als Oliver haar niet naar Frankrijk had gestuurd, zou dit niet allemaal gebeurd zijn!'

Oliver. De naam sloeg als een elektrische stroom door haar heen. Knetsch jijde en joude met Oliver Krane.

Rush keek naar haar en schreef toen op de blocnote: *Is Oliver iemand van FundMarket?*

Straks, schreef ze ijlings terug.

'Max maakt me knettergek,' mompelde Knetsch. 'Hij zit steeds achter me aan. Hij praat maar en praat maar. En nou gaat zij dat ook doen.'

'Je hebt hem de afgrond in geduwd, hè?' vroeg Stefani. Woede vlamde door haar heen. 'In zijn rolstoel. Hij had hem op de rem staan.'

'Nee!' Jeff vloog overeind, zijn handen wringend voorzover zijn boeien dat toelieten. 'Ik heb de lawine veroorzaakt en Ankana heeft met zijn binding geknoeid – maar hij had erom gevraagd. Dat weet je best. Hij liet me alleen met mijn gebroken been op die helling achter, jaren geleden, toen ik hém probeerde te redden. Hij kroop naar beneden en toen noemden ze hem een held. *Ik had de held moeten zijn.* Ik heb daarna nooit meer geskied. Niet goed genoeg in ieder geval.'

Rush greep de man bij zijn schouders en duwde hem zachtjes terug op zijn stoel.

'Laat haar ophouden,' smeekte de advocaat. Hij vermeed naar Stefani te kijken. 'Ze heeft me vanaf het begin gehaat. Ze was jaloers.'

Op dat ogenblik kon ze zich er slechts met de grootste moeite van weerhouden zijn hoofd tegen de tafel te slaan.

'Wie heeft Max vermoord, Jeff?'

'Iemand anders. Een mannetje van Sompong. Oliver misschien.'

'Oliver *Krane?'*

'Hij was in Courchevel,' vertrouwde Knetsch haar toe. 'Hij is altijd daar waar je hem 't minst verwacht. Hij is net een slang in het gras, Oliver. Hij wordt al jaren door Sompong betaald. Hij eet van twee walletjes.'

De onbekende cliënt. De vage verwijzingen. De koorddansact zonder vangnet. Meer dan genoeg touw om jezelf mee op te knopen. Wat had hij ook weer gezegd? *En een bijkomend voordeel is dat ik kan ontkennen dat je voor mij werkt, troeltje.*

'Toen Max besloot Krane in te schakelen was ik daar natuurlijk voor. Wie was er nu betrouwbaarder dan die goeie ouwe Ollie? De rechterhand zou de linker precies vertellen wat hij deed, nietwaar? Maar toen stuurde Roderick háár. Toen wist ik dat er iets mis was. Dat hij ons allemaal voor de gek hield. Ik probeerde het Sompong te vertellen.'

Stefani voelde zich verkillen. 'Wéét Sompong ervan? Dat Krane van twee walletjes eet?'

'Hij dacht dat we allemaal veilig zouden zijn. Oliver als koekoek in Sompongs nest! Nu heeft hij het secreet ook nog verraden, weet niet dat ze dood is.'

'Wat wil je zeggen?' vroeg Rush dringend.

'Oliver heeft haar aan Sompong verraden. Met alles erop en eraan. Hij faxte woensdag zijn rapport naar Bangkok. Heeft Sompong trouwens niet nodig, want ik heb haar al gedood.'

Knetsch wreef geïrriteerd over zijn oren als hoorde hij er iets mee dat hem pijn deed.

In haar geest snelde ze ijlings door een verduisterde gang, blindelings tastend naar een deur. Er moest een uitweg zijn. *Oliver met zijn hand op Max' rolstoel, dat kon toch niet!* Jezus, wat had ze zich in maart in New York allemaal voorgesteld? Ze had er praktisch om gevraagd belazerd te worden.

'Waarom moest Stefani dood, Jeff? Waarom is zij een bedreiging?' Rush' ogen waren spleetjes geworden, als van een slang voordat die aanvalt.

'Sompong wilde haar dood hebben. Was hem graag van dienst natuurlijk.'

Stefani pakte de blocnote en een pen. *Vraag hem*, schreef ze, *ons alles te vertellen wat hij weet over ene Harry Leeds.*

Deel 3

Rory

1

Hanoi, januari 1967

Toen de dromen weer terugkwamen, zoals altijd een paar uur voor zonsopgang, dacht hij dat hij weer op het dek van de *Admiral Halsey* in de cockpit van de A-4 zat en zijn helm en vervolgens de kap omlaagtrok, terwijl zijn valschermtechnicus zijn duimen opstak. Het vliegtuig voor hem was dat van Jimmy Serrano, alleen was Jimmy dood en raasde niet in een brullende wolk van rook en vuur over de rand van de afgrond waar het scheefhangende vliegdekschip overging in de Zuid-Chinese Zee.

Op dat ogenblik waarin hij sluimerend hallucineerde leek het allemaal weer mogelijk: het geschut dat als een dodelijk ganzenei onder de vleugel hing en de hoop die nog wild door zijn aderen vloeide. Misschien glipte hij wel door de kolkende zwarte wolk van het luchtafweergeschut heen die opsteeg vanaf de brede boulevards van Hanoi en kon hij rakelings over het operagebouw heen scheren of over de bomen van het park van het oude huis van de Franse gouverneur. De Walleye-precisiebom zou werkelijk de warmtecentrale kunnen raken die zijn doelwit was en niet het appartementencomplex ernaast. Het ganzenei zou onschadelijk af gaan op een woud van fabrieksvoorraden en hij en Jimmy zouden de neus van hun vliegtuig optrekken en wegvliegen in het zonlicht. Niets geen dreunend uiteenspatten van Jimmy's vliegtuigromp, even plotseling als een *Christmas cracker*.

Als de droom echt was zou hij niet zijn teruggegaan en acht keer een rondje hebben gevlogen binnen het bereik van het afweergeschut, speurend naar de parachute van Jimmy, wit teken van overgave, tot de grond-luchtraket zijn eigen vleugel in tweeën spleet en hij spiraalsgewijs afschoot op het meer in het centrum van Hanoi, graaiend naar de hendel van zijn schietstoel. Zijn been zou niet tegen de deur van de cockpit verbrijzeld zijn bij het wegschieten uit het vliegtuig en zijn pols zou nog heel zijn.

In de seconden voordat hij zijn droom afschudde, was het nog een versie van de gebeurtenissen — werkelijker dan de nachtmerrie van het ontwaken.

Zijn bungelende benen begonnen te trekken terwijl hij doezelde. De beweging zond een vlammende pijnscheut van zijn gebroken dijbeen langs zijn ruggengraat omhoog, schaafde gillend langs zijn verdoofde schouderbladen, die als bij een kip strak naar achteren waren getrokken, en eindigde kermend bij zijn biceps. De touwen waren onder de spieren strakgetrokken om zijn bloedsomloop te belemmeren en vervolgens achter zijn hoofd om aan het plafond bevestigd. Hij was gisteren toen de avond viel opgehangen; het was nu bijna ochtend, schatte hij. Elke nacht bonden ze hem op als gevogelte en iedere ochtend sneden ze hem weer los. Hij werd geacht iets te bekennen.

Ik ben Amerikaan en maak deel uit van de strijdkrachten die ons land en onze le-venswijze beschermen. Ik ben bereid daarvoor mijn leven te geven.

De officiële gedragscode voor Amerikaanse krijgsgevangenen. Als een radiojingle bleven dit soort fragmenten van de kreupele teksten die hij jaren geleden op de militaire academie uit zijn hoofd had moeten leren in zijn hoofd rondtollen.

Indien ik krijgsgevangen word gemaakt en ondervraagd word, mag ik mijn naam, rang, nummer en geboortedatum opgeven. Ik zal me tot het uiterste inspannen om antwoorden op andere vragen te vermijden.

Na de eerste vier dagen van verhoren in de Maison Centrale, de voor-malige Franse gevangenis, had hij verteld dat hij Richard Pierce Roderick heette, luitenant-ter-zee 1e klasse bij de Amerikaanse marine. Toen ze hem sloegen en op zijn gebroken been stampten, dat gezwollen was en bijna zwart zag van het bloed dat zich onder zijn huid had opgehoopt, gaf hij schreeuwend de nummers op van zijn identiteitsplaatje en de informatie dat hij dertig jaar was. Zeven dagen later, liggend in zijn eigen braaksel en uitwerpselen op een klamme cementen vloer, noemde hij de oorspronke-lijke opstelling van de '43 Yankees, als waren het de leden van zijn eskader. Toen de gevangenisdokter die nacht bij hem kwam, verkeerde hij in een staat van delirium en kon hij helemaal niets meer zeggen.

Indien ik krijgsgevangen word gemaakt, blijf ik me verzetten met alle middelen die ik tot mijn beschikking heb. Ik zal alles proberen om te ontsnappen en ik zal an-deren helpen te ontsnappen. Ik zal geen vervroegde invrijheidstelling of andere spe-ciale gunsten van de vijand accepteren.

Er was niets speciaals aan in elkaar geslagen worden en aan eenzame op-sluiting: alle piloten die in 'Hanoi Hilton' zaten opgesloten kregen ermee te maken.

'Te laat,' mompelde de Vietnamese dokter vol afkeer terwijl hij het ver-brijzelde dijbeen bevoelde. Medische hulp werd niet verspild aan zwaar-gewonden.

Jimmy Serrano, wiens dood een kwestie van drie met vlammen omge-ven ogenblikken was, wiebelde ten afscheid met zijn vleugels naar Rory en spoot weg de blauwe hemel in. Rory stak zijn rechterhand op en slaagde erin te salueren.

Bij het aanbreken van de dag waren er drie gevangenbewaarders ver-schenen om hem uit zijn cel te halen. Het deel van zijn geest dat helder bleef, ondanks de koorts en de pijn, zei hem dat hij werd meegenomen om te sterven. Ze zouden hem nog een keer onder handen nemen in de hoop toch iets van hem los te krijgen — een lijst met bombardementsdoelwitten, een gefilmde bekentenis waarin hij beschuldigingen uitte aan het adres van de Verenigde Staten. In de tien dagen dat hij in de gevangenis op de grond had gelegen had hij bekentenissen gehoord. Via het luidsprekersysteem lieten ze de stemmen luid horen, om de neergehaalde piloten ervan te doordringen dat het zinloos was zich te blijven verzetten.

Rory besloot dat hij geen enkele bekentenis zou doen. Voor hij stierf zou hij de middelvinger van zijn rechterhand naar de lens van de camera opheffen. Misschien zou Max de opname ooit te zien krijgen en het begrijpen.

Ze hadden hem overgebracht naar een cel zonder ventilatieopeningen, een hok van nog geen twee bij een meter, om hem te laten sterven aan uitdroging of shock. Alleen ging hij niet dood. Hij lag naar zijn eigen rasperige ademhaling te luisteren terwijl een liedje van de Beach Boys tot gekwordens toe door zijn hoofd maalde. Na negenenveertig uur openden de bewakers zijn cel en keken naar binnen.

Er was iets veranderd. Hij was te zwak om zich af te vragen wat het was, hij wist alleen dat de bewakers in een staat van opwinding verkeerden. Ze schreeuwden elkaar orders en verwijten toe en hij werd op een pijnlijke manier uit het hol getrokken waarin hij had moeten sterven en in looppas naar een ander gedeelte van de gevangenis gedragen. Hij ving glimpen op van Amerikaanse gezichten die van achter tralies en geblindeerde ramen naar hem keken. Daar probeerde hij zijn naam, rang en de naam van het vliegdekschip te roepen. Maar zijn lippen waren zo gezwollen dat er geen geluid overheen kwam. Ze lieten de binnenplaats van de gevangenis achter zich en gingen het koele middengedeelte in, waar de bewakers aten en de commandant kantoor hield. Hij werd door een gang een kale ruimte binnengedragen waar een grote stenen badkuip stond. Daar werden zijn smerige kleren van zijn lijf losgesneden.

Terwijl water over zijn hoofd werd uitgestort probeerde hij er wanhopig van te drinken, maar gal verstikte zijn keel. Een van de bewakers goot warme thee tussen zijn lippen. Ze gooiden een gevangenispyjama over zijn borst en benen en droegen hem gehaast naar een brancard waarboven een kaal brandend peertje bungelde.

Rory had gedacht dat hij de angst voorbij was, maar toen hij de medische instrumenten in de handen van de Vietnamezen zag, joeg er een stoot adrenaline door zijn systeem. Hij worstelde zich overeind. Twee bewakers hielden hem vast terwijl een verpleger zijn gebroken been zonder verdoving probeerde te zetten. Van pijn opende hij wijd zijn mond en beet hard in de onderarm van de bewaker die het dichtstbij was. Die sprong achteruit, schreeuwend en vloekend, en de andere bewaker stompte Rory in zijn gezicht. Rory verloor het bewustzijn.

Veel of misschien slechts enkele minuten later merkte hij dat hij in een echt bed lag, met schone, witte lakens. Zijn been was niet gezet – het zou geopereerd moeten worden, zoveel wist hij wel van verwondingen – maar om zijn linkerpols zat gips. Door een open raam woei een koel briesje naar binnen. In een hoek van de kamer stond een filmcamera op een driepoot. Aan de voet van zijn bed stonden drie mannen. Twee van hen droegen een Noord-Vietnamees uniform. Een vierde man stond te filmen.

'Luitenant-ter-zee.' De man in burger sprak; hij was oud en klein en droeg een Mao-jasje. Hij boog zijn hoofd, alsof hij groette, maar dat was natuurlijk niet mogelijk.

'Wie bent u?'

'Ik ben het die u die vraag zou moeten stellen. Hoe heet u?'

'Richard Pierce Roderick.'

'Ook bekend onder de naam Rory?'

Rory gaf geen antwoord. *Indien ik krijgsgevangen word gemaakt en ondervraagd word, mag ik mijn naam, rang, nummer en geboortedatum opgeven.* En niet mijn seksuele geaardheid, mijn favoriete voedsel, bijzonderheden over raketten. En de naam die ik in mijn vriendenkring draag al helemaal niet.

'Geef antwoord!' schreeuwde een van de militairen.

Ik zal me tot het uiterste inspannen om antwoorden op andere vragen te vermijden. Hij betwijfelde of ze voor de camera tegen zijn verbrijzelde been zouden trappen. Hij verschoof geërgerd zijn hoofd op het kussen. Dat leek hen tevreden te stellen.

'Uw vader is, meen ik, meneer Jack Roderick uit New York en Bangkok?'

'Je Engels klinkt niet gek, kerel,' zei Rory tegen de kleine man in het Mao-jasje. 'Waar heb je dat geleerd?'

'Ik heb het mezelf geleerd. Geeft u alstublieft antwoord op mijn vraag.'

'Sodemieter op.' Hij zonk weer terug in het kussen.

'U bent, meen ik, in New York geboren?'

'Bijna iedereen toch?'

'Zegt u mij de naam van uw vader.'

'Of anders? Dan maakt u me koud?' Rory liet een vreugdeloze lach horen. 'Mijn vader ging ervandoor toen ik klein was. Hoe hij heet doet er niet toe.'

'Zo mag u niet praten.' Het Mao-jasje kwam dichterbij. Hij pakte een stoel en kwam dicht bij Rory's hoofd naast het bed zitten. 'Roderick is een naam om te eren. Deze idioten in uniform spreken bijna geen woord Engels, maar toch zal ik zachtjes praten en wat ik zeg is alleen voor uw oren bestemd, Rory Roderick.'

Rory staarde vastbesloten naar het plafond.

'Uw vader heet Jack. Dat weet ik omdat Jack heel vaak over u sprak in de tijd dat de hele wereld nog jong was en ik erbij. Hij noemde me Ruth. Zegt die naam u niets?'

Rory verzamelde al het speeksel dat hij bij elkaar wist te krijgen en spuwde spottend naar het onbewogen gezicht.

'Hij liet me uw foto zien,' vervolgde het Mao-jasje. 'U was een kleine jongen en u zat gehurkt bij een terriër die Joss heette – Joss is een Aziatische naam voor geluk. Uw vader hield van Azië en liet zijn zoon in de steek. Dat kunt u hem niet vergeven. Maar Jack Roderick schonk mij zijn vertrouwen en redde mijn leven. Ik ben nu bereid mijn schuld aan hem in te lossen. Wilt u vrijkomen? Uw wonden door een Amerikaanse dokter laten verzorgen? Uw vrouw en uw zoon terugzien? Ik heb de macht om u naar huis te sturen, Rory Roderick.'

Toen begreep hij het. In ruil voor zijn vrijlating zou de man die zich Ruth noemde Rory dwingen zijn naam te schande te maken. *Ik zal geen vervroegde invrijheidstelling of andere speciale gunsten van de vijand accepteren. En daar vallen ook alle vrienden van Jack onder, maat.*

'Amerikaanse krijgsgevangenen mogen alleen invrijheidstelling accepteren in de volgorde waarin ze krijgsgevangen zijn gemaakt,' zei hij tussen zijn tanden door. 'Vraag het me over een paar jaar nog maar eens.'

'U zou er verstandig aan doen toe te geven dat u Jack Rodericks zoon bent.'

Even zag Rory de gebogen neus en de blauwe ogen voor zich, en de intense *stilheid* van zijn vader. Diep in gedachten verzonken terwijl hij een sigaret zat te roken op het terras bij de khlong, met zijn onafscheidelijke witte vogel op de schouder.

'Ik heb nooit een hond gehad. Ik heb geen vader met wat voor naam dan ook.'

De man stond op. 'In *The Bangkok Post* staat dat u vermist wordt. De Amerikanen denken dat u dood bent. Ik lees *The Bangkok Post* nog altijd, moet u weten, al is het nieuws jammer genoeg al weken oud als ik hem krijg. Ik zal Jack Roderick bericht sturen dat zijn zoon nog leeft.'

Rory had een hartgrondige en bittere afkeer van lafheid, van collaboreren, van zich onttrekken aan kwellingen om zich over te geven aan de naamloze verlokking die hem werd aangeboden. Ruth had iets in gedachten, een *quid pro quo*; en Rory wist dat als hij hierop inging het met zijn eigenwaarde gedaan zou zijn. Hij zou de andere mannen wier gekwelde gegil vanuit de wirwar van cellen opklonk niet meer in de ogen kunnen kijken, mannen zonder een vader die met ambassadeurs omging of die een sinistere legende was geworden die mensen de schrik om het hart deed slaan. Toen de man die zich Ruth noemde een paar dagen later terugkwam en hem vroeg een brief aan Jack Roderick te schrijven, weigerde hij. Hij weigerde de operatie ter behandeling van zijn gewonde been die ze hem aanboden. Hij bleef met zijn ogen de vliegen volgen die onder het plafond rondzoemden terwijl Ruth in zijn oor fluisterde.

'Ik heb Roderick bericht gestuurd via een wederzijdse vriend. Uw vader weet dat u leeft. Hij weet dat u hier bent, Rory. Hij weet dat ik er alles aan doe om u vrij te krijgen. Eer toch alstublieft uw vader en doe wat ik u vraag.'

'Laat me met rust, ouwe.'

'Rory, u bent geen plichtsgetrouwe zoon.'

's Nachts hing hij met zijn armen achter zijn hoofd aan het plafond van zijn cel. Hij hield de dagen van eenzame opsluiting bij met krassen die hij in de wand van zijn cel maakte. Hij had inmiddels negenendertig etmalen achter de rug, negenendertig etmalen van koorts en dysenterie, negenendertig nachten waarin hij hing te bungelen.

Als hij nu droomde zag hij Annie en soms ook Max, een gebruinde Max met heldere ogen, op zomervakantie aan het meer. Max zat op zijn hurken naar iets te kijken – een schildpad die moeizaam bezig was de onverharde weg over te steken – terwijl Annie graag verder wilde lopen en ergens verderop een hond blafte. Annies gouden haar wapperde in het briesje dat vanaf het water aanwaaide. Hij verlangde er hevig naar het aan te raken, maar ze hield haar hoofd nog steeds van hem afgewend, keek naar hun zoon die nog steeds op zijn hurken op de stoffige weg zat. Max moest nu bijna acht zijn, maar Rory kon zich de datum van zijn verjaardag maar niet herinneren. Het was verontrustend zoals dit soort dingen – data, een paar namen, de gezichten van de andere piloten van de *Admiral Halsey* – hem ontglipten. Hij had Max sinds september niet gezien. Zou de jongen denken dat hij dood was?

Rory's linkerteen verkrampte, en opnieuw breidde de pijn zich als een vliegende storm over al zijn zenuwuiteinden uit.

Hij is dood, hoorde hij zijn eigen stem als kind beschuldigend zeggen. *Hij is dood en je hebt het me nooit verteld, mama.*

Het was de enige verklaring voor Jack Rodericks afwezigheid toen Rory zeven jaar oud was. Waarom zou een vader zijn zoon anders achterlaten in de woestijnachtige verlatenheid die een scheiding teweegbracht? Zijn moeder pakte haar kwasten en kleren in en ze verlieten Manhattan samen met Joss, de terriër, in het gezelschap van een van haar nieuwe mannen, om in Chicago een nieuw leven te beginnen. Rory werd geacht die man oom Pete te noemen, maar hij haatte het hele gedoe met zogenaamde ooms en noemde hem helemaal niets. Ze woonden in een groot huis aan Lakeshore Drive en Joss rende blaffend achter vette eekhoorns aan, als was hij nooit koning van de straat geweest. Rory verzon de meest wilde verhalen in de eenzaamheid van de achtertuin, verhalen over moordenaars met pistolen en geslepen handlangers, en in al die verhalen speelde zijn vader de held.

Af en toe werden er dozen bezorgd. Ze waren bezaaid met buitenlandse stempels en gevuld met monsters, bezet met juwelen, en met zijden jasjes met geborduurde draken erop. Er zaten ook foto's in en korte zinnetjes in zijn vaders moeilijk te lezen handschrift. Als zijn moeder Rory vroeg of hij de brieven wilde, liep hij weg. Ze stopte de foto's in de laden van zijn bureau, waar hij ze midden in de nacht uithaalde om ze onder de dekens te bekijken.

Jack in hemdsmouwen, zijn ogen toegeknepen tegen de zon, een sigaret in een mondhoek bungelend. Blote tenen, zijn hand uitgestrekt naar het grijze water, een panama op zijn hoofd.

Oom Pete ging op een goede dag weg en ze verhuisden opnieuw, ditmaal naar een flat in het centrum van Chicago. Later verhuisden ze naar Evanston, waar zijn moeder een huis huurde, opdat hij een goede school kon bezoeken. Een tijdlang kwamen er geen brieven uit Bangkok, omdat ze vergeten was een adreswijziging te sturen. Als zijn moeder opeens veel geld uitgaf begreep Rory dat zijn vader weer had geschreven en haar geld had gestuurd. Die wetenschap beschaamde hem. Hij vond het nog erger dan wanneer ze zich door een vreemde man had laten onderhouden.

Hij gedroeg zich ontzettend beschermend tegenover zijn moeder. Toen hij vijftien was wist hij dat hij één zijde moest kiezen in deze privé-oorlog, de vreselijke strijd tussen wat hij wilde en wat hem gelaten was. Hij koos voor de vrouw die niemand nog wilde, met haar hoge breekbare lach en haar schmink; hij werd Joans beschermer, degene die haar overeind hield als de gin te rijkelijk stroomde. Hij verzamelde de brieven die zich in haar laden hadden opgestapeld en verbrandde ze in het fornuis in de kelder.

De foto's bewaarde hij.

Zijn vader op de voorsteven van een grote boot, ontblote tanden in zijn bruine gezicht. Zijn vader in het skelet van een huis met een spits toelopend dak, met hagedissen bij zijn voeten en met een witte vogel op zijn schouder. Zijn vader met een lap zijde in zijn handen, met priemende ogen recht de lens in kijkend.

'Je vader is in heel Zuidoost-Azië bekend,' hield Ruth hem steeds maar weer voor tijdens die donkere periode van ondervragingen waar maar geen einde aan kwam. 'Ze noemen hem Legende en Koning en de Man met de Vele Gezichten. Je zou er trots op moeten zijn dat je Jacks zoon bent.'

'Daarom zal ik hem niet te schande zetten,' zei Rory luid en duidelijk, 'door jou om genade te smeken.'

2

'Het wordt tijd dat je me alles vertelt,' zei Rush terwijl ze zich een weg zochten door het vrijdagmiddagverkeer in Bangkok. 'Je bent geen toerist, geen vermogensbeheerder, je bent niet eens Max Rodericks erfgename. Je werkt voor Oliver Krane, die in gelijke mate kickt op schurken en gezagshandhavers over de hele wereld. Krane heeft je tot over je oren betrokken bij de verkeerde soort en nu wil die verkeerde soort jou dood hebben. Heb ik het tot nu toe goed samengevat?'

'Ik hoef jou helemaal niets te vertellen,' zei Stefani.

Rush mepte verwoed op zijn claxon en verwisselde met een ruk van zijn stuur van rijstrook. 'Zolang jij hier bij mij in de auto zit, honnepon – en ik ben de enige die nog tussen jou en een kogel in je kop staat – geef je verdomme antwoord op mijn vragen.'

'Laat me er hier dan maar uit.'

Jeff Knetsch had gezegd dat hij helemaal niets van Harry Leeds af wist – of gedaan alsof. Hij beweerde zelfs dat hij de naam nog nooit gehoord had. Toen Rush de ondervraging had afgebroken en Jeff naar zijn groepscel terug moest, was de advocaat zijn laatste restje greep op de werkelijkheid kwijtgeraakt. Terwijl de politie hem afvoerde schalde hij een liedje met een onbegrijpelijke tekst.

Stefani moest het zonder verdere informatie stellen. Een vrije uittocht uit de doolhof die ze op vrijdagochtend was binnengegaan was haar niet vergund. *Oliver heeft het secreet aan Sompong verraden.*

Rush stuurde de auto de berm in en remde. Toen Stefani haar hand echter uitstak naar de greep van het portier, pakte hij haar bij haar pols.

'Waar wou je heen? Waar denk je dat je ook maar enigszins veilig bent voor Sompong en zijn kornuiten? Hij had je in het Oriental bijna te grazen. Zoals hij dat hoertje in Genève te grazen heeft genomen en Max in Courchevel. Hij zal je weten te vinden, waar je ook bent. Je hebt er niets aan als je vlucht.'

Ze keek hem furieus in het gezicht – een gezicht dat half Thais was, honingbruin, met ogen die nu geen berekenende uitdrukking hadden of half geloken op goedkoop-charmante wijze naar aandacht hengelden; ze zag dat hij woedend was en geen genade zou kennen. Ze liet de greep los. Hij liet haar arm los en zette de motor af.

'Had je gehoord van Oliver?' vroeg ze. Het was een retorische vraag.

'Bij het werk dat ik doe ben ik enkele malen op zijn naam gestuit. Je kan niet doen wat Krane doet – informatie verkopen aan bedrijven of naties of aan individuen van wie de loyaliteit twijfelachtig is of niet bestaat – zonder langs de grenzen van de wet te opereren.'

'Is het waar wat Knetsch zegt? Dat Sompong een cliënt van Oliver is?'

'Dat weet ik al langer dan een jaar,' verklaarde Rush onomwonden. 'Hoe lang is het geleden dat Krane jou aannam?'

'Acht maanden.'

'Reken maar uit dan. Jij vloog in maart naar Courchevel om Max Roderick te vertegenwoordigen? Wat moest je van Krane doen?'

'Max uitleggen dat het vermoorde hoertje nog maar het begin was van een campagne om hem te vernietigen. Uitvinden of het verloren vermogen van Roderick nog opgespoord kon worden. Uitvinden of het Max ernst was met zijn voornemen de Thaise regering uit te dagen – en wat die inspanning mogelijkerwijs zou kunnen gaan kosten.'

'Jij was dus Kranes spion. Hij had behoefte aan een paar ogen in het kamp van Max, om voor Sompong in de gaten te houden wat er speelde.'

'Knetsch zat al in het kamp van Max om Sompong op de hoogte te houden! Waar had Oliver mij dan voor nodig?'

'Om Oliver over Knetsch in te lichten. Oliver pakte geld aan van Max én Sompong, maar hij werkte alleen maar voor zichzelf. Hij speelde zijn cliënten tegen elkaar uit: hij dicteerde iedere zet. Wat een spel! Hoe kon Oliver Krane zoiets weerstaan?'

'Jij stort je gewoon op de ene kant van deze kwestie, terwijl ik me met de andere kant bemoei,' citeerde ze bitter. 'Alleen werd een van ons gruwelijk bij de neus genomen.'

'En stierf Max. Je moet er rekening mee houden dat jouw baas degene was die hem de afgrond in heeft geduwd.'

'Hij is mijn baas niet meer.'

Rush lachte grimmig. 'Je hebt Krane geholpen bij wat je een "explosieve botsing van belangen" zou kunnen noemen. Wat dacht je in godsnaam dat je aan het doen was?'

'Ik vertrouwde hem,' zei ze vinnig. 'Ik viel voor de oudste trucjes die mannen toepassen: vleierij en een lekker wijntje. Hij bood me de hele wereld op een zilveren presenteerblaadje aan en ik verwaardigde me het aan te nemen. Ik heb geen moment gedacht dat hij me in een val lokte.'

'Dan moet Krane wel ongelofelijk goed toneel kunnen spelen. Want jij bent toch geen domme vrouw.'

'Hij leek verschrikkelijk geraakt te zijn door de dood – moord noemde hij het – van zijn partner in Kowloon.'

Oliver in zijn versleten leren fauteuil in de Schotse Hooglanden, ten prooi aan schuldgevoel. Het verdriet op zijn gezicht, het harige boetekleed, dat had ze zich toch niet verbeeld?

'Kowloon?' Rush verstijfde. 'Wat weet je van Kowloon?'

303

'Harry Leeds,' antwoordde ze. 'Die klote-Harry Leeds. Hij werd door een taxi overreden in een straat in Kowloon en Oliver weigerde te geloven dat het een ongeluk was. Ik dacht dat hij Harry's moordenaars te pakken wilde nemen en dat ik hem daarbij kon helpen.'

'Leg eens uit.' Naast hen kropen de auto's centimeter voor centimeter vooruit.

'Harry Leeds was Olivers Aziatische partner, die vanuit Hongkong opereerde. Hij was ook zijn oudste vriend, als we tenmimste maar iets kunnen geloven van wat Oliver zegt.'

'Heeft Krane & Associates ook een vestiging in Bangkok?'

'Nee, alleen in Hongkong en Sjanghai in dit deel van de wereld. Olivers aandacht richt zich vooral op de Chinese markt.'

'O ja?' Rush' ogen glinsterden. 'Ga door.'

'Toen dat gewurgde meisje in januari in Max' bed opdook, riep Piste Ski, het Franse bedrijf waarvoor Max ski's ontwierp, de hulp van Krane in om de zaak te onderzoeken.'

'Om te voorkomen dat het bedrijf in opspraak raakte?'

Ze knikte. 'Oliver gebruikte zijn netwerken om de moord op het meisje te onderzoeken. De Zwitserse politie wist niets af van Max' Thaise erfenis, zijn reis naar Bangkok, Jack Rodericks verdwijning vijfendertig jaar geleden. Ze realiseerden zich niet dat de dode prostituee een waarschuwing was. Maar Oliver wist dat wel. Het was een Thaise aanslag. En Oliver had wel een idee wie er opdracht voor had gegeven.'

'Sompong?'

'Dat heeft hij me niet verteld. Maar wat voor rapport het ook was dat hij naar Harry stuurde met de vraag om hulp of informatie van Kranes Aziatische afdeling, Harry werd erom vermoord. Vier uur nadat hij Olivers via een beveiligde fax verstuurde bericht ontvangen had, was Leeds dood.'

'Laat me een ding goed begrijpen: je vertrouwde Oliver Krane dus *omdat* hij zijn oudste vriend de dood in had gejaagd?'

'Ik dacht dat hij er emotioneel van ondersteboven was.' Ze keek weg van Rush, naar het lommerrijke groen langs de verstopte weg. 'Waarom ben je zo geïnteresseerd in Kowloon?'

'Ik heb er gewoond.' Rush draaide abrupt de autosleutel in het contact. 'Oliver Krane bepaalde de regels van het spel tot woensdagavond, toen Knetsch Sompong vertelde wie je werkelijk was.'

'De koekoek in het nest. Oliver zit in de stront, nietwaar?'

'De vraag is of Sompong achter Krane aan gaat, of achter Kranes pion – jij dus.'

Rush installeerde haar in zijn woonkamer met een glas Thaise ijsthee en een biografie van Amelia Earhart ter afleiding. Hij liet haar beloven dat ze zijn flat niet zou verlaten en voor niemand anders dan voor hem de voordeur zou openen, en liet haar toen alleen.

Eenmaal op straat begaf hij zich met ferme tred in de richting van de Amerikaanse ambassade, maar zodra hij zeker wist dat hij vanuit zijn eigen woonkamerraam niet meer te zien was, sloeg hij een zijstraat in en liep terug naar Wireless Road. Daar nam hij een beschutte positie in bij een kiosk, vanwaar hij zicht had op de ingang van zijn eigen flatgebouw.

Het was uiteraard mogelijk dat ze hem alles wat ze van Sompong Suwannathat en Oliver Krane wist had verteld. Misschien was ze inderdaad een slachtoffer van de omstandigheden, een marionet waarvan de touwtjes tegen haar zin in de war waren geraakt. Maar Rush dacht dat ze slimmer was, veel te slim om zich door Oliver Krane te laten bespelen zoals volgens haar gebeurd was.

Wordt er soms kruis of munt gespeeld met Sompongs imperium als inzet, dacht Rush terwijl hij een rek met tijdschriften stond door te kijken. Doet ze net of ze met Krane overhoop ligt omdat Knetsch vanochtend zijn mond voorbij heeft gepraat? Het was mogelijk dat Krane Sompongs operatie wilde overnemen, en dat Stefani van plan was Oliver uit te schakelen voor het zover was. Zou ze er echt op uit zijn alle knikkers in haar bezit te krijgen? Winnen, zo wist Rush, was voor Stefani Fogg een levensbehoefte, bijna nog sterker dan overleven.

Hij zou net doen of hij een goedgelovige sukkel was en haar een tijdje met rust laten. Als ze ervandoor ging zou hij haar achternagaan.

'Marty,' zei hij zachtjes in zijn mobiele telefoon. 'Ik wacht op onze vriendin. Ik weet niet hoe lang het gaat duren.'

'Hou me op de hoogte.'

Rush zette zijn telefoon uit. Marty Robbins, zijn chef, wist alles van Kowloon. Marty hoefde je niet te vertellen waartoe de firma Krane & Associates in staat was. Hij wilde Sompong Suwannathat bij zijn kladden grijpen en hij was ervan overtuigd dat Stefani Fogg Rush het antwoord kon geven op alle vragen die de CIA-Bangkok zich al jaren over de minister stelde.

Waarom ben je zo geïnteresseerd in Kowloon?

Hij bladerde door een sporttijdschrift, maar zijn aandacht bleef vooral uitgaan naar zijn voordeur.

Ooit was Rush Halliwell in Hongkong gestationeerd geweest als aankomend *case officer*, verantwoordelijk voor de Chinese triaden die de leidende rol speelden in de handel en de misdaad in de stad. Triaden waren een geaccepteerd verschijnsel in het bestaan van de kolonie. Ze vormden een saai onderwerp voor een *case officer* van de CIA — totdat Rush zich ermee bemoeide. Hij kwam in 1995 naar Hongkong, in een tijd dat het sprookje dat het eiland weer aan het vastland van China zou worden gekoppeld op het punt stond werkelijkheid te worden. De grootste kapitalistische encla-ve ter wereld zou weldra overgaan in handen van de grootste communisti-sche supermacht die de wereld nog bezat, en iedereen die beroepsmatig voorspellingen deed aan de hand van theeblaadjes was zenuwachtig over wat er daarna zou gebeuren.

De Amerikaanse ambassade mompelde in het geniep dat de Britten wel bezig zouden zijn met het aanstichten tot een Chinese opstand, alleen maar om van de overdracht een pijnlijke kwestie te maken. De Britten ver-weerden zich verontwaardigd door te insinueren dat de CIA kennelijk bezig was gewelddadig optreden van de triaden financieel te ondersteunen, om het koloniale bestuur in een kwaad daglicht te stellen. En terwijl dit gevit over en weer gaande was werd er een geheime schuilplaats van wapens ontdekt waarvan niemand de herkomst kende; ze zaten verstopt tussen de plafondbalken van een onbewoonbaar verklaard huis in Kowloon. Rush kreeg de taak het mysterie op te lossen.

In de kroonkolonie Hongkong was het bezit van wapens verboden en zelfs een halsmisdrijf. Niemand eiste de in Kowloon opgedoken wapens echter op; wie zou er dus voor vervolgd moeten worden? Twee mannen die zich in de buurt van de onbewoonbaar verklaarde woning hadden op-gehouden – triadenverkenners volgens het hysterische taalgebruik van de Hongkongse media – werden gearresteerd en verhoord, maar het spoor liep dood, want de verhoren leverden helemaal niets op. Rush viste rond in de beste visvijvers die de CIA in Hongkong tot zijn beschikking had, maar zonder succes. Hij peilde de diepte van de stilte over de zaak op straat en in officiële kringen, en kwam vervolgens tot de slotsom dat de wapens niet bedoeld waren voor triaden of voor communistenhaters onder de Chine-se bevolking, maar voor het privé-legertje van een machtig man. Iemand met bergen geld en zonder Brits paspoort – iemand die niet uit Hongkong weg kon zonder zijn vermogen aan te tasten – had besloten zich met wa-pensmokkel in te laten als beschermingsmiddel tegen de communistische machtsovername.

Het was wat Rush en de politie van Hongkong betrof een kwestie die wel nooit zou worden opgelost.

Alleen raakte Rush geïntrigeerd door iets waarop hij stuitte toen hij op de computer gegevens over wapensmokkel op wereldwijde schaal aan zich voorbij liet trekken. Een reeks wapenzendingen in datzelfde jaar, met het vasteland van China als bestemming, was nooit aangekomen. De wapens kwamen uit Slowakije en waren onderdeel van de Sovjet-erfenis waarmee uit naam van de democratie werd afgerekend. Een Chinese makelaar in Bangkok had de verkoop geregeld en verzekerd. Het was een volstrekt le-gale en openlijke transactie, alleen was een hoeveelheid wapens ter waarde van dertig miljoen dollar nooit te bestemder plaatse aangekomen.

Een lading was door piraten in de Golf van Thailand van een koopvaardijschip gekaapt. Een andere lading verdween toen een transport-vliegtuig in het westen van Birma was neergestort. Een derde, die over land door Laos werd vervoerd, werd door gemaskerde guerrilla's gewapenderhand veroverd. Aan het eind van vijf zeer onfortuinlijke maanden in 1995 waren bijna negentienduizend wapens – oproerbestrijdingswapens, AK-47's, negen-millimeter handwapens – in rook opgegaan.

Rush belde een oude vriendin in Bangkok op, die daar juridisch attachee was, en vroeg haar om achtergrondinformatie.

'De naam van de makelaar was Chiang Wu Fat,' meldde Avril Blair. 'Hij huurde een pakhuis in de Nakorn Kasem – de Dievenmarkt van Bangkok – maar dat pakhuis is inmiddels gesloten en Chiang is spoorloos. Hij bestaat waarschijnlijk niet eens.'

'Heeft hij voor de verzekering betaald?'

'Een fiks bedrag. Niet te vergelijken met de straatwaarde van de wapens uiteraard. Je zou het Chiangs bescheiden investering in zijn eigen toekomst kunnen noemen.'

'Hoe raakte de FBI erbij betrokken?'

Avril zweeg even. Ze vroeg zich ongetwijfeld af of ze dat Rush wel moest vertellen. 'We werden benaderd door iemand die Oliver Krane heet. Heb je wel eens van hem gehoord?'

Ja, die naam was Rush bekend.

'Krane was ingehuurd door de verzekeringsmaatschappij die moest opdraaien voor de waarde van de gestolen wapens, ruwweg dertig miljoen dollar alles bij elkaar. Ze zouden heel graag wat van die wapens terugzien. Krane meende dat de FBI de enige organisatie was die een dergelijk grote zwendel kon aanpakken. Hij voegde er fijntjes aan toe dat we het vast niet prettig zouden vinden als die wapens hun weg vonden naar Los Angeles of New York.'

'En zit er een beetje schot in die zaak? vroeg Rush.

'Totaal niet,' antwoordde ze blijmoedig.

Hij lachte luid. 'Krane heeft de verkeerde organisatie uitgezocht, Avril. De CIA is echter maar wat graag bereid een handje te helpen.'

In 1997, toen de overdracht van Hongkong gladjes leek te verlopen, verruilde Rush de kolonie voor Bangkok. Al in de eerste week dat hij daar op de ambassade werkte bracht hij een bezoek aan het pakhuis bij de Dievenmarkt. Het stond leeg.

'Van wie is het pakhuis?' vroeg hij later aan Avril.

'Van de minister van Cultuur, Suwannathat. Als je maar goed zoekt kom je Sompongs naam heel vaak tegen in verband met onroerend goed hier in Bangkok.'

'Maakt hij gebruik van gevolmachtigden om land op te kopen?'

'Daar heeft hij uitgebreide netwerken voor opgezet.'

'Kunnen we de minister op de een of andere manier pakken voor die roof van Chinese wapens?'

'Geen denken aan,' had ze geantwoord.

Had Sompong de wapendiefstal op touw gezet om zijn privé-leger in Chiang Rai van wapens te voorzien? Of had hij zich alleen maar voor de lol ingelaten met dit spel waarmee dertig miljoen dollar gemoeid was? De juridisch attachee en de CIA-Bangkok wisten het antwoord niet. De motieven van de minister voor zijn schaduwbestaan waren in duister gehuld. Sompong bezat meer dan genoeg politieke macht om zichzelf overeind te houden: hij had miljoenen van zijn vader geërfd.

'Dus waarom doet die klootzak het nou toch?' had Marty zich afgevraagd, zich hevig maar vergeefs opwindend.

'Hij kweekt papavers in die heuvels,' klaagde de chef van de CIA-Bangkok, 'en hij kan gebruikmaken van het leger om zijn drugs te beschermen. Met de wapens die hij van de Chinezen gestolen heeft betaalt hij de drugs, en met de drugs houdt hij zijn buitenlandse bankrekeningen op peil. Waarmee hij zijn leger weer betaalt. Een donderse mallemolen. Waarvoor doet hij het in godsnaam? En waar gaat al dat papaverspul naartoe?'

De CIA-Bangkok had in de vijf jaar dat Rush er nu werkte Sompongs distributienetwerk niet weten te ontrafelen. Het was iets waar ze zich enorm voor geneerden. Ze ontvingen uiteraard totaal geen steun van Thailands geweldige arsenaal aan veiligheidstroepen. Sompong bleef onaantastbaar.

Terwijl Rush op het trottoir bij de kiosk tegenover zijn eigen flatgebouw stond, overdacht hij wat Stefani Fogg hem die dag allemaal verteld had. Een brokje ervan – dat ze zo terloops had laten vallen dat ze waarschijnlijk dacht dat het hem was ontgaan – vormde de sleutel tot het geheel.

Over een paar weken wordt er een tentoonstelling geopend waarmee zowel Ankana als Knetsch bemoeienis heeft. Rush wist alles van die in het Met geplande tentoonstelling. De ambassade had maandenlang nauw samengewerkt met het ministerie van Cultuur om de belastingvrije verzending van kunstwerken mogelijk te maken en delicate kwesties die aan de internationale uitwisseling gekoppeld waren tot een goede oplossing te brengen.

Wat Rush eerder niet begrepen had was de rol van Jeff Knetsch in het geheel; hij had een glimp van hem opgevangen, toen hij dinsdagavond samen met Sompong Suwannathat in de Nakorn Kasem naar keramiek had staan kijken. Knetsch, het vooraanstaande lid van het bestuur van het New-Yorkse Metropolitan Museum of Modern Art, die donderdag gearresteerd was wegens het bezit van heroïne.

Rush legde het tijdschrift terug waarin hij had staan bladeren en haalde zijn mobiele telefoon weer tevoorschijn.

'Marty, we moeten het verbindingskantoor weer om een gunst verzoeken. Laat ze een Bangkokse politie-inspecteur opzoeken die Itchayanan heet. Zeg hem dat je belangrijke gegevens hebt over een moordzaak die hij onder zijn hoede heeft. Hij zou eens moeten gaan kijken in een pakhuis in de Nakorn Kasem...'

Rush had Marty nog wel willen vertellen over de keramiek die Sompong gebruikte om drugs naar het Metropolitan Museum of Art te verzenden, maar hij bleef halverwege zijn zin steken. Zijn ogen waren gericht op de ingang van zijn flatgebouw.

Stefani Fogg was zojuist naar buiten gekomen.

3

Bangkok, 1963

Gedrieën zaten ze tot bijna twee uur in de ochtend in een hoekje van de Bamboebar, zonder veel te drinken, maar gebruikmakend van de bescherming die andere *farang*-gesprekken boden. Tussen al het Engels en Frans en hier en daar wat Italiaans konden ze goed met elkaar praten zonder direct de aandacht te trekken. Joe Halliwell zat in zijn hemdsmouwen en had zijn das losgetrokken. Roderick droeg een broek van lichte katoen en een overhemd waarvan de boord openstond; drie uur eerder had hij nog een elegant pak van zijn eigen fabrikaat Thaise zijde gedragen, maar hij had het gegeven aan de man bij wie ze gedineerd hadden, simpelweg omdat die het zo mooi had gevonden.

'Goeie publiciteit,' had Roderick luchtigjes uitgelegd toen hij in een geleende kamerjas op de achterbank van een taxi ging zitten. 'Een groots gebaar. Opsnuiven van de markt.' Halliwell nam geen foto voor de ochtendeditie van zijn krant en zou hem ook niet citeren, maar dit kostte hem wel veel inspanning.

Alec McQueen was zichzelf min of meer gelijk gebleven, een slordige vent dus. Hij was inmiddels bijna twintig jaar in Thailand, was wat dikker geworden en ging iets minder opzichtig gekleed. Hij zat ringen van rook te blazen om Jack, die het advies had gekregen met het oog op zijn gezondheid van tabak af te zien, te kwellen. Roderick volgde de ringen op hun reis tussen de bij elkaar gestoken hoofden in de schemerige ruimte door. Hij had zijn ogen tot spleetjes geknepen en was mijlenver weg met zijn gedachten.

'Ze zeggen dat het nog een paar maanden gaat duren,' mompelde McQueen om de steel van zijn pijp heen. 'Maanden! Terwijl Kennedy een moeilijke verkiezingscampagne tegemoet gaat en zich de allure van een overwinnaar dient aan te meten? Laten we het houden op nog een paar weken.'

'Denk je dat JFK de zaak laat escaleren,' zei Halliwell, 'en de hele boel in een middagje regelt? Of houdt hij onze jongens thuis en spaart hij een hoop levens? Met welke strategie haalt hij de meeste stemmen binnen, denk je?'

'Ze zullen Jackie nooit het Witte Huis uit schoppen,' zei Roderick afwezig. 'Dus laat Kennedy zich nu maar het hoofd niet breken over de verkiezingen en zorgen dat hij als een speer uit Zuidoost-Azië verdwijnt. Iedere knaap van tussen de negen en drieëntachtig, van Vientiane en Rangoon tot Phnom Penh, heeft onderhand een AK-47 onder zijn hoofdkussen liggen, een cadeautje van Voorzitter Mao. We kunnen tegen al die wapens niet op en in deze contreien zijn we strategisch ook de mindere. Ik heb het zelf nog tegen de president gezegd.'

'Kennedy? Heb je de president gesproken?'

'Ik had de First Lady wat stofjes toegestuurd. Kennedy belde om te bedanken.'

De krantenmannen staarden Roderick aan, die zijn schouders ophaalde. 'Ze had *The King and I* gezien op Broadway. Alle kostuums waren gemaakt van zijde van Jack Roderick Silk. Ze vond ze mooi.'

Halliwell zat met zijn aansteker te spelen, hij knipte hem aan en uit. Toen lachte McQueen bulderend en zei: 'In het oerwoud van Ceylon riep je nooit op tot terugtrekken, Jack.'

'We vochten toen tegen de Japanners. Ze hadden schepen en vliegtuigen en voerden georganiseerde aanvallen uit. Ze gedroegen zich voorspelbaar, Alec, ze vormden een doelwit dat we konden aanvallen, een vijand die grijpbaar was. Die bende in Vietnam bestaat uit een troepje gewapende fanaten die namaak-Sovjet-raketten de lucht in sturen.'

'Wat je zegt. We ruimen ze zo op! Geef ons een echt leger! Die militair adviseurs kunnen de pot op.'

'We ruimen ze zo op! Net als de Fransen, zeker?'

'De Fransen zijn mietjes. We hebben ze in '44 uit de nesten gehaald en dat gaan we straks vast weer doen. En trouwens,' vervolgde McQueen, vanuit een andere invalshoek, 'in Vietnam is niet eens sprake van een echte oorlog. Het draait allemaal om ome Ho. Een persoonlijkheidscultus dus.'

'En kijk dan wat dat met de Chinezen heeft gedaan.'

Roderick had hen opnieuw de mond gesnoerd. Aan de andere kant van de ruimte gaf een meisje met platinablonde haren en een mouche als van Marilyn Monroe een van rook doortrokken lach ten beste. De drie mannen lieten allemaal hun blik over haar vormen dwalen, maar onthielden zich van commentaar.

'Leeft je ouwe vriendje Ruth nog, Jack?' vroeg McQueen langs zijn neus weg.

'Voorzover ik weet wel.'

'Loopt hij propaganda rond te strooien in China? Of zit hij nu soms in Laos?'

'We hebben niet wat je noemt contact, Alec.'

'Wie is Ruth?' vroeg Joe Halliwell.

'Ik heb zitten denken over een artikel over hem,' ging McQueen onverstoorbaar verder. 'Pridi Panomyong, vijftien jaar na de mislukte tegencoup van '48. Thailands in ongenade gevallen oorlogsheld die in ballingschap leeft. Waar is Ruth inmiddels? Hebben het bloedvergieten en het verlies van mensenlevens iets opgeleverd? Dat soort gebazel.'

'Wie is Ruth?' herhaalde Halliwell.

Roderick keek naar het onschuldige gezicht van de verslaggever, ruim twintig jaar jonger dan het zijne, en bedacht dat oorlogservaringen mannen tekenden. Hij en Halliwell kwamen allebei uit gegoede families in verschillende delen van de Verenigde Staten en ze hadden allebei een goede opleiding genoten; maar daar hielden de overeenkomsten op. De leeftijdskloof die tussen hen gaapte was gevuld met heel andere levenservaringen.

'Ruth is een oude oorlogsheld, Joe. En helden worden nooit op een prettige manier oud.'

'Nu we het er toch over hebben,' onderbrak McQueen hem. 'Gisteren zag ik die ouwe zak Vukrit. Hij zag mij niet. Daarom stak ik gauw over en verstopte me in een portiek. Er wordt beweerd dat hij zich met geld weer een plaats in de politiek heeft veroverd.'

'Onmogelijk,' zei Roderick luchtig.

'We zitten hier in Thailand, Jack. Niets is hier onmogelijk.'

Roderick leegde zijn glas. 'Vukrit zwerft al minstens zes jaar rond in de rimboe van Pattaya.' Sinds veldmaarschalk Sarit dictator Pibul had verdreven. In september 1957 – in dezelfde maand dat Roderick de zoon van Carlos had afgeleverd in de villa van Vukrits vrouw aan de kust. Zes jaar geleden. Toen had Roderick Fleur ook voor het laatst gezien.

Mijn god, dan is ze nu eenendertig. Hoe zou ze er nu uitzien? En waar is ze gebleven?

'Er wordt beweerd dat Vukrit de post van minister van Cultuur weer in zijn zak heeft,' meldde Joe Halliwell onverwachts. 'Morgen staat er een stukje over in onze krant.'

'We gaan ervan uit dat hij wel weer flink zal uitpakken over bescherming van de traditie en de nationale erfschatten,' voegde McQueen eraan toe. 'Siam voor de Siamezen, dat soort frasen.'

'Als iemand bang is voor de mensen die hij leidt,' zei Roderick, 'zorgt hij dat ze buitenstaanders gaan haten in plaats van hem.'

De twee journalisten zaten nu allebei naar Roderick te kijken; McQueens ogen schitterden door de rook van zijn tabak heen. Roderick wist dat hij op een gênante manier aan het prediken was – idealen waren de laatste tijd niet meer in trek – maar hij kon zich niet inhouden. Het kwam door het late uur, het effect van de gin, het noemen van Vukrits naam, de herinnering aan Fleur...

'Vukrit zal zich alleen inzetten voor het beschermen van zijn heilige ruïnes terwijl de rest van Zuidoost-Azië in vlammen opgaat,' zei hij, luider nu. 'En hoor eens, heren, hij zal geld van de Verenigde Staten krijgen om zijn zin door te drijven. Vukrit is nu van ons. We hebben de paleisdief de sleutel van het arsenaal bezorgd. Dat is dus wat we na twintig jaar ijveren voor democratie bereikt hebben.'

'Hij zal beginnen met aanvallen op de *farang*-gemeenschap,' merkte Halliwell op.

'Met mijn huis in te pikken. Probeer je me dat te vertellen? Dat Vukrit langskomt en alles wat ik bezit in een kruiwagen zal laden? Dan hoef ik hem tenminste niet te eten te vragen, dat scheelt dan weer.'

Roderick stond op. Hij was achtenvijftig en de last der jaren begon opeens op hem te drukken. 'Heren, ik geloof dat ik maar eens opstap.'

'Kom op nou, Jack,' zei McQueen bars. 'Ik haal nog een drankje voor je. De avond is nog jong.'

'De avond wel, ja, Alec.' Roderick gaf Halliwell een beleefd knikje en ging.

Hij besloot een eindje te lopen, al was Ban Khrua kilometers ver weg en lagen de straten er op dit uur verlaten bij. Een ander zou zich misschien kwetsbaar hebben gevoeld, als eenzame *farang* 's nachts in een Aziatische stad, maar Roderick maakte een wegwuivend gebaar naar de taxi van het Oriental en begon met ferme pas New Road af te lopen. Een hand stak in zijn broekzak, de andere zwaaide langs zijn zij en zijn gebogen schouders hingen enigszins naar voren. *Zes jaar.* Fleur zou in die tijd zelfs wel gestorven kunnen zijn.

Hij vroeg zich tijdens het lopen af wanneer hem dat zou overkomen – dat moment van vergetelheid dat dood werd genoemd. Zijn dokter maakte zich zorgen om zijn hart. *Zijn hart.* Hij lachte vreugdeloos. Misschien moest hij uit Bangkok weg en het hele gedoe achter zich laten: de facties die elkaar bestreden, de waanzin, de eindeloze cyclus van warlords die elkaars plaats innamen in naam van het democratiseringsproces. Hij moest niets hebben van het communisme, maar hij zag eigenlijk geen verschil met de elkaar opvolgende militaire dictaturen in Siam die zich aanduidden als constitutionele monarchie en hij kon zich ook niet vinden in Amerika's 'engagement' – een woord dat ook voor een voorgenomen bruiloft werd gebruikt! – met Vietnam. Hij had een droom gekoesterd van Azië, die zijn basis had in zijde en de beenderen van een jongen die Boonreung heette, maar kunst en het verlangen naar gerechtigheid leken met het verstrijken der jaren aan glans in te boeten. Misschien kon hij beter terugkeren naar huis om te sterven.

'Met moeder gaat het niet goed,' had Rory de vorige dag tegen hem gezegd terwijl ze elkaar over de uitgestrektheid van zijn glimmende teakhouten vloer heen hadden aangekeken. 'Ze heeft hoge bloeddruk. Ze loopt kans een beroerte te krijgen.'

Hij had geprobeerd zich Joan voor te stellen zoals ze er nu uit moest zien, twintig jaar verder in haar bonte, zigeunerinachtige bestaan. Hij kon er geen gezicht bij verzinnen. Joan met hoge bloeddruk. Daar kon ze met schmink niets aan verhelpen.

En daar stond Rory in zijn woonkamer tegenover hem: een grote vreemdeling in een marine-uniform, met kortgeknipt haar en met zijn pet onder zijn arm geklemd, keurig net. Met alle verloren jaren tussen hen in, als een oceaan. Bij gebrek aan foto's had Roderick zich Rory's gezicht duizenden malen proberen voor te stellen. Maar dat leek in niets op wat hij nu voor zich zag.

De jongen had hem uiteraard brieven gestuurd – minstens drie in een kinderlijk handschrift op geel gelinieerd papier, en verscheidene andere getypt en met zijn naam eronder geschreven. Van zijn kant was Roderick na de definitieve breuk met zijn vrouw in 1946 een berg post blijven sturen: vrolijke, bondige, onrealistische brieven. Hij had Joan meters zijde gestuurd en schetsen voor jurken die ze ervan zou kunnen maken. Verder nog handgemaakt houten speelgoed voor de jongen, die daar al veel te groot voor was. Foto's van hemzelf met Boonreungs bejaarde vogel op zijn schouder. En geld. Bankcheques waren het beste lapmiddel voor schuldgevoel dat Roderick kende.

Tijdens zijn jaren in Azië was hij vier keer op en neer geweest naar de Verenigde Staten. Hij had zijn zoon opgezocht in Evanston en Californië, en op de marine-academie toen Rory cadet was. Roderick verbleef die keren in een duur hotel en de jongen werd bij hem aangediend door de piccolo. Joan liet zich bij deze gelegenheden ook heel even zien, maakte wuivende gebaren met haar gehandschoende handen en had het over Rory's behoefte aan 'mannen onder elkaar'. Ze gingen samen naar musea. Ze praatten over honkbal. Ze schudden elkaar bij het afscheid de hand.

Maar Rory was nu geen jongen meer. Het was september 1963 en hij was zevenentwintig jaar en getrouwd met de dochter van een bankier uit Chicago die hij al kende vanaf zijn elfde. Hij had zijn vierjarige zoon mee naar Bangkok genomen, Max – Rodericks enige kleinkind, die hij nog nooit had gezien. Ze hadden drie dagen samen; daarna moest Rory terug naar zijn vliegdekschip bij de marinebasis Subic Bay.

'Hoe lang is het geleden?'

Hij stond oog in oog met Rory, nu eindelijk even lang als hij, en gaf zijn zoon een hand.

'Dat we in Stowe zijn geweest? Ik was toen net zestien geworden.'

Roderick herinnerde zich toen weer de sneeuw in Vermont in januari, hier en daar blauwig door bevriezing, en hoe Rory angstig voorover op zijn ski's had gehangen, in de overtuiging dat hij zou vallen. Had hij daarna nog ooit geskied?

'Maar ik ben toch in Annapolis geweest,' protesteerde hij. 'Toen je officier werd.'

'O, ja. Vijf jaar geleden dus.'

De regen kletterde op het huis neer; het bruine water van de khlong kolkte schuimend over zijn oevers. De regentijd was op zijn hoogtepunt. Roderick stelde Rory voor aan Chanat Surian, de huisbediende, die de

314

jonge Max onder zijn hoede nam en met kokosmelk bereide rijstpudding voorzette. Roderick vulde de stiltes met anekdotes. Hij merkte dat hij zich schrap zette voor belangrijk nieuws – een overlijdensbericht, emotionele toestanden – dat de onverwachte komst van zijn zoon zou kunnen verklaren.

'Je woont heel anders dan ik gedacht had.' Rory's blik waarde door de grote ruimte met het hoge puntdak. 'Ik stelde me je voor in de jungle, tussen de krokodillen. Ergens aan het einde van de wereld.'

Dat beeld beviel Roderick, al deed het hem ook pijn dat het feitelijk zo waarheidsgetrouw was. Met zichzelf verlegen informeerde hij: 'Vindt je vrouw het niet erg dat je maanden achtereen van huis bent?'

'Annie vindt het vreselijk. En ik had nog wel gezworen dat ik als ik trouwde nooit...'

...weg zou gaan, zoals jij mij in de steek hebt gelaten, vulde Roderick in gedachten aan.

'Maar ja, wat moet ik anders? Een marineman kan in Illinois weinig beginnen. Daarom heb ik Max meegenomen. Volgende week begint mijn dienst op het vliegdekschip. Als ik weer naar huis kom is hij al bijna vijf.'

Max, met zijn grote bos blond haar, was intussen op zijn sokken over de vloer aan het glijden. Hij leek geheel door zichzelf in beslag genomen, als een kind dat in een fantasiewereld leeft, en mompelde in zichzelf. Het geluid had iets weg van vogelzang.

'Jij hebt nooit... iemand anders gevonden? Na moeder?' vroeg Rory geheel onverwachts.

'Nee,' loog Jack. 'Ik heb nooit meer iemand kunnen vinden,' om meteen daarna zijn schoenen uit te trekken en achter zijn kleinzoon aan te glijden. Rory keek toe hoe ze zich in evenwicht hielden, steeds maar weer.

In de bananenbomen ritselde een aarzelend briesje; de lucht was zwaar van het vocht. Het felle neonlicht in de hoerenbuurt was iets nieuws van de laatste jaren: gezichtloze elektrische nimfen bogen en strekten ritmisch hun ellenlange benen. Hij hoorde gelach en geschreeuw op zich afkomen terwijl hij afkerig en tegelijk gefascineerd onder de boog van de toegangspoort bleef staan kijken; het was een wijk waar alleen maar mannen kwamen, voornamelijk Amerikanen van de schepen die de laatste tijd in de Chinese Zee heen en weer voeren.

'De meisjes dragen allemaal nummers op hun borst,' had Alec McQueen hem eens verteld. 'Je kiest ze uit als repen chocola. Jack, je moet echt een keertje meegaan. Je weet niet wat je ziet als je goeie ouwe Miss Lucy gewend bent.'

De Amerikaanse jongens hadden er geen idee van dat de vrouwen van Siam tot de zedigste van de hele wereld behoorden; het tonen van een stukje schouder in het openbaar werd al als zeer onbehoorlijk beschouwd;

de naakte meisjes van het platteland die zo ijverig hun best deden achter de felle rode lampjes probeerden alleen maar zo snel mogelijk een bruidsschat bijeen te garen. Daarvoor verdroegen ze de blikken en aanrakingen van deze *farang*-soldaten; tenslotte hadden ze geld nodig en was het huwelijk het belangrijkste dat er bestond.

Was Fleur in de jaren in het huis aan de khlong wel zo anders geweest dan deze meisjes? Stapelde ze geen rijkdommen en geheimen op voor de tijd dat ze met dansen niet langer de kost zou kunnen verdienen? Roderick wist het niet. Hij had in Fleurs liefde geloofd omdat hij haar nodig had om gelukkig te zijn. Hij wist niets van haar gevoelens of van alles wat ze voor hem verborgen had gehouden – hij wist alleen wat ze had verkocht.

Hij keerde de wijk Patpong de rug toe.

Het leek wel of de stad waar hij zo van hield – met haar stromende water, haar danseressen fraai als vogels, haar vergulde tempels en jasmijnbloesem – een vrucht was die te lang gelegen had en was gaan rotten. Er hing de geur van oorlog en dood.

Hij wuifde naar een taxi en liet zich naar huis rijden.

Het was al halfvier geweest toen hij de trap naar het huis aan de khlong opliep. In de hal brandde een toorts en elders in huis brandden lampen, maar dat vond hij niet vreemd, aangezien Rory bij hem logeerde; misschien was Max wakker geworden van een nachtmerrie. Hij stelde zich voor dat de huisbediende melk voor hem had verwarmd, hij stelde zich Max voor die met zijn benen trapte terwijl hij ervan dronk; hij stelde zich Rory voor die over het haar van zijn zoon streek. Hij had dat zelf vaak gedaan toen Rory nog klein was, in een zwijgende uitdrukking van vaderliefde. Maar toen hij in de richting van het terras liep hoorde hij een gedruis van stemmen door de open deuren heen. Het licht in Max' slaapkamer was uit.

Twee mannen leunden tegen het hek aan – Rory en een andere man in uniform. Rodericks ogen gleden over de gestalte die hij uit duizenden zou herkennen en voelde vreugde in zich opwellen. 'Billy Lightfoot,' zei hij zachtjes, 'ouwe schobbejak.'

'Waar kom jij nou vandaan, Jack, ouwe,' grinnikte zijn voormalige OSS-trainer. 'Zo'n opa als jij had allang in bed moeten liggen.'

Lightfoot greep zijn hand en sloeg hem bulderend op zijn schouder, het toonbeeld van de joviale bullebak die gewend is bevelen rond te strooien. Met dezelfde slag waren ze allebei weer terug in dat vliegtuig dat op 2 september 1945 van Ceylon was opgestegen; Roderick had bijna kunnen zweren dat hij weer negenendertig was en klaar om te springen met zijn 'valdood-brief' en zeven dollar aan Thaise baht in zijn zak.

'Ouwe schobbejak,' zei hij nog eens. 'Wat doe jij nou in Bangkok? Waarom heb je niet even laten weten dat je kwam?'

'Ik wou je verrassen,' zei Lightfoot zonder een zweem van berouw. 'Ik dacht, weet je wat, laat ik die Legendarische Amerikaan eens op zijn dak vallen, dan kan hij me de stad laten zien. Maar ik had natuurlijk wel kunnen weten dat je al op je eentje aan de zwier was. Je bediende wou me eerst niet eens binnenlaten.'

'Chanat is gewend iedereen weg te sturen.'

Lightfoot moest onderhand zestig zijn, maar hij was nog altijd een boom van een vent, een echte militair, stram tot in de dood. Aan zijn slapen was zijn haar grijsgevlekt. Zijn ogen doorpriemden het schemerduister op het terras.

'Fijn dat je er bent, Billy. Heb je al kennisgemaakt met mijn zoon?'

'Puike knul, zit alleen bij de verkeerde club. Ik herinner me nog een foto van hem toen hij nog in luiers liep.' Hij sloeg Rory op zijn schouder op een natuurlijke manier die Jack onhandig zou afgaan. Natuurlijk overwicht, dacht hij terwijl hij naar de twee gezichten voor hem keek, die een vergelijkbare kracht en zekerheid uitstraalden. Het commanderen had Billy altijd al in het bloed gezeten.

'Je bent weer opgeklommen,' zei Roderick, kijkend naar Lightfoots uniform. 'Brigadegeneraal. Niet gek. Kom mee naar binnen, dan drinken we een borrel.'

Lightfoot schudde zijn hoofd. 'Rory heeft koffie voor me gezet en daar ben ik helemaal van opgeknapt. Ik ben in een jeep uit Khorat komen rijden. Man, ik voelde me geradbraakt! Die wegen hier!'

'Uit Khorat!' Het woord had een onmiddellijke uitwerking op Roderick. 'Wat moest je daar? Niemand gaat daarheen.'

'Dat komt nog wel,' zei Lightfoot serieus. 'We hebben de afgelopen jaren de Koninklijke Luchtmacht van Thailand flink versterkt – we hebben instructeurs gestuurd en vliegtuigen geschonken die we niet echt nodig hadden – en sindsdien hebben ze verkenningsvluchten voor ons uitgevoerd.'

'Boven Laos?'

'Natuurlijk. Het is daar een klerebende. Er woedt een burgeroorlog waarbij drie kampen betrokken zijn die het hele land ontwrichten – de communistische Pathet Lao, de centristen en de ultrarechtse militaire factie – en we hebben berichten ontvangen dat Noord-Vietnamese soldaten een front vormen met de Pathet Lao. Je begrijpt waar dat naartoe gaat.'

'Een uitbreiding van het conflict in Vietnam naar Laos.' Oorlog, als vuur overspringend van de ene boomtop naar de volgende, tot heel Zuidoost-Azië in brand stond.

'Exact. De Pathet Lao heeft al een aantal van onze vliegtuigen uit de lucht geschoten.'

'En Khorat is perfect als uitvalsbasis voor vergeldingsoperaties.'

'Het zou illegaal zijn om deze oorlog op Thaise bodem uit te vechten. We gaan niet vanuit het noordoosten bommenwerpers de lucht in sturen

– al zou dat heel verstandig zijn, wat ik jou niet hoef te vertellen. Het Pentagon heeft me erop uitgestuurd om een goede plek te vinden als basis voor verkenningsvluchten en het redden van piloten, dat soort dingen. We hebben die godvergeten rimboe rond Khorat nodig – geen mensen, geen regen, geen vee, niets behoorlijks om te bestoken.'

'Alleen moerbeibomen,' mompelde Roderick, 'en potten van klei. Het ligt dan misschien niet in de bedoeling om op Thaise bodem strijd te leveren, Billy, maar dat is onvermijdelijk. De helft van de Thai in het noordoosten zijn etnische Lao en Khmer.'

'Dan moeten we dus zorgen dat ze verdomd goed weten waar hun loyaliteit ligt.'

'Bij hun gezin en de rest van hun familie. Voor hen telt alleen dat.'

'Dan moeten we ze opvoeden,' zei Billy scherp. 'We vechten niet tegen tinnen soldaatjes, Jack. We vechten tegen Chroestsjov zelf. Weet je wat die Russische klojo een aantal jaren geleden zei? Hij zei dat de USSR de "nationale bevrijdingsoorlogen" steunt. Als je het mij vraagt breken er bij jou in de buurt steeds meer van dat soort oorlogen uit. Maar jij zegt doodleuk: laat die Russen maar binnenwandelen.'

'Pa...' Wat een vreemd woord om uit Rory's mond te horen. Hij was zich hevig aan het opwinden. 'Iedereen moet nu kiezen aan welke kant ze staan. Aan onze kant of die van de communisten. Thailand vormt geen uitzondering.'

Sinds wanneer weet jij iets van Zuidoost-Azië af? dacht Roderick. Maar hij zei alleen maar: 'Waarmee kan ik je helpen, Billy?'

'Volgende maand word ik overgeplaatst naar Vientiane,' zei Lightfoot met een stralend gezicht. 'Als militair adviseur, zoals ze het zo mooi noemen. Ik popel om weer in actie te komen.'

'Vientiane is een prachtige stad.'

'Ben daar waarschijnlijk vooral bezig met het nakijken van de jeep op bommen. Prima doelwit. Die Pathet Lao is niet misselijk, weet je. Een van je vriendjes is een behoorlijk hoge ome in die club – een vent die Tao Oum heet.'

Tao Oum. Nu begreep Roderick de reden van Lightfoots plotselinge bezoek. Lightfoot was weer operationeel: hij hoopte dat Roderick hem zou kunnen helpen iemand te vinden om spionagewerk voor hem te doen.

'Rory,' zei hij tegen zijn zoon, 'bedankt dat je Billy hebt beziggehouden. We zullen morgenochtend maar laat ontbijten.'

'Ik ben niet moe,' zei Rory.

'Hé, die jongen hoeft van mij niet weg, hoor,' zei Lightfoot losjes. 'Hij zal over een paar maanden zelf in die oorlog terechtkomen. Hij mag best weten wat er op het spel staat, toch? Hij traint in A-4's, vertelde hij net. Het Pentagon is daar heel wat mee van plan.'

'Hij is geen jongen meer,' ging Roderick tegen hem in, en hoorde zelf de irritatie in zijn stem. 'Ik hoop van harte dat wij ons buiten deze hele situatie houden en dat hij geen bombardementsvluchten op Hanoi hoeft uit te voeren.'

'Laat het denken daarover maar aan mij over.'

'Natuurlijk, Rory. Maar je hebt geen idee wat voor oorlog dit gaat worden. Heel anders dan in de strategieboekjes zo mooi beschreven wordt.'

'Niet als we hard toeslaan, en snel.'

De vermoeidheid en weemoed die Roderick eerder op de avond had gevoeld werden nu dikke touwen om zijn borst en nek die hem dreigden te verstikken. Hij wilde ze met blote handen van zich afrukken en in de khlong smijten. Hij wilde de last van de jaren zien wegdrijven als dode bladeren.

'Sinds wanneer ben jij zo defaitistisch geworden, Jack? vroeg Lightfoot. 'Dat hoorde toch niet bij je OSS-training, dacht ik. Weet je nog hoe die Jappen ervandoor gingen op de dag dat wij hier in Bangkok landden? Ik vertelde Rory net hoe het er hier uitzag voor zijn ouwe pa hier kwam wonen en de hele boel overnam.'

'Ik heb de boel niet overgenomen, Billy. Dat lukt niemand hier in Azië.'

'Volgens mij is dat nou net het probleem.'

'Juist,' mompelde Rory.

Roderick voelde zich neerslachtig worden. De andere twee popelden om ertegenaan te gaan, en dat was te wijten aan hun grote onbekendheid met dit continent. Hij keek naar het gezicht van zijn zoon en zag diens minachting voor een vader die een halve inboorling was geworden en er helemaal niets van snapte.

En dus gaat hij een oorlog in, besefte Roderick, ondanks Max, ondanks de vrouw van wie hij houdt, ondanks de toekomst die hij voor zich heeft, alleen maar om te bewijzen dat hij niets met mij te maken heeft. Om iedereen te laten zien dat we uit verschillend hout gesneden zijn. Jezus, in wat voor afgrijselijke wereld leven we toch.

'Dit is geen tijd voor valse sympathieën, Jack.' Lightfoot klonk verwonderd, ongerust zelfs, alsof hij in het donker tegen een vreemde was opgelopen. 'Als we de kanker in Laos en Vietnam niet wegsnijden, dan breidt die zich naar Thailand uit – en voor je het weet is jouw zijdebedrijf dan een grote communistische coöperatie.'

'Dat is het al, Billy. Ik heb het op die manier opgezet.'

'Shit. Je bent al veel te lang uit de States weg.'

'Misschien.' Roderick viste een sigaret op die hij niet geacht werd te roken en stak hem doelbewust aan. 'En misschien ben jij er niet lang genoeg vandaan geweest.'

Er viel een gespannen stilte. Lightfoot dacht na en gooide het toen over een andere boeg. 'Daarom wilde ik je spreken. Niemand kent deze contreien zo goed als de Legendarische Amerikaan – wist je dat ze je in Khorat zo noemen? We hebben jouw hulp nodig, Jack, en ik aarzel niet je erom te vragen.'

Een omtrekkende beweging, dacht Roderick, nu de frontale aanval is mislukt.

'Ik heb verslagen gelezen,' vervolgde Lightfoot. 'Hele stapels, om zo snel mogelijk op de hoogte te raken, toen ik nog in Washington was en onderweg in het transportvliegtuig. Allerlei rapporten, zelfs van twintig jaar terug. Veel van de CIA. In het hoogland van Noord-Laos stikt het van de CIA-agenten. Maar die oude verslagen vond ik het beste – vanwege alle achtergrondinformatie. De meeste daarvan heb jij geschreven.'

Roderick kneep zijn ogen dicht tegen de rook. 'Dat is heel lang geleden. Tegenwoordig verkoop ik zijde.'

'Die netwerken van jou,' vervolgde Lightfoot onverstoorbaar. 'Die kerels die voor jou werkten. Een aantal zit daar vast nog steeds. Jij weet zeker wel wat er van ze geworden is. Bijvoorbeeld van die Tao Oum in Vientiane. Denk je dat er met hem te praten valt? Dat hij in is voor een ouderwets onderonsje met zijn goede vriend Roderick?'

'Voorzover ik kan afleiden uit wat ik weet van CIA-operaties in Tao Oums gebied,' antwoordde Roderick, 'krijg ik meteen een kogel in mijn kop als ik alleen maar zou proberen met hem in contact te komen.'

De onofficiële strijd in Laos woedde nu al drie jaar. Het was een strijd die voornamelijk gevoerd werd door middel van sabotage, verraad, vergelding en het doorsnijden van kelen; door het droppen van getrainde dubbelagenten op het platteland, waar ze onvermijdelijk werden gevangengenomen en gedood of als dubbel dubbelagent werden ingezet tegen de volgende lading die werd gedropt. Roderick kende de charmante, welgemanierde jonge kerels die dit soort operaties op touw zetten. Hij had de eerste lichting ervan in zijn huis aan de khlong gastvrijheid verleend, voordat hij erachter kwam waartoe ze in staat waren. Hij zag in hen, met hun klassiek gevormde gelaatstrekken en uitstekende opleiding, de natuurlijke opvolgers van de jongensclub die hij van de OSS kende – en besefte vervolgens dat de Goede Strijd van 1945 was overgegaan in de Koude Oorlog, waarin voor eigenbelang een belangrijker rol was weggelegd dan voor idealen. Hij had een afkeer gekregen van het complete gebrek aan kennis van en gevoel voor de regio en de cultuur waarvan deze mannen blijk gaven, van hun zelfverzekerdheid en de nonchalante manier waarop ze over slachtoffers spraken, als was de dood net zo'n instrument als alle andere die ze gebruikten. Vroeger had hij gerommeld met verkiezingen, maar het zou nooit bij hem zijn opgekomen mee te werken aan het onderdompelen van hele volken in bloedige burgeroorlogen. In november 1960 nam hij ontslag uit zijn onofficiële en onnoembare functie als spion – en afscheid van een bestaan dat hem op het lijf geschreven was – en bepaalde zich tot het verkopen van zijde in plaats van geheimen. En probeerde dit niet als een nederlaag te beschouwen.

'Ik neem aan dat de CIA nog steeds contact heeft met mijn voormalige agenten,' zei Roderick. 'Ze willen je vast wel van alles vertellen voordat je naar je nieuwe post gaat. Maar zoals ik je al gezegd heb, Billy: ik heb me al een hele tijd geleden uit het spionnenbedrijf teruggetrokken. De kant die de lokale politiek uit ging beviel me helemaal niet.'

'Help ons dan om die trend te keren.' Lightfoot pakte op een pijnlijke manier zijn schouder vast, met de stalen greep van een doorgewinterde militair. 'Hoe zit het trouwens met dat andere oude vriendje van je, die vent die zich in het hoogland heeft verschanst – de guerrilla-aanvoerder? Codenaam Carlos. Hij werkte tijdens de oorlog samen met Pridi Panomyong, maar trok er niet zoveel later stiekem tussenuit. Hém heb je nooit voor de CIA geworven.'

'Ik heb geen enkel idee waar hij uithangt.' Rodericks gezicht stond strak van ingehouden woede. *Niet Carlos. Nooit. Eén ding zal ik in ieder geval trouw blijven, tot het einde toe.*

Lightfoot keek naar Rory. 'Je ouwe snapt het niet, jong. Het gaat om een oorlog die we moeten voeren.'

'Pa,' zei Rory met kille woede in zijn stem, 'als de generaal je om hulp vraagt, vind je niet dat je die dan moet geven? Je bent het aan je land verplicht. En aan míj, godverdorie. Binnenkort staat ook mijn leven op het spel.'

O, Rory, dacht hij, je popelt om het op het spel te zetten.

'Die Carlos,' ging Lightfoot verder, 'heeft Chinezen onder zijn manschappen. Dat heb je zelf geschreven in je rapporten.'

'Nationalisten,' bracht Roderick hem geduldig in herinnering. 'Ze haten de communisten, Billy. Ze vormen geen bedreiging voor de Amerikaanse veiligheid.'

'Die jongens in de bergen zijn vuile rotzakken,' ging Lightfoot tegen hem in. 'Huurlingen zijn het. Ze kennen het grensgebied op hun duimpje en ze zijn doorkneed in junglegevechtstactieken. Ze kunnen een geschenk uit de hemel of een vloek zijn voor de Amerikaanse strijdkrachten, afhankelijk van hoe ze worden aangepakt. We moeten ze aan onze gelederen verbinden voordat ome Ho ze inpikt.'

'En als ze niets voelen voor een oorlog waarin buitenlanders betrokken zijn?'

'Dan neutraliseren we ze, voordat ze ons in de rug kunnen aanvallen.' Lightfoots ogen hadden een harde uitdrukking gekregen. 'Kom op, Jack. Je weet best hoe het allemaal in elkaar steekt. Weet je nog, Miss Lucy? Dat mokkel van het bordeel bij wie je zogenaamd in bed lag terwijl je die gore smeerlap onder handen nam?'

'Wist je daarvan?'

'Wáárvan?' Rory keek van de een naar de ander.

'Ik heb één en één bij elkaar opgeteld,' antwoordde Lightfoot. 'Het was een simpel sommetje. De ene avond toeren we rond in het folterdistrict en de volgende is de grote folterbaas 'm gepiept.'

'Miss Lucy heeft haar bordeel al zeven jaar geleden opgedoekt, Billy, en je weet al meer dan genoeg van Carlos. Je hebt mij helemaal niet nodig.'

'Ik moet weten waar jouw sympathieën liggen, Jack.' Lightfoot kwam naderbij; hij stelde zijn brede borst als een versterkte muur voor Jack op. 'Je hebt jaren met die clown gewerkt. Ik stel je voor de keuze: jij gaat naar Carlos om hem onze positie uiteen te zetten en erop toe te zien dat hij zich schriftelijk vastlegt. Zorg dat hij zich aan onze kant schaart.'

'En als ik weiger?'

'Ingerukt, mars. Maar dan moet je ook niet janken over wat er dan gebeurt.'

Roderick nam de man tegenover hem aandachtig op – zijn kortgeknipte haar, zijn heldere blik, het zelfvertrouwen dat hij uitstraalde. Billy streed de strijd der rechtvaardigen. Billy kende geen twijfels. Billy wist dat de wereld een wreed strijdperk was waarin je moest zien te overleven, en dat vriendschap, vertrouwen en verplichtingen aan derden ondergeschikt waren aan de belangen van de eigen natie. Billy had de mazzel dat hij maar één land kende om van te houden en slechts één manier van leven die hij zinvol achtte. Hij had nooit in de jungle tussen zwart en wit in verkeerd, waar elke geheim agent uiteindelijk aan ten prooi valt.

'Ik wil niets met jouw oorlog te maken hebben,' zei Roderick zacht tegen hem, 'en ik zal doen wat ik vind dat ik moet doen.'

Later zou hij niet meer kunnen zeggen of het de vuist van Billy of die van Rory was die hem het eerst raakte.

Hij stond boven aan de trap, en zag Lightfoot met kwaaie, lompe stappen ervan af lopen. Het was bijna ochtend. Hij hield een witzijden zakdoek tegen zijn bloedende neus gedrukt en Rory, die aan zijn carrière had moeten denken en met Lightfoot in een taxi vertrekken om nooit meer een voet over de drempel te zetten, hurkte neer op de drempel van Max' slaapkamer.

'Er is niets ergs aan de hand, Max,' herhaalde hij maar steeds tegen de vierjarige, zijn haar strelend zoals Roderick het in zijn fantasie voor zich had gezien. 'Alles is in orde. Ga maar weer slapen. Morgen is het allemaal weer goed.'

4

Het besef als een dier te worden opgejaagd kan zeer bevorderlijk zijn voor de concentratie; blijkbaar gold dat niet als je die richtte op de biografie van Amelia Earhart. Het lukte Stefani, alleen achtergebleven in Rush Halliwells flat, volstrekt niet om zich ook maar enigszins te verplaatsen in de hoofdpersoon, de gedoemde vliegenierster. Al twaalf minuten na Rush' vertrek gooide ze het boek erbij neer en begon rusteloos rond te lopen, op zoek naar verstrooiing.

Ze ging niet, zoals hij verwacht had, achter het raam staan kijken of hij wel echt op weg ging naar de ambassade. Ze streek met haar vinger over een Bencharong-vaas die hij pal in het midden van zijn boekenplank had neergezet en bekeek de paar foto's – van Europese landschappen, in Rush' privé-wereld was kennelijk geen plaats voor andere mensen – die hij hier en daar had neergezet. Ze onderwierp zijn medicijnkastje in de badkamer niet aan een onderzoek, op zoek naar mogelijke sporen van zijn zwakheden, zoals sommige mensen die bij anderen over de vloer komen wel doen. Ze was overgeleverd aan de gedachten die in haar hoofd rondmaalden, als een hond aan zijn riem, speurend naar een uitweg die er niet was. *Je hebt er niets aan als je vlucht*, had Rush gezegd.

Het kwam bij haar op dat als het totaal van iemands talenten gezien zou kunnen worden als, zeg maar, een beleggingsfonds, ze sinds haar vertrek bij FundMarket maar bitter weinig gepresteerd had. Ze was uitgegaan van veronderstellingen die ze niet had nagetrokken: dat Oliver een integer persoon was en waardering had voor haar als persoon; dat er niets mis was met haar instincten; dat haar aangeboren intelligentie haar zou behoeden voor fatale fouten. Als ze echter terugkeek op wat ze de afgelopen acht maanden had gedaan, waren de resultaten ronduit bedroevend. Ze had vrijwel iedereen die ze tegen was gekomen verkeerd beoordeeld. Ze had zich enorm verkeken op de risico's die verbonden waren aan het spelletje waarmee ze zich had ingelaten. En ze had zich ook nog eens volkomen vergist in haar eigen betrokkenheid in het geheel. Sompong Suwannathat was veel beter op de hoogte geweest van wat zij deed dan andersom; hij was haar al vanaf het begin steeds een stap voor geweest. Al met al moest ze constateren dat ze oliedom was geweest.

En dat ze onderhand doodsbang was, had ook al niets constructiefs.

Ze had altijd gedacht dat ze slimmer was dan ieder ander. Die arrogante houding had haar verblind. Zoals Matthew French, de advocaat, haar had willen duidelijk maken, ging ze allesbehalve subtiel te werk. Een echt sluwe vrouw zou gezorgd hebben dat ze er aan de oppervlakte heel onschuldig uitzag, terwijl ze achter de schermen handig in de weer was; op de een of andere manier had zij daar niet eens aan gedacht.

Hoe kon ze het tij keren? Hoe kon ze Oliver en zijn smeerlap van een cliënt te slim af zijn en *winnen*?

Ze had een bondgenoot nodig. Niet Rush Halliwell. Het was duidelijk dat hij haar niet vertrouwde, en bovendien zouden de belangen van de CIA bij hem op de eerste plaats komen. Dus moest het iemand zijn die er beter van werd als zij als overwinnaar uit de strijd kwam. Iemand als…. Dickie Spencer. Dickie verkeerde weliswaar op voet van gezoen in de lucht met Ankana Lee-Harris, maar Jeff Knetsch had helemaal niets gezegd dat erop duidde dat Dickie op wat voor manier dan ook bij de moord op Max betrokken was. Dickie was blijkbaar iemand die zich staande wist te houden door op een subtiele manier bezig te zijn. Hij moest zijn zijdebedrijf beschermen en had er belang bij om Sompongs macht binnen de Stichting Thais Erfgoedbeheer aan banden te leggen. Hij zou meteen inzien dat hij garen kon spinnen bij de samenwerking met een type als Stefani, van wie leek vast te staan dat ze niet kon winnen. Dickie kende de Thaise politiek en de Thaise gebruiken van voor naar achter, wat een prima tegenwicht was voor haar volslagen onkunde op dit terrein. Ze zat volkomen klem — ze was een voortvluchtige in Sompong Suwannathats stad — en Spencer was waarschijnlijk de enige die haar een uitweg te bieden had. Bovendien beviel zijn Britse droge humor haar ten zeerste. Haar intuïtie zei haar dat ze Dickie kon vertrouwen. En misschien zelfs gebruiken?

Dat haar intuïtie haar de laatste tijd nogal eens de verkeerde kant had uit gestuurd, leek even niet van belang.

Ze hield een *tuk-tuk* aan op Wireless Road. Met zijn hoofd achter een sportblaadje verscholen stak Rush Halliwell in haar kielzog nonchalant de straat over en deed hetzelfde. Hij vroeg zich af waarom ze er al zo snel vandoor was gegaan en waar ze zonder haar bagage naartoe ging. Het verraste hem dat het hem pijn deed, en niet weinig ook.

Ze wurmden zich in zuidelijke richting door de avondspits, langs Lumphini Park met zijn twee roeivijvers en venters die verse slangengal verkochten, en reden toen de Surawong Road op.

'Marty,' mompelde Rush in zijn mobieltje toen Stefani's *tuk-tuk* stopte voor Jack Roderick Silk, 'onze lieftallige vriendin is aan het souvenirjagen. Heb je inspecteur Itchayanan al weten te vinden?'

'Hij is op weg naar Nakorn Kasem.'

'Hou me op de hoogte,' zei Rush en vroeg zijn chauffeur te wachten.

Surawong Road doorsneed het commerciële hart van Bangkok, volgestouwd met wolkenkrabbers waartussen verstikkende smogdampen hingen; voor de Tweede Wereldoorlog was de plek vermaard geweest om zijn fruitboomgaarden, maar nu maakte het lawaai van auto's, motorfietsen en *tuk-tuks* het onmogelijk de gesprekken van voetgangers die maar een paar meter weg stonden te volgen en belemmerde het verkeer het zicht op alle andere activiteiten op straat. Hij liep langs etalages, zogenaamd kijkend naar de lederwaren en rotan stoelen achter het glas, terwijl hij in werkelijkheid de weerspiegelde ingang van Jack Roderick Silk aan de overkant in de gaten hield. Er was daar niemand te zien. Rush hield het zeventien minuten vol om op deze manier te kijken, en nam toen een andere positie in, bij een venterskar op de hoek. Hij bestelde een kom mie en at zonder zijn ogen van het trottoir aan de overkant af te wenden. Er waren inmiddels zesentwintig minuten verstreken sinds ze bij Jack Roderick Silk naar binnen was gestapt. Hoe lang deed een vrouw erover om een shawl uit te zoeken? Deed ze soms kerstinkopen voor haar familie overzee? Zocht ze meubelstoffen uit voor haar flat in New York?

Hij begon zich steeds meer zorgen te maken. Hij gaf de *tuk-tuk*-chauffeur een briefje van honderd baht en hield zichzelf voor dat hij zich belachelijk aanstelde; vrouwen verloren elk besef van tijd in winkels als Jack Roderick Silk. Hij had te lang observatiewerk gedaan om zo gauw al de kriebels te krijgen. *Drieëndertig minuten.* Zijn ogen gleden weer naar de lege entree, en ineens grauwde hij: 'Wel godverdomme.'

Hij stak de straat over, roekeloos tussen het trage verkeer door zigzaggend. Toen hij langs de deur van de winkel kwam, hield hij net lang genoeg in om een blik door de glazen voordeur naar binnen te werpen. De winkel was leeg, op een meisje na die bezig was met het uitstallen van stropdassen. Ze keek op toen hij binnenkwam en glimlachte.

'De vrouw die daarstraks hier was,' zei hij jachtig in het Thais. 'Zwart haar, een Amerikaanse. Waar is ze gebleven?'

Het meisje fronste en keek hem hulpeloos aan.

Ontsnappingstruc nummer één, hield hij zichzelf razend voor. De voordeur in, de achterdeur uit. Die trut is me ontglipt.

'Meneer,' riep de verkoopster hem wanhopig na toen hij naar het kantoorgedeelte achterin rende. 'U kunt daar niet heen als u geen afspraak hebt. Het kantoor is gesloten. Meneer!'

Rush duwde tegen de deur en kwam in een gang. Het licht brandde, maar er was niemand. De vergaderruimte rechts bleek ook leeg. En de grote kamer met rieten stoelen erin links eveneens.

Aan het eind van de gang een lichtend bordje met EXIT erop: de deur naar de expeditiestraat.

Hij rukte hem open, zichzelf vervloekend dat hij zo stom had kunnen zijn en keek uit over de verlaten parkeerplaats. Regen kwam met bakken uit de hemel, kletterend op het betonnen laadbordes, en spoelde in stromen de goten in. Rush hield zijn gezicht in de nattigheid en vervloekte Stefani Fogg. Hij zou bijna wensen dat Sompong haar vond.

Marty Robbins tuurde ingespannen door de doorkijkspiegel in de wand naast de deur van de verhoorkamer. Hij kon de man die aan tafel zat goed zien; hij hield zijn hoofd in zijn handen en huilde onbeheerst. De politieman die over hem heen gebogen stond, een Thaise inspecteur die Itchayanan heette en die verantwoordelijk was geweest voor het verzamelen van bewijsmateriaal in Stefani Foggs hotelkamer de vorige avond, schreeuwde hem iets toe met een bulderende keelstem. De mensen in de kamer achter de spiegel – Itchayanans chef, een vrouw die achter een bandrecorder zat en Marty – veerden meteen op, alsof een kaarsrechte houding kon helpen iets meer te begrijpen van de hysterische woorden die vanuit de andere ruimte tot hen kwamen.

De man heette Khuang en was pottenbakker. Hij scheen een zeer goed vakman te zijn. Hij was aangetroffen in een pakhuis in de Nakorn Kasem, waar hij bezig was heroïne te verstoppen in aardewerk van grote klasse. Inspecteur Itchayanan was Marty Robbins uiterst erkentelijk voor de tip die hij van hem gekregen had.

Marty was lang genoeg in Thailand om te weten hoe hij gebruik kon maken van die erkentelijkheid. Samenwerking tussen het gastland en buitenlandse veiligheidsdiensten was niet ongewoon, maar bij een routineklus als deze van de politie had de CIA niets te zoeken. Itchayanan had Marty echter toestemming gegeven het verhoor bij te wonen.

De Amerikaan had een flink omkoopbedrag aan de vrouw achter de bandrecorder betaald in ruil waarvoor ze hem een kopie van de bekentenis van de verdachte had beloofd. Khuang had tot nu toe weinig toegegeven, maar wel smekend naar zijn vrouw gevraagd.

De sfeer op het Bangkokse politiebureau was wel even anders dan vijf uur eerder, toen Jeff Knetsch aan dezelfde verhoortafel had gezeten, al wist Marty daar niets van. Het was nogal niet een verschil. Aan de ene kant een *farang* die op Khao San Road was opgepakt en vervolgens de meest wilde beschuldigingen uitte aan het adres van een gerespecteerde Thaise minister en de politie te schande zette voor de ogen van hun buitenlandse contact; aan de andere kant een gerenommeerde Bangkokse inspecteur die een geweldige misdaad op het spoor kwam door hard werken en een beetje geluk.

'Itchayanan is een van de besten die we hebben,' pochte de politiechef, die Thak heette. Hij stond een paar passen bij Marty vandaan, een forse man wiens gezicht aldoor glom van het zweet. 'Als die khlongrat hem niet vertelt wat hij wil weten, hangt hij hem aan zijn duimen op in zijn cel tot Khuang om genade schreeuwt. En dan zullen we wel zien wat Khuang ons te vertellen heeft.'

Itchayanan bracht zijn gezicht vlak bij dat van de verdachte en sprak op lage, gemene toon tegen hem. Marty's Thais was niet bijzonder goed, maar Itchayanan sprak langzaam en zijn dreigement klonk luid en duidelijk door de luidspreker.

'Zeg me wie jou de opium geeft en waar je die heen stuurt, want anders zal ik je vrouw weten te vinden, ik zweer het je bij de koning. Dan gooi ik haar in de cel van de mannen en laat haar daar een hele nacht zitten. Is dat soms wat je wilt? Wil je haar horen schreeuwen?'

Khuang snikte hartverscheurend en bedekte zijn gezicht met zijn handen. Itchayanan gaf hem een klap tegen de zijkant van zijn hoofd.

'We hebben al eens eerder een vrouw in die cel gestopt. Ze werd drieenvijftig maal verkracht. 's Ochtends kon ze niet meer op haar benen staan. Dwing me niet dit te doen, Khuang. Dwing me niet haar op te laten halen.'

De pottenbakker gilde als een gewond dier. 'Goed! Goed! Ik zal alles vertellen. Ik vertel u alles wat u weten wilt.'

Itchayanan liet zich neer op de stoel aan de andere kant van de tafel.

'Zijne excellentie,' bracht Khuang hortend uit. 'De minister van Cultuur. Hij haalt de drugs in zijn ministeriële vliegtuig op in Chiang Rai. Hij leidt zelf het transport.'

'Leugenaar!' brulde Itchayanan. Hij gaf een harde duw tegen de tafel, zodat die tegen Khuangs borst bonkte.

'Ik zweer het! Ik zweer het! De minister heeft zelf de leiding van de hele operatie...'

Itchayanan reikte over de tafel en greep de man vast bij zijn overhemd. Hij tilde Khuang van zijn stoel en wierp hem door de kamer.

'Het spijt me vreselijk,' mompelde Thak. Het gezicht van de politiechef was krijtwit geworden. 'De khlongrat is een bedrieger. Hij is het niet waard om naar te luisteren. U wilt nu vast gaan.'

'We zitten al een tijd achter Sompong aan,' antwoordde Marty zachtjes. 'Hij smokkelt al jaren wapens. Dit keer gaat hij eraan.'

Vanuit de verhoorkamer kwam het geluid van een vuist die keihard tegen een schedel sloeg.

'Zijne Excellentie is de politie van Bangkok altijd heel goed gezind geweest.' Thak zag eruit alsof hij ieder moment kon overgeven.

'Als Zijne Excellentie in een cel wegrot, is het daarmee afgelopen. Degene die hem voor het gerecht sleept kan daarentegen rekenen op promotie. En op de erkentelijkheid en het respect van de Verenigde Staten – die jaarlijks vele miljoenen dollars naar Thailand sturen ter ondersteuning van de strijd tegen de handel in drugs.'

Thak kon alleen nog fluisteren. 'Sompong is onaantastbaar. Onaantastbaar! Als we iets doen en het mislukt...'

'Luister.' Marty boog zich naar hem toe. 'Ik heb een bron op het ministerie van Cultuur. Sompong vliegt vanavond weer naar Chiang Rai. Zijn vliegtuig staat al klaar op het tarmac. Ik ken de coördinaten van zijn kamp. Als we opschieten — als we de zaak samen aankaarten bij de juiste mensen — kunnen we daar morgenochtend al troepen hebben zitten.'

De pottenbakker, Khuang, lag intussen kermend op de vloer van de verhoorkamer. Itchayanan schopte hem keihard met zijn laars in zijn ribben.

Thak staarde door de doorkijkspiegel, terwijl hij koortsachtig nadacht. Marty wachtte af.

5

Hanoi, februari 1967

Soms gebruikten de mannen hun drinkgerei om met elkaar te communiceren: ze wikkelden een stuk van hun smerige gevangeniskleding om hun conservenblik en drukten het tegen de wand van hun cel als een spreekbuis. Wanneer een bericht doorgegeven moest worden aan een superieur – want de militaire rangorde was een van de weinige dingen die hun cipiers hun niet konden ontnemen – werden de woorden met behulp van een simpele code doorgegeven. Op een avond dat Rory om onnaspeurbare redenen niet verhoord werd en de touwen aan het plafond van de martelkamer ongebruikt bleven, leerde een tweeëntwintigjarige jongen uit Indiana die Milt Beardsley heette – de laagste in rang onder de marine-officieren – hem fluisterend het systeem.

'Breng de letters van het alfabet in vijf kolommen van elk vijf letters onder,' gaf Milt hem door.

'Dan zijn het er maar vijfentwintig,' zei Rory verwonderd.

'Laat de *k* eruit,' zei Milt geduldig. 'Maak met de andere letters een vierkantje in je hoofd. Het is goed om af en toe eens aan iets te denken dat er keurig uitziet.'

Keurig, dacht Rory. De letters in keurige verticale rijtjes gerangschikt, niks emotioneels om de aandacht af te leiden. A, B, C, D, E vormden de eerste kolom, F, G, H, I, J de tweede. Als hij een woord wilde doorseinen moest hij eerst laten weten in welke kolom elke letter stond en vervolgens de plaats in de betreffende kolom. De letter A was dan een klopje, na een pauze gevolgd door nog een klopje; de letter J twee klopjes, na een pauze gevolgd door vijf.

En zo begon ook Rory deel te nemen aan de gesprekken die via de gevangenismuren rondgingen.

De mannen wisselden oorlogsverhalen en nieuws over verhoren uit en probeerden mannen die te zwak of te gedeprimeerd waren om actief aan de communicatie deel te nemen te troosten. Ze schepten op over veroveringen in de liefde, haalden herinneringen op aan hun werkzaamheden op het vliegdekschip, gaven elkaar beledigingen of moppen door. Ze hadden het zelden over thuis of over hun dierbaren. Die onderwerpen waren te pijnlijk, en bovendien privé. Ze betroffen het enige deel van hun ziel waar het Hanoi Hilton niet in kon doordringen.

'Wat ik niet begrijp,' klopte Rory op een avond door aan zijn directe superieur, een kolonel van de luchtmacht die C.J. Howard heette, 'is waarom ze me niet gewoon dwingen te vertrekken. Ik zou er immers niets tegen kunnen doen als ze me hier gewoon uithaalden.'

'Die klootzakken zijn bang,' klopte kolonel Howard terug. 'Als je instemt met vroegtijdige vrijlating moet je een verklaring tekenen waarin je hun bedankt voor hun goede zorgen. Dan moet je beloven dat je niet zult vertellen hoe slecht de krijgsgevangenen eraan toe zijn. Maar als ze je tegen je zin de deur uit trappen, zou je de pers ik weet niet wat allemaal kunnen vertellen. Ze kunnen zich geen slechte naam in de pers veroorloven.'

Het leek zo simpel. Om zijn eer te bewaren en vast te houden aan de gedragscode – een man genaamd Ruth te vernietigen – hoefde Rory alleen maar door te gaan met zijn verzet. Tot hij eraan doodging.

Als jongen was hij ervan overtuigd dat hij een lafaard was. Hij weigerde mee te doen aan branieachtige spelletjes en werd daar op school flink mee gepest. Zijn hart klopte in zijn keel als zijn moeder te hard reed of roekeloos inhaalde. Hij was bang voor de dokter en bang voor glimmende injectienaalden onder felle lampen. Eens stootte hij zijn teen zo hard tegen een drempel dat er bloed uitkwam, waarop hij prompt flauwviel.

Zijn lafheid hield zich altijd ergens schuil in een hoekje van zijn geest om eruit te kruipen in de vorm van nachtmerries die door zijn moeder ten onrechte werden aangezien voor uitingen van een te levendige fantasie. Joan verbood hem naar griezelfilms te kijken en voerde hem koekjes met warme melk voor hij ging slapen, maar het mocht niet baten. De demonen bleven hem bestoken.

Zijn vaders bezoeken waren het ergst, want Rory hunkerde ernaar om de man van de foto's, die in de jungle woonde met een witte vogel op zijn schouder, waardig te zijn. Ieder bezoek was voor hem een soort test, en de rampzaligste was het skireisje naar Vermont toen Rory zestien was. Zijn moeder had hem opgewekt voorgehouden hoe fijn het zou zijn, al die tijd die ze als mannen onder elkaar konden doorbrengen. En daarom was hij al voor ze op weg gingen misselijk van angstige spanning.

Skiën vond hij vreselijk: het gebrek aan controle over zijn eigen benen, de steile hellingen, de manier waarop zijn vaders lichaam zich moeiteloos aanpaste aan de bochten en feilloos deed wat ervan verwacht werd. Rory snakte naar Jack Rodericks goedkeuring, naar een ferme klap op zijn schouders onder het uitstoten van de woorden: 'Goed gedaan, knul van me,' zoals hij vaders in films had zien doen. Maar in Vermont had Jack hem met zijn koele blauwe ogen taxerend opgenomen en gevraagd: 'Knijp je 'm, Rory?'

Nog later, tijdens het laatste jaar in Evanston, was er een jongen, Aubrey Smith, die doorhad wat Rory's zwakte was. Als ze van lokaal moesten wisselen, stond hij op de loer tussen de kluisjes en als Rory dan langskwam schold hij hem uit. *Lafbek, lafbek.* Andere jongens gingen meedoen en hun gejouw volgde hem de hele gang door, zodat hij een steeds grotere afkeer kreeg van de lange gang waar hij zeven keer per dag spitsroeden moest lopen. Hij haatte ook de kantine waar stukjes brood hem om de oren vlogen. En hij vreesde het moment dat hij gedwongen zou zijn met Aubrey Smith te vechten en te bewijzen dat die het bij het verkeerde eind had.

Het was onvermijdelijk, een overgangsrite zoals veel jongens die doormaakten: een verlaten terrein drie straten van de school verwijderd, de kring van bloeddorstige klasgenoten, van wie er een als bookmaker optrad voor de weddenschappen die op de uitkomst werden afgesloten. Aubrey die alleen zijn korte broek aan had en boksbewegingen stond te maken terwijl Rory nog stond te prutsen met de knoop in zijn das. Hij had het drie minuten en zevenentwintig seconden uitgehouden, blindelings uithalend naar het hoofd van zijn tegenstander, tot die hem een gerichte trap in zijn kruis verkocht. Het waren zijn tranen, niet de pijn, die Rory het ergst hadden gekweld.

Hij had die avond geprobeerd zichzelf op te hangen aan het armatuur van de lamp in zijn slaapkamer. Hij schaamde zich zelfs nu nog bij de herinnering: hoe hij op zijn tenen op de stoel had staan balanceren omdat zijn das te kort was voor de ingewikkelde lussen die hij over de bronzen stang had geworpen. Hij had vertwijfeld geroepen om zijn moeder, om hem te komen redden, voordat de stoel omviel en hij op de grond smakte.

'Laat hem het leger ingaan,' had Jack tegen Joan gezegd toen ze hem een paar uur later interlokaal belde. 'Hij moet een vent worden. Hij is veel te lang onder de hoede van vrouwen geweest.'

Uit pure haat en woede had Rory zich in plaats daarvan aangemeld voor de marine-academie. En op het deinende dek van een vliegdekschip had hij eindelijk iets gevonden waarbij alle angsten uit zijn jeugd in het niets oplosten. Om een vliegtuig te starten en zich als een kanonskogel van dat dek af te lanceren vergde een heel ander soort moed en Rory bleek daar meer dan genoeg van te bezitten.

Hij werd nu iedere ochtend wakker van de uitzendingen van Hanoi Hannah, een schrille Vietnamese die met leedvermaak de laatste Amerikaanse verliezen opsomde. Vervolgens kreeg hij bezoek van de cipier die de cellen openmaakte en hem beval een diepe buiging te maken om zijn nederigheid te tonen. Als Rory weigerde – deels uit verzet en deels omdat zijn been slecht genas en zijn gewicht niet kon dragen – stompte de bewaker hem in het gezicht en beval hem vervolgens naar de binnenplaats te strompelen om zijn ontbijt te halen: een homp brood en een kom dunne soep. Zijn darmen waren ernstig aangetast door dysenterie; alles wat hij at kwam er ook zo weer uit. Terug in zijn cel kraste hij weer een streepje in de muur om de dagen bij te houden en wachtte tot het rammelen van sleutels een nieuwe foltersessie aankondigde. Soms zaten er hele dagen tussen, soms maar een paar uur. De onvoorspelbaarheid vergrootte de angst.

Zijn vliegtuig was in het droge seizoen neergehaald en in zijn cel was het verschrikkelijk heet en benauwd. Onder het ene kale peertje dat eeuwig brandde, zelfs als hij sliep, droomde hij van regen: regen en het zwartglimmende asfalt van Michigan Avenue, sluimerend in het licht van koplampen, het sissende geluid van banden en het gegorgel in de goten. Het opspattende water van de Severn en de Chesapeake Bay, regen die als een salvo van kogels in zijn gezicht sloeg. Hij droomde van het tikken van lenteregen op prille groene blaadjes en het vaag groene ochtendlicht van een aprilochtend dat door het dak van een tent in de achtertuin filterde. Max' ribbenkast die onder zijn vingers zachtjes rees en daalde.

En hij herinnerde zich, bijna tegen zijn wil, de overstroomde straten van Bangkok op die dag in september 1963 toen hij Max mee op reis had genomen om zijn grootvader te bezoeken – het bruine modderwater dat om de wielen van de *tuk-tuk* wervelde en wegspoot, en Max die het grootste plezier had. Rory had Bangkok willen haten zoals hij heel Azië en wat het vertegenwoordigde haatte – Bangkok, zijn vaders maîtresse, vernietigster van huiselijk geluk – maar Rory had in opperste verwondering om zich heen gekeken. Toen ze eindelijk bij het huis aan de khlong waren aangekomen, kwam zijn vader over de ondergelopen binnenplaats aanwaden met zijn zijden broek tot aan zijn knieën opgestroopt. In zijn sterke armen had hij de jongen opgetild als een veertje. Max had zich zonder meer door hem laten oppakken, hij keek niet achterom naar Rory.

In dat sepiakleurige licht leek Jack precies op de held van Rory's foto's uit zijn jeugd: een man die het al tot een legende had geschopt. Rory was stokstijf in de *tuk-tuk* blijven zitten, terwijl zijn vader zijn zoon omhelsde, met tranen als regendruppels op zijn gezicht.

'Je bent schuldig aan de ergste misdaden tegenover het Vietnamese volk!' schreeuwden zijn ondervragers. 'Je bent een bandiet van de Verenigde Staten, en je bent persoonlijk verantwoordelijk voor de moord op duizend vrouwen en kinderen. Geef toe dat je een school hebt gebombardeerd en een ziekenhuis vol zogende moeders met baby's. Geef toe dat we vriendelijker tegen je zijn geweest dan je verdient.'

Ontelbare dagen weigerde hij nu al in de kamer die voor ondervragingen werd gebruikt de officiële bekentenissen in zijn eigen handschrift over te nemen en te ondertekenen. En om die reden werd hij geslagen door mannen die hem in gebroken Engels allerlei verwensingen naar het hoofd slingerden. Ze schopten en sloegen hem heen en weer naar elkaar tot het hem zwart voor de ogen werd en duidelijk was dat ze niet verder met hem zouden komen. Hij zou weer wakker worden onder het verblindende licht in zijn eigen cel en uit het bonken van zijn hart opmaken dat terwijl hij sliep weer met sleutels gerammeld was en de ondervragers waren terug-gekomen.

'Hou je haaks,' klopte Milt Beardsley. 'Als ze willen dat je instemt met vervroegde invrijheidstelling, zullen ze je niet vermoorden.'

Soms hoorde hij in zijn dromen – niet die over regen – de op band op-genomen bekentenissen van mannen wier weerstand gebroken was, die via luidsprekers in de cellen te horen waren.

Drieënvijftig krassen in de muur, drieënvijftig dagen. Vierenvijftig kras-sen. Vijfenvijftig. De krassen werden steeds vager, zijn hand trilde te erg. Hij had Ruth al tien dagen niet gezien, en even dacht hij dat ze het mis-schien hadden opgegeven. Uiteindelijk zou hij hier toch sterven.

Hoe lang zou het nog duren voor hij dood was?

In het holst van een donkere, koortsige nacht kwamen de bewakers naar zijn cel en schopten zijn helende been opnieuw kapot. Hij stierf van de pijn. Toen ze hem op de vloer van zijn cel hadden achtergelaten, in zijn eigen bloed en uitwerpselen, lag hij tijdenlang half bewust te luisteren naar het geklop om hem heen, te zwak om zich af te vragen wat het betekende. Op de negenenvijftigste dag verzamelde hij al zijn krachten en hees zich overeind op een been, trok zijn hemd uit en keerde de emmer om die voor zijn urine en fecaliën bestemd was.

Hij bevestigde het rafelige kledingstuk aan het geblindeerde rooster voor zijn raam, improviseerde een schuifknoop en probeerde die om zijn nek te leggen, maar de emmer viel om en hij viel. Toen de bewakers zijn cel in kwamen waren ze woest. Ze droegen hem onmiddellijk naar de ruime, zonnige kamer waar hem voor het eerst de vrijheid was aangeboden.

Daar zat de oude man in zijn Mao-jasje, met zijn handen bedaard voor zich gevouwen; hij keek Rory met zijn donkere ogen standvastig in het ge-zicht.

'Dus jij sterft liever dan mijn geschenk te accepteren?'

'Ik sterf liever dan mijn eer te verliezen.'

De oude man streek met zijn vingertop over Rory's wang. 'De soldaten die jou bewaken ervaren de onderdrukking waaronder hun land gebukt gaat heel sterk, begrijp dat goed. Ze koelen hun razende woede op jou, omdat ze die niet op de Verenigde Staten kunnen loslaten.'

De vingertop vervolgde zijn weg naar Rory's kin. Hij kon een rilling niet onderdrukken.

'Mijn hart breekt als ik zie wat ze met je gedaan hebben,' zei Ruth zacht-jes. 'Je zou ze eigenlijk beesten moeten noemen.'

'Rot op,' mompelde Rory.

De oude man antwoordde niet. Toen leunde hij achterover in zijn stoel en zei: 'Je bent erg trots. Dat hoort ook zo, voor een zoon van Jack Rode-rick.'

'Ik ben Jack Rodericks zoon niet.'

Ruth haalde een pakketje uit zijn mouw. Hij wierp het op tafel.

Rory negeerde het.

'Een brief van je kleine jongen.'

Zijn ogen gleden naar de envelop. Die was gekreukt en beduimeld, alsof hij vele kilometers had afgelegd. De censors moesten hem al gelezen hebben. Hij zag een vage potloodstreep en letters in een kinderlijk handschrift. Zijn adem hoopte zich op in zijn borst tot hij bijna stikte van de inspanning die binnen te houden.

'Het heeft heel wat gekost om je deze brief te kunnen brengen,' zei Ruth. 'Veel mensen hebben er bijzonder hard hun best voor moeten doen.'

Rory staarde naar het vredesaanbod. De omkoping. *Max.*

De oude man bracht zijn gezicht dicht bij dat van Rory. 'Hij weet het.' Bondige, wrede woorden. 'Je vader weet dat je iedere dag bezig bent met langzaam dood te gaan. Al verdom je het om hem zelfs maar je vader te noemen, deze brief vormt een bewijs van wat hij allemaal hoort en alles wat hij kan doen. Zolang jij leeft zal Jack Roderick hemel en aarde bewegen om jou te redden, Rory. Begrijp je dat?'

Zou dat zo zijn? Zou het pa een moer kunnen schelen of ik doodging?

Ooit had hij geloofd dat Jack Roderick de geweldigste man op aarde was – een held, een echte Amerikaan, een strijder voor de goede zaak. Hij had behoefte gehad aan het geloof dat er ergens een buitengewone vader bestond, een echte reus van een man. Maar inmiddels wist hij dat Jack Roderick politiek tuig had opgeruimd, wraakacties had uitgevoerd, smeergeld had betaald, en geweigerd had de oorlog te steunen waarin zijn zoon verwikkeld was. Billy Lightfoot had Rory alles verteld. Jack leefde alleen voor zichzelf. Hij was loyaal aan niemand, en hij kende geen moraal. Hij had geen recht op een zoon.

Rory zei nog steeds niets. Hij was als gehypnotiseerd door de brief en wat het zou betekenen als hij hem pakte. De eerste stap op een lange, hopeloze tocht de afgrond in.

Hij sloot zijn ogen. Toen stak hij zijn hand uit. Zijn vingers trilden. De man die Ruth heette legde de brief voorzichtig in Rory's hand.

'Trots,' zei de oude man mild, 'is slechts een ander soort gevangenis, mijn zoon. Je vader heeft me dat lang geleden geleerd, toen hij me mijn leven teruggaf.'

6

Bangkok, 1966

Brigadegeneraal Billy Lightfoot bleef nog acht maanden in Thailand na zijn bezoek aan Jack Rodericks huis in het regenseizoen van 1963. Hij reisde weken achtereen per jeep door Khorat en het grensgebied van Laos en Cambodja, met een machete aan zijn zij voor het geval hij het aan de stok kreeg met lianen, tijgers of militante communisten. In augustus 1964 vuurden drie Noord-Vietnamese kanonneerboten in de Golf van Tonkin torpedo's af op de torpedobootjager *Maddox* van de Amerikaanse marine. Het vliegdekschip *Ticonderoga* schoot terug. Het was zo goed als een oorlogsverklaring aan Vietnam. Lyndon Johnson, die voor de lastige opgave stond om bij de komende verkiezingen van november Barry Goldwater te verslaan, was niet in de stemming om zich gematigd op te stellen tegenover het communisme. Lightfoots plannen in Khorat kregen prioriteit.

In de tweede week van augustus werd het 36ste Tactische Gevechtseskader van de Amerikaanse luchtmacht in het noordoosten van Thailand gestationeerd en niet veel later werden F-105's op reddingsmissies naar Laos uitgestuurd.

'Gevechtsvliegtuigen?' zei Jack Roderick tegen Billy toen die op een septemberochtend naar Bangkok kwam om hem het nieuws te melden. 'We zijn hier in Thailand, Billy, niet in Vietnam.'

'De jongens zitten daar om geheime missies uit te voeren waar ik liever niet over praat. Dat begrijp je zeker wel.'

Roderick begreep het. Hij had geen toegang meer tot geheime informatie en hij hoefde een heleboel dingen ook niet meer te weten.

In 1965 werden de dorpen en rijstvelden van Noord-Vietnam voortdurend bestookt; boven Hanoi werden routinematig bommen afgeworpen. Lightfoot was een groot deel van dat jaar in Washington om zich over blauwdrukken en plannen te buigen. Hij stuurde Roderick opgewekte bulletins die de Zijdekoning vol afkeer las, en leek vergeten te zijn dat hij zijn beste vriend op diens terras in Bangkok een opstopper had verkocht.

En dus reageerde Roderick gelaten toen Lightfoot op een ochtend in september 1966 opeens weer voor zijn deur stond, met zijn handen op zijn heupen en een grote sigaar in zijn hoofd. Billy tuurde door toegeknepen ogen naar de weelderige struiken in Rodericks tuin, als kon er een heel legertje vijanden in verscholen zitten. Zijn jeep werd nu bestuurd door een soldaat eerste klasse. Voorop wapperden vlaggetjes.

'Wat is je rang tegenwoordig?' riep Roderick hem vanaf de drempel toe.

'Generaal-majoor. Commandant van de Amerikaanse strijdkrachten in Khorat.'

Roderick dacht aan het stoffige hoogland waar Boonreung vandaan kwam en aan de brede, roodgekleurde Mekong-rivier die zich Cambodja in slingerde. Hij wist dat het hele gebied sterk veranderd was sinds de Amerikaanse piloten er waren gearriveerd. Hij wilde er niet meer heen.

'Gefeliciteerd. Dat is me nogal wat, Billy.'

'Hoe is het met je zoon?'

'Hij vliegt in A-4's vanaf de *Admiral Halsey*,' antwoordde Roderick.

'Puike kerel.'

Puike kerel. Prima zoals je met je geschut hoog boven Hanoi vliegt: boven de brede, met bomen omzoomde boulevards, de schaduwrijke witgepleisterde huizen van Indochina, die als feniksen opvlammen als jij gepasseerd bent. In de Goede Strijd die in de Tweede Wereldoorlog gestreden werd waren er bommen gegooid, tapijten van bommen boven Dresden, de paddestoelwolk boven Hiroshima... Roderick kon zich niet beroepen op morele superioriteit. Jack hield meer van de jongen die het vliegtuig bestuurde dan van de verwoeste straten in de stad. Kleefde er aan zijn handen niet net zoveel bloed als aan die van de leiders in Washington?

'Ga met me mee een tocht maken,' drong Lightfoot aan. 'Naar waar ik zit. Of misschien de Driehoek in, als het veilig genoeg is volgens de verkenners. Kunnen we zelf de boel een beetje verkennen. In het regenwoud kamperen. En dan kun jij me vertellen hoe het daar vroeger was.'

'Rustiger,' zei Roderick. Hij had geen zin om met Billy over strategieën te praten tijdens een reis van honderden kilometers over slechte wegen. Hij kon de kreten dromen.

De Pathet Lao in het grensgebied. De Khmer Rouge in het oosten. En waarschijnlijk zit er in Birma ook iemand met lucifers te spelen. En Ome Ho en zijn bloedbroederschap met de Chinezen. 't Zijn allemaal jakhalzen. Dacht jij dat de Sovjets niet stonden te trappelen om een gaatje naar binnen te vinden? Als je ze maar even de kans geeft, sturen ze geld naar de Maleisiërs om vanuit het zuiden een wig in Thailand te drijven.

Hij dacht aan zijn Laotiaanse vriend Tao Oum, aan zijn brede belangstelling en intelligentie, aangescherpt op een Frans *lycée*, zijn goedaardigheid, die hij inmiddels allemaal verspilde aan de Pathet Lao. Hij herinnerde zich de tocht die ze in 1945 langs de kust in het zuidwesten hadden gemaakt. Vukrit en Carlos, kwaad op de achterbank met de lachende Boonreung tussen zich in. De vochtige lucht die door de open ramen van de Packard binnenwoei en de beledigingen die in het Thais, Engels en Frans tussen voor- en achterbank heen en weer vlogen. De ongedwongen kameraadschap die waarachtiger leek dan hij ooit eerder had meegemaakt of nog zou meemaken.

Hij had geloofd dat hij Azië en zijn vrienden zou kunnen helpen om zich te ontworstelen aan de gevolgen van een wrede oorlog. Maar inmiddels, eenentwintig jaar later, waren zijn vrienden allemaal ergens anders. Sommigen waren dood, anderen nog steeds in oorlogen verwikkeld die ze nooit zouden winnen. Alleen hij en Vukrit Suwannathat waren nog over, twee zijden van dezelfde munt.

'Billy,' zei hij, 'bedankt voor je aanbod, maar ik denk dat ik maar thuisblijf.'

Lightfoot gooide het over een andere boeg. 'Met die groentjes van de CIA is geen ene moer te beginnen, Jack. Ze komen met cijfers en posities en ze kunnen je een communistische enclave op de kaart aanwijzen, maar ze kennen de mensen niet. Ze hebben geen relaties met de mensen zoals jij die had opgebouwd, Jack. Het menselijk element, daar ontbreekt het aan, ouwe reus. Begrijp je wel?'

'Ik begrijp je heel goed.'

'Maar ik heb juist dat menselijke element nodig. Wíj hebben dat nodig. Waarvoor heb jij anders al die jaren in Azië gezeten? Die contacten moet je toch goed gebruiken?'

Het was niet de eerste keer dat het Pentagon bij de CIA tegen een muur was opgelopen; en het zou ook niet de laatste keer zijn. Het probleem was volgens Roderick een grote kloof die Lightfoot nooit zou weten te overbruggen: die tussen inlichtingenwerk en strategie, tussen de generaals met hun kaarten en de rustiger lieden die hun neus in de wind hielden om te bepalen waar die vandaan kwam. De Agency geloofde dat Ome Ho over veel meer manschappen beschikte dan het Pentagon wilde toegeven. De CIA en het Pentagon zaten elkaar eindeloos in de haren over de Amerikaanse troepenmacht en die van de vijand. De Agency schreef rapporten met schattingen. Het Pentagon krabbelde er in de marge met rode inkt opmerkingen bij alvorens die rapporten door te sturen naar LBJ en zijn kabinet. De CIA vertelde wat hij te zeggen had en het Pentagon zei wat Johnson wilde horen. De dialoog over deze oorlog was uitgemond in gekrakeel over cijfers die over en weer betwist werden.

'Soms sta ik versteld van de mensen die jij allemaal kent,' hield Lightfoot aan. 'Niet alleen de lui die je te eten vraagt, maar ook de mensen over wie je het nooit hebt. Zoals de nieuwe minister van Defensie. Die vent met die onuitsprekelijke naam.'

'Vukrit Suwannathat. Veldmaarschalk inmiddels.'

'Ja, die. Het ministerie van Defensie is de komende maanden van heel groot belang voor ons.' Lightfoot sloeg met zijn legerpet tegen zijn dij en een wolk stof waaierde uit in de vochtige lucht.

'Vukrit is de enige minister die ertoe doet. Maar je zult wel merken dat ik geen enkele invloed op hem kan uitoefenen.'

'Hij zegt dat de Thai achter je oude vriendje Carlos aan zullen gaan – die deserteur die zich met een legertje in het hoogland heeft verschanst. Volgens de veldmaarschalk is Carlos communist geworden. Hij wil hem uit-roken.'

'Dan zal hij Carlos eerst moeten vinden,' zei Roderick.

Die middag in september 1966 besloot Jack Roderick dat het tijd werd om zijn zaakjes op orde te brengen.

Hij keek toe terwijl Billy Lightfoots jeep keerde op de oprit en de smalle laan achter het hek in reed. Hij dacht aan Boonreung en zijn vreselijke lijden; aan Fleur zoals ze was toen ze negentien was, een verschrikt vogeltje dat in een strik gevangen zat; aan Carlos' vrouw Chao die in de jungle was weggekwijnd tot er niets meer van haar over was. Als hij wilde kon hij al die misdaden op Vukrit afschuiven, maar hij wist dat hij evenveel verant-woordelijkheid droeg aan het kwaad en hij kwam eindelijk tot het besef dat hij er een einde aan moest maken voordat Carlos eraan onderdoor ging.

Hij dacht heel even aan Chacrit Gyapay en hoe het wapen had aange-voeld toen hij de loop tegen de slaap van de folterbaas had gezet en de trekker had overgehaald. Een avond in maart, zeventien jaar geleden. Hij had er toen net een training in moordtechnieken op zitten en was tot ge-welddadigheid aangezet door de afschuwelijke moord op Boonreung. Hij was bloeddorstig geweest op een manier die hij zich nu niet meer kon voorstellen. Het soort oorlog dat hij gevoerd had was voorbij. Vukrit vroeg om een subtiele, sluwe benadering, niet om een mes in het donker.

Roderick ging naar binnen en pleegde twee telefoontjes; een naar zijn advocaat en een naar het ministerie van Defensie.

Toen de advocaat gearriveerd was gaf hij hem zijn instructies: het testa-ment verscheuren waar hij in 1960 zijn handtekening onder had gezet en waarin hij zijn huis en zijn verzameling kunst en keramiek aan het Thaise volk naliet; en een nieuw testament opstellen waarin hij zijn zoon Rory als enige erfgenaam aanwees.

Toen ging hij aan zijn bureau zitten en schreef een brief aan zijn oude vriend Alec McQueen. Hij ondertekende hem met de advocaat als getui-ge. Nadat de man hem had geauthentiseerd, legde hij hem ter bewaring in zijn bureau. Op de voorkant had hij in zijn minuscule handschrift gekrab-beld: *Te openen in het geval van mijn dood.*

Roderick deed deze dingen zeer doelbewust, alsof die ochtend een do-delijke ziekte bij hem was geconstateerd. Toen zette hij een hoed op ter ere van de gelegenheid en liep aan de arm van de advocaat naar buiten. De man zette hem helemaal in Dusit af met zijn auto.

Dusit was het bestuurscentrum van Bangkok, de koninklijke wijk, een oase van kalmte in de chaotische stad. Chulalongkorn, Thailands meest Eu-ropees-gezinde koning, had de wijk aan het einde van de negentiende eeuw ontworpen en laten bouwen, en de brede boulevards en vergezichten had-den uit Hausmanns Parijs overgeplant kunnen zijn. Op dit uur van de dag zaten de meeste bureaucraten achter hun bureau te doezelen.

Hij passeerde de renbaan bij de Royal Bangkok Turf Club en de kooien van de dierentuin, het parlementsgebouw, het huis van de premier en de residentie van de koning. Op het ministerie van Defensie werd hij zonder meer toegelaten; een functionaris ging hem voor de drie trappen op naar het vertrek, zo groot als een balzaal, waar Vukrit kantoor hield.

De minister van Defensie was slechts zes weken geleden op die post benoemd – de bekroning van een levenslange ambitie zoals Roderick vermoedde. Vukrit moest nu halverwege de vijftig zijn. Roderick was eenenzestig.

'Uwe Excellentie,' zei hij met een bescheiden knikje.

'De Legendarische Amerikaan,' antwoordde de minister. 'Zo noemen ze je toch?'

Vukrit bleef zitten toen Roderick naderbij kwam, als een koning, en maakte geen aanstalten de ceremoniële *wei* uit te voeren. De betekenis van deze onbeleefdheid kon de vijf Thai – een paar in uniform, de anderen in burger – die om zijn bureau heen stonden niet ontgaan. Allen keken Roderick zonder een spoor van een glimlach aan.

'Mijn tijd is beperkt.'

'Daar ben ik u al dankbaar voor. Ik wil u onder vier ogen spreken.'

'Dan had je me bij je thuis moeten uitnodigen. Dit ministerie is er om te werken, Roderick – een ontmoeting onder vier ogen riekt al snel naar een ongezonde neiging tot samenzweren.'

'Ik had haast. Ik heb vanochtend gesproken met de commandant van de strijdkrachten van de Verenigde Staten in Khorat, Uwe Excellentie, en daarna ben ik meteen naar u toe gekomen. Als we onder vier ogen een gesprek konden hebben...'

Vukrit aarzelde, alsof het hem groot plezier zou doen een verzoek van Roderick te weigeren; toen wuifde hij met zijn hand, waarop zijn coterie verdween.

Roderick wachtte tot de deur achter hen gesloten was. Toen haalde hij iets uit de zak van zijn jasje en hield het omhoog. Het gladde oppervlak van de donkerrode edelsteen flonkerde als een bron van vuur tussen zijn vingers. 'Ik hoorde van Lightfoot dat je plannen hebt met Carlos, Vukrit. Ik zou ze niet uitvoeren als ik jou was.'

'Denk je dat je mij kunt bang maken met die ouwe steen, Roderick? Je kunt niet bewijzen dat ik hem ooit in mijn vingers heb gehad. Je kunt niet bewijzen dat hij in de kamer van de koning was blijven liggen.'

'Dat is waar,' gaf Roderick toe. 'Maar als er iemand is die weet wat geruchten kunnen aanrichten, dan ben jij het wel. Het zijn geruchten die jou in het zadel hebben geholpen. Geruchten hebben Pridi Panomyong gebrandmerkt als de man die achter de moord op de koning zat, en geruchten hebben een eind gemaakt aan zijn regering.'

'Ik ben machtiger dan Pridi Panomyong ooit geweest is. Machtiger dan jij, hoeveel bandieten jij ook in het maanlicht hebt omgelegd. Ik heb gehoord dat zelfs de CIA niet meer naar Roderick luistert.'

'Mag ik informeren naar de gezondheid van de zoon van Uwe Excellentie?'

Vukrits ogen schoten even heen en weer. 'Sompong is piloot bij de Thaise Koninklijke Luchtmacht. Mijn zoon traint in Khorat bij jouw generaal Lightfoot en hij draagt een uniform, zoals zijn vader voor hem.'

'Welke vader vraag ik mij af. En welk uniform? Als je je geen zorgen maakt over wat geruchten kunnen aanrichten, moet je je misschien toch eens afvragen of dat voor die jongen ook opgaat. Als je er ook maar even over piekert om weer jacht te gaan maken op Carlos, dan zal jouw carrière – en die van je zoon – in schande eindigen.'

Vukrit gooide zijn hoofd achterover en lachte.

'Ik heb vandaag een brief geschreven,' vervolgde Roderick onverstoorbaar, 'met de instructie aan Alec McQueen, de uitgever van *The Bangkok Post*, om de inhoud te publiceren mocht ik komen te overlijden. Andere kranten zullen het verhaal overnemen, in de Verenigde Staten en in de rest van de wereld.'

'Denk je dat jouw sterven vergelijkbaar zal zijn met de dood van een koning? Je verbeeldt je heel wat, Roderick.'

'In mijn brief doe ik precies uit de doeken wat jij hebt gedaan. Je hebt een edelsteen gestolen – een gelukstalisman – uit een kunstwerk van onschatbare waarde dat je uit de wand van een grot hebt laten hakken. Dat kunstwerk bevindt zich in mijn huis en de man die het me verkocht heeft is bereid om tegen jou te getuigen. De man die koning Ananda op 9 juni 1946 vermoordde heeft deze talisman, een in cabochon geslepen robijn die ik bij mijn brief zal opbergen, bij het lijk op de grond laten vallen. Vukrit Suwannathat.'

Roderick boog zich naar voren over het bureau van de minister. 'Als jij jacht maakt op Carlos, komt de geruchtenstroom op gang. Als ik sterf, zullen de geruchten zich als een wurgslang om je nek kronkelen tot je erin stikt. Het is nog de enige vorm van gerechtigheid die zou kunnen bestaan, Vukrit: als jij op dezelfde manier te gronde gaat als je aan je macht bent gekomen.'

'Je kunt niet bewijzen dat ik de koning heb vermoord.'

Dit keer was het Roderick die lachte. 'Je vijanden zullen elk excuus aangrijpen om je op te knopen: niemand in Thailand is geïnteresseerd in bewijs.'

7

'Is iedereen hier altijd al voor zessen weg?' vroeg Rush Halliwell toen hij weer terugkwam in de winkel. Hij keek naar de deur naar het kantoor, die openstond, maar alle lichten waren uit. 'Daar heeft Dickie Spencer zijn kantoor toch? Waar is hij?'

'Het is vrijdagmiddag,' zei de verkoopster verontwaardigd. 'Meneer Spencer is dan altijd vroeg weg omdat hij voor het weekend naar zijn buitenhuis gaat. Maar wie bent u en wat wilt u?'

'Hebt u die Amerikaanse vrouw via de achterkant zien weggaan?'

Het meisje schudde haar hoofd. 'Ik moet voor blijven. Misschien weet de assistente van meneer Spencer waar uw vriendin gebleven is, maar die is al naar huis. Als u wilt kan ik haar vragen of ze u maandag belt.'

'Het maakt niet uit.' Hij liep verder de winkel in, de zijpaden met hun kleurige waar afkijkend. 'Er zijn geen andere uitgangen dus?'

'Nee. Is dit... echt belangrijk?'

'Voor u niet, hoor,' antwoordde hij met een allercharmantste glimlach en liep gehaast de straat weer op.

Thuisgekomen zag hij dat Stefani's bagage nog in zijn logeerkamer stond. Dat zette hem aan het denken. Toen ze uit zijn flatgebouw wegliep had ze alleen maar een rugzakje bij zich. Maar iemand die zo rijk was als Stefani Fogg kon het zich best veroorloven om een hele garderobe af te danken als ze er last van had.

Wat ze echter niet zomaar zou achterlaten was haar Amerikaanse paspoort. En dat had ze wel gedaan.

Rush stond na te denken bij de inhoud van haar koffers, die hij op het logeerbed had uitgestort. Bediende ze zich soms van een tweede identiteit, met inbegrip van een tweede paspoort? Voor CIA-mensen was dat een doodgewone zaak, maar gold dat ook voor medewerkers van Oliver Krane? Of was hij op zoek naar een ander soort verklaring? Was ze van plan geweest om na haar bezoek aan Jack Roderick Silk hier weer terug te komen?'

'Doe niet zo stom,' zei hij hardop, 'ezel die je bent. Je kan het alleen maar niet hebben dat ze je ontglipt is.'

Hij ging op een holletje op weg naar de ambassade.

Voordat ze weer geheel bij bewustzijn was, wist ze al dat er iets vreselijks was gebeurd. Het gekrijs, als van een kater, dicht bij haar in de buurt was onverdraaglijk. Ze vocht om wakker te worden, de drang te weerstaan om te slapen, alleen maar te slapen en de boel de boel te laten. Het was belangrijk dat ze haar ogen opendeed en die verdomde kat de keel dichtkneep.

'Vuile teringhoer! Steeds moet je de boel weer verzieken.' Er was geen sprake meer van aanstellerige lievigheid in de stem van Ankana Lee-Harris. 'Ik had verdomme de hele avond bij Dickie kunnen zijn. Maar nee hoor, mag ik met jou naar het vliegveld. Wat een gekut!'

Langzaam aan werd Stefani's geest weer helder. Daarmee drong ook het besef door hoe ongelooflijk stom ze was geweest. Ze kon zich wel voor haar kop slaan, rund dat ze was.

Dickie Spencer had allervoorkomendst gereageerd toen ze hem die middag belde voor een afspraak. Hij leek werkelijk verheugd haar stem te horen en stemde reuze enthousiast in met een ontmoeting. Toen ze bij de winkel aankwam, was zijn assistente met een allerhartelijkste glimlach op haar gezicht komen aansnellen om haar persoonlijk mee te voeren langs de kleurige lappen zijde bedrukt met olifanten en papegaaitulpen, de kussenovertrekken, dekbedovertrekken en gordijnen, de rollen stof in alle denkbare kleuren. De vrouw had Stefani water of koffie aangeboden en toen Stefani voor allebei bedankte, had ze haar in Dickies kamer gelaten en de deur achter haar gesloten.

Stefani was met haar hand uitgestoken op de man af gelopen die ietwat stijfjes bij de tekentafel stond; de vrolijke woorden die ze had willen zeggen, bestierven echter op haar lippen. Spencers gezicht stond strak van de zenuwen en zijn opengesperde ogen waren gericht op iets achter haar – en terwijl ze zich instinctief begon om te draaien voelde ze al de smalle, harde cilinder van een wapen tegen haar ruggengraat. Ze wist het meteen, het was onmogelijk het met iets anders te verwarren.

Ze bleef stokstijf staan, Spencer in zijn gezicht kijkend.

'Het spijt me, juffrouw Fogg,' zei hij op vriendelijke toon, 'maar we kunnen ons niet allemaal bezighouden met vechten tegen windmolens.' Waarna hij zijn blik verplaatste naar het zijdepatroon dat op zijn tekentafel lag.

Het was Jo-Jo geweest die het wapen had vastgehouden, en zelfs nu kon ze nog niet uitmaken of Dickie Sompong had gebeld zodra zij de afspraak had gemaakt, of dat Ankana Lee-Harris dat had gedaan – Ankana die de hele dag al op Dickies lip had gezeten, zogenaamd om de uitleningen van het museum voor de grote tentoonstelling te regelen, maar in werkelijkheid om zich aan hem op te dringen op een manier waarop Ankana het patent had. Spencers motieven – zijn persoonlijke integriteit versus de druk die Sompong op hem had uitgeoefend – bleven voorlopig een open vraag voor haar. Op het moment had Stefani lastiger problemen om op te lossen.

Haar armen die achter haar rug waren samengebonden deden pijn. Haar hoofd bonkte. Ze probeerde haar lippen vaneen te doen, maar moest constateren dat ze met tape waren dichtgeplakt. Ze lag in één hoek van de achterbank van een enorme auto, Ankana zat aan de andere kant. Jo-Jo zat aan het stuur, zoals te verwachten viel. Hij was het die haar met de kolf van zijn pistool bewusteloos had geslagen en op de achterbank van de auto had gegooid.

'Als ik het voor het kiezen had gehad, lag je nu in de Chao Phraya met een kogel in je kop,' mopperde Ankana door. 'Maar dat mocht niet van Sompong. Hij wil zelf met je afrekenen.'

De Amerikaanse ambassade aan Wireless Road was een betonnen kolos die spottend werd aangeduid als Inmans Blokkendoos, naar Bobby Ray Inman, de admiraal die in de jaren tachtig in hoofdzaak verantwoordelijk was geweest voor het ontwerp en de bouw ervan. Het gebouw moest de ergst denkbare terroristische aanslagen weerstaan. De beveiliging was dan ook dermate dat het meer weg had van een strafinrichting dan van een centrum voor diplomatieke betrekkingen. Twintig jaar geleden waren er opeens overal ter wereld ditzelfde soort blokkendozen van de Amerikanen verrezen, die, zoals een grappenmaker eens opmerkte, een heel legertje tanks het hoofd konden bieden, al zou niemand daar binnen iets van merken, omdat er bijna geen ramen in zaten.

Rush zat ingespannen naar zijn beeldscherm te turen op de CIA-afdeling in de ambassade. Hij en Marty Robbins waren als enigen aan het werk op deze vrijdagavond. Het was dertien minuten over zeven; de meeste lichten in de gepantserde ruimte waren al uit.

'Denk je dat ze wist dat ze gevolgd werd?' vroeg Marty voor de derde keer aan Rush.

'Wat moet ik er anders van denken? Ze ging de zijdewinkel aan de voorkant binnen. Ze moet hem via de achterkant verlaten hebben.' Rush printte de tekst uit die hij aandachtig had zitten lezen en schoof het papier naar Marty toe. Het was een rapport van een regionale CIA-afdeling dat zonder medeweten of tussenkomst van het hoofdkwartier in Washington naar deze post was verstuurd. Marty keek naar de datum en de tijd en constateerde dat Rush het bericht slechts een paar minuten eerder van de CIA-basis Hongkong had ontvangen.

Uw zoekopdracht re: Harry Leeds, van Britse nationaliteit, voormalig inwoner van Hongkong. Kunnen bevestigen dat Leeds omkwam als voetganger bij een ongeluk in Kowloon op 23 november 2001. Samenvatting van Leeds' dossier volgt. Opmerking: dossier werd grotendeels samengesteld door toenmalige juridisch attachee in Hongkong, sindsdien overgeplaatst naar Londen, en is bijeengebracht op grond van interesse van FBI, niet in het kader van actieve CIA-bemoeienis. Niets in dit rapport dient te worden opgevat als officiële CIA-documentatie betreffende Leeds. Einde opmerking.

Subject kwam voor het eerst onder de aandacht van het Bureau in 1997, tijdens onderzoek naar wapensmokkelnetwerken die op dat moment op het eiland actief waren. Subject werd ervan verdacht zeer geavanceerde interceptieapparatuur te gebruiken om de Koninklijke Kustwacht en het kantoor van de havenmeester in Hongkong af te luisteren met het doel schepen betrokken bij het smokkelnetwerk vroegtijdig te kunnen waarschuwen en ontsnappings- en vermijdingsroutes toe te spelen. Subject gaf toe over dergelijke apparatuur te beschikken, maar hield vol dat deze uit zijn kantoor was ontvreemd en vervolgens was bediend door hem onbekende personen. Op de vraag waarom hij de diefstal nooit had aangegeven, gaf subject als antwoord dat in dat geval zijn werkelijke beroep in Hongkong bekend zou worden. Subject is directeur van de vestiging Hongkong van Krane & Associates, de internationale risicomanagementfirma, en wenst zijn beroep geheim te houden. Het zou Kranes reputatie als beveiligingsfirma voorts geen goed doen indien bekend werd dat bij Leeds met succes was ingebroken. Opmerking: subject staat algemeen bekend als vooraanstaand societyfiguur met onafhankelijke middelen en lid van de Jockey Club, niet als beveiligingsexpert. Einde opmerking.

Juridisch attachee ondervroeg een aantal malen subjects persoonlijke assistent (zie dossier nr. HK-2467-1997), die ontkende ook maar iets van smokkelaars af te weten en het verhaal van de diefstal bevestigde. De juridisch attachee onderzocht ook subjects persoonlijke financiële verklaringen en vond niets dat duidde op gewin uit criminele bron gedurende de periode in kwestie. Subject verleende volledige medewerking aan zowel de politie van Hongkong als de juridisch attachee, maar kon het einde van het onderzoek nauwelijks afwachten. Subject werd uiteindelijk niets ten laste gelegd.

Slotopmerking: Van 1997 tot aan de overlijdensdatum in november 2001 heeft Leeds verder op geen enkele manier de aandacht getrokken van het officiële gezag in Hongkong.

Hiermee eindigde het bericht. Marty keek op van het papier en gromde: 'Wat moeten we hiermee?'

'Stefani vertelde me vanochtend dat ze besloten had voor Krane te werken omdat hij had gezegd dat zijn Aziatische partner en beste vriend, Harry Leeds, in Kowloon was vermoord, en hij Leeds' moordenaar wilde opsporen en ter verantwoording roepen. Krane liet het voorkomen alsof dezelfde mensen die verantwoordelijk waren voor de dood van Leeds ook achter Max Roderick aan zaten.'

'We hebben Sompong Suwannathat er altijd van verdacht dat hij in '97 in Hongkong wapens smokkelde,' zei Marty peinzend. 'In hetzelfde jaar dus dat de FBI een onderzoek naar Leeds instelde. Ik zie het verband, maar ik zie niet waarom we ons er druk om zouden maken. Als de ene schurk de andere vermoordt, is...'

'Toen de naam Leeds vanochtend viel, ging er bij mij een belletje rinkelen, maar ik kon maar niet bedenken waarom. Ik ben bijna vijf jaar geleden uit Hongkong weggegaan. Ik heb me nooit met de smokkeloperatie op zichzelf beziggehouden, want dat was het pakkie-an van de FBI en de politie. Mijn taak was uit te vinden welke triade of terroristische groepering de wapens had ontvángen, en wat die ermee van plan was. Harry Leeds kwam hierbij niet bovendrijven.'

'Rush, probeer jij een strohalm te vinden om je aan vast te klampen?' Marty keek hem van onder zijn wenkbrauwen boos aan. 'Probeer je hoe dan ook iets op te duikelen om aan te tonen dat die Fogg je niet belazerd heeft? Als die troela inderdaad door Oliver Krane is opgeleid, dan weet ze donders goed wanneer het handig is om van de waarheid gebruik te maken. Door heel af en toe een heel klein beetje eerlijk te zijn kan de grootste schurk je met gemak op het verkeerde been zetten.'

'Ze heeft haar paspoort achtergelaten. Dat geeft me geen goed gevoel.'

'Waarschijnlijk heeft ze wel tien paspoorten, compleet met visa. Ze zit waarschijnlijk op dit moment in een vliegtuig op weg naar Europa. Het feit dat ze een moordenaar op haar dak kreeg, betekent nog niet dat ze een gemakkelijk slachtoffer is, Rush. En nu ik het daar toch over heb... Politiechef Thak heeft me gemeld dat Jeffrey Knetsch twee uur na jouw vertrek in zijn cel is doodgestoken. We moeten het transport van het lijk regelen.'

'Christus.' Rush kreunde. 'Natuurlijk. Het lag voor de hand dat hij vermoord zou worden. Die arme zak...'

'Je hebt gedaan wat je kon. Je had hem er nooit uit kunnen krijgen. Ze laten nooit iemand op borgtocht vrij als er drugs in het spel zijn.'

'Ik had meer van hem aan de weet moeten komen toen ik er nog de kans voor had. Hij heeft ons niet verteld voor wie de drugs bestemd zijn die Sompong naar New York verzendt.'

'Ik heb Avril Blair gevraagd daar achteraan te gaan. Ze zou de FBI in Manhattan er met spoed op zetten.'

'Maar wat gaan wij doen? Gaan we die bekentenis van de pottenbakker benutten om Sompong te pakken?'

'Jij weet net zo goed als ik dat we hier als CIA helemaal niks mogen doen. We zijn niet van de politie, Rush. We mogen wel schurken aanwijzen, maar we mogen ze geen handboeien om doen.'

'Maar we kennen toch mensen die dat wel mogen.'

'Politiechef Thak heeft de zaak doorgespeeld naar de federale veiligheidstroepen, maar de meeste lieden waar we wat aan hadden kunnen hebben zijn al weg voor het weekend.'

'We kunnen deze kans toch niet laten lopen?' mompelde Rush tussen zijn tanden door. 'Het is de beste kans in vijf jaar tijd, Marty. *Vijf jaar* hebben we die klootzak al rottigheid zien uithalen, waarvoor men hem in ieder ander land dat zichzelf respecteert publiekelijk zijn ballen zou afsnijden.'

'Wat wil je dan dat ik doe? Een kanonneerboot huren en Sompongs schuilplaats in Chiang Rai zelf bestoken?'

'Haal alles wat je hebt uit de kast! Neem ogenblikkelijk contact op met Washington en maak gebruik van alle politieke invloed die je bij elkaar kunt scharrelen. Als de Thaise federale politie weekend viert, laten ze dan de stront krijgen! Dan doen we het wel zonder hen.'

'Om ons maandag de oren te laten wassen?'

'Luister nou eens, onze jongens van drugsbestrijding zijn de Thaise politie nu al tien jaar aan het trainen om opiumnetwerken op te ruimen en corruptie van de overheid tegen te gaan. Maar wat doen die lui nu helemaal?'

'Ze pakken een hoop kleine handelaren.'

'Juist, omdat ze niet aan de grote jongens kunnen komen – kerels als Sompong Suwannathat. Wij verkeren in een positie – jij en ik – om de Thaise politie de grootste vangst van hun leven in handen te spelen, een van de machtigste en meest gehate figuren in de Thaise politiek, op heter-dan-heterdaad betrapt, met zijn broek op zijn enkels zogezegd. We zouden kaartjes moeten verkopen voor een plaatsje in de Chinook, Marty.'

'Wou je een Chinook inzetten?' grinnikte Marty. 'Laat me niet lachen, Rush! Tegen de tijd dat we zo'n chopper met commando's de lucht in hebben, is Sompong gevlogen.'

'Sompong weet niet dat wij eraan komen. Thak is dit keer veel te bang voor *jou* om te rapporteren wat hij weet – dat Khuang de pottenbakker Sompongs netwerk heeft verraden. Sompong denkt dat hij Knetsch de mond heeft gesnoerd en dat hij de politie van Bangkok in zijn zak heeft zitten. Die kerel voelt zich zo vrij als een vogeltje.'

'Tenzij mevrouw Fogg hem iets anders heeft verteld.'

Rush staarde zijn chef even sprakeloos aan. Het was inderdaad een heikel punt dat hij daar naar voren bracht; de hele zaak kon ermee staan of vallen. Twijfel aan Stefani's motieven – haar loyaliteit, als ze die al bezat – had hem naar de ambassade doen ijlen om een spoedbericht te versturen. Hij was op zoek geweest naar bewijs om de wankele balans in zijn geest naar haar kant te doen overslaan, maar kon nog steeds niet met zekerheid zeggen waar ze nu precies mee bezig was geweest. Of waartoe ze in staat was.

'Ik kan alles uit de kast halen,' zei Marty traag. 'Ik kan contact opnemen met Washington en een paar VIP-weekendjes in de soep sturen. Ik kan hemel en aarde bewegen als het moet, Rush. Maar ik voel er niets voor om vervolgens in mijn hemd te staan.'

'Dat gebeurt niet. Als we maar snel genoeg zijn.'

'En mevrouw Fogg?'

Rush zette zijn computer uit en greep zijn jasje. 'Dat is een risico dat we maar moeten nemen.'

8

Bangkok, februari 1967

Fleur stond op het terras in het licht van de ondergaande zon. De huisbediende, Chanat Surian, bewoog zich als een vederlichte bries tussen de toortshouders heen en weer. Terwijl de toortsen de een na de ander opvlamden, bestudeerde Roderick de vrouw die hij eens had bemind. Ze was nog altijd slank en elegant, een toonbeeld van Siamese sierlijkheid tot in haar vingertoppen; maar jong was ze niet meer. Het verschil viel hem het eerst op aan haar mond, die er hard en streng uitzag. Haar ogen bezagen de teleurstellende wereld vol nuchterheid. Haar sluike haar droeg ze in een strakke knot boven op haar hoofd, maar haar hals had ze niet aan de algehele gedisciplineerdheid kunnen aanpassen. Waar de slanke botten van haar rug het donkere haar in haar nek ontmoetten leek ze zo fragiel als een jong katje.

Het was het enige plekje dat hij heel graag zou willen aanraken.

Hij had haar op de binnenplaats voor zijn huis aangetroffen, even na vieren die middag, met simpele sandalen aan haar blote voeten en een katoenen doek om haar hoofd gebonden. Ze zag eruit als een boerin – een van die plattelandsvrouwen die bedelden om een lift achter op een hotsende vrachtwagen naar de stad – en te oordelen naar haar kleren, die er schoon maar versleten uitzagen, leefde ze in armoedige omstandigheden. Ze stond nederig te wachten met haar handen in elkaar gevouwen en ze zou, dacht hij, niet verbaasd hebben opgekeken als hij had geweigerd haar te herkennen.

'Fleur,' zei hij, aan grote verwarring ten prooi, 'wat doe jij hier?'

'Ik las over je zoon.'

Het Engels kwam er na al die jaren hakkelend uit. Tien jaar. *Mijn god, al zo lang?*

'In de krant,' vervolgde ze. 'De Vietcong heeft zijn vliegtuig neergehaald. Ik heb nooit geweten dat je een zoon had.'

'Het spijt me, Fleur. Ik had het je moeten vertellen.'

'Hij is in ieder geval voor zijn vaderland gestorven. Zo'n dood is heel eervol.'

'Hij is "vermist", zoals de formule luidt, niet "gesneuveld". Ze weten niet zeker of Rory dood is. Kom je even binnen om iets te drinken?'

Ze had een poosje staan aarzelen, maar uiteindelijk had hij haar de trap op begeleid, heel beleefd, zoals hij deed bij mensen die hij niet kende maar die door wederzijdse vrienden naar hem verwezen waren.

Het was een van de weinige avonden dat hij geen gasten verwachtte. Daarom bleef ze bij hem op de bank zitten en praatten ze afstandelijk over wat er de afgelopen tien jaar met hen was gebeurd. De bediende bracht hun borden saté en papayasalade. Roderick deed zijn uiterste best om charmant te zijn, terugvallend op de losheid en humor die hem door talloze lastige ontmoetingen hadden heen gesleept, maar dit was niet de manier waarop hij vroeger met Fleur was omgegaan. Kijkend naar haar passieve gezicht – ze was met haar gedachten duidelijk mijlenver weg – besefte hij dat ze voelde hoe zijn gevoelens voor haar veranderd waren, hoe hij zijn best ook deed.

Niet alleen het bericht over Rory en zijn vliegtuig had haar naar het huis aan de khlong gevoerd. Er was iets anders dat haar bezighield. Hij wachtte tot ze erover zou beginnen, tijdens het eten en het praten en de stiltes die ertussenin vielen.

'Het is allemaal zo anders geworden,' zei ze nu terwijl ze op het terras stonden. 'De tuin is zo verwilderd, je kunt het water van de khlong niet eens meer zien. Zelfs je kaketoe is me vergeten.'

'Ze is alleen maar kwaad dat je zo lang niet naar haar hebt omgekeken. Dans je nog steeds?'

'Uit gewoonte. Maar tegenwoordig zou niemand meer naar me willen kijken.'

'Daar geloof ik niets van.'

'Ik heb het over kunst, en over het verdwijnen ervan, en van allebei weet jij helemaal niets af, Jack.' Het klonk bitter.

'Ik weet alleen dat je veel te lang weg bent geweest.'

Ze streek met haar vingertop over de nerven van het houten hek. 'Heb je nog geprobeerd me te vinden?'

'Onophoudelijk.'

'Ik wilde niet gevonden geworden.'

'Waarom niet? Omdat je me verraden had? Vroeg of laat verraden we allemaal wat we liefhebben.'

'Wat ben jij cynisch!' Ze zei het heftig.

'Nee. Nu verwar je me met die andere man in je leven.'

Ze wilde iets kwetsends zeggen, maar bedwong zich met moeite. 'Het spijt me, Jack. Het komt door deze oorlog. Al die mannen in uniform en al dié wapens. De overvliegende vliegtuigen. Ik haat de oorlog en ik ben er bang voor. Denk je er wel eens over om naar huis terug te keren?'

'Naar huis?'

'Naar de Verenigde Staten.' Ze greep hem bij zijn overhemd. Haar gezicht stond plotseling smekend. 'Waarom zou je in Bangkok blijven als alles om je heen in brand staat? Waarom zou je hier op de dood blijven wachten, Jack, als we ervoor weg kunnen lopen?'

'Wij? Fleur, ben je daarom hier? Wou je...'

348

Ze slaakte een verschrikte kreet en trok hem aan zijn arm. Een man klom over de poort bij de khlong, die voor de nacht op slot was gedaan. De wolf, dacht Roderick. De wolf staat voor de deur. Hij had sinds hij Vukrit Suwannathat drie maanden geleden op zijn ministerie had bedreigd voortdurend op dit moment gewacht. Vukrit wilde de brief die hem kon vernietigen.

Roderick ging voor Fleur staan om haar met zijn lichaam te beschermen, en liep toen met haar achter zich achteruit naar de terrasdeuren. En op dat moment kwam er een dodelijke gedachte bij hem op: was Fleur hier vanavond bij toeval? Of was ze hier als instrument om hem af te leiden terwijl Vukrits moordenaar door het duister op hem af sloop?

De in donker gehulde figuur sprong van de poort en belandde met een plof op de grond, waarna hij ineengedoken bleef zitten met zijn hoofd naar hen toegewend.

'Jack!'

Een gefluister diep vanuit de keel, dat heel dringend klonk.

Roderick bleef als aan de grond genageld staan, ingespannen turend in het duister achter het licht van de toortsen. Toen maakte hij zich los van Fleur, heel behoedzaam, in het besef dat hij haar verkeerd had beoordeeld. Hij liep naar het hek van het terras en bukte zich eroverheen. Een hand greep de zijne vast en Roderick hielp de man over het hek klimmen – een man in een smerig uniform en met modder op zijn gezicht, niet jong meer.

'*Carlos*,' bracht Roderick met moeite uit. 'Goeie god! Je zou veilig in het Cameron-hoogland moeten zitten. Vukrit is op jacht naar jou.'

'Een man moet bepaalde dingen doen, Jack, of ze nu gevaarlijk zijn of niet.'

Roderick keek over zijn schouder naar Fleur. 'Het spijt me,' zei hij, en hij meende het ook. 'Ik moet nu andere dingen doen. We praten straks verder. Ik weet dat het belangrijk is.'

Ze boog zwijgend haar hoofd en liep van hen weg in de richting van het huis. Roderick sloot de terrasdeuren achter haar en troonde Carlos toen mee naar de andere kant van het terras. Hij wachtte niet om te kijken of zij zich op haar geluidloze voeten over de glimmende vloer verwijderde of achter de deuren bleef staan om te luisteren. Maar hij praatte wel heel zachtjes.

'Ik kan niet lang blijven,' fluisterde de oude soldaat, 'ook al ben ik dood- en doodmoe. Bangkok is in twintig jaar een heel stuk groter geworden! Ik wist eerst niet hoe ik je moest vinden, Jack, maar dat was toch gauw bekeken. Iedereen, ook het laagste khlonggespuis, weet wie de Zijdekoning is.'

'Waarom ben je hier, Carlos?'

'Je zoon. Ik heb nieuws over hem.'

'Leeft hij? Of is hij dood?'

'Hij leeft,' antwoordde Carlos, 'maar hij is er slecht aan toe. Hij zit vast in de Maison Centrale, de oude Franse gevangenis. Ken je die?'

'Het Hanoi Hilton.'

'Het is geen hotel, Jack...' begon Carlos.

Maar Roderick onderbrak hem.

'Ik ken het Maison Centrale. Ik ben er in de jaren vijftig geweest toen de Fransen de gevangenis nog in gebruik hadden.'

Hij streek met een hand over zijn ogen, als om de herinnering aan de donkere cellen met hun dikke muren te verdrijven. De boeien die in de steen verankerd waren, als in een middeleeuwse kerker. De tangen om testikels af te knijpen, de tangen om nagels mee uit te trekken. De guillotine die op de centrale binnenplaats bijna voortdurend in bedrijf was. De Fransen hadden de Vietnamezen niet zachtzinnig behandeld en hun heerschappij was zeer gehaat.

'Hoe weet je dat Rory daar is? Ik heb geen bericht...'

'Ruth is bij hem.'

'*Ruth?* Pridi Panomyong?'

'Sst, Jack,' waarschuwde Carlos. 'Die vrouw van je mag het niet horen.'

'Wat doet Ruth in Hanoi?'

'Wat Ruth altijd al heeft gedaan. Hij schrijft gedichten. Hij draagt manifesten voor. Hij houdt geweldige speeches voor zijn vriend Ho Chi Minh. Hij doet dat op verzoek van zijn oppassers in Peking, die zijn leven twintig jaar lang hebben behoed.'

'Wat je bedoelt,' zei Roderick bitter, 'is dat hij alles heeft verraden waarvan hij ooit hield, en zichzelf ervan overtuigd heeft dat het anders was.' *Waarom zou Ruth anders zijn dan wij en ieder ander?*

'Hij heeft je zoon gevonden. Rory is gewond; hij heeft een ernstig gebroken been. Hij lijdt aan koorts en dysenterie en is heel zwak. De Vietnamese bewakers slaan hem, wat Ruth ook tegen ze zegt. Ruth dringt er heel erg bij Rory op aan zijn aanbod te accepteren, Jack, want hij hoopt zijn leven te redden, maar de jongen is heel koppig. Hij wil niet naar hem luisteren.'

'Rory is geen jongen,' antwoordde Roderick bits. 'Wat wil hij niet?'

'Hij weigert vervroegde vrijlating. Je zoon zou morgen al buiten de gevangenis kunnen zijn , maar hij verdomt het.'

'Zo simpel kan het niet zijn. Waarom zouden ze hem bevoorrechten?'

'Omdat hij Rodericks zoon is,' zei Carlos eenvoudig.

Het besef drong zich als een ziekmakende vloedgolf aan hem op. Ruth had Rory gevraagd om vrijheid in schande te kopen, en had dit uit Jacks naam gedaan. Zou Rory het hem ooit vergeven? 'Rory zegt wat iedere Amerikaanse soldaat zou zeggen als hij geconfronteerd werd met een duivelse ruilhandel als deze. Hij denkt aan de mannen die samen met hem gevangen zitten. Hij weigert een voorkeursbehandeling. Daar kan ik niet tegen ingaan.'

'De keuze is niet zo eenvoudig,' legde Carlos uit. 'Als het alleen om jouw zoon en zijn eergevoel zou gaan, zou ik niet honderden kilometers hebben afgelegd om naar jou toe te komen. Het gaat niet alleen om Rory. Het is iets tussen jou en Ruth, Jack. Je hebt hem ooit het leven gered. Je hebt Ruth zijn vrijheid bezorgd op een manier die zijn trots verwoestte. Hij probeerde zijn eer en zijn reputatie terug te winnen – door middel van de mislukte coup van '48 en daarna door zich met ziel en zaligheid aan Mao te verbinden. Een nieuwe loyaliteit die, zo geloofde hij, de oude zou uitvlakken. Maar zijn schuld aan jou en de schaamte die ermee gepaard gaat blijft hem dwarszitten. Ruth is oud. Hij moet zijn schuld inlossen om vrij te worden. Dat kan hij doen door jouw zoon te redden.'

'Dat begrijp ik,' zei Roderick. 'Maar...'

'Ruth heeft nieuwe meesters,' zei Carlos. 'Hij kan hen niet in de hand houden en ook niet aan zichzelf toegeven dat ze op een subtiele manier gebruik van hem maken. De Vietcong kent Rory's naam. Ze kennen de naam van zijn vader.'

Rodericks ogen vernauwden zich. 'Een zijdekoopman in Bangkok?'

'Een van de grootste spionnen die Azië ooit gekend heeft,' verbeterde Carlos hem zachtjes. 'De baas over netwerken en duistere geheimen. Wreker van onschuldigen en moordenaar in de nacht. *Jou* en het land dat jij dient willen de meesters van Ruth treffen, door van jouw zoon gebruik te maken.'

'Wat willen ze dan?' Hij dacht aan Rory die aan de genade van dergelijke lieden was overgeleverd en zijn keel voelde droog als perkament. 'Een soort fotoreportage? Een persbericht waarin ze voor hun goedheid bedankt worden?'

'Ze willen je te schande zetten!' zei Carlos ongeduldig. 'Dat is niets nieuws. Maar ze willen ook profiteren van de uitwisseling. Ze willen dat jij losgeld betaalt voor je zoon, Jack. Ze vragen een miljoen Amerikaanse dollars, smartengeld voor de weduwen en wezen van Noord-Vietnam die de prijs moeten betalen voor de Amerikaanse bombardementen.'

Uiteindelijk kwam het altijd weer op geld neer. Roderick glimlachte flauwtjes. 'Hoe... *kapitalistisch* van ze. Rory weet natuurlijk niets van dat deel van het verhaal.'

'Hij weet helemaal niets. Maar ik denk dat hij wel zijn vermoedens heeft. Hij wil zelfs niet toegeven dat jij zijn vader bent.'

'Dát geloof ik meteen.' Roderick staarde somber in de richting van de khlong die onzichtbaar achter de bananenbomen stroomde en dacht aan een andere avond, vier jaar geleden, toen Rory en Billy Lightfoot tegenover hem hadden gestaan. Rory had toen geloofd dat zijn vader een verrader was – iemand die weigerde zijn eigen land te steunen. Rory's standvastigheid in het Hanoi Hilton was voor een groot deel zijn vastbesloten wil te laten zien hoe anders hij was dan zijn vader.

'Ruth verwijt hem een gebrek aan respect voor zijn vader,' vervolgde Carlos. 'Maar ik zie in zijn trots meer iets van een eerbetoon aan jou. Rory is heel moedig. Hij heeft veel moeten lijden.'

'En als ik weiger hem vrij te kopen?'

'Dan sterft hij.'

Roderick stak zijn hand uit. De oude militair greep hem vast.

'Bedankt, mijn vriend, voor alles wat je gedaan hebt. Blijf je vannacht hier slapen?'

'Dat risico kan ik niet nemen. Maar ik kom tegen de ochtend nog een keer om je antwoord te horen.'

'Dat kan ik je nu wel geven,' bracht Roderick met moeite uit.

Maar Carlos hief zijn hand op. 'Het is een keuze waarmee allerlei kharma verbonden is, mijn vriend. Denk niet alleen aan je zoon, maar ook aan jezelf en aan de zoon van je zoon. Wat zal je de minste ellende te dragen geven, tot het einde van je dagen gezichtsverlies of verlies van leven? Gebruik de uren van de nacht die ik je geef. En denk er goed over na.'

Carlos klom over het hek van het terras en gleed als een donkerder schaduw tussen het gebladerte in de achtertuin door. Tot aan de dageraad restten nog slechts zes uur; die nacht zou er niet geslapen worden. Roderick bleef in het licht van de toortsen staan tot de huisbediende ze met zand doofde.

Toen hij Fleur riep, in alle ruimtes van zijn sluimerende huis, bleek ze verdwenen te zijn.

9

'Er zit een vies beest in mijn bed, zo groot als een condoom,' zei Ankana giftig, 'en er is nergens toiletpapier. Je had me wel eens kunnen vertellen hoe het hier is, dan had ik me kunnen voorbereiden.'

Ze had Thais kunnen spreken tegen de man die in de deuropening stond, maar het Engelse kostschoolmeisjesstemmetje leende zich stukken beter om misprijzen uit te drukken, vond Stefani.

'Als ik dat had gedaan, was je niet meegegaan,' antwoordde Sompong Suwannathat. 'Sommige reisjes kun je beter maken zonder dat je weet waar je heen gaat.'

Iemand die nadacht zou wat hij zei misschien verontrustend hebben gevonden, maar Ankana was niet iemand die veel tijd aan denken verspilde. In haar knalrode leren jasje en op haar naaldhakken zag ze er een beetje uit als Tina Turner die kwam optreden voor de jongens overzee. De mannen van het kamp hadden het knap lastig met naar haar benen loeren en tegelijkertijd oogcontact vermijden. Ze stampte zonder verder nog een woord te zeggen de hut uit.

Het was wel waar dat er hier insecten van ongewone afmetingen zaten, dacht Stefani wazig, maar als je maar net deed alsof ze het bijproduct waren van een gedrogeerde slaap, hoefde je je er eigenlijk ook geen zorgen om te maken. Tijdens de wilde rit naar vliegveld Don Muang en het gehaaste overhevelen van de inhoud van Ankana's auto naar het privéstraalvliegtuig dat op een reservestartbaan gereed stond, had ze ook al onder invloed van een of ander middel verkeerd. En Jo-Jo had als afscheidsgeschenk een naald in haar dijbeen gestoken, waarna ze pas weer wakker was geworden in het fluweelachtige duister van de jungle, geboeid en met een prop in haar mond. Iemand smeet haar op dat moment neer op de laadbak van een vrachtauto.

Alweer veel later had ze het gefluit en gekras van vogels gehoord en het huilen van een wilde kat. In het schemerdonker van de dageraad klonk het kraaien van een haan.

Ze zat nu vastgebonden aan een houten paal die het dak van een hut met een vloer van aangestampte aarde ondersteunde. Haar armen, die achter haar waren samengebonden, waren zo gevoelloos geworden dat ze zelfs de touwen om haar polsen niet meer voelde. Een plompe, gespierde man, gekleed in verbleekte kaki, zat op een stoel naast de deur.

Toen ze zich kreunend verroerde liep hij op haar af en tilde haar hoofd aan haar haren op. Hij keek haar een ogenblik in de ogen – om te zien hoe groot haar pupillen waren, vermoedde ze – en haalde toen de prop tussen haar tanden uit. Hij goot wat water in haar uitgedroogde mond.

Dat was haar ontbijt.

Sompong stond in de deuropening met zijn armen voor zich gevouwen. Het eerste ochtendlicht moest op zijn gezicht vallen, maar omdat hij met zijn rug naar haar toe stond, kon Stefani zijn gelaatstrekken niet zien. Zoals veel Thai was hij klein van lengte, en hij had een brede rug en afhangende schouders. Hij zag er fit en alert uit, en aan zijn houding te beoordelen had hij op de hele wereld niets te vrezen.

'Hoe lang wilt u wachten, baas?'

'We hebben nog wel even de tijd, Wu Fat.' Hij wierp een blik op de ochtendhemel en draaide zich toen om. 'Goedemorgen, mevrouw Fogg.'

Ze stond zichzelf toe zijn gezicht te bestuderen – de brede neus, de ogen zwart als olijven, zijn glimmende, kortgeknipte haren, de hoge, afgeplatte jukbeenderen – maar ze beantwoordde zijn groet niet. En ook barstte ze niet los in getier, gegil of gehuil. Ze was vastbesloten om in een omgeving waarin Ankana Lee-Harris blijkbaar model stond voor vrouwen, zoveel mogelijk uit de toon te vallen.

Hij deed net of hij het touw waarmee ze vastzat aan de houten paal controleerde. 'U bent nu in de provincie Chiang Rai, mevrouw Fogg. U hebt al vele bijzondere en prachtige plekken op aarde gezien, maar in het hart van het regenwoud, waar de mannen van de generaal de wacht houden, bent u nooit eerder geweest.'

Haar ogen bleven op de aarden vloer gevestigd.

'Geen vragen?' vroeg hij.

Het deed haar enorm veel deugd dat ze hem ertoe verlokt had die vraag te stellen. Er waren zo veel vragen waarop ze het antwoord zou willen weten. Waarom ben ik hier? Waarom heb je me nog niet gedood? Waarop stond je te wachten op de drempel in het zonlicht?

In plaats daarvan vroeg ze alleen maar: 'Waar kan ik plassen?'

Hij begon hinnikend te lachen. 'Ankana neemt u wel mee. Dan heeft ze wat te doen.'

Uit een hoek in de hut klonk statische ruis en Sompong draaide zijn hoofd. Wu Fat sprong op de radio af. Ze luisterden alledrie naar een vloed van woorden – voor Stefani onbegrijpelijk – en toen hield de stem weer op.

Wu Fat keek naar Sompong. Hij knikte eenmaal. Daarop gingen de mannen naar buiten en lieten haar alleen.

Een tijdje spitste ze haar oren om iets op te vangen van wat er buiten de hut gebeurde. Ze hoorde het geluid van hout dat door een bijl versplinterd wordt, en een aanzwellend en afnemend stemmengedruis. Een verontwaardigde hoge kreet in het Thais. Hoeveel mensen waren er eigenlijk daarbuiten? En wat had Sompong precies bedoeld met 'de mannen van de generaal'?

Ankana kwam haar niet halen om haar naar de latrine te begeleiden.

Ze probeerde een tijdlang zichzelf omhoog te werken door haar knieën naar haar borst te brengen en haar hielen naar voren te stoten; het touw zat echter te strak vast aan de paal. Ze voelde zich slap en misselijk en op de koop toe volslagen hulpeloos. Het was een toestand die haar zo onbekend was dat ze een razende woede in zich voelde opkomen. Ze was woedend op Sompong omdat die haar te snel af was geweest; ze was woest op Oliver Krane, die haar leven zonder enig berouw had opgeofferd; en ze was woest op zichzelf omdat ze gemeend had dat ze haar eigen lot in handen had. Ze was bij Oliver in dienst getreden alsof het ging om een lollig verzetje, een fantastisch plot in een actiefilm. Ze had zichzelf erger bedrogen dan Oliver had gekund. En daar had hij op gerekend.

Vruchteloos probeerde ze zich los te werken uit de boeien die zo vernederend strak zaten, en ze kon het niet zetten dat zich onder haar oogleden tranen van frustratie verzamelden. Haar hielen deden pijn van het afzetten tegen de stevig aangestampte aarde. Ze vloekte hardop.

Er verstreek minstens een uur voordat ze in de verte gefluit en geroep hoorde: blijkbaar kwam Sompong terug. Haar ademhaling werd hijgend en haar mond nog droger. Ze sloot haar ogen en probeerde aan Max te denken – aan het oude stenen huis in Courchevel en het koude pinkelen van de sterren aan de nachthemel – maar opeens klonken er stampende voetstappen van veel mensen, het schreeuwen van militaire orders en het antwoorden daarop. Haar ogen vlogen wijdopen. Ze keek gespannen naar de deuropening.

Had Sompong haar beul meegebracht? Of een plaatselijke hoogwaardigheidsbekleder – heer over papavervelden – om haar executie mee te maken?

'Doe geen moeite, Sompong, ouwe jongen,' zei een lijzige stem, die ze maar net kon verstaan. 'Een glaasje sinaasappelsap misschien, maar verder niet, hoor. Ik ben in en in tevreden na ons kleine uitstapje naar de plantage. Schitterende ochtend, niet dan?'

Oliver stelt zich nu wel heel erg aan, dacht ze in een vlaag van wanhopige woede. Graham Greene tijdens zijn ochtendwandelingetje. Alsof er geen legertje huurlingen stond aangetreden, met automatische geweren aan de schouder.

Hoeveel waren het er? Honderd? Duizend?

Zijn schaduw viel verder de hut in en toen zag ze zijn peenhaar met de fatterige scheiding. Hij ging gekleed als een safarigids, al waren zijn schoenen daarvoor wat te duur. Zelfs nu nog, nu ze wist dat hij haar op alle mogelijke manieren had bedrogen, nu ze wist dat hij Max in zijn rolstoel de afgrond in had geduwd, stond ze versteld van zijn onschuldige oogopslag. Hij knipperde even om de verraderlijke ogen achter zijn bril aan de schemer binnen te laten wennen, en toen zijn blik op Stefani viel, constateerde ze verbaasd dat hij zijn wenkbrauwen lichtjes optrok.

Wat Oliver aan het eind van zijn in-en-in-tot-tevredenheid-stemmende tochtje ook had verwacht aan te treffen, Stefani zeker niet.

Sompong kwam binnen, met Ankana op zijn hielen. Wu Fat sloot de deur en ging er met zijn rug tegenaan staan, met een vinger losjes om de trekker van zijn automatische geweer. Oliver stond in zijn eentje in het midden van de ruimte, met een verveelde uitdrukking op zijn gezicht. Stefani hoorde het geritsel van voeten door het droge junglegras toen *de mannen van de generaal* in looppas een kring om de hut heen vormden. Sompongs strik had zich om haar nek gesloten.

Rush zou wel aannemen dat ze zich gewonnen had gegeven en inmiddels op weg was naar New York. Hij zou concluderen dat ze niet iemand was op wie je kon vertrouwen. Dat besef vervulde haar met diepe angst.

'Ik geloof dat je mevrouw Fogg al eens hebt ontmoet,' zei Sompong op formele toon.

Oliver keek even in haar richting. 'We hebben elkaar een keer of twee ontmoet, ja. De laatste keer gooide ze me een glas whisky in m'n gezicht.'

De minister glimlachte. 'Was dat in de Schotse Hooglanden, waar je haar hebt leren doden? Ze doet het prima, Oliver, dat moet ik je nageven. Ze heeft twee dagen geleden in haar hotelkamer een vriend van me de keel fijngeknepen.'

'Sompong, lieverd, ik heb tweeëntwintig uur in het vliegtuig gezeten,' antwoordde Oliver op vermoeide toon. 'Ik heb allervreselijkst voedsel tot me genomen, met overal om me heen verlepte orchideeën. Ik ben óp. Waar blijf je met dat sinaasappelsap?'

Sompong pakte Wu Fats stoel bij de deur vandaan en zette hem naast Oliver neer. 'Neem plaats.'

'Maar wat graag.' Oliver nestelde zich op de harde zitting alsof het ondenkbaar was dat het een verhoorplek zou blijken.

'Moet ik dan soms op de smerige vloer zitten?' vroeg Ankana verontwaardigd aan de Chinese militair. 'Je vindt dit leuk, hè, lamstraal. Ik stink onderhand als een dierentuin en aan mijn schoenen zit kippenstront. Dit hele reisje is een geweldige aanfluiting. Nou, maar ik heb het helemaal gehad, hoor. Ik ben weg. Ga opzij, gore klootzak met je dikke lippen, of ik snij je geheime zakie af en duw het je door je strot.'

'Ankana, lief ding,' teemde Oliver. 'Wu Fat sterft nog liever dan dat hij een stap verzet zonder dat Sompong hem dat beveelt. De arme man snakt naar het martelaarschap. Gun hem dat plezier nu niet.'

Ze ontblootte haar tanden, als een valse hond, en ging met haar armen onder haar borsten gevouwen tegen de kale wand van de hut staan leunen.

'De afgelopen paar dagen waren een hel,' zei Sompong traag. 'Mensen stierven, als vliegen werkelijk. Eerst die arme Chanin, die mevrouw Fogg met haar blote handen tot moes kneep, en toen meneer Knetsch, die door een troep jakhalzen in een Bangkokse gevangenis aan het mes werd geregen...'

'Jeff!?' Stefani stikte bijna in de naam. En ze had de man niet eens gemogen.

'Mijn oprechte deelneming, ouwe jongen,' mompelde Oliver Krane. '*Dulce et decorum est* enzovoort. Maar ach, een jurist meer of minder, wat maakt het nu helemaal uit?'

'Knetsch betekende een voortdurend risico, zoals iedereen in dit vertrek weet,' merkte Sompong op. 'Maar voor hij stierf heeft hij me nog wel een dienst bewezen. Hij vertelde me precies hoe hij mevrouw Fogg hier gebruikte, Oliver. Je hebt me nooit verteld dat ze voor jou werkte.'

'Knetsch heeft gelogen,' zei Oliver zonder blikken of blozen. 'Hij heeft een heleboel leugens in elkaar gedraaid. Je bent bij de neus genomen, minister.'

'Zeker. Maar niet door Knetsch. Jij hebt haar op Max Roderick af gestuurd zonder het mij te vertellen. Je hebt haar naar Bangkok gestuurd om in het openbaar en op volstrekt infantiele wijze aanspraak te maken op Jack Rodericks huis. Je dacht dat ze mijn aandacht zou afleiden en dat jij dan intussen mijn hele netwerk kon overnemen. Het moet een makkie geleken hebben: Knetsch was ontzettend kwetsbaar, hij was bang en hij had geld nodig. Ankana maakt het nooit wat uit waar haar geld vandaan komt, als ze het maar krijgt. Maar de mannen van de generaal was je vergeten, Oliver. Die laten zich niet omkopen. Dacht je nu echt dat je mij eronder zou krijgen?'

'Het was een kwestie van overleven: jij of ik.' Oliver nam Sompong koeltjes op. 'Ik zit niet voor niets in de risicomanagement-business, troeteltje. Als het teken in bloed op mijn deur staat gekrabbeld, zie ik dat heus wel. Jij wilde Max Roderick dood hebben – en ik heb mijn best gedaan om jou als cliënt tevreden te stellen. Is het misschien een idee om door te gaan met waarvoor we hier zijn?'

'Het begon allemaal met Harry Leeds,' mijmerde Sompong. 'Harry die in Hongkong een onberispelijk leven leidde, met zijn Jaguar, zijn roddelende echtgenote en zijn clandestiene bezigheden ten behoeve van Krane & Associates. Harry was verzot op mooie jonge meiden, vooral Aziatische. Hoe inhaliger en gemener hoe beter.'

'Die goeie ouwe Harry was een eitje,' fleemde Ankana zelfingenomen. 'Arm kereltje, ik naaide hem op alle mogelijke manieren en chanteerde hem tot hij groen zag. Ik zei tegen Harry dat ik het zijn vrouw zou verklappen, dat ik het secreet foto's zou sturen. En Harry deed verder alles wat ik maar wou.'

Olivers indolente gestalte verstijfde enigszins en Stefani begreep dat hij ondanks zijn verveelde uitstraling op en top op zijn qui-vive was.

'Harry is dood, ouwe jongen,' zei hij tegen Sompong. 'Hij legde me alles uit over die wapensmokkel waar hij jou in Hongkong bij hielp. Dat was het begin van een geweldige vriendschap, Sompong. Jouw wapens, mijn elektronische surveillance... Denk eens aan al die wapens die we mensen die het verdienen in handen hebben gespeeld.'

'Harry is dood,' merkte Sompong op, 'omdat jij hem eropuit stuurde om van alles uit te vissen over een huurmoordenaar die Jo-Jo heette, en die als bodyguard werkte in het deel van de wereld waar Harry zat. Je wist dat Jo-Jo een dood meisje in de hotelkamer van Max Roderick had gedumpt. Wat je toen niet wist was dat Jo-Jo voor míj werkte. Maar Harry wist dat wel. Hij had Jo-Jo al eerder gezien, met Ankana.'

'Had hij die dag in Kowloon een afspraak met jóú?' vroeg Oliver aan Ankana. 'Hemeltjelief, wat is de wereld toch klein.'

'Waarom zou het iets uitmaken wat Harry wist?' barstte Stefani los. 'Waarom moest Max vermoord worden? Je gaat mij ook vermoorden, dus vertel me de waarheid. Waarom moest Max Roderick dood?'

'Hierom.' Sompong wees om zich heen. 'Om de mannen van de generaal te beschermen. Die vormen mijn heilige plicht, mevrouw Fogg. De soldaten die hier om de hut heen staan zijn van mij afhankelijk voor hun voortbestaan. Alles wat ik gedaan heb – de wapens die ik verkocht heb, de risico's die ik heb genomen om opium op de markt te brengen, zelfs de mensen die ik gedood heb – het was allemaal mijn plicht. De plicht van een zoon tegenover zijn dode vader.'

'Heb je Max Roderick vermoord om Vukrit? Die zielige ploert die vijftien jaar geleden door drugssmokkelaars is omgebracht?'

Sompongs gezichtsuitdrukking veranderde. Hij spoog op de grond.

'Nee, nee, troeteltje,' zei Oliver zachtjes tegen haar. 'Dat is het verhaaltje dat ze jou hebben opgehangen. Max stierf omdat hij de *waarheid* wilde weten.'

'Ik begrijp niet...'

'De man die je mijn vader noemt, Vukrit Suwannathat, was geen bloedverwant van mij,' zei Sompong vol venijn. 'Die idioot dacht dat hij mijn vaders plaats kon innemen! Toen Wu Fat de as van de generaal mee terugbracht uit het Cameron-hoogland, heb ik gezworen de moord op mijn vader te wreken. Vukrit stierf met zijn rug tegen deze paal, hier in deze hut, en hij vervloekte me terwijl ik hem doodschoot. Nu volgen de mannen van de generaal mij. Mijn hele leven probeer ik al die eer waardig te zijn.'

'Ik vraag me af of de generaal het ermee eens zou zijn geweest,' zei Oliver Krane peinzend.

Stefani's ogen ontmoetten de zijne een kort ogenblik. Zijn masker van onbekommerdheid had hij afgelegd. Waarom?

Sompong pakte Wu Fats geweer en richtte de loop nonchalant op Oliver. 'Wij begrijpen elkaar, meneer Krane. Wij weten wat gezichtsverlies inhoudt. Het vernietigen van een bepaald soort eer vergt de dood van een ander soort.'

'Worden we bijbels? Oog om oog?'

Sompong negeerde hem. 'Wu Fat, maak de vrouw los.'

De militair sneed de touwen door met zijn mes. Stefani voelde het pijnlijke tintelen van haar vingers toen het bloed weer ging stromen. Wu Fat zette haar op haar voeten en duwde haar in de richting van de deur.

'Ga je mij hoogst persoonlijk vermoorden?' informeerde Oliver opgewekt.

Sompong schudde zijn hoofd. 'Eerst wil ik zien hoe jij mevrouw Fogg een kogel door het hoofd jaagt.'

Stefani's knieën begaven het en het volgende moment zat ze op de aarden vloer. Wu Fat trok haar weer overeind als was ze een zak meel.

Ankana gierde van het lachen. Ze haalde een pakje sigaretten uit haar leren jasje en vroeg: 'Een laatste rokertje. Wie?'

'Sorry, Stefani,' mompelde Oliver.

'Ach, waarom, krullenbol?' zei Stefani terwijl ze langs hem heen strompelde. 'De koorddansact, weet je nog wel? Zonder vangnet toch?'

10

Cameron-hoogland, Eerste Paasdag 1967

Het was kil toen Jack Roderick de kronkelende weg naar de Tanah Rata-golfbaan afliep in zijn donkerblauwe kostuum, zwierig zwaaiend met het koffertje waarin het totale vermogen zat dat hij gedurende zijn leven had opgebouwd. Het was het hele weekend al koel geweest – maarts weer dat op een rare manier deed denken aan Schotland: stortbuien en mist die plotseling kon neerdalen over de verspreid liggende Engelse cottages met hun keurig aangelegde tuinen. De Britten hadden deze post in de bergen pal naast de jungle en theeplantages gevestigd speciaal vanwege de weers-omstandigheden: hier konden ze ontsnappen aan de drukkende hitte in Kuala Lumpur. Kruip- en klimplanten voerden een permanente aanval uit op de minutieus bijgehouden rozenperken.

Ten tijde van de oorlog was het hoogland overspoeld geraakt met com-munistische guerrillastrijders. Volgens de somberste geruchten die in de buitenlandse gemeenschap de ronde deden stikte het in de jungle nog van pygmeeënstammen en bendes huurlingen. Carlos stond aan het hoofd van zo'n bende, zoals hij sinds zijn vlucht uit het Grote Paleis eenentwintig jaar eerder altijd wel ergens in Zuidoost-Azië had gedaan. Vukrit Suwannathat mocht een van zijn kampplaatsen, die in Chiang Rai, hebben overvallen en opgedoekt, maar de generaal had zich naar het zuiden verplaatst, naar het Maleisisch Schiereiland. Carlos vergat echter nooit het heuvellandschap in de Gouden Driehoek, of de schrijn voor zijn overleden vrouw, die de naam van een rivier had gedragen.

Een briesje waaide aan door het lage struikgewas en Roderick huiverde. Na twee maanden vochtige hitte in Bangkok kon hij maar moeilijk wennen aan Tanah Rata. Zenuwen, dacht hij. Hou daar toch mee op, je doet dit soort dingen verdorie al je hele leven...

Alleen had er nooit in zijn hele leven zoveel op het spel gestaan.

Toen Carlos hem drie weken geleden alleen op zijn terras had achterge-laten om te beslissen over het lot van zijn zoon, had Roderick de rest van de nacht wakend doorgebracht. Hij had aan nachtelijke droppingen boven Afrika gedacht, aan zijn training op Ceylon, aan zijn jeugdige arrogantie als goede krijger, onwankelbaar in zijn geloof aan de Goede Zaak. Hij voelde opnieuw de irrationele liefde die hij de OSS had toegedragen – de geweldi-ge verbondenheid tussen de mannen, als waren ze allemaal broers. Voor mannen als McQueen en Billy Lightfoot zou hij zonder erbij na te denken zijn leven gegeven hebben. Hij dacht aan de held die Ruth heette en de eigenaardige wijze waarop diens leven een andere wending had genomen dan Pridi Panomyong had uitgestippeld.

Hij dacht aan Rory, aan de jongen die hij in de steek had gelaten, en aan de man die moedig lijdend aan het sterven was. Hij dacht aan zijn klein-zoon Max, zoals hij hem vier jaar geleden had gezien: zijn donkere ogen wijd opengesperd bij het zien van het bloed op zijn grootvaders voor-hoofd.

Is leven meer waard dan eer? Hij dacht plotseling terug aan de pesterijen die Rory op school had moeten verduren – Joans beschrijving van een das op-gehangen aan het armatuur van de lamp in zijn slaapkamer. Voor Rory was alleen al de verdenking dat hij laf was onverdraaglijk. Als Roderick nu toe-gaf aan afpersing zou Rory hem dat nooit vergeven. Maar hij zou de ge-dachte dat hij zijn zoon had kunnen redden maar hem toch liet sterven niet aankunnen. Hij had al te veel schuld op zich geladen.

'Zeg tegen Ruth dat hij zijn bloedgeld kan krijgen,' had Roderick die ochtend gezegd, toen Carlos als een schim weer verschenen was. Hij druk-te de generaal een verfrommelde envelop in de hand, waarop in een kin-derlijk handschrift met potlood geschreven was. Max had zijn vader vanuit Lake Tahoe geschreven en omdat Rory als vermist was opgegeven was de brief naar Jack doorgestuurd. 'En zorg dat Rory deze brief krijgt.'

Hij stuurde de jonge Dickie Spencer naar de bank om al het geld dat hij bezat te halen. Hij ondertekende de tweede versie van zijn wilsbeschik-king, waarin hij al zijn bezittingen naliet aan zijn familie in plaats van aan het volk van Thailand, dat hij besloten had te verraden. Hij probeerde niet aan Rory te denken die langzaam, o zo langzaam aan het doodgaan was. Hij zag Fleur bijna een hele week niet terug, maar toen ze weer op zijn drem-pel verscheen, zonder enige verklaring, zoals ze in de nacht van Carlos' be-zoek verdwenen was, vroeg hij haar bij hem te blijven. Hij hunkerde naar afleiding. Hij gedroeg zich allesbehalve attent, was voortdurend met zijn gedachten elders en wist dat hij haar pijn deed. Ze begon niet opnieuw over vluchten naar de Verenigde Staten.

Rose Cottage, waar hij dit paasweekeinde met Fleur had doorgebracht, was van vrienden van Alec McQueen. Roderick was al eerder bij de Mars-halls op bezoek geweest, in Singapore; en zij hadden op hun beurt een keer gedineerd in het huis aan de khlong. Het had nauwelijks moeite gekost een uitnodiging van hen los te krijgen voor een weekje in hun zomerhuis in het Cameron-hoogland. Roderick was op Witte Donderdag met Fleur naar het zuiden gereden en op de middag van Goede Vrijdag hadden ze het huis be-reikt. Ongeduldig had hij gewacht op Carlos' signaal: een veeg rode verf op een steen in de buurt van de golfbaan.

De volgende twee dagen bracht hij in toenemende spanning door; steeds trok hij ertussenuit om even te gaan wandelen, en als hij al deelnam aan een gesprek was hij er met zijn hoofd niet bij. Fleur zat hem dan ongemakkelijk op te nemen. De Marshalls deden of ze niets in de gaten hadden.

Hij had de rode klodder verf die ochtend gezien toen hij lopend op weg was naar de paasdienst in de kerk in het kleine plaatsje Tanah Rata. Hij zou Carlos die dag tussen vier en vijf uur ontmoeten. Na een geïmproviseerde picknick, waarbij Roderick voortdurend op zijn horloge had zitten kijken, hadden de Marshalls en Fleur gezegd dat ze moe waren en zich teruggetrokken voor een middagdutje. Roderick schonk zichzelf in de stille woonkamer een borrel in. Hij stak een sigaret op en liet die brandend in een asbak liggen.

Nu, onder aan de weg gekomen, versnelde hij zijn pas. De inspanning deed hem goed. Het was prettig dat er nu eindelijk een einde aan het wachten kwam.

In het afnemende licht van de late middag zag de jungle aan zijn rechterhand eruit als een muur van smaragd. Roderick had een kaart van de plaatselijke wandelroutes in zijn zak zitten, waarop de plaats van ontmoeting met Carlos stond aangegeven. De eerste afslag het oerwoud in stond loodrecht op de weg en verdween iets verderop grillig in de onderbegroeiing. Hij keek over zijn schouder: de helling en het omringende landschap lagen er verlaten bij. Hij liep het pad op, op zijn schoenen van soepel leer. Hij was op zijn paasbest. Carlos zou erom lachen. *Ik was helemaal vergeten dat mensen hier vroeger ook in dat soort kleren rondliepen.*

Het pad kronkelde voor hem uit, de geuren van het woud werden sterker, het licht schemeriger. Het bladerdak boven hem week uiteen waar vogels verschrikt opvlogen. Roderick had deze plek en dit uur uitgezocht omdat er dan niemand zou zijn en Carlos dus beschut was. Maar aan de intense eenzaamheid had hij niet gedacht. Hij had geen rekening gehouden met tijgers. Hij liep door, terwijl het klamme zweet over zijn rug liep en onderdrukte de aandrang om te fluiten.

Zo liep hij een minuut of twintig in eenzaamheid voort. Het koffertje in zijn hand gaf hem een belachelijk gevoel. Hoe moest hij er wel niet uitzien voor iemand die hem zag langskomen: een stadse meneer in een pak van Thaise zijde. Dit was een omgeving voor camouflagepakken, grote laarzen en plunjezakken. Het pad achter hem werd door duister verzwolgen. Zelfs de vogels zwegen nu, en Roderick vroeg zich af waarom Carlos' mannen zijn voortgang niet aan elkaar doorgaven vanuit hun schuilplaats in de bomen, zoals ze tien jaar geleden in Chiang Rai hadden gedaan.

Plotseling hield hij als verstijfd halt; de haren in zijn nek stonden recht overeind. Achter hem was nu niet alleen duisternis. Hij werd gevolgd.

'Hallo, Jack.'

Hij draaide zich om, zijn vingers omknelden de greep van zijn koffertje.

Een torenende gestalte in Amerikaans legergroen, breed en massief als een woudreus.

'Billy,' bracht hij verbijsterd uit. 'Wat doe jij hier?'

'Dat kan ik beter aan jou vragen.' Lightfoot kwam langzaam op hem af, met twee anderen achter zich aan, gewone soldaten naar hun uniform te oordelen. Alledrie hadden ze een automatisch geweer.

Roderick keek het verduisterende pad voor zich af en zag bewegingen in de struiken. Natuurlijk had Billy daar rekening mee gehouden: een wilde vlucht het oerwoud in. 'Je bent een aardig eindje van Khorat vandaan,' zei hij.

'En jij van Bangkok, ouwe jongen. Wil je me misschien vertellen waarom?'

De gestalten die hij vaag voor zich uit had gezien, kwamen nu dichterbij. Nog even en hij zou geheel omsingeld zijn. Hij overwoog om zijwaarts de jungle in te vluchten. Zinloos. Een van de soldaten zou meteen schieten.

'We kregen de informatie dat hier in de rimboe een zootje rooie klootzakken zat, Jack,' zei Lightfoot met sluwe stem, 'aangevoerd door een oude warlord met de codenaam Carlos. Die knapen willen de revolutie in Kuala Lumpur brengen. Iets over gehoord, misschien?'

'Nee, niets.' *Keer om, Carlos. Ga terug naar huis.*

'Laat me niet lachen, Jack. Loop je altijd in je zondagse kloffie in de rimboe rond?'

'Denk jij dat ik een communist ben, Billy?'

'Ik denk dat je maar beter heel snel kunt vertellen wat je weet. Wat zit er in dat koffertje?'

De tweede groep soldaten was op twintig meter afstand blijven staan. Ze waren inmiddels herkenbaar als mannen van de geregelde Thaise troepenmacht. 'Hebben jullie wel toestemming om op Maleisische bodem rond te scharrelen?'

Lightfoot stak zijn hand uit. 'Hier met dat koffertje.'

Een van de soldaten stapte naar voren met zijn geweer vooruitgestoken. De Thaise soldaten sloten de gelederen. Het was echter Vukrit Suwannathat die het koffertje uit Rodericks vingers wrong.

Toen hij het combinatieslot niet open kreeg, schoot een van de soldaten het eraf. Een dof getingel als van nagels die in een doodkist werden gedreven.

'Zie je nou wel?' riep Vukrit Billy Lightfoot jubelend toe. 'Ik zei het toch. Een miljoen Amerikaanse dollars. Warlord Carlos had die naar Hanoi moeten brengen.'

'God christus jezus, Jack,' bracht Lightfoot met hese stem uit. Hij staarde naar het geld, dat zacht glansde in de schemering van de jungle. 'De Legendarische Amerikaan, handlanger en steunpilaar van de Vietcong.'

363

'Het is anders dan jij denkt.'

'Ik wou het niet geloven.' Lightfoots woede en teleurstelling sneden Roderick door de ziel. 'Dat kan toch niet, dat een Amerikaan met een staat van dienst als de jouwe, een man wiens zoon tijdens deze oorlog uit de lucht is geschoten, ons uitlevert aan Ome Ho? Dat zei ik tegen de minister toen hij met dit verhaal bij me aankwam. Ik moest het eerst met eigen ogen zien.'

Fleur, dacht Roderick wanhopig, je hebt me opnieuw verraden. Waarom heb je het aan Vukrit verteld? Waarom? 'Rory zit krijgsgevangen in het Hanoi Hilton, Billy. Het geld is om hem vrij te kopen. Jij zou voor jouw zoon hetzelfde doen als je de kans kreeg.'

'Ik zou nog eerder gestorven zijn, en mijn zoon erbij,' antwoordde Lightfoot gesmoord. 'En dat jij ook maar een seconde kan geloven dat die arme jongen van je nog leeft... Jezus, Jack, je hebt je wel heel erg voor de gek laten houden. De Vietcong heeft maar wat verzonnen. Jouw geld, dat is het enige wat ze wilden. En je was zo ongelofelijk stom om het ze te komen brengen. Besef je wel wat dit betekent? Je zult in de Verenigde Staten berecht worden wegens hoogverraad.'

'Rory leeft nog. Als je het niet gelooft vraag het dan aan Carlos.'

'Carlos heeft niets meer te vertellen,' mengde Vukrit zich er zelfingenomen tussen. 'We hebben vannacht zijn kamp overvallen en erg goed heeft hij nooit kunnen vechten. Maar hij heeft ons uiteindelijk nog wel verteld hoe we jou moesten contacteren. Het was ongeveer het laatste dat hij zei voordat hij stierf.'

'Smerige rotzak,' zei Roderick tussen zijn tanden door. 'Ik geloof je niet.'

Vukrit haalde zijn schouders op. 'Je mag zijn lijk wel zien als je wilt.'

Het was maar een paar minuten verder lopen naar de plaats waar Roderick volgens zijn kaart het lage struikgewas had moeten induiken om als een blinde, zijn voeten verstrikt in de kruipende planten, zijn weg te vinden naar een open plek waar geen enkel pad naartoe leidde. Hier waren de hutten neergezet, afgedekt met bladeren. Maar de plek was nu verlaten; alleen een paar mannen van Vukrit hielden er de wacht.

Toen ze Carlos' kamp bereikten was het al helemaal donker. Roderick liep te struikelen tussen de twee Thaise soldaten die hem door de dichte begroeiing voortdreven. Een ontzettende triestheid had zich van hem meester gemaakt. *Rory, mijn zoon, Rory, je bent verloren, en Carlos is dood.* Carlos was gemarteld en hij was gestorven in schande, met woorden van verraad op de lippen; hij had Vukrit verteld van de steen en de rode verf en de route die Jack door het oerwoud zou volgen. Dit te bedenken, en te denken aan Rory die nooit zou weten wat zijn vader had gedaan om hem te redden, betekende helse smart.

Terwijl hij werd meegesleurd naar de open plek stak een van de soldaten een toorts aan; de vlammen schoten omhoog onder het bladerdak. Op de grond lagen zeven lijken; nog geen vijfde, bedacht Roderick met voldoening, van het aantal mannen van de generaal. Het grootste deel van zijn bende moest ontsnapt zijn.

Maar er zou geen geld naar Ruth worden gestuurd. Rory zou niet worden vrijgelaten, hij zou niet gered worden. Bitterheid en rouw vervulden zijn gemoed.

'We hebben Carlos in die hut achtergelaten,' vertelde Vukrit hem glimlachend. 'Kijk maar goed naar zijn lijk. Zo rekenen de Thai af met honden die verraad plegen.'

Roderick stortte zich op de man en smakte hem keihard tegen de grond. Hij bewerkte Vukrits gezicht met zijn vuisten, zijn adem gierend in zijn keel. Hij was eenenzestig, hij rookte te veel en zijn arts zeurde dat hij op zijn hart moest letten – maar hij was een en al gewelddadigheid. Alle hoop was hem ontnomen en al zijn opgekropte haat jegens Vukrit en mannen als hij ontlaadde zich. Hoeveel levens hadden ze wel niet verwoest.

Rory, mijn zoon, mijn zoon...

Hij voelde Vukrits neus breken onder zijn vuisten, voelde het natte bloed en hoorde geschreeuw; toen trok een soldaat hem overeind en werd er een wapen tegen zijn slaap gedrukt.

'Maak hem af!' schreeuwde Vukrit, kronkelend van de pijn. 'Maak hem af, zeg ik!'

Het laatste wat Jack Roderick zag was Billy Lightfoot die stram in de houding stond, met een smartelijke uitdrukking op zijn gezicht.

Twee dagen later, toen de speurtocht naar de Zijdekoning op zijn hoogtepunt was en meer dan tweehonderd man door de dichte ondergroei van de jungle zwermden, vloog generaal-majoor Billy Lightfoot, commandant van de Amerikaanse strijdkrachten in Khorat, met een formatie legerhelikopters naar Malakka om mee te zoeken naar zijn oude vriend.

Er waren verscheidene verslaggevers die het maar vreemd vonden dat in een tijd waarin in de regio een oorlog aan de gang was, buitenlandse militairen het luchtruim van Maleisië zomaar mochten binnenvliegen; bovendien leek het niet erg waarschijnlijk dat de helikopters veel zouden kunnen onderscheiden als ze boven het dichte bladerdak van de jungle vlogen. Lightfoot trok zich van deze critici niets aan en vloog toch naar Malakka; daar viel hem grote bewondering ten deel omdat hij zich zo inzette voor Jack Roderick. Maar was Billy niet altijd al een man geweest die zijn plicht als het belangrijkste op aarde zag?

Hij vloog regelrecht naar de open plek in het oerwoud waar ooit een militair kampement had gestaan ten behoeve van een onduidelijke politieke richting. Het was inmiddels verlaten, maar wel was duidelijk dat er recent gevochten was. Lightfoot zette zijn helikopter aan de grond en gaf twee van zijn mannen opdracht het lichaam dat in de deuropening van een van de verlaten hutten lag – net iemand die sliep – op te halen en aan boord te tillen.

De legerhelikopter steeg op en draaide naar het oosten. Het was een halfuur vliegen naar de Chinese Zee. Rodericks lichaam wentelde tweemaal rond in het zonlicht toen het door de hemel suisde, als een man die zonder parachute gesprongen was. Geluidloos verdween het in de golven.

11

Hanoi, april 1967

Er kwam een avond – de avond van de dag van de eenenzeventigste kras in de muur van zijn cel – dat Rory Roderick met rust werd gelaten. Er kwamen geen bewakers om zijn armen bijeen te binden en hem aan het plafond van de folterkamer op te hangen. Niemand schreeuwde hem van achter de deur verwensingen toe. Hij was zich nauwelijks bewust van het verstrijken van de tijd, want hij was nu heel zwak, volledig uitgeput van gloeiende koorts en dysenterie, maar hij besefte wel dat de avond en nacht ongestoord vorderden, zelfs ononderbroken door slaap, en daar was hij dankbaar voor.

Op de muren die hem omringden werd geklopt, af en toe heel dringend. Hij luisterde naar de letters die werden afgeteld, maar hij was te vermoeid om er woorden van te maken of erop te antwoorden. In zijn rechterhand hield hij een smerig vodje papier. Het was de brief die hij van Max had gekregen.

Ik leer skiën nu we naar Californië zijn verhuisd en mijn coach zegt dat ik het heel goed kan. Mam is bang dat ik tegen een boom opbots, maar ik zei ik ben toch geen baby meer? Als je weer thuis bent laat ik je alle plekken om te springen in het bos zien. Jij kan toch ook skiën, hè pap?

Rory dacht aan die korte week in januari, een heel leven geleden, toen hij in Stowe stiekem van de piste was afgegaan en zich in het bos had verstopt, biddend dat zijn vader hem niet zou vinden. Zijn angst en zenuwen leken nu belachelijk, maar hij was blij dat Max blijkbaar anders was dan hij en het leuk en spannend vond om van de slingerende hellingen af te suizen. Jack Roderick zou trots zijn op Max. Rory kon nu met grote tederheid denken aan de vader van wie hij hield en die hij niet meer hoefde te begrijpen, maar alles vergaf. Hij sloot zijn ogen en viel in slaap.

Bij dageraad kwamen ze hem halen. 'Sta op! Sta op!' schreeuwden ze, al wisten ze dat hij niet meer kon staan. Uiteindelijk waren er drie man nodig om hem naar de binnenplaats te slepen, waar de oude Franse guillotine uit de glorietijd van het Maison Centrale weer was opgericht voor de zoon van Jack Roderick.

'Waar is Ruth?' vroeg hij, terwijl hij aan de voet van het gevaarte op de grond viel.

'Ruth heeft gefaald.' De hoofdcipier zei het vol minachting en Rory begreep dat zijn dood de prijs voor het falen van Ruth zou zijn. 'Hij is overladen met schande naar Peking teruggestuurd.'

Rory keek naar de andere kant van de binnenplaats. Daar waren de andere Amerikanen verzameld, met witte, verschrikte gezichten, hun lijf mager als dat van heilige martelaren. Hij herkende Beardsley, de jonge knaap uit Indiana, en zag de tranen over diens wangen lopen.

Hij had niet met opgeheven hoofd als vrij man van hen weg kunnen lopen. In plaats daarvan sloot hij zijn ogen en groette in gedachten de beeltenis van zijn vader.

De valbijl van de guillotine werd piepend omhooggetrokken. De bewaker naast hem gromde van inspanning; blijkbaar was het takelmechanisme roestig geworden. Achter zijn ogen spatten sterren uiteen, en een ervan had het gezicht van Max.

Rory klemde de brief nog steviger vast en dacht aan sneeuw.

12

Het zonlicht was verblindend na het schemerduister in de hut. Geheel daas en knipperend met haar ogen keek Stefani naar de zee van gezichten. Haar hele lijf trilde van de inspanning die het haar kostte de angst die haar verteerde niet te tonen.

Wu Fat greep haar stevig vast bij haar arm. Sompong schreeuwde een kort en bijtend bevel in het Thais. De mannen van de generaal kwamen op een holletje aangerend en stelden zich op rond de gevangenen. Ze kreeg niet de tijd om het aantal geweerlopen te schatten dat op haar en Oliver Krane gericht was. Wu Fat dwong haar te knielen; haar lichaam begon te zwaaien en ze dreigde opzij te vallen, maar de oude militair trok haar met een ruk weer overeind.

Sompong plaatste de loop van het geweer dat Oliver vasthield tegen haar wang. Olivers krachteloze handen lieten het geweer vallen en Sompong boog zich vloekend om het op te rapen. Stefani ademde met horten en stoten, een en al vertwijfeling. *Ik zal er niet bij denken.* Ze wilde het klikken van de trekker niet horen. Ze zou haar ogen op de groene jungle achter de open plek gevestigd houden. In de bomen bloeiden orchideeën. Het zouden de laatste felle kleuren zijn die ze zag.

Alleen ging een van de bomen een eindje omhoog en meende ze in de waan van haar verpletterende angst een man te zien, bedekt met bladeren en met takken op zijn hoofd. Sompong was opgehouden met praten. Hij tilde het geweer op. Zou hij Oliver Krane doden nadat hij Oliver gedwongen had haar dood te schieten?

De boom kwam dichterbij. Terwijl ze toekeek en hysterische angst door haar heen raasde, voegden andere bomen zich erbij – allemaal renden ze nu de open ruimte van het kampement op. Er klonken schoten. De mannen van de generaal draaiden zich om en lieten zich op de grond vallen, met hun geweer gericht op de bewegende jungle, en hese vloeken slakend. Oliver Krane lag op zijn buik in het gras met zijn handen beschermend over zijn hoofd geslagen; Ankana liep te struikelen op haar naaldhakken en Stefani gilde van het lachen. Haar hysterische gekrijs vermengde zich met het knetteren van het ene geweer na het andere.

Wu Fat bulderde een bevel. Toen vloog de arm van de oude militair de lucht in en schokte zijn lichaam geweldig. Hij viel over Stefani heen. Onder zijn gewicht werd ze tegen de dichte bodembegroeiing gedrukt. Door de schok kwam ze eindelijk bij zinnen. Ze duwde zich met woeste inspanning omhoog en kroop onder het lijk vandaan in de richting van de open hut-deur, tussen trappende voeten door, terwijl de kogels rondfloten.

Toen ze bij de drempel was, raakte een schot het hout van de deurpost. Haar wang werd door een wegschietende splinter geraakt en begon te bloeden. Oud teakhout bood nauwelijks bescherming tegen alle rondvliegende kogels. De hut zou vrijwel zeker een dodelijke val blijken. Maar de chaos achter zich kon ze niet verdragen. Ze wierp zich naar binnen.

Iemand anders had hetzelfde gedaan.

Hij lag snakkend naar lucht tegen de paal waar ze zo-even aan vastgebonden had gezeten. Zweet droop van zijn gezicht en verzamelde zich in de holte die door het openstaande boord van zijn overhemd zichtbaar was. Hij hield zijn rechterhand tegen zijn buik gedrukt, en tussen zijn vingers welde donkerrood, kleverig bloed naar buiten. In zijn linkerhand had hij Wu Fats geweer.

Stefani verwachtte niet anders of Sompong zou het geweer richten om de executie waarmee hij daarnet een begin had gemaakt te voltooien, maar in plaats daarvan bracht hij de loop naar zijn mond. Het wapen bewoog heftig op en neer door het trillen van zijn hand.

'Nee!' gilde ze.

Het protest klonk zo heftig dat hij schrok en het geweer liet vallen. Ze wankelde door de hut naar hem toe en pakte het op.

Sompong keek naar haar op. Hoewel het donker was in de hut zag ze zijn ogen, vervuld van pijn. Zijn borst ging zwaar op en neer. Hij probeerde op te staan om haar het wapen af te pakken, maar hij kwam niet verder dan op zijn knieën, dicht bij haar voeten.

'Maak me af.' De woorden klonken reutelend. 'Neem dan wraak. Nu.'

Ze hield de loop op hem gericht, bewegingloos, slechts een paar centimeter bij zijn oor vandaan. Op dat moment was ze ten prooi aan een smart zo heftig dat het letterlijk voelde alsof een ijzeren vuist zich om haar ribbenkast had gesloten. Om Max, de man van wie ze meer dan van wie ook had kunnen houden, als ze er maar de tijd voor had gekregen. Max die met zijn standvastige blik alles, hoe moeilijk ook, kon weerstaan. Ze dacht aan de Legende met zijn zilvergrijze haar en ondoorgrondelijke ogen, aan de witte vogel op zijn schouder. Aan de vader die Max veel te vroeg verloren had, de vleugels van zijn vliegtuig, stralend in de zon. De Roderick-mannen: briljant, ten onder gegaan, strijdend voor gerechtigheid waarin ze rotsvast geloofden.

Ze keek neer op de man die krimpend van de pijn aan haar voeten lag en legde haar wijsvinger om de trekker.

Het was Rush Halliwell die haar daar aantrof, drieëntwintig minuten nadat het laatste schot gevallen was.

Ze stond uitdagend in het midden van de hut, met een veeg modder op haar gezicht en een geweer in haar handen. Sompong lag voor haar voeten. Ze had een stuk uit zijn overhemd gescheurd om een verband te improviseren, maar dat was geheel van bloed doorweekt.

'*Holy shit*,' mompelde Rush. 'Je hebt hem gedood.'

'Dat wilde hij wel. Maar dat is te gemakkelijk. Ik wil dat hij te schande wordt gezet. Ik wil dat hij berecht wordt. Ik wil dat iedereen weet dat hij een moordenaar is.' Ze gaf Rush het automatische geweer. 'Ik wil dat Sompong leeft.'

Later, toen ze in het c130-transportvliegtuig zaten te wachten tot ze zouden opstijgen, wierp Rush een steelse blik op haar terwijl hij zich vastgespte op zijn klapstoel. Zij zat al ingegord en staarde zwijgend naar de waarschuwingen die in grote letters aan de wanden van de cabine hingen. De gigantische propellers kwamen dreunend tot leven en in het niet-geïsoleerde binnenste van het vliegtuig zwol het helse kabaal van de motoren aan; er viel niet meer te praten. En dat was maar goed ook, dacht Rush. Stefani zag eruit alsof ze door het kleinste briesje omver kon worden geblazen. Hijzelf was ook dizzy van vermoeidheid.

Het had geweldig veel doorzettingsvermogen en inspanning gekost om de overval op Sompong Suwannathats basis voor elkaar te krijgen. Een gezamenlijke Amerikaans-Thaise actie was – zelfs als het om het onderscheppen van drugs ging – onmogelijk zonder het Thaise ministerie van Defensie hiervan te verwittigen. Hij en Marty Robbins waren tot diep in de nacht van vrijdag op zaterdag bezig geweest om de zaak door te drukken – bij de Thaise premier, het Thaise hoofd van de drugsbestrijding en de directeur van de FBI, die via een beveiligde satellietverbinding in de ambassade te zien was op een videovergaderscherm. De bewijzen tegen Sompong waren uitentreuren onder de loep genomen, tot gekwordens toe, terwijl de Thaise regeringsvertegenwoordigers strak glimlachend hun spijt en ongenoegen en intense ongeloof bleven uitdrukken. Rush liep intussen getergd op de gang te ijsberen, stikkend van ongeduld.

Marty had zaterdagochtend om zeventien minuten over vier eindelijk groen licht en de beschikking over een transportvliegtuig gevuld met commando's.

De overval op het kamp vergde in totaal achtenveertig minuten vanaf het moment dat de junglecommando's hun positie innamen tot aan het moment dat Sompong en zijn mannen zich overgaven. Het Thaise drugsbestrijdingsteam eiste alle eer op voor de snelle planning en efficiënte uitvoering van de actie. Sompongs val zou binnen enkele uren op radio en televisie worden uitgezonden.

Rush had Stefani moeten tegenhouden toen ze met alle geweld aan boord van de helikopter had willen klimmen die Sompong naar een ziekenhuis in Chiang Rai moest overbrengen. Ze leek ervan overtuigd dat de minister zou ontsnappen en de manier waarop ze gedaan probeerde te krijgen dat hij handboeien om kreeg grensde in Rush' ogen aan obsessie. Terwijl ze nauwelijks een blik op Oliver Krane had geworpen toen ze die met Marty Robbins de C130 had zien binnengaan, nonchalant als altijd.

'Gaat hij vrijuit?' vroeg ze.

'Krane werkt al maanden samen met de FBI,' zei Rush. 'Hij neemt deel aan een lopend onderzoek naar illegale wapenhandel. Hij zal je wel vertellen hoe het zit.'

'Oliver heeft altijd zijn verhaal klaar.' Er klonk minachting en vermoeidheid in haar woorden door. Was zijzelf niet ook een van Olivers verhalen geweest?

'Je bent nu van hem af.'

'Is het heus?'

Haar stem klonk ongelovig en ook spottend; en hij besefte dat ze niet meer de vrouw was die hij dagen geleden op de cocktailparty in het Oriental had ontmoet. Ze zou nooit meer die uit onschuld voortvloeiende branieachtige uitstraling hebben.

Toen hij haar in de taxi vanaf het vliegveld van Bangkok vroeg of hij iets, wat dan ook, voor haar kon doen, antwoordde ze slechts: 'Ik wil naar huis.'

'Dat kan geregeld worden.' Na enige aarzeling voegde hij eraan toe: 'Met een dag of twee. We willen graag eerst een uitgebreid verslag van al je ervaringen en van alles wat je weet.'

'Goed,' zei ze. 'Laten we er een deal van maken.' Ze keek hem tartend aan. 'Ik weet nog steeds niet hoe Jack Roderick gestorven is. Ik zou graag de waarheid daarover te weten komen. Vanwege Max.'

'Misschien kan ik je daarbij wel helpen.'

'Neem je me mee naar Sompong?'

Rush schudde zijn hoofd. 'Zorg eerst maar eens dat je goed slaapt. Morgen gaan we bij mijn vader langs.'

13

Bangkok, toen en nu

Toen hij het telegrafisch bericht die avond – 27 maart 1967 – in de redactieruimte van *The Bangkok Post* uit het apparaat scheurde, voelde Joe Halliwell zijn maag krimpen. Heel even kon hij niet geloven dat hij de naam goed had gelezen. *Jack Roderick*. Vermist in de jungle op Malakka. Het was Tweede Paasdag en de Zijdekoning was inmiddels eenendertig uur zoek. Er zou onmiddellijk een verhaal over geschreven moeten worden, de persen moesten worden stilgezet. Morgenochtend zou de hele stad over niets anders praten. Maar eerst moest Halliwell Alec McQueen thuis opbellen en hem het verhaal vertellen, zoals vrienden dat doen.

'Laat iemand anders het artikel schrijven,' bulderde McQueen, uit zijn slaap gerukt, 'en pak een vliegtuig. Meteen. Ik wil dat je morgenvroeg daar bent, gesnapt?'

Joe was de redactiezaal uitgerend alsof zijn moeder of zijn vrouw of zijn liefste kind ergens in een ziekenhuis op sterven lag. Hij had net de laatste vlucht naar Kuala Lumpur kunnen halen. In het vliegtuig naar het zuiden en in de gehuurde auto naar het noorden kon hij zich niets anders voorstellen dan dat Jack de jungle uit zou komen wandelen met een brede grijns op zijn gezicht, wuivend naar de mensen die hem waren komen zoeken.

Toen hij dinsdagochtend in Tanah Rata aankwam, hadden de zoekteams ongeveer dertig vierkante kilometer oerwoud doorzocht. Hij stond een tijdje op de helling boven de golfbaan – het logische startpunt voor een zoektocht, omdat Jack ook vanaf hier vertrokken moest zijn – en maakte een paar foto's. Hij praatte met een kok die in een van de huizen in de buurt werkte en die beweerde dat hij op de avond van de verdwijning een man de heuvel af had zien lopen; hij had hem echter maar even gezien en wist niet te vertellen of de man de weg was blijven volgen. Hij praatte met de plaatselijke politieman die de zoekactie leidde, met een van diens mannen die na bijna twintig uur door het oerwoud te hebben gelopen een kop thee dronk, en met de dominee die was voorgegaan in de dienst die door Jack Roderick en zijn vrienden op Eerste Paasdag was bijgewoond. Hij spoorde de caddy op die op de golfbaan golfclubs had staan poetsen, maar die niet lang genoeg van zijn bezigheid had opgekeken om een eenzame wandelaar langs te zien lopen. Hij sprak met de vrouw die de Marshalls van Rose Cottage bloemen leverde en met de kruidenier die het echtpaar tijdens hun verblijf twee keer per week melk kwam bezorgen. En toen pas breidde hij zijn onderzoek naar het huis zelf uit.

De Marshalls bleken aardige mensen, maar ze waren volledig van de kaart. Jack Roderick was niet meer dan een kennis van hen, een vriend van een vriend, en ze wisten dat hij in Bangkok een bekende figuur was. En Fleur Pithuvanuk, die met Jack Roderick bij hen logeerde, kenden ze eigenlijk helemaal niet. Toen ze op Eerste Paasdag na hun middagdutje ontdekt hadden dat Jack weg was, hadden ze zich niet meteen zorgen gemaakt. Hij was het hele weekend al heel rusteloos geweest, vertelden ze.

'Bent u een persoonlijke vriend van hem?' vroeg mevrouw Marshall aan Joe. Het was een dikke vrouw met uitgebluste ogen. 'Dan is het wel in orde als ik u vertel dat ik me zorgen maak om Fleur. Ze is zo stil. En ze wil haar kamer niet uit komen.'

Hij was toen naar haar toe gegaan en had haar aangetroffen op een stoel, roerloos uit het raam starend.

'Hij is niet verdwaald,' zei ze tegen hem, 'en hij komt niet terug. Daar heb ik voor gezorgd.'

Hij had een kwartier nodig om het verhaal uit haar te trekken. Hij luisterde alleen, maakte geen gebruik van pen en papier, en terwijl hij luisterde maakte zich een onheilspellend gevoel van hem meester. Door Jacks goedaardig ogende vriend als biechtvader te kiezen veroordeelde Fleur hen beiden tot liegen voor de rest van hun leven.

Tien jaar eerder, toen Fleur Jack Roderick voor de eerste maal verraden had, was het niet meer geweest dan het verraden van de geheimen van de Zijdekoning aan een man die Fleur het mes op de keel zette. Vukrit Suwannathat bezat macht van de wreedste soort: de macht om mensen te bevoordelen of in de gevangenis te gooien, de macht om mensen te maken of te breken. Hij dreigde Fleurs vader en haar broers hun bestaansmiddelen af te pakken: het voortbestaan van haar clan stelde hij van haar afhankelijk. Ze deed wat Vukrit haar zei te doen en ze was dankbaar toen hij er na verloop van tijd genoeg van kreeg haar lichaam te onteren.

'In augustus van dat jaar vertelde ik Vukrit dat de man op wie hij al heel lang jacht maakte – zijn zwager, Carlos, die zich voor justitie verborgen hield – een kampement had in de buurt van een dorpje in Chiang Rai,' vertelde Fleur aan Joe Halliwell. 'Maar toen Vukrit hem wilde overvallen, bleek Carlos gevlogen te zijn. Vukrit stond in zijn hemd. Hij kwam razend terug. Hij noemde me een bedriegster en een hoer. Hij liet mijn vader arresteren en beslag leggen op de bedrijven van mijn broers. Mijn familie wilde niets meer met me te maken hebben en ik vertrok naar het zuiden, waar ik mezelf zo goed en zo kwaad als het ging in leven hield. Ik heb Roderick nooit om hulp gevraagd. Het was onmogelijk om naar hem terug te gaan.'

Ze begreep dat Jack haar op de proef had gesteld – dat hij haar valse informatie had gegeven over zijn ontmoeting met Carlos, tot in de kleinste details, omdat hij vermoedde dat ze alles aan Vukrit zou overbrieven. Ze had beide mannen bedrogen, op een verschillende manier.

Maar er was een geheim dat Fleur jarenlang bewaard had. Toen ze in verdriet ondergedompeld naar het zuiden vluchtte, was ze zwanger van Rodericks kind. De laatste dag die ze met Jack doorbracht, toen ze gingen picknicken in Ayutthaya, had ze zich door die zwangerschap al misselijk gevoeld.

'Mijn zoon heeft me geen eer aangedaan,' zei ze tegen Joe Halliwell. 'De mensen uit het dorp vermoedden dat ik niet getrouwd was, ook al noemde ik mezelf weduwe. Toen mijn zoon geboren was, kon iedereen zien dat hij een bastaardkind was van een *farang*. Maar toch hield ik erg veel van hem. Hij werd heel groot en sterk en hij had groene ogen.'

Toen was de oorlog in Vietnam uitgebroken. Ze wilde dat haar zoon naar school ging, maar de armoede in haar dorp dreef haar tot wanhoop. Ze hield zichzelf voor dat een zoon van de Zijdekoning niet in ellende diende op te groeien, maar ze durfde Jack nog steeds niet onder ogen te komen. Tot op een dag een bericht in de krant verscheen dat Rory Roderick – piloot bij de marine, de zoon van Jack die in de Verenigde Staten was opgegroeid – omgekomen was toen zijn vliegtuig was neergehaald. Toen raapte ze haar moed bijeen en reisde terug naar Bangkok.

'Ik wilde het hem vertellen,' zei ze. 'Ik wilde hem het kind dat ik liefhad laten zien. Ik hoopte dat als hij wist dat hij een zoon had – een jongen die de plaats kon innemen van de zoon die hij pas verloren had – hij met mij zou trouwen en dat we dan met z'n drieën naar Amerika zouden gaan, waar we allemaal veilig waren. Maar dezelfde avond dat ik op mijn knieën wilde gaan liggen voor Jack Roderick, kwam Carlos terug.'

Ze wendde haar gezicht van het raam af en keek Halliwell aan. Haar ogen gloeiden van kwaadaardigheid.

'Om die volwassen zoon van hem vrij te kopen, de *farang* van zuiver ras die hij in Amerika had achtergelaten, was Jack bereid alles wat hij bezat op te geven. Zijn huis. Zijn zaak. Zijn vorstelijke vermogen. Ik zag hoe hij ernaar hunkerde zijn Rory te redden en dat hij geen ogenblik aan mij dacht. Hij merkte het niet eens toen ik zijn huis verliet. Mijn bastaardkind zou voor Jack minder betekenen dan de oude witte vogel die op zijn schouder zat. Ik had te lang gewacht – en al mijn hoop was de bodem ingeslagen.'

'En dus,' vertelde Joe Halliwell tegen Rush en Stefani terwijl ze in de zonovergoten serre aan de achterkant van zijn huis zaten, 'ging Fleur weg uit Jacks huis en zocht zijn ergste vijand op. Ze vertelde Vukrit dat ze de man die Carlos heette had gezien, en dat Carlos Roderick in het hoogland van Malakka zou ontmoeten om een vorstelijk bedrag te incasseren waarmee Rodericks zoon van de Vietcong gered kon worden. Vukrit kon de man die hij al jaren achterna zat overvallen en doden, en als Roderick bij dat gevecht zou omkomen, dan was dat geen probleem.'

'Wat een meedogenloze vrouw. Ze moet Jack buitensporig gehaat hebben,' mijmerde Stefani. 'Of ze hield juist buitensporig veel van hem.'

'De arme Fleur was jarenlang door mannen misbruikt. Ik denk dat ze het fijn vond om het heft voor één keer in eigen hand te nemen.'

'Maar waarom vertelde ze u, een verslaggever, de waarheid? Ze moest toch weten dat het uw plicht was de waarheid te publiceren?'

'Ze wist dat ik al heel lang van haar hield,' antwoordde Halliwell zonder eromheen te draaien. 'Je kunt niet jarenlang smachtend naar een vrouw kijken, zoals ik deed, zonder dat ze dat merkt. Ze wist dat ik haar in bescherming zou nemen. Het was uiteindelijk Suwannathat die Roderick vermoordde, al zou niemand dat ooit kunnen bewijzen. Fleur was niets anders dan een pion die Vukrit voor zijn spel gebruikte.'

'Ik vraag me af of Roderick toen hij stierf wist wat ze gedaan had.'

'Jack was niet gek.' In Joes ogen stond oud verdriet te lezen. 'Haar verraad leverde Fleur uiteindelijk niets op. Het geld dat Jack naar het hoogland had meegenomen verdween — waarschijnlijk in Vukrits zakken. Fleur verdronk zich niet veel later in het water van de khlong.'

'Maar wat is er van haar kind geworden?' vroeg Stefani. 'Rodericks half Thaise zoon?'

Joe Halliwell keek naar Rush, die zijn hand op de schouder van de oude man legde.

'Joe heeft mij geadopteerd. Hij noemde mij zijn eigen jongen. In de ogen van mijn moeder was hij dan wel geen Roderick, maar in ieder geval een *farang*. Hij kon me meenemen naar de Verenigde Staten als het leven hier te slecht werd. Ze wist dat Joe haar geheim nooit zou verraden, Stefani, omdat het ook mijn geheim was.'

14

Oliver Krane boog zich om het bordje te lezen waarop de toelichting stond bij de enorme vaas van aardewerk in het museum – een van de topstukken van de tentoonstelling Tweeduizend jaar Zuidoost-Aziatische kunst. Vandaag was de openingsdag. Het was verbijsterend druk in de grote zaal.

'"Duizend voor Christus,"' mompelde Oliver, '"ontdekt bij een stookplaats in Ban Chiang, dicht bij de Laotiaanse grens – minutieus gerestaureerd aan de hand van een verzameling kleine scherven." Hmmm. En wie zou de restauratie hebben uitgevoerd, zo vraag ik me af. Ene Khuang, inmiddels wijlen, afkomstig van de Dievenmarkt?'

Een flauwe glimlach krulde zijn mondhoeken om. Die glimlach verdween toen hij de vrouw zag die op drie meter afstand strak naar zijn gezicht stond te kijken. Ze zag er heel streng uit. Maar ach, dacht Oliver, ze was er in ieder geval.

Sinds zijn terugkeer uit Bangkok had hij herhaaldelijk geprobeerd haar aandacht te trekken, tot dusver vergeefs. Drie weken lang had hij zich van zijn gebruikelijke methoden bediend: kaartjes voor de opera, bij haar afgeleverd door een beroemde tenor; een exquise maaltijd bereid door een zeer gezochte chef-kok in haar eigen keuken; haar portret geschilderd door de *artiste du jour*. Ze had al zijn cadeaus genegeerd en na elke keer boette Olivers leven ietsje aan aardigheid in.

Maar vanochtend, toen Stefani Fogg haar deur had geopend om de krant te pakken, stond daar de witte kaketoe in zijn enorme kooi, met aan een van zijn poten een toegangsbewijs voor het Metropolitan Museum.

'Nee maar, mevrouw Fogg. Dat ik u hier nu toch tref.' Hij keek haar spottend over zijn brillenglazen aan.

Stefani antwoordde helemaal niets.

Uit vrees dat ze zich zou omdraaien en het op een lopen zette, kwam hij naar haar toe. 'Ik ben je excuses verschuldigd. Ik heb een lelijk spelletje met je gespeeld, mijn allerliefste Stefani, ik heb je van het begin tot het eind bedrogen. En al had ik daar mijn redenen voor, ze kunnen zeker niet als excuus gelden. De bedreigingen van jouw persoontje waren ronduit choquerend. En aan de gevolgen die ze hadden kunnen hebben wil ik liefst niet denken. Ik sterf van berouw en ik smeek je allernederigst om vergiffenis.'

'Je zou me gewoon doodgeschoten hebben als het moest,' zei ze, zo zachtjes dat hij grote moeite moest doen om haar te verstaan.

Oliver schudde zijn hoofd. 'Denk nog eens even aan de ijver waarmee ik Sompongs veronderstellingen in die hut heb weerlegd. Ik heb niet eenmaal gezegd dat ik jou had ingehuurd om hem tegen te werken. Toen hij me dat geweer in handen gaf, liet ik het vallen in plaats van het af te vuren. Ik moet toegeven dat ik verder geen enkel idee had hoe we ons eruit moesten redden – maar gelukkig hebben jouw vriendjes van de ambassade dat keurig geregeld.'

'Om het anders uit te drukken,' repliceerde ze: 'je had gewoon mazzel. Te veel mensen hebben het leven gelaten voor dat spelletje van jou, Oliver. Het spelletje van jou en Sompong, met het Risk-bord tussen jullie in.'

'De man had me helemaal klem. Hij had mijn oude vriend Harry vermoord. Ik ben heel beleefd gaan vragen bij de FBI en daar behandelden ze me als een vader zijn zoon. "Oliver, beste jongen," zeiden ze tegen me. "Doe vooral je best om die smiecht te pakken. We staan helemaal achter je." En dus begon ik plannetjes te maken.'

'Je kon Max Roderick goed gebruiken. En mij ook. En dat deed je dus ook.'

'Daarom vraag ik je ook allernederigst om vergeving. En als blijk van diep berouw, zoetelief, heb ik dit voor je meegebracht.' Hij haalde een buideltje van Thaise zijde tevoorschijn, dat met een gevlochten koord was dichtgebonden.

'Ik wil geen cadeautjes meer van je, Oliver.'

'Maar dit is al van jou! Het maakt deel uit van je erfenis. Dickie Spencer heeft het gevonden in een massief zandstenen hoofd van een boeddhabeeld. Hij was het ding aan het inpakken voor transport naar Amerika en béng, hij liet het zo uit zijn handen vallen.'

'Spencer – die klootzak. Hij is me heel wat meer schuldig dan dit...'

'Dat weet hij. Hij heeft me gevraagd je dit vast te geven, met dank voor de bevochten windmolens.'

'Hij zou God op zijn blote knieën moeten danken dat hij niet in een Thaise gevangenis zit. Ik had hem kunnen laten arresteren. Wegens medeplichtigheid aan kidnapping.'

'Maar dat heb je niet gedaan?'

Ze keek hem lange tijd aan en zei toen: 'Misschien heb ik zijn... dankbaarheid nog nodig. Als ik mijn erfenis krijg.'

Oliver lachte en knikte. 'Hoe Thais van u, mevrouw Fogg.'

Ze maakte het koordje los. In het zijden buideltje zat een envelop, beschreven in een haar onbekend handschrift. *Te openen in het geval van mijn dood.*

'Het is een soort document. Het is geauthentiseerd.'

'Er zat een schitterende edelsteen bij,' zei Oliver. 'Een in cabochon geslepen robijn. Maar die zit weer in het daarvoor bestemde gat in het hoofd

378

van de Boeddha, die trouwens een eindje verderop is uitgestald. Zullen we samen de tentoonstelling bekijken, lieverd? Het wordt tijd om het over je toekomst te hebben.'

'Mijn toekomst?'

'Je hebt vast al nagedacht over je volgende standplaats. Waar zou je nu eens graag heen willen? Argentinië? Istanbul? Sint-Petersburg?'

'Doe niet zo idioot. Ik ben hier niet gekomen voor een baantje, maar om de *waarheid* te vinden. Ik wil precies weten hoe Max gestorven is.'

'Ach,' zei Oliver op klagende toon. 'Die arme Max. Ik was gedwongen hem *hors de combat* te stellen, als het ware, om Sompong tevreden te houden. Maar Jeffrey Knetsch – God hebbe zijn ziel – bleek een allerlastigst stuk vreten. Hij knoeide met de ski's van zijn vriend. Max werd niet geacht te sterven zonder mijn hulp.'

'Hulp?'

'Gezien de positie waarin hij verkeerde had hij een bepaalde vorm van hulp hard nodig. Hij bevond zich in een uiterst gevaarlijke situatie, zoetelief. Door mijn gesprekken met Sompong wist ik dat de minister vastbesloten was een einde aan Max' leven te maken. Hij had die arme Knetsch opdracht gegeven om daarvoor te zorgen. Ik zei tegen Max dat hij pas veilig zou zijn voor Sompong Suwannathat – of zijn kornuiten – als hij officieel was doodverklaard.'

'Dat zei je tegen Max...'

'Wat ben je traag van begrip vandaag.' Oliver haalde zijn schouders op. 'Alles wat Max die avond hoefde te doen was naar de afgrond gaan en Knetsch op een bepaald moment wegsturen om iets te halen. Ik wachtte vlak bij om Max' stoel de afgrond in te duwen en Max te helpen met de skilift de berg af te komen, voordat iemand de zelfmoord ontdekte. Max had onderhand kracht genoeg in zijn benen om met wat ondersteuning zelf te lopen. Wij waren al een flink eind op weg naar Moutiers toen Knetsch nog bezig was het reddingsteam in te schakelen.

Het enige waar Max zich echt zorgen om maakte was het gevaar dat zijn schijnbare dood voor jou opleverde. Maar hij had aan je brieven gemerkt dat je de voorgaande maanden een enorm zelfvertrouwen had opgebouwd. En ik verzekerde hem dat ik je goed in het oog zou houden. We hadden geen van beiden verwacht dat Sompong jou als zo'n serieuze bedreiging zou zien. We hadden nooit van ons leven gedacht dat je een doelwit voor hem zou worden.'

Stefani greep Olivers arm zo stevig vast dat zijn gezicht van pijn vertrok. 'Max lééft nog?'

Oliver draaide zich om en liet zijn blik afdwalen naar het massieve stenen hoofd van een liggende Boeddha die aan het andere eind van de zaal prijkte, als een uit de hemel gevallen meteoor.

'Ik geloof dat dat een van Jack Rodericks lievelingsstukken was.'

379

Maar ze wrong zich al een weg door de menigte die zich langs de tentoongestelde werken wurmde, naar de sereen kijkende zandstenen god en de man met het blonde haar die ernaast op haar stond te wachten.

Nawoord

In oktober 1999 vloog ik samen met mijn man, Mark Mathews, naar Thailand, om naar een legende op zoek te gaan.

Ik was al een tijd gefascineerd door het leven van Jim Thompson, die zich na 1945 in Bangkok vestigde, de Thaise zijde-industrie die op sterven na dood was nieuw leven inblies, een bedrijf oprichtte dat tot op de dag van vandaag gezond is, de eerste chef was van de post-Bangkok van de Amerikaanse inlichtingendienst en zonder een spoor achter te laten in het Cameron-hoogland van Malakka verdween op Eerste Paasdag 1967.

Ik begon mijn speurtocht naar Thompson in het Oriental Hotel, het elegante, melancholie opwekkende Bangkokse instituut dat zich verheft op de oever van de Chao Phraya. Thompson had aan het eind van de jaren veertig langer dan een jaar in het Oriental gewoond en was er een korte periode zelfs mede-eigenaar van geweest, voordat hij het bedrijf Thai Silk Company oprichtte. Het Oriental Hotel blijft voor mij het toppunt van wat Bangkok aan ervaringen te bieden heeft. In de Schrijverslounge kreeg ik thee met chocoladetaart geserveerd door een van de mooiste vrouwen van Bangkok, de elegante en charmante Ankana Gilwee, die als jong meisje al in het hotel werkte en zich de tijd dat Thompson er woonde nog kon herinneren. Ankana was zo vriendelijk haar herinneringen aan de man en aan de naoorlogse periode met mij te delen en ik ben haar erg dankbaar voor de hartelijke manier waarop zij me ontving en voor haar bereidwilligheid.

Ze mag beslist niet verward worden met het personage Ankana Lee-Harris, die slechts een deel van haar naam heeft meegekregen.

Ik ben ook dank verschuldigd aan Dean Barrett, een collega-schrijver die me de raad gaf met Harold Stephens te gaan praten, een van de laatste grote avonturiers en schrijver over Zuidoost-Azië. Steve, zoals hij bekend staat, werkte als verslaggever voor *The Bangkok Post* ten tijde van Thompsons verdwijning in 1967, en nam ook deel aan de zoektocht naar de Legendarische Amerikaan in het Cameron-hoogland. Hij was met opzet terughoudend over Jim Thompson en het mysterie van zijn dood, en gaf me een advies dat me na aan het hart is komen te liggen: *Schrijf dat verhaal maar niet. Er zijn mensen die er hun leven bij hebben ingeschoten.*

Het was maar goed dat ik Harold Stephens had leren kennen, want door hem konden we in een c 130-transportvliegtuig van de Thaise Koninklijke Luchtmacht Hue in Vietnam verlaten, nadat we daar gedrieën in november 1999 vijf dagen hadden vastgezeten als gevolg van de ergste overstroming die het midden van Vietnam sinds een eeuw getroffen had. Terwijl we wachtten tot het water zou gaan zakken, zaten mijn man en ik eindeloos te kaarten met Steve, Joseph McInerney, president-directeur van de Pacific-American Travel Association, en met Craig Hedges, een Amerikaanse arts die als vrijwilliger werkzaam was in het ziekenhuis van Hue. Sunathee Isvarphornchai, hoofd public relations van Thai Airways International, vond het goed dat wij met haar delegatie en persmensen meegingen in het vliegtuig uit Hue; zonder haar geweldige hulp zouden we misschien nu nog naar huis aan het zwemmen zijn. We zijn haar en alle anderen heel erg dankbaar.

Ik wil ook Chase McQuade en zijn vrouw Marilyn bedanken omdat ze zo scheutig waren met verhalen over hun familie en met bijdragen aan dit boek. De heer McQuade is een achterneef van Jim Thompson en net als zijn fameuze familielid een groot liefhebber van Azië. Hij heeft alles wat zijn familie zich maar herinnert van Jim Thompson aan mij doorgegeven en mij ook over de nasleep van Thompsons verdwijning verteld. Hij getuigde tijdens het hele proces steeds weer van zijn enthousiasme voor de roman in wording.

Stefani Fogg en Jeff Knetsch schonken uit charitatieve overwegingen hun naam aan belangrijke figuren in het verhaal, en ik ben hun erkentelijk voor hun bereidheid zich door een ingewikkelde geschiedenis te laten slepen, zich in gevaar te laten storten, zich zonder hun toestemming te laten manipuleren en zelfs, in een geval, vermoorden. Ze hebben geen enkel profijt gehad van hun koppeling aan het verhaal, maar de charitatieve doelen die zij steunden zijn hun immens dankbaar. Ze mogen nooit ofte nimmer verward worden met de personages die hun naam hebben gekregen.

Mijn dank gaat ook uit naar de leden van de censuurcommissie van de Central Intelligence Agency die het boek voorafgaand aan de publicatie hebben gelezen; en naar een opmerkelijke vrouw, Kate Miciak, vice-president en uitgever van de Bantam Dell Publishing Group; zonder haar zou mijn werk er behoorlijk op achteruitgaan. Kates geduld, visie en kennis hebben een belangrijke invloed op al mijn projecten.

De zijdekoning is weliswaar geïnspireerd op het verhaal van de Legendarische Amerikaan, zoals Thompson nog steeds bekendstaat, maar wijkt in talrijke opzichten af van een gewone biografie. Jim Thompson was getrouwd en hij scheidde kort na de Tweede Wereldoorlog, maar hij heeft nooit een zoon gehad en over zijn spionage-activiteiten na 1948 wordt nog altijd heftig gediscussieerd. De Thaise personages zijn in hoofdzaak fictief, met uitzondering van koning Ananda, premier Pridi Panomyong en veldmaarschalk Pibul, drie mannen die een belangrijke rol speelden in de Thaise geschiedenis na de Tweede Wereldoorlog. Het personage Alec McQueen is duidelijk geënt op Alexander McDonald, Thompsons maatje bij de OSS en oprichter van *The Bangkok Post*, maar mag uiteraard nooit verward worden met deze vooraanstaande journalist.

382

Mijn oplossing voor het mysterie van de dood van Thompson — of van Jack Roderick, zoals hij in mijn boek heet — is pure fictie en de hele roman moet als zodanig gelezen worden.

Lezers die graag meer zouden weten over Jim Thompsons leven raad ik de biografie aan van William Warren, getiteld *The Legendary American: The Remarkable Career and Strange Disappearance of Jim Thompson* (Boston, Houghton Mifflin Company, 1970). En een reis naar Bangkok is niet compleet zonder een bezoek aan het huis van Jim Thompson — een zeer bijzonder museum op de oever van de khlong.

Francine Mathews
Golden, Colorado

juni 2001